김재홍 문학전집 ②

한국전쟁과 현대시의 응전력

시와 진실

국학자료원

일러두기

1. 전집은 단행본 발행연도를 기준으로 삼았으나, 학위논문인 『한용운 문학연구』는 1권에, 편저는 9권과 10권에 각각 수록했다.

2. 출판 당시 저자의 집필의도를 살리기 위해, 일부의 보완 원고는 그대로 두었다. 단, 내용이 중복된 것은 삭제하여 전집의 전체성을 유지했다.

3. 원문을 최대한으로 살리되, 의미와 어감을 해치지 않는 범위에서 현행 맞춤법에 따라 고쳤다.

4. 한자기 익기에는 괄호 안에 병기하는 원칙으로 하되, 필요한 부분은 노출이 있다. 단, 제1권 『한용운 문학연구』는 원문 그대로 수록하였다.

5. 본문의 '인용' 부분은 필요에 따라 한글 표기를 했으며, 이외의 것은 원문에 충실하려고 노력했다.

한국전쟁과 현대시의 응전력

金載弘 著

1978年

평민사

책머리에

　155마일 단장의 휴전선을 남기고 전쟁의 포성이 멈춘 지 벌써 30년 가까운 세월이 흘러갔다. 그럼에도 불구하고 육이오의 비극적 체험은 한국인의 현실의 전면과 의식의 배후에서 어두운 그림자를 계속 던져 주고 있다. 아직도 격동하는 국제정치 속에서 미·소·중공·일본의 4대 강국의 틈바구니 속에서 한국의 현실과 미래는 예측할 수 없는 긴장 상태를 지속하고 있는 것이다.

　이런 점에서 전후문학을 학문의 대상으로 삼는 것은 시기상조의 느낌이 없지 않다. 그러나 해방공간에서 50년대에 이르는 전후문학은 식민지시대 문학과 당대의 현대문학을 연결시켜주는 문학사적 고리가 되는 동시에 해방 이후 한국인의 정치사적 변모를 보여주는 가장 중요한 단서를 제공해 준다는 점에서 서서히 연구를 진행할 필요가 있다. 이를 통해서 우리는 험난한 시대의 역사를 살아가는 민족의 모습을 확인하고 개인을 재발견할 수 있기 때문이다.

　이 작은 연구에서 내가 확인할 수 있었던 것은 한국인의 상황에 대한 무서우리만큼 끈질긴 대응력이다. 민족사 최대의 비극 속에서도 잡초처럼 일어서는 게 생긴인 방정각시 비로 림난한 닉사를 극복해는 안닥인의 생신석 원봉턱이며 한국시의 응전력인 것이다. 앞으로 이 연구는 이 논문으로 완결되는 것이 아니라 60년대 및 70년대로 이어져서 해방 후 시의 기본 의미체계를 분석해볼 계획임을 밝혀둔다.

끝으로 어려운 출판 여건에서도 학술논문의 대중화라는 캐치프레이즈를 내걸고 지적 풍토의 확대작업을 전개하는 평민사에게 뜨거운 격려의 박수를 보내며, 지도해 주시는 문리대와 사대의 은사님들께 감사드린다.

1978년 7월

지은이

차 례

한국전쟁과 현대시의 응전력

육이오를 몇 편의 현장시로 평가하는 것은 잘못된 일이며 또한 문학사적인 의의를 판단해 내려 하는 것도 시기적으로 불가능한 일이다.

I

해방공간에서 50년대에 이르는 전후문학은 해방 후 한국인의 정신사적 변모와 굴절을 보여주는 가장 중요한 단서가 된다.

■ 문제의 제기

─우리는 기억한다. 저 6월의 푸른 하늘을 찢으며 날아오던 전쟁의 폭음, 그 광란하는 포성과 아비규환의 아우성 소리를─

육이오는 한국민족 모두에게 가장 무서운 비극적 체험으로 남아있으며, 아직도 우리 의식과 생활의 배후에서 생의 명암을 지배하는 결정적 요인이 되고 있다. 해방공간의 무질서와 혼란 속에서 사상적인 갈등에 시달리던 한국인은 또다시 육이오라는 동족상잔의 절대적 비극에 의해 무자비한 역사의 수레바퀴에 깔려 버리고 말았다. 육이오의 비극적 체험은 한국인 모두에게 인간 존재의 어려움과 그 무의미성에 대한 뿌리 깊은 허무와 절망을 심어주었으며, 일제 36년의 식민지 체험 이상으로 도피주의와 패배주의를 심화해 주는 결정적 계기가 되었다. 한민족이 암흑의 나날 아래서 갈망하던 해방이 진정한 우리의 것이 될 수 없었던 비극은 바로 육이오라는 보다 큰 비극을 낳는 씨앗이 되었으며, 일제 치하와는 다른 또 다른 패배의식과 식민지적 피지배의식을 형성하는 계기가 되었다.

"어둠을 짖는 개는/나를 쫓는 것일 게다/가자가자/쫓기우는 사람처럼 가자/백골 몰래/아름다운 또 다른 고향에 가자"(윤동주 「또 다른 고향」에서)라는 구절은 "어디로 가는 것이냐/누구를 찾어간다는 게냐/모다 보따리를 짊어지고/찬바람에 쪼기우며 불리우며/눈덥혀 허이힌/광야를 걸어가는 우리의 동족들/눈물마저 얼어 붙었느냐/아모말 없이/오늘도 피난민의 대열은 흘러 간다"(장만영 「피난민의 대열」에서)라는 구절로 이어져 일제하 빼앗긴 자로서의 강박관념과 패배의식이 그대로 육이오의 쫓기는 자로서의 허무주의와 패배주의로 연결되고 있음을 볼 수 있다. 실상 이것은 식민지 체험과 해방 체험 그리고 육이오 체험이 의식구조에 있어 근원적 동일성을 지니고 있음을 시사해 주는 것이 된다. 그렇기 때문에 격심한 사회 변동에 따른 생활방식과 의식구조의 변모 속에서 한국사의 근본적 모순들이 첨예하게 그 본질과 현상을 드러내었으며 전쟁이라는 폭력적 수단을 통한 급진적 근대화라는 엄청난 역사의 아이러니를 노정할 수밖에 없었던 것이다.

이러한 육이오 체험은 시사적 공간에 있어서도 지배적인 영향을 미치게 된다. 역사의 진실, 개인과 사회, 시대와 공민의 의식의 내용 변세에서 시로, 새로운 수용과 응전방식을 스스로 마련하지 않으면 안 됐기 때문이다.

전쟁체험은 의식의 첨단을 살아가는 시인들에게 있어서 혹자는 참전과 종군이라는 적극적 대응방식을 취하게 했으며, 혹자는 풍자와 역설의 비판정신을 예각화하였으며, 또한 센티멘털리즘이나 폐쇄적인 자아 속으로 굴절해 들어가는 등, 다양한 정신의 개인적 편차를 드러내게 만들었다. 어느 편에서 안정돼 가고 있었다고 볼 수 있던 해방 전의 시들은 육이오라는 가혹한 시련 속에서 다양한 시사적 문제점들을 노출시켰으며, 새삼 현대시로서의 여러 가지 질문을 제기하도록 강요당하였다. 그러므로 전후시에 관한 올바른 해명은 과거의 한국시를 올바르게 진단하고 현대의 시를 명확히 파악하며 아울러 미래의 한국시를 효과적으로 전개하는데 매우 유효한 노력이 될 수 있는 것이다.

육이오가 불과 30년 가까이밖에 지나지 않았음에도 불구하고 이 시대의 시에 관한 연구자료는 풍부히 찾아볼 수 있는 편이 못 된다. 전시에 나온 단편적인 연감과 보도자료 연간시집 (문성당, 1953) 및 개인시집에 남아있을 뿐 많은 자료가 산실되어 쉽게 구해볼 수 있는 자료가 많지 않다. 이에 관한 연구 또한 『전후문제 시집』(신구문화사, 1961)을 비롯한 각종 사화집의 개요나 단평 그리고 개인시집의 후기 또는 발문 및 잡지나 신문에서의 단편적인 논급이 대부분으로 아직 문학사적 연구의 각도에서 연구나 정리가 진행되지 못하고 있는 실정이다.

이러한 전후에 관한 연구는 학문적 대상으로 삼기에는 아직 시기상조의 느낌이 없지 않다. 그럼에도 불구하고 해방공간에서 50년대에 이르는 전후문학은 식민지시대 문학과 60년대의 문학을 연결시켜 주는 문학사적 고리가 되는 동시에 해방 이후 한국인의 정신사적 변모와 굴절을 보여주는 가장 중요한 단서가 된다는 점에서 진지하면서도 지속적인 연구가 이루어질 필요성이 있다. 실상 전후시에 대한 연구는 험난한 시대의 역사와 민족을 확인하고 개인을 발견할 수 있게 하는 중요성을 내포하고 있다는 점에서 간과할 수 없는 것이기 때문이다.

본론에서 논의 대상이 되는 시인은 식민지 하에서 탄생하고 자라서 해방기의 혼란 속에서 시의 눈을 키워 갔으며 육이오의 비극적 체험을 전후해서 시작을 발표하기 시작한 40년대 내지 50년대 초기 시인들, 즉 해방으로부터 1950년대 전반까지 데뷔한 시인을 기준으로 하였다. 그러나 해방 전 시인이나 50년대 후반의 시인이라도 전쟁시로써의 특성을 강하게 지닌 것은 논리 전개의 필요 상 부분적으로 논급하였으며, 또한 이 시기에 등장하였어도 50년대 초반에 문학 활동 내지는 특성이 현저하지 않거나 그 특색이 60년대 이후에 크게 변모한 시인들은 다음 기회로 유보하였다. 특히 본론이 전쟁이라는 현대사 초유의 폭력적 상황에 대한 한국시의 응전력 내지는 정신사적 굴절을 탐구하는데 중심 목표를 두었기 때문에 시사적 정리나 평가는 부분적인 계선에서 머물렀음을 밝혀둔다.

육이오를 제재로 한 시들은 전쟁을 현장의 불꽃으로 튕겨 오르게
하였고 동시에 자유의 소중함과 그 허무를 노래했다.

■ 상황과 응전

❶ 전쟁 그 현장의 노래

육이오는 대량살육, 대량파괴를 기본으로 하는 전면적인 현대 물량 소모전
의 양상을 지닌다. 삼팔선 전역에서 돌발 된 북과의 전면적인 남침은 불과 사
흘도 못 되어 서울을 점령하고는 이어서 한국 전역을 전장화하고 말았다.

> 비는 광음과 섬광 속에서도 여전히 시름시름 꾸준하게 내리고 있
> 었다. 호수 위로 위장된 떡갈나무 잎들이 빗물을 머금고 계속 후둑후
> 둑 흔들렸다……중략…… 거대하고 육중한 검은 물체들이 입으로 불
> 을 토하며 우릉우릉 숲속을 질주했다. 그것들은 숲과 고목들을 까뭉
> 개며 등 뒤로 진흙덩이를 공 던지듯 획획 내던졌다. 흰꼬리를 뒤로 기
> 다랗게 드리운 채 수십 개의 신호탄들이 가로 세로 하늘을 마구 날았
> 다. 크고 작은 종류의 각종 포탄들이 메뚜기떼처럼 무수하게 남쪽으
> 로 치달렸다.
> ― 홍성원(洪盛原), 「육이오」에서

이러한 소설 「육이오」의 생동감 있는 묘사는 바라보는 자, 상상하는 자로
서의 작가의 작품 공간 내에서만이 가능할 뿐이다. 겪는 자, 체험하는 자의 시

선에서 이러한 묘사의 논리는 한낱 허구에 불과할 뿐인 것이다.

공포와 절망의 전투 상황에서, 거대한 전장의 사신 앞에서 문학은 아무런 예술적 표현을 얻지 못한다. 인간의 평화스러운 상상력과 언어는 거대한 전쟁의 테러리즘 앞에서 참혹하게 파괴되고 만다. 죽음을 결하는 목숨의 첨단에서 언어는 끊어지고 죽고 죽이는 본능적인 절규와 동작만이 남아 후세 작가들의 표현 대상이 될 뿐이다. 일제 삼십육 년의 식민지 체험에서 막 벗어나 어리둥절한 해방공간의 와중에서 이 땅의 시인들이 전쟁을 직접 수용할 만한 예술적 표현을 쉽사리 얻지 못한 것은 너무도 당연한 일이다.

그러므로 전쟁체험의 현장에서 쓰인 시들은 직설적인 상황 묘사와 인위적인 절규 및 감탄사의 나열로 채워진 것이 대부분이다.

> 오만분지일에서 머리들고
> 우러러보는 푸른 하늘가엔
> 흰구름 한점만 침묵안어
> 한가로이 떠가고
>
> 으례 묻혀진 이역(異域) 땅을
> 총안(銃眼)만 숨겨
> 바리켓 야박하게도 파고
> 숙명의 농중(籠中)에 들어앉은 원수
> 여명의 질식을 발악하여
> 또 건너 산마루에
> 꾸물거리며 출현하는
> 오랑캐 셋
> 지형 정찰 끝내고
> 땀이 배어 터져있는
> 포케트 속 화랑담배
> 더듬어 피워물면

연기 흩어져 머리위에 사라지고

— 김순기(金亭基), 「일분간 휴식」에서

『용사의 무덤』, 『이등병』 등의 전쟁시집을 갖고 있는 김순기의 시는 대부분 전투의 현장체험을 다루고 있다. "수류탄이 생각나/우뚝 멈춘/거리에서/낙엽진 오랑캐의 시체수를 몰라"(「야간 척후병」), "주주…/악물고/북쪽하늘 횡단하는/Z기"(「낙하산」) 등의 시에서 볼 수 있듯이 「일분간 휴식」에서도 "총안만 숨겨/꾸물거리며 출현하는 오랑캐 셋"과 "땀이 배어 터져 있는/포켓트속 화랑담배"의 콘트라스트를 통해 절박한 전장의 분위기와 팽팽한 죽음의 긴장을 읽을 수 있는 것이다.

또한 장호강의 시도 이러한 절박한 현장체험을 묘사하고 있다.

격전의 날
마침내 최후 승리를 결관지워야할
돌격의 신호가 오를 때

총아!
너는 네 몸이 불덩어리로 녹을 때까지
원수들의 피를 마셔라
검아!
너는 네몸이 은가루로 부서질때까지
원수들의 살을 삼켜라.
오! 내가슴에도 원수의 총알이 쏟아져오면
내 사랑하는 조국의 제단 앞에
몸소 방울방울 깨끗이 드리오리니

—「총검부(銃劍賦)」에서

장호강의 시도 현장체험을 주로 형상화하고 있다. 단순하고 직설적인 묘사

와 감탄 부호의 남발, 그리고 관념적인 조국애의 시어가 비록 예술성을 저해
하는 요소가 되긴 하지만, 이러한 단순하고 직설적인 시상의 전개는 전쟁을
알몸으로, 수용체험한 무인의 기골을 그대로 드러내 주는 시적 진실성을 지
니고 있다. 전쟁의 거대한 비극을 직접 체험하면서도 아무런 비극적 제스처
를 취하지 않고 오히려 상황과 의지의 직서를 통하여 비극을 뛰어넘으려는
결연한 자세가 행간마다 짙게 깔린 것이다. 전쟁에 참여한 모든 무명용사들
은 모두 이러한 현장체험을 절규하던 시인이 될 수 있었다. 실상 참혹한 전장
에서 한 송이 들꽃처럼 이슬처럼 사라진 이 땅의 모든 젊은 병사들은 그들의
가슴 속마다 사랑과 눈물의 뽀에지(poésie)를 간직하고 있었던 것이다. 비록
탁월한 문학적 표현을 남기지는 못하였지만, 화랑 담배 연기 속에서, 구슬픈
군가소리 속에서, 죽음의 외마디 소리 속에서 그들은 절절한 조국애와 사랑
의 시를 무명의 산야에 버려진 녹슨 철모 속에 남겨 놓았던 것이다.

　이영순의 시집『연희고지』는 전장 체험의 현장에서 목숨의 험열함을 치열
하게 묘사한 대표적 작품이다.

　　　그러나 저 고운 별나라보다도
　　　피아(彼我)의 유탄이 밤에 베프는
　　　전장의 향연이 더욱 아름답다.

　　　적이 콩볶는 듯한
　　　방정맞은 다발총소리
　　　금속성 음향을랑 남기고
　　　뽀뿌라 가로수에 낙렬(落裂)하는
　　　칠십오밀리의 순발탄(瞬發彈)

　　　백오 고지를 점령한
　　　우군이 적 소굴을 소탕하는

화염방사기의 줄기찬 광채
그리고 불똥이 만무(滿舞)하여
훤히 비치는 서대문지구의
거리 거리와 큰 집 작은 집들

아차
누가 어디서 부상했는지
저 아래 언덕길을
분주히 달려가는 담가대(擔架隊)
서로 날으는 탄환들이
야옥단(夜玉緞)의 비단을 짜듯
화염,
광채,
폭음,
그리고 폭풍과 함께
콩콩 우수수 땅을 덮치는
돌멩이 흙덩이 소리
……중략……
때리고
또 때리고
또 다시 때리는 데만 몸을 바쳐서
무념 무상으로 총을 쏘다가
총 끝에 칼을 꽂고 백병전으로!
살려는 애착도 없고
죽는단 공포도 없이
다만 청춘의 불꽃을 발산하면서
싸워 나갈 뿐이다.
— 「연희고지·4」에서

시집 『연희고지』는 장호강의 『총검부』, 김순기의 『용사의 무덤』 등과 더불어 육이오 현장체험을 형상화한 대표적 업적이 된다. '다발총소리/순발탄/화염/광채/폭음/폭풍/화염방사기/백병전'의 수라장 속에서 '살려는 애착도 없이/죽음의 공포도 없이/총을 쏘아대는' 이 땅의 젊은 병사들의 모습이 적나라하게 형상화된 것이다. 삶의 애착과 죽음의 공포를 뛰어넘은 생명의 극점에서 바로 육이오 전쟁체험이 비로소 "고운 별나라 보다도/피아의 유탄이 밤에 베프는/전장의 향연이 더욱 아름답다는" 처절한 문학적 표현을 얻을 수 있게 된 것이다. 이러한 생명 초극의 정신적 불꽃은 육이오 전쟁체험이 한국 시의 자폐적 세계에 새로운 열림의 가능성을 부여하는 커다란 외재적 계기를 마련하였다. 죽음의 공포와 절망을 초극하려는 인간의 근원적 몸부림은 인간성의 전면적 붕괴를 체험하고 그것을 뛰어넘으려는 절망의 지점에서 진정하게 드러나는 것이기 때문이다. 전란의 거대한 테러리즘은 어떠한 전쟁시도 불가능하게 하였음에도 불구하고 죽음과 삶의 극한상황에서 몇몇 시인들은 허무의 불꽃을 일구면서 스스로의 살아있음을 증거하고 죽음을 초극하려 몸부림쳤던 것이다. 실상 살아남은 자보다는 죽어간 병사들이 용감했던 것처럼, 이들 전투 현장의 시인들의 시는 예술성 여부는 차치하더라도 보다 시의 설득력을 높였던 것이 사실이다. 전쟁의 거대한 폭력은 이러한 전장시인들의 예술적 상상력을 다만 현장의 불꽃으로 굴절시켜버린 것이다.

❷ 또 다른 목적시

한편 전쟁이 발발하자 문학인들은 각 개인의 사정 여하에 따라 다양한 행동의 편차를 보여주었다. 문학인들은 총대를 잡고서 선무공작을 벌이거나 혹은 시아로 숨거나 남으로 피난하는 등 전란의 어두운 혼란 속에서 갈피를 잡지 못하였다.

문총의 고희동 모윤숙 등은 시민들의 동요를 진정시키려는 국방부 정훈국의 권유로 중앙방송을 통해 시민 위안 시국 강연을 하였고 김윤성, 공중인 등은 격시를 낭독하는 등 즉각적인 감응을 보여주었다. 차츰 전세가 불리하기 시작하자 시인들은 대부분 대구, 부산, 광주 등으로 흩어지기 시작하였다. 피난길에 조지훈, 서정주, 김송, 박목월, 이한직 등은 '문총구국대'를 결성하여 정훈국 소속 하에 활동을 개시하였다. 이들은 대구 부산으로 내려가서는 종군작가단을 조직하여 적극적으로 전장을 따라다니며 격시(檄詩)를 낭독하는 등 선무와 위안으로 적개심을 북돋우고 승전의식을 고취하는 데 앞장섰다.

육군 종군작가단(1951. 5. 16)은 최상덕, 최태웅, 조영암, 김송, 정비석, 장덕조, 김진수, 박영준, 정운삼, 성기원, 박인환, 방기환 등이, 해군 종군작가단에는 안수길, 윤백남, 염상섭, 이무영, 이선구 등이, 공군 문인단에는 마해송, 조지훈, 최인욱, 최정희, 곽하신, 박두진, 박목월, 김윤성, 유주현, 이한직, 이상노 등이 각각 참가하여 총과 칼 대신 붓과 마이크를 잡고 일선종군과 보고 강연, 문학의 밤, 문인극, 시국 강연, 벽시운동, 시화전, 군가 작사 등 광범위한 시국문학활동을 전개하였다.(『해방문학20년』, 정음사, 1966에서) 또한 구상, 선우휘, 조지훈 등 적극적으로 종군하여 국군을 따라 북쪽까지 진격해 간 몇몇 시인 작가들이 있는가 하면 많은 작가 시인들은 대구, 부산의 판자촌과 다방 그리고 술집을 전전하며 그들 나름의 생애사적 어려움과 문학적 방황을 반추하고 있었다. '밀다원', '에덴 다방', '야자수다방', '금강다방'을 무대로 많은 작가 시인들은 전쟁의 뒤안길에 서성거리며 통음과 방황 그리고 실연과 자살 등으로 시대고를 감당하려는 비극적 제스처를 연출해 내고 있었던 것이다. 많은 시인들은 가난과 무기력, 좌절과 실의의 와중에서 그때그때 먹이로 만족하는 금붕어와 같은 부유 생활에 젖어서 피난살이 설움을 유행가 가락으로 달래었다. 전시체제의 피난민살이는 일제하 식민지 체험 이상으로 이 땅 시인들의 삶과 시를 견고하게 생명 속에 뿌리박지 못하도록 만들었다. 누구나 아웃사이더로서 "다방문학", "주점문학"의 문단적 징후와 분위기만을 즐기고 있었던 것이다. 소설 쪽에서 「밀다원시대」, 「곡예사」, 「요한시집」, 「광장」 등의 중량 있는 업적과 대비할 때 시단의 업적은 상대적으로 경미한 것이 사실이다. 이러한 와중에서도 모윤숙, 조지훈, 유치환 등 해방 전 데뷔 시인들은 활발하게 시작을 전개하였다. 모윤숙은 적 치하의 지하 생활에서 풀려나자 더욱 전쟁의 가열한 상황을 현장과 근접한 거리에서 적극적으로 노래하기 시작하였다. (다소 장황한 느낌을 주지만 여기 전문을 인용함으로써 당시 목적시의 한 패턴을 제시해 보기로 한다.)

　　　　－ 나는 광주 산곡을 헤매다가 문득 혼자 죽어 넘어진 국군을 만났다.

　　산옆 외따른 골짜기에
　　혼자 누워있는 국군을 본다.
　　아무말, 아무 움직임 없이
　　하늘을 향해 눈을 감은 국군을 본다.

　　누른 유니폼, 햇빛에 반짝이는 어깨의 표식
　　그대는 자랑스런 대한민국의 소위였고나.
　　가슴에 선 아직도 더운 피가 뿜어 나온다.
　　장미 냄새보다 더욱 짙은 피의 향기여!
　　엎드려 그 젊은 주검을 통곡하며
　　나는 듣는다! 그대가 주고간 마지막 말을……

　　나는 죽었노라, 스물 다섯 나이에, 대한민국의 아들로 나는 숨을 마
　치었노라.
　　　질식하는 구름과 바람이 미쳐 날뛰는 조국의 산맥을 지키다
　　　드디어 드디어 나는 숨지었노라.

　　내 손에는 범치 못할 총자루, 내 머리에 깨지지 않을 철모가 씌어져
　　원수와 싸우기에 한번도 비겁하지 않았노라.

그보다도 내 핏속에 더 강한 대한의 혼이 소리쳐
나는 달리었노라, 산과 골짜기, 무덤 위와 가시숲을
이순신같이, 나폴레온같이, 씨이자같이
조국의 위험을 막기 위해 밤낮으로 앞으로 앞으로 진격 진격!
원수를 밀어가며 싸웠노라.
나는 더 가고 싶었노라, 저 원수의 하늘까지
밀어서 밀어서 폭풍우같이 모스크바 크레믈린까지
밀어 가고 싶었노라.

내게는 어머니 아버지, 귀여운 동생들도 있었노라.
어여삐 사랑하는 소녀도 있었노라.
내 청춘을 봉오리지어 가까운 내 사람들과 함께
나는 자라고 노래하고 싶었어라
나는 그래서 더 용감히 싸웠노라 그러다가 죽었노라
아무도 나의 죽음을 아는 이는 없으리라.
그러나 나의 조국, 나의 사랑이여!
숨지어 넘어진 내 얼굴의 땀방울을
지나가는 미풍이 이처럼 다정하게 씻어주고
저 하늘의 푸른 별들이 밤새 내 외롬을 위안해 주지 않는가?

나는 조국의 군복을 입은 채
골짜기 풀속에 유쾌히 쉬노라.
이제 나는 잠시 피곤한 몸을 쉬이고
저 하늘에 나르는 바람을 마시게 되었노라.
나는 자랑스런 내 어머니 조국을 위해 싸웠고
내 조국을 위해 또한 영광스리 숨지었노니
여기 내 몸 누운 곳, 이름 모를 골짜기에
밤이슬 나리는 풀숲에 나는 아무도 모르게 우는
나이팅겔의 영원한 짝이 되었노라.

바람이여! 저 이름 모를 새여!

그대들이 지나는 어느 길 위에서나
고생하는 내 나라의 동포를 만나거든
부디 일러다오, 나를 위해 울지 말고 조국을 위해 울어 달라고.
저 가볍게 나르는 봄나라 새여
혹시 네가 나르는 어느 창가에서
내 사랑하는 소녀를 만나거든
나를 그리워 울지 말고 거룩한 조국을 위해 울어 달라 일러다고.

조국이여! 동포여!
나는 그대들의 행복을 위해 간다.
내가 못이룬 소원, 물리치지 못한 원수
나를 위해 내 청춘을 위해 물리쳐다오.
물러감은 비겁하다, 항복보다 노예보다 비겁하다.
둘러싼 군사가 다 물러가도 대한민국 국군아— 너만은
이 땅에서 싸워야 이긴다.
이 땅에서 죽어야 산다.
한번 버린 조국은 다시 오지 않으리라. 다시 오지 않으리라.
보라 폭풍이 온다, 대한민국이여!

이리와 사자떼가 강과 산을 넘는다.
내 사랑하는 형과 아우는 시베리아
먼 길에 유랑을 떠난다.
운명이라 이 슬픔을 모르는 체 하려는가?
아니다, 운명이 아니다. 아니 운명이라도 좋다.
우리는 운명보다는 강하다, 강하다.

이 원수의 운명을 파괴하라, 내 친구여
그 억센 팔나리, 그 붉은 난군의 피와 혼
싸울 곳에 주저말고 죽을 곳에 죽어서
숨지려는 조국의 생명을 불러 일으켜라.
조국을 위해선 이 몸이 숨진 무덤도 내 시체를 담을 적은 관도 사양

하노라.

　　오래지 않아 거친 바람이 내 몸을 쓸어가고
　　저 땅의 벌레들이 내 몸을 즐겨 뜯어가도
　　나는 즐거이 이들과 벗이 되어 행복해질 조국을 기다리며 이 골짜
기 내나라 땅에 한 흙이 되기 소원이노라.

　　산 옆 외따른 골짜기에
　　혼자 누워있는 국군을 본다.
　　아무말 아무 움직임이 없이
　　하늘을 향해 눈을 감은 국군을 본다.
　　누른 유니폼, 햇빛에 반짝이는 어깨의 표식
　　그대는 자랑스런 대한민국 소위였고나.
　　가슴에선 아직도 더운 피가 뿜어 나온다.
　　장미 냄새보다 더 짙은 피의 향기여!
　　엎드려 그 젊은 주검을 통곡하며
　　나는 듣노라 그대가 주고간 마지막 말을.
　　　　　　　　　　　　　　　─모윤숙「국군은 죽어서 말한다」

　　이 시는 도도한 율문 속에서 전쟁의욕 고취와 적개심 도발을 통하여 승전의식을 고양하려는 적극적인 참여의식을 표출하고 있다. 현장의 노래들이 전쟁의 가혹한 폭음에 예술적 상상력을 상실한 것과는 달리, 어디까지나 전문시인의 시답게 예술성을 잃지 않으면서도 북치고 나팔 부는 독전과 격려의 시로서 시적 감동을 불러일으키고 있는 것이다. "국군아…… 너만은 이땅에서 싸워야 이긴다/이 땅에서 죽어야 산다/싸울 곳에 주저말고 죽을 곳에 죽어서/숨지려는 조국의 생명을 불러 일으켜라"라는 절규는 애국심을 고취하고 승전의욕을 북돋우는 투철한 반공정신을 일깨워줌으로써 목적문학으로서의 반공애국시의 시범을 보여주었다.

신음과 매리(罵詈)와 원차(怨嗟)와 또 노호와 130리 청초호를 끼고
이제 포효하는 총포화의 향연이 베풀린 여기는 피아 대치선(對峙線)
의 한 신작롯가 밭두둑

    ……중 략……

나는 나의 적에게 조금치도 증오라든가 분노같은 감정은 느끼지
않는다. 차라리 청징(淸澄)으로 청징으로 파문 끼치고 번져가는 사유
(思惟)!

─유치환, 「전선에서」에서

악몽이었던 듯
어젯밤 전투가 걷혀간 자리에
쓰러져 남은 적의 젊은 시체 하나
호젓하기 한떨기 들꽃같아.

외곬으로 외곬으로 짐승처럼 너를 좇아
드디어 이 문으로 넣은 것
그 악착스런 삶의 폭풍이 스쳐간 이제
이렇게 누운 자리가 얼마나 안식하랴.

이제는 귀도 열렸으리
영혼의 귀 열렸기에
묘막(渺漠)히 영원으로 울림하는
동해의 푸른 구빗물 소리도 은은히 들리라.

─「들꽃과 같이」

유치환의 전쟁시 역시 전문시인으로서의 예술적 밀도나 진폭을 지나면서,
전쟁의 비극성에 대한 예리한 응시와 비판을 보여주고 있다. 모윤숙의 시가
다분히 격정적인 선동성 내지 목적성을 지니고 있는 데 비해 유치환의 시는
오히려 전쟁의 비극적 상황을 싸늘한 응시자로서 리얼하게 묘사함으로써 비

극정신을 고양하는 데 힘쓰고 있다. 시집 『보병과 더불어』(1951)는 가열한 전장을 '바라보는 자', '응시하는 자'로서 종군하며, 전쟁의 비극성을 드러냄으로써 자유를 수호하기 위한 어려움을 역설한 대표적 시집이다. 유치환의 시는 현장 시인들의 폭발적 격정이나 목적시로서의 절규보다는 그 속에 감춰진 인간 비극과 허무를 직시하는 차가운 지적 절제를 보여주었다는 점에서 시적 가치를 상승시키고 있다. 이러한 유치환 전쟁시의 지적 직시와 응시의 시선은 「칼을 갈라」, 「뜨거운 노래는 땅에 묻는다」 등 후기 시에 이르러 치열한 비판의식으로 이행되어 또 다른 의미의 참여시를 형성시키는 밑바탕이 되었다.

조지훈의 「다부원」에서는 전장의 참혹한 광경을 통해서 "죽은 자도 산 자도 다함께/안주의 집이 없고 바람만 분다"와 같이 자유 수호의 어려움과 함께 전쟁의 허망성을 예리하게 파헤치고 있다는 점에서 특기할 만하다.

조그만 마을 하나를
자유의 국토 안에 살리기 위해서는
한해살이 푸나무도 온전히
제 목숨을 마치지 못했거니

사람들아 묻지 말아라
이 황폐한 풍경이
무엇 때문의 희생인가를……

고개 들어 하늘에 외치던 그 자세대로
머리만 남아있는 군마의 시체

스스로의 뉘우침에 흐느껴 우는 듯
길옆에 쓰러진 괴뢰군 전사(戰士)
일찌기 한 하늘 아래 목숨받아

움직이던 생령들이 이제
싸늘한 바람에 오히려
간 고등어 냄새로 썩고 있는 다부원

—「다부원」에서

이 시는 격렬한 포화 뒤의 폐허와 부취(腐臭)를 응시하면서 자유를 위한 투쟁에서 잃어버린 목숨의 소중함과 허망함을 밀도 있게 묘사하고 있다. 그럼으로써 전쟁의 폭력이 어떻게 인간성을 말살하는가 하는 휴머니즘에서 우러난 비판정신을 심화하고 있는 것이다.

이처럼 해방 전의 여러 전문시인들은 6·25라는 거대한 폭력 속에서 호국의 참여시를 쓰는 한편 그 속에 갖춰진 인간비극의 허무와 절망을 통해 휴머니즘을 고양하고 있는 것이다.

❸ 초토의 시

해방 후 원산에서 동인지 『응향』 사건으로 월남한 구상 역시 직접 종군하면서 9·28수복을 전후해 문화적 레지스탕스를 전개해 갔다. 그의 연작시 「초토의 시」는 전쟁체험의 험열함과 함께 전후의 비극적인 상황을 형상화한 성공적인 작품이다.

오호 여기 줄지어 누웠는 넋들은 눈도 감지 못하였구나
어제까지 너희의 목숨을 겨눠
방아쇠를 당기던 우리의 그 손으로
써어 문들어질 살덩이의 뼈를 추려
그래도 양지바른 드메를 골라
고히 파묻어 떼마져 입혔거니
죽음은 이렇듯 미움보다도 사랑보다도

더 너그러운 것이로다.

손에 닿을 듯한 봄 하늘에
구름은 무심히도
북으로 흘러가고
어디서 울려오는 포성 몇발
나는 그만 은원(恩怨)의 무덤 앞에
목놓아 버린다.

　　　　　　　　　　　　　　　—「초토의 시·8, 적군묘지에서」

조국아! 심청이 마냥 불쌍하기만한 너로구나

시인이 너의 이름을 부를량이면
목이 멘다.

……중 략……
원혼(冤魂)의 나라
너를 이제까지 지켜온 것은 모두
비명 뿐이었지

　　　　　　　　　　　　　—「초토의 시·15, 휴전협상 때」에서

　　구상의 시는 전쟁체험이 몰고 온 현실인식의 비극성에 모티프를 두고 있
다. "죽음은 이렇듯 미움보다도 사랑보다도 더 너그러운 것이로다"라는 절규
는 전쟁 비극의 극한상황에서 강요된 비극적 인간인식이다. 그의 시는 현실
의 절망적 인식을 개인의 비극으로 파악하기보다는 "조국아, 심청이 마냥 불
쌍한 너로구나"와 같이 민족적 차원에서의 비극으로 이끌어 올린다. 또한 이
러한 개인적 비극의 공적 차원화는 "원혼의 나라/이제까지 지켜온 것은 모두
비명 뿐이었지"라는 역사인식까지도 비극적인 것으로 만들어 버리게 된다.
많은 전쟁시인들이 직설적인 상황 묘사와 조국애의 고취에 열을 올린 데 비

해 구상의 시들은 절망적 현실을 보다 비극적으로 인식하고 동시대적 아픔으로 극복하려는 참된 비극정신을 보여줌으로써 시의 보편성을 획득하는 데 성공하고 있다. "내가슴 무너질 터전에 쥐도 새도 모르게/솟아난 백련 한떨기"(「백련」) "이제 흘러가는 남의 세상속에서/홀로 깨어 있는가/아무렇지도 않는가"(「구상무상」)과 같이 현실의 어두움 속에서 피어나는 한 송이 꽃을 통해 참된 생명을 옹호하고 현실적 절망을 넘어서려는 담담한 시 정신은 바로 이러한 전쟁체험과 시적 형상화 간에 객관적인 거리를 유지하려는 구상의 예리한 비평의식으로 풀이된다. 자신이 말하듯 "운명은 정서로 감응하는 피조자의 노래"(『한국전후문제시집』, 신구문화사, 1961)로서의 구상의 시는 전쟁체험의 가열함 속에서 인간과 시를 지키기 위한 예술가로서의 실존적 몸부림이었던 것이다. 이 점에서 한국 전쟁시의 비극적 가능성의 한 모서리가 드러나는 것이다. 김종문의 시도 전쟁체험의 예화된 감수성을 보여준다.

폐허길에
타다 남은 두터운 집
저물고
습기에 젖은 주막안방
공기를 찢듯
착탄(錯彈)된 혼성

탄적(彈跡) 자욱히 난
싸늘한 벽
구멍 하나 뚫린
동그란 별
동그란 하늘빛과
호흡이 가닿는 곳
폐허를 도라가야할
머언 길

—김종문 「벽」

직접 참전한 군인시인으로서 김종문은 전장의 비참함이나 치열함 그 자체를 묘사하기보다는 열화된 시각으로 전장의 폐허를 바라보고 있다. "탄적 자욱히 난/싸늘한 벽"을 통하여 구멍 난 인간의 실존을 "구멍뚫린 동그란 볕/동그란 하늘빛"으로 상징화하고 있는 것이다. 이러한 시적 대상에 대한 미시적 형상화는 외부로만 발산되던 전쟁시의 발언적 요소를 보다 내적으로 심화하는데 이바지한 것으로 판단된다. "벽"과 "폐허"는 50년대 초 전쟁체험이 이 땅의 시인들에게 강요한 정신사적 상징어가 될 수 있는 것이다. 조영암도 전장의 포연을 추적하여 현실에 민감하게 감응하는 전쟁시를 남기고 있다.

> 금성훈장도 은성훈장도
> 조포(弔砲)도 통곡도 소복한 소녀도
> 빛나는 영광도 녹슬은 비명도
> 아무것도 없는데
>
> 다못 들국화 소란한 향내가
> 외로운 주검위에 풍겨온다
> 조촐티 조촐한 한 젊은 생명
> 사뭇 구원과 통하는 어두운 길목에
> 길잃은 파랑새 되어
> 길잃은 파랑새 되어
>
> 지금 마악
> 은은한 모성이 첩첩한 산맥을 넘어간뒤
> 무덤을 두고 떠나는 내마음
> 또 하나 파랑새 되어
> —「무명전사의 무덤」에서

이 작품은 전쟁의 포연 자욱한 폐허에서 무명전사의 외로운 죽음을 "길잃은 파랑새"로 비유하여 그 생명의 무상함을 "내 마음 또 하나 파랑새 되어"와 같이 감정이입시키고 있다. "이러히 곱디곱은 근화판도를/오랑캐 붉은 피로 물들게 하라/흰눈 내리는 허허 벌판위에/무수한 백골이 딩굴게 하라"(「열도」)와 같이 조영암은 시집 『시산을 넘고 혈해 건너』 등을 통해서 투철한 반공의식을 형상화하고 있다.

　　　청년은 이십세기 전쟁 희생물로 산에 묻히었다. 문명 문화를 한껏 누리려던 혼은 께름한 안락 속에서 구역질나게 긴 명을 다 산 할아버지 혼 옆에서 비웃어 주었다.

　　　그의 애인은 연지를 물고 일하며 산 판국이라. 청년이 없어도 일을 일대로 치뤄야 해서 살림은 삶대로 살아야 해서 또 다른 무릎에서 추파를 던져 죽음을 미워한 것은, 그 죽음이란 놈이 청년을 빼앗아간 원인에서 노여워!
　　　이럴 바에야 그 호화판인 꽃을 복사하여 G·I의 황금을 노려 아쉰 호사를 홍청심이 멋져

　　　이를 탄 한 동료가 자살을 했다. 나보다 시를 잘 썼을지는 모르지만 나는 코로 웃었다. 음독보다는 깨깨 굶어 혀를 깨물고 죽었어야 했고 그보다도 조물준 놈을 애당초 안만들어야 했을 것이 아니냐.
　　　……하 략……

　　　　　　　　　　　　　　　　　　－김영삼 「우리들의 무덤은 없다」에서

　　김영삼의 시도 전쟁의 비극적인 상흔과 폐허를 초토의식으로 형상화하고 있다. 시적 탄력성이나 응축의 긴장미 같은 예술적 심미가치는 결여하고 있시만 석나라인 묘사와 석신석인 서울로써 사실삼을 무너하는 데는 싱싱하고 있다.
　　이러한 초토의식은 이후 시집 『푸른섬』(동문사서점, 1953), 『North Korea』

(계문출판사, 1960), 『아란의 불』(선명문화사, 1963), 『대동강이 아즐가』(현대지성사, 1986) 등에서 투철한 반공의식으로 전개됨으로써 목적문학의 한 패턴을 형성하게 된다.

이처럼 일군의 전쟁시인들은 전쟁의 폐허에서 전쟁의 험열함을 겪고 감지함으로써 전쟁의 비극성을 드러내고 자유의 소중함을 새삼 확인하려는 노력을 보여주었다.

❹ 휴전선의 엘리지

휴전이 성립되자 남과 북의 긴장 관계는 휴전선이라는 또 다른 분단의 철조망을 굳게 드리우게 되었다. 미국은 인천상륙작전의 성공에 따라 유리해진 군사적 우위성에도 불구하고 한반도에 대한 주변 열강의 이해관계를 고려하여 국제연합군의 북한 진입작전을 소극적인 차원에서 전개하였다. 실상 미국과 소련, 중공 등 3개국의 이해와 세력이 맞닿는 한반도가 단일국의 지배 아래 들어갈 것을 염려한 결과 미국은 한반도의 전쟁을 대소봉쇄작전 내지는 대중공봉쇄작전의 일환이라는 관점에서 더 이상 전쟁을 확대하지 않고 적당한 선에서 타협하려 시도했던 것이다.

한국 통일의 실현이라는 정치적 목표는 다만 군사작전의 결과에 따라 우연히 달성될 수 있는 목표(a target of opportunity)에 불과할 뿐 그 자체가 군사작전 수행을 통해 달성돼야 할 군사적 목표는 결코 아니었던 것이다. 따라서 민족적인 휴전협정 반대에도 불구하고 1953년 7월 27일에 미국과 중공 그리고 북괴의 주도 아래 휴전협정이 조인되고 민족과 국토는 휴전선이라는 철조망으로 인해 두 동강이 나고 말았던 것이다. 1956년 전후 세대의 한 사람인 박봉우의 「휴전선」은 이러한 분단비극의 상징인 휴전선을 노래함으로써 전후 세대의 아픔을 대변해 주었다.

산과 산이 마주 향하고 믿음이 없는 얼굴과 얼굴이 마주 향한 항시
어둠속에서 꼭 한번은 천동 같은 화산이 일어날 것을 알면서 요런 자
세로 꽃이 되어야 쓰는가.

　　저어 서로 응시하는 싸늘한 풍경, 아름다운 풍토는 이미 고구려 같
은 정신도 신라 같은 이야기도 없는가, 별들이 차지한 하늘은 끝내 하
나인데…… 우리 무엇에 불안한 얼굴의 의미는 여기에 있었는가.

　　모든 유혈(流血)은 꿈같이 가고 지금도 나무하나 안심하고 서있지
못할 광장. 아직도 정맥은 끊어진 채 야위어 가는 이야기 뿐인가.

　　언제 한 번 불고야 말 독사의 혀같이 징그러운 바람이여. 너도 이미
아는 모진 겨우살이를 또 한번 겪으라는가. 아무런 죄도 없이 피어난
꽃은 시방의 자리에서 얼마를 더 살아야 하는가. 아름다운 길은 이뿐
인가.

　　산과 산이 마주 향하고 반응이 없는 얼굴과 얼굴이 마주 향한 항시
어두움속에서 꼭 한번은 천둥 같은 화산이 일어날 것을 알면서 요런
자세로 꽃이 되어야 쓰는가.

　이 시에서 전란의 참혹한 체험은 "모든 유혈/너도 이미 아는 모진 겨우살
이"로 상징화되어 있다. 분단의 비극적 상황은 "믿음이 없는 얼굴이 마주 향
한 항시 어두움속"으로 표상되어 있으며 "언제 한번 불고야 말 독사의 혀같이
징그러운 바람/꼭 한번은 천둥 같은 화산이 일어날 것"이라는 또 다른 전쟁의
불길한 예감을 유발시키는 동인이 되고 있다. 따라서 "아무런 죄도 없이 피어
난 꽃"이라는 휴전선의 고발적인 상징 속에는 강대국의 세력 각축과 이데올
로기 싸움의 틈바구니에서 어쩔 수 없이 서로 죽고 죽여야만 하는 한민족의
비극이 내포된 것이다. "시방의 자리에서 얼마를 더 살아야 하는가"라는 질문
은 바로 분단의 비극이 우리 자신의 뜻에서 우러나온 것이 아님을 말해주는

동시에 믿을 수 없는 현실에 대한 저항의 몸짓을 말해주는 것이 된다.

이러한 분단의 상황은 「나비와 철조망」에서 더욱 비극적인 것으로 받아들여지고 있다.

> 모진 바람이 분다.
> 그런 속에서 피비린내 나게 싸우는 나비 한 마리의 상채기. 첫 고향의 꽃밭에 마즈막까지 의지할려는 강렬한 바라움의 향기였다.
>
> 앞으로도 저 강을 건너 산을 넘으려면 몇 「마일」은 더 날아야 한다.
> 이미 날개는 피에 젖을 대로 젖고 시린 바람이 자꾸 불어간다. 목이 바싹 말라 버리고 숨결이 가뿐 여기는 아직도 싸늘한 적지(敵地),
>
> 벽, 벽(壁)…… 처음으로 나비는 벽이 무엇인가를 알며 피로 적신 날개를 가지고도 날아야만 했다. 바람은 다시 분다. 얼마쯤 나르면 아방(我方)의 따시하고 슬픈 철조망 속에 안길
>
> 이런 마지막 「꽃밭」을 그리며 숨은 아직 끝나지 않았다. 어설픈 표시의 벽, 기(旗)……

"모진 바람이 부는/그런 속에서/비피린내 나게 싸우는 나비 한 마리"는 참혹한 전란 육이오를 겪은 한 민족의 슬픈 모습이며 "피에 젖을 대로 젖은 날개/목이 바싹 말라 버리고/숨결이 가뿐"이라는 극한상황은 전란의 소용돌이에 지치고 지친 한민족의 숨 가뿐 현실을 제시한 것이다.

그러므로 한민족은 "피로 적신 날개를 가지고도 날아야만 하는" 비극적 운명의 주인이 될 수밖에 없는 것이다 "벽, 벽"이 상징하는 절망적 현실은 바로 "슬픈 철조망"이 가로막힌 휴전선이 우리 민족에게 강요한 분단의 비극을 대변한 것이 된다.

이처럼 전쟁의 가열한 불꽃은 한국 시단에 거대한 비극적 충격과 상흔을

남기며 참여시의 가능성에 대한 보편적 진단을 내려 주고 있다. 반공문학으로서의 또 다른 목적시의 홍수 속에서 많지 않은 몇몇 시인들이 혐열한 전장의 그림자를 추적하며 거대한 역사의 비극을 개인적 비극의 스펙트럼으로 굴절시키는 데 성공하고 있는 것이다. 육이오는 근대사 초유의 가장 비극적인 문학적 원체험으로 현장체험으로서 이 땅의 모든 인간과 시인들에게 식민지시대 이상으로 패배주의와 허무주의를 짙게 드리워 주었다는 점에서 이후의 한국시사에 커다란 에포크를 짙게 그려 주었다.

위기의식의 자폐 현상, 현대시에 대한 반성, 주지적 비판정신의 획
득, 존재론적 인식의 추구 등이 새로운 방법과 정신으로 대두했다.

■ 방법과 정신

❶ 모더니즘의 공과

전쟁이 가열해 감에 따라 불안과 공포 그리고 무질서는 더욱 심각하게 이
땅의 국민 개개인을 짓누르기 시작했다. 직접 전선에 종군하여 전선을 뛰어
다니던 시인들뿐 아니라 부산, 대구 등 지방으로 피난했던 시인들 모두에게
도 전쟁이라는 절대적 폭력은 뿌리 깊은 허무와 삶의 어려움을 절감케 해주
었다. 이러한 격동하는 현실 속에서 부산으로 피난한 일군의 시인들이 모여
현대시 연구회 '후반기' 동인을 조직하여 새로운 에스프리를 내세우고 모더
니즘의 시 운동을 전개하였다.

조향, 김경린, 박인환, 이봉래, 김차영, 김규동 등이 중심으로 모인 이 '후반
기' 동인들은 1930년대 김기림, 정지용, 장만영, 김광균 등이 추구하던 모더
니즘 시의 방법과 정신을 계승한다는 취지에서 현대 문명의 메커니즘과 그
그늘을 형상화하는 데 주력하였다.

태양이 직각으로 떨어지는
서울의 거리는
「프라타나스」가 하도 푸르러서

나의 심장마저 염색될까 두려운데

외로운
나의 투영을 깔고
질주하는 군용추럭은
과연 나에게 무엇을 갖어왔나
……중 략……
손수건처럼
표백된 사고를 날리며
황혼이
전신주처럼 부풀어오르는
가각(街角)을 돌아
「프라타나스」처럼
푸름을 마시어 본다
　　　　　　　　—「태양이 직각으로 떠러지는 서울」에서

오늘도
성난 타자기처럼
질주하는 국제열차에
나의 젊음은 실려가고

보라빛
애정을 날리며
경사진 가로에서
또다시
태양에 젖어 돌아오는 벗들을 본다.
　　　　　　　　—「국제 열차는 타자기처럼」에서

　김경린의 시들은 "태양이 직각으로 떨어지는 서울/황혼이 전선처럼 부풀어/성난 타자기처럼 질주하는 국제 열차" 등과 같이 평이하고 직설적인 비유를 사용하여 현대 문명의 표면을 묘사하고 있다. 이 시들은 1930년대 김기림의 "명상을 주무르고 있던 강철의 철학자인 철교"(「북행열차」), "가을의 태양은 게으른 화가입니다"(「가을의 태양은 플라티나의 연미복을 입고」)와 같은 시적 발상 및 이미지 전개 방법에서 그 방법적 연원을 두고 있다. 김기림의 시들이 단순한 비유의 평면적 구도로 인해서 실패한 것처럼 김경린의 시들도 현대인의 복합적 정서를 시각적 영상을 통하여 함축적으로 표현함으로써 새로운 언어와 정서의 가치를 창조하려는 모더니즘의 기본 원리와는 상당히 거리가 먼 것이었다.

김경린의 시들은 현대 문명의 피상적인 관찰과 비유의 평면성으로 인해서 참다운 예술적 정서 가치를 획득하는 데는 실패하고 있는 것이었다. 그러나 김경린의 시는 비유적 표현에만 골몰하던 김기림과는 달리 "질주하는 군용트럭은/과연 나에게 무엇을 가져왔나" 하는 것처럼 전쟁의 어두운 상흔을 현실적인 것으로 수용하고 있다는 점에서 보다 현실감각을 지닌 것으로 판단된다.

> 가로수 골짝위에 아슴히 덮여진 파아란 하늘은 멋진 투시화법이다.
> 거기에 놓여진 하늘에의 하얀 「에스카레터」
> 그 꼭대기 한점에 내가 서 있다.
> ……중략……
> 낡은 필름에서처럼 해소해진 조선(祖先)들의 군상
> 휘영거리는 영구차의 행열
> 만가는 처량한 「비올롱」이다
> 느닷없이 앞으로만 자빠져 있는 길이 보인다.
> 후반기의 황홀한 판화위에
> 바람처럼 호탕히 쓰러지는 나의 그림자
> 육장외과와 소녀와 원양항로와……
> ─「1950년대의 사면」에서

조향의 이 작품 역시 "에스카레이터/낡은 필름/영구차/내장외과/원양항로" 등의 시어를 통하여 현대 문명의 전면을 직설적으로 묘사해 주고 있다. 그러나 조향은 보편적인 모더니즘 취향에서 한 걸음 더 나아가 새로운 기법을 시도하고 있다.

낡은 아코뎡은 대화를 관뒀읍니다.

─여보세요─
〈뽄뽄다리아〉
〈마주르카〉
〈디젤엔진〉에 피는 들국화
─왜 그러십니까─

모래밭에서
수화기(受話器)
여인의 허벅지
낙지 까아만 그림자
……중략……
나비는
기중기
허리에 붙어서
푸른 바다의 층계를 헤아린다.

─「바다의 층계」에서

이 작품은 슈르레알리즘적인 전치법을 사용하여 자유로운 이미지의 결합으로 시적 의미와 형태를 개신하려는 실험을 보여주고 있다. "디젤엔진"과 "들국화", "모래밭의 수화기/여인의 허벅지"와 "낙지 그림자" 등 돌발적인 기어(奇語)를 종합함으로써 평면적 시 의미를 파괴적인 이미지로 전치시키는 슈르레알리즘의 기법을 시도하고 있는 것이다. 돌발적인 신기한 이미지들을 충돌시켜 새로운 이미지 형성의 아름다움을 추구하고 브르통(André Breton)의 시 방법을 시인 자신이 말하듯 데페이즈망(dépaysement)의 미학으로 실험하고 있는 것이다. 그러나 이러한 실험 역시 자체의 필연성에서 육화된 표현을 얻지 못하고 다만 형태주의적 미망에 사로잡혀서 신기한 것만 추구하는 퇴영적 요소를 지니고 있다는 점에서 실패한 것으로 보인다. 이러한 정도의 실험은 이미 30년대에 이상의 시 속에서 시사적 필연성을 다한 것으로 판단되기 때문이다.

> 살아있는 것이 있다면
> 그것은 나와 우리들의 죽음보다도
> 더한 냉혹하고 절실한
> 회상과 체험일지도 모른다.
>
> 살아있는 것이 있다면
> 여러 차례의 살육에 복종한 생명보다도
> 더한 복수와 고독을 아는
> 고뇌와 저항일지도 모른다
>
> 한걸음 한걸음 나는 허물어지는
> 성적과 초연(硝煙)의 도시 암흑속으로
> 명상과 또 다시 오지 않을 영원한 내일로……
>
> 살아있는 것이 있다면
> 유형(流形)의 애인처럼 손잡기 위하여
> 이미 소멸된 청춘의 반역을 회상하면서
> 회의와 불안만이 다정스러운
> 모멸의 오늘을 살아간다
> ……하 략……
>   ―「살아있는 것이 있다면」에서

아무 잡음도 없이 도망하는
도시의 그림자
무수한 인상과
전환하는 연대(年代)의 그늘에서
아, 영원히 흘러가는 것
신문지의 경사(傾斜)에 얽혀진
그러한 불안의 격투

함부로 개최되는 주장(酒場)의 사육제
흑인의 트럼펫
구라파 신부(新婦)의 비명
정신의 황제!
내 비밀은 누가 압니까?
체험만이 늘고
실내는 잔잔한 이러한
환영(幻影)의 침대에서

회상의 기원
오욕의 도시
황혼의 망명객
……하 략……

—「최후의 회화」에서

박인환의 시들은 "도시의 그림자/신문지의 경사/흑인의 트럼펫/구라파 신부" 등과 같이 이국정조의 도시 문명과 그 암면을 형상화하고 있다. "회상의 기원/오욕의 도시/황혼의 망명객"과 같은 '의'은유(genitive 「of」 metaphor)에 의한 구상화는 1930년대의 김광균의 시 방법과 많은 공통점을 가지고 있다. 그의 이러한 도시 문명의 그늘에 대한 응시의 시선은 「산이 있는 것이 있다면」, 「검은 신화」, 「밤의 미매장」 등에서 더욱 심화된 인상을 띤다. "살아 있는 것이 있다면/죽음보다도 더한 냉혹하고 절실한 회상과 체험일지도 모른다/복수와 고독을 아는 고뇌와 저항일지도 모른다"와 같이 모든 대상을 부정하고 세계를 회의적으로 바라본다. "회의와 불안만이 다정스러운/모멸의 오늘을 살아가는" 박인환의 현실 파악과 감수의 자세는 바로 전란에 의한 모든 인간적 존엄성과 가치에 대한 전면적 부정에서 비롯된 것이다. 이러한 시대 상황적 절망과 회의의 짙은 그림자는 '후반기'의 모더니스트에게도 도시 문명의 밝은 그림자보다는 그 속에 자리 잡고 있는 근원적 비극과 절망을 현상적으로 묘사하고 영탄하게끔 만든 것이다. 실상 이러한 점이 시적 형상화 기법에서는 1950년대 모더니스트들이 30년대 모더니스트 시인들의 그것에 미치지 못하지만, 정신적 위상과 그 지향만은 훨씬 현실 감각을 획득하고 있는 것으로 파악된다. 파괴된 도시 문명의 그늘에서 불안과 공포, 절망과 허무감으로 방황하는 인간의 비극이 박인환의 시에서는 비극적 인식의 주지적 드라마로 형상화되어 있다.

다른 모더니스트들과 달리 박인환의 시는 도시 문명의 허울을 묘사하는데 중점이 있는 것이 아니라 전쟁으로 인해 떠나는 모든 것들, 죽어가는 것들에 대한 슬픔을 근원적인 인간의 비극으로 치환하여 지적 절제의 깊이와 균형을 보여주고 있다는 점에서 비교적 높이 평가될 수 있다.

> 현기중 나는 활주로의
> 최후의 절정에서 흰 나비는
> 돌진의 방향은 잊어버리고
> 피묻은 육체의 파편들을 굽어본다.
>
> 기계처럼 작열하는 작은 심장을 추길
> 한모금 샘물도 없는 허망한 광장에서
> 어린아이의 안막을 차단하는건
> 투명한 광선의 바다뿐이었기에—
>
> —「나비와 광장」에서

김기림의 「바다와 나비」를 연상케 하는 김규동의 이 시도 "현기증/활주로/돌진/파편/기계/광장/안막/광선" 등의 시어에서 볼 수 있듯이 일상어 중에서도 과학적 언어를 많이 활용하여 현대 문명을 가시적인 것으로 묘사하고 있다. 특히 이 시는 "기계처럼 작열하는 작은 심장" 등과 같은 이미지를 통하여 현대 문명 속의 가냘픈 한 마리 나비처럼 살아가는 인간의 힘겨움을 "기계"와 "심장"의 등가로서 파악하고 있는 것이다. 그러나 도시인의 가시적 세계만을 성급한 비유의 조작으로 묘사하여 모더니즘 시의 본질과는 거리가 있었던 김기림의 시처럼 김규동의 시 역시 문명의 형해만을 김기림적 수법으로 모방하는 모더니즘의 표면적 추구에 그치고 말았다. 그럼에도 불구하고 그는 「현대시와 매카니즘」, 「현대시의 실험」, 「초현실주의와 현대시」 등의 시론을 전개하여 '후반기' 동인을 중심으로 한 50년대 모더니즘 시운동의 이론적 근거와 방향을 제창하는 데 주력하였다.

이러한 모더니즘 시운동은 그들 스스로가 인정하듯 당대 대부분의 기성시인들로부터 무시당하였다. 그렇지만 그들은 험열한 전쟁의 와중에서 그들 나름으로 시를 문화사적 단위 인자로 의식하여, 전시체제하에서 반공문학의 목적시 일변도의 상황에서 벗어나, 순수시적인 지향을 보여주었다는 점에서 시사적 의미가 놓인다. 실상 시사적으로 볼 때 이들이 직접적으로 반발한 것은 청록파를 중심으로 한 고전적인 시에 대한 것이었다.

　　이와 같이 오늘날 한국 시단의 선진적 주류를 형성하여 나가고 있는 계층을 새로운 시인 즉 모더니스트들의 활약이라고 본다면 이와 정반대로 현실의 암흑을 피하여 지나간 과거의 낡은 전통속에서 쇄잔한 회상의 울타리 안으로만 움츠려 들려는 유파들이 또 하나 다른 흐류을 형성하고 있다는 사실은 한국시단만이 가지는 슬픈 숙명이 동시에 참을 수 없는 비극이 아닐 수 없다.
　　「청록파」를 중심으로 한 시인들의 소위 순수시 운동이 그것이었다.
　　　　　　　　　　　　　　　　　　—김규동, 『새로운 시론』(산호장, 1959), 151쪽.

이와 같은 김규동의 진술은 캐치프레이즈로서는 매우 설득력 있는 것이 된다. 그러나 청록파 등이 현실도피라고 하여 매도하던 그들 스스로가 모더니즘 시라는 구호 아래 형상화한 것은 시대 상황을 외부적, 감각적 사실로만 기술함으로써 진정한 현실 감각을 외면하고 또 다른 내용의 허무주의와 도피주의로 빠져들고 마는 자가당착을 빚고 말았다. 이들의 시는 역사와 현실에 대한 준열한 대결정신으로 삶의 어려움을 추구하려 노력했다기보다는 단지 절망적인 도시 주변의 어두운 풍경에 대한 영탄과 묘사만을 표면적 감각으로 형상화하는데 그친 것이다. 바로 이런 점에서 이러한 모더니스트 시운동이 시사적 이념 지향의 현실적 설득력을 지니고 있으면서도 구호로서의 반항적 시운동으로서 그치고 만 시사적 실패를 가져온 것으로 평가된다. 실상 50년대 모더니즘은 전란으로 인한 전면적 사회 변동에 의한 문화가치의 변이 현상 표층적 양상으로, 서구적 문화 감각에 무방비적으로 노출되기 시작한 한국 사회의 병적 징후를 대변하는 것으로도 해석된다. 결국 모더니즘 시운동은 거대한 전쟁체험을 직접 감당할 수 없었던 한국어 내지는 한국시가 스스로 취할 수밖에 없었던 위기의식의 자폐현상으로 판단할 수밖에 없는 것이다.

❷ 고전정신의 의미

전쟁은 낙동강 전투를 정점으로 아군의 인천상륙작전에 의해 전세를 달리하기 시작하였다. 9·28수복은 분단됐던 조국의 재통일을 목전에 보이게 했지만 중공군의 개입으로 또다시 후퇴를 초래하고 말았다. 밀고 밀리는 전란의 와중에서도 전라도로 피난한 서정주는 재래의 『화사집』, 『귀촉도』와는 거리가 있는 새로운 시 세계를 탐구하기 시작하였다. 한때 김천지구의 종군으로 정신착란 증세까지 보였던 서정주는 전장시나 반공시 또는 모더니즘 등 당대의 조류와는 전혀 다른 방향에서 시적 변모를 보여준 것이다.

천년 맺힌 시름을
출렁이는 물살도 없이
고운 강이 흐르듯
학이 나른다.

천년을 보던 눈이
천년을 파닥거리던 날개가
또 한번 천애에 맞부딪노나.

산덩어리 같아야 할 분노가
초목도 울려야 할 설움이
저리도 조용히 흐르는구나.

보라, 옥빛, 꼭두선이
보라, 옥빛, 꼭두선이
누이의 수틀을 보듯
세상을 보자.

누이의 어깨 넘어
누이의 수틀 속의 꽃밭을 보듯
세상을 보자.
울음은 해일
아니면 크나큰 제사와 같이
춤이야 어느 땐들 골라 못추랴.

멍멍히 잦은 목을 제 쭉지에 묻을 바에야
춤이야 어느 술참 땐들 골라 못추랴.

긴 머리 자진 머리 일렁이는 구름 속을
저, 울음으로도 춤으로도 참음으로도 다하지 못한 것이
어루만지듯 어루만지듯

저승겷을 나른다.

—「학」

저 눈부신 햇빛속에 갈매빛의 등성이를 드러내고 서있는 여름 산같은
우리들의 타고난 살결, 타고난 마음씨까지야 다 가질 수가 있으랴.
……중 략……
어느 가시덤불 쑥굴헝에 놓일지라도
우리는 늘 옥돌같이 호젓이 묻혔다고 생각할 일이요.
청태(靑苔)라도 자욱히 끼일 일인 것이다.

—「무등을 보며」에서

　서정주의 시는 혐열한 전쟁 속에서 밖으로 향하던 시선을 내면으로 전환시
키는 데 성공하고 있다. 불타는 현실의 절망과 허무를 "우리들의 타고난 살결
/타고난 마음씨"와 같은 고전정신의 내면세계로 시적 관심을 집약하고 심화
해 간 것이다. "쑥굴헝에 놓일지라도 우리는 늘 옥돌같이 호젓이 묻혔다고"
생각하는 정신세계로의 정적 수렴은 재래 시어에 반동하던 모더니즘 시나 목
적시들과는 일체의 대화를 거부해 버린 데서 생성된 자기보상 행위로 판단된
다. "누이의 어깨너머/누이의 수틀 속의 꽃밭을 보듯/세상을 보자"(「학」)라는
시구는 현실 체험의 즉물화라는 당대시의 기본 흐름과는 커다란 간극이 놓인
다. "수틀 속의 꽃밭을 보자"라는 서정주의 시적 세계관은 현실의 가혹한 질
곡에 저항하는 시인으로서의 자기 위안적 안간힘 내지는 정신적 보상의 몸부
림을 뜻한다. 현실을 뛰어넘은 피안의 세계, 정신과 생명의 내면 속으로 자맥
질해 들어감으로써 시를 통한 현실 상황의 극복을 시도한 것이다. 그러므로
현실도피적인 서정주의 정신응집은 쉽게 고전적인 생명 감각으로 연결된다.
"향단아 그네를 밀어라/머언 바다로/배를 밀듯이/향단아"(「추천사」)와 같은
고전 지향은 실상 참혹한 전쟁의 공포에 대한 역반응으로 해석된다. 고전정
신 지향이라는 자기보상 행위에 의해 서정주는 실존적인 몸부림을 공적 차원

으로 상승시킴으로써 시적 보편성을 획득한 것이다. 이렇게 볼 때 현실도피 내지 패배적인 고전정신 지향은 실상 그것이 50년대의 탈시대적인 성격을 지닌다 해도 거시적인 관점에서 볼 때 한국시의 전통적인 가락과의 접맥을 형성하게 된다는 점에서 의미 있는 시사적 노력으로 판단된다. 이러한 고전회귀 내지 고전적 정신세계 지향은 전후 한국시에 커다란 충격과 파장을 형성하였다.

> 향미사(響尾蛇)야,
> 너는 방울을 흔들어라.
> 원을 그어 내 바퀴를 삥삥 돌면서
> 요령(搖鈴)처럼 너는 방울을 흔들어라.
>
> 나는 추겠다, 나의 춤을!
> 사실 나는 화랑, 화랑(花郎)의 후예(後裔)란다.
> 장미가지 대신 넥타이라도 풀어서 손에 늘이고
> 내가 추는 나의 춤을 내가 보리다.
>
> 달밤이다.
> 끝없는 은모랫벌이다.
> 풀 한포기 살지 않는 이 사하라에서
> 누구를 우리는 기다릴 거냐.
>
> 향미사야!
> 너는 어서 방울을 흔들어라.
> 달밤이다.
> 끝없는 은모랫벌이다.
>
> ―「향미사」

이원섭은 6·25 직전 「언덕에서」, 「길」, 「손」 등의 작품으로 『문예』지의 추천을 통해 데뷔한 이래 「기산부」, 「죽림도」 등 속세를 초탈한 듯한 노장 풍의 동양적 정감을 형상화하였다. 6.25의 거센 폭풍 속에서도 이원섭은 「에밀레종」, 「향미사」 등의 작품처럼 전설적이면서도 환상적인 고전적 신비를 탐구하는데 몰두하였다. 그러나 이러한 신비적 정감 속에서 "너는 방울을 흔들어라/나는 추겠다. 나의 춤을/풀 한포기 살지 않는 사하라에서/누구를 우리는 기다릴 거냐"와 같은 현실적 고뇌의 웅어리가 짙게 깔려있음을 간과할 수 없다. 서정주의 말대로 "병약의 관념 세계를 초탈하려고 노력하는 점─저 고고유척한 노장적 관념 세계에서 혈액과 인륜을 돌이키려고 애쓰는 점"이 전쟁체험을 통하여 생명의 꿈틀거림으로 변모되는 것이다. "화랑의 후예"로서 "내가 추는 춤을 내가 보는" 이원섭의 시적 아이러니는 바로 고전지향의 시 정신이 6·25의 참혹한 현장체험과 충돌할 때 필연적으로 굴절될 수밖에 없는 시사적 비극의 한 실체인 것이다. 이원섭의 동양적 고전정서는 6·25의 현장체험에 의해 현실적 비애가 스며들기는 했지만 「내가 가는 길」, 「족보」, 「탈」, 「전야」 등의 전후시에서도 그 중심 세계를 이어 가고 있다. "신선이 되기를 결심하고 발원하였다"라는 시인 자신의 말은 그의 고전정신의 원류를 적절하게 말해주고 있다.

비! 비! 비! 비! 비!
우러러 목이 쟁긴 소쩍새

돌아보아야
무잿불을 울릴 풀한포기 없고

청동 불화로가 이글대는 모래밭에
소피를 뿌려 쉬도록 징을 울립니다.

이 실날같은 사연 구천에 서리오면

미릿내(銀河)의 봇물을 트옵소서.

이제 말끔히 머리를 빗고 사나운 발톱을 밀어
저마나 제자리에 들어 허물을 벗사오니
신명은 어여 노염을 거두시압.

—「기우제」에서

「황혼」, 「새댁」, 「혼야」 등의 『문예』의 추천 작품으로 등장한 이동주도 한국인의 전통적 정서에 그 시의 태반을 두고 있다. 그와 제일 가까운 향리 근처 사람들의 온갖 선미한 생활감정에 대한 공감과 동정으로 시작되는 그의 초기 시는 전쟁체험의 열풍에도 불구하고 한국인의 전통적 생활양식 내지는 한국어의 미감을 발굴하는 데 주력하고 있다. "여울에 몰린 은어떼/삐삐꽃 손들의 둘레를 달무리가 비잉빙 돈다/목을 빼면 설움이 솟고/열두발 상모가 마구돈다"(「강강술래」)와 같은 민속의 형상화는 전통 시어의 미감을 유미적으로 확대시키고 있다. 「꽃」과 같은 역설적인 현장시 한두 편을 제외하면 그의 시는 「해녀」, 「서귀 포」, 「우주엽신」, 「산조」, 「한」 등 향토색 짙은 한국의 전통적 정서를 주된 오브제로 다루고 있다. 특히 그의 시는 "학도 쭉지를 접지 않는/원통한 강산/울음을 얼려/허튼 가락에 녹혀 보다"(「산조」), "나의 길은 저승보다 머언 눈물"(「한(恨)」)처럼 애한과 눈물의 짙은 정감으로 온통 물들어 있다. 한국시가의 전통적 정서의 주류인 애·원·한의 가락은 이동주의 전후시에서도 구체적으로 드러나는 것이다. 이러한 이동주의 한의 정서는 역시 현실패배적인 수동적 정서로 매도될 수 있다. 그러나 이러한 전후시의 한은 "아무래도 우리의 시정신은 한이다. 한이란 잘라 말해서 하고자 하는 바람이요 욕심이다. 한은 생존이 이루어서이니데 보기니요 인생에의 얼인이다. 꺼정 당당하고 착한 Humanity다"(「작가는 말한다」, 『한국전후문제시집』, 신구문화사, 1961)라는 시인 자신의 주장처럼 현실적 어려움을 극복하려는 몸부림에서 우러나온 정신, 방법으로 해석된다. 실상 고전 시가의 기본 정서인 애·원·한의 정서 표출이 버림받은 자, 약한 자의 현실 극복의 정신적 역설법이라고 생각할 때 비극적 현실 상황에 대한 정신적 극복 노력의 일환으로서의 한국인의 비극적 정서의 형질인 한의 정체가 드러날 수 있을 것이다.

육이오라는 전면적 인간 부정의 테러리즘에서 생존의의를 발견할 수 있는 것은 현실에 대한 적극적 참여나 저항일 수도 있지만 운명적인 것들에 대한 긍정을 통한 한의 카타르시스(catharsis)도 소극적인 것이긴 하지만 효과적인 존재 방식이 되기 때문이다. 이러한 고전정신 지향과 전통적 정서에 대한 회귀는 그것이 현실도피라는 비판에도 불구하고 전후에 나타나는 신인들에게 커다란 영향을 미쳤다.

박재삼의 시는 전후 신진 시인의 고전정서와 한의 가락을 특징적으로 보여주고 있다.

임 생각이 얼마였길래
내 목숨은 그래 구멍난 피리라.

그리 아프던 일도
이 한때 구름 거둔 하늘로
막막한데

저짓 보아요
달빛 깔린 누리를
그냥이야 어찌 지내겠어요.

모처럼 고향 온 셈치고
임의 피리 불던 솜씨가
이 밤에 되살아

눈 감기듯 내 목숨에
닿아나 줬으면
풀리겠네, 한 풀리겠네.

　　　　　　　　　　　　　　　　　　　　　　　　　—「피리」

　이 시는 서정주의 고전주의적 지향을 바탕으로 조지훈의 고전적 리리시즘
의 내밀한 가락이 혼융된 느낌을 준다. "임 생각/피리/구름 거둔 하늘/한" 등
의 시적 결합은 서정주의 「귀촉도」의 한의 가락에 닿아 있으며 "달빛 깔린 누
리/모처럼 고향온 셈치고 피리 불던 솜씨가/이밤에 살아"라는 구절은 조지훈
의 고전정신의 부활과 은은히 연결되어 있는 것으로 분석되기 때문이다.
1950년 작으로 되어 있는 이 시에는 전쟁으로 인한 외상은 전혀 찾아볼 수 없
고 한의 정서에 기반을 둔 고전적 신비주의만이 중심 내용을 이루고 있다. 이
러한 박재삼의 고전정서는 「춘향이 마음 초」에서 보다 구체적인 실체로서 자
리 잡게 된다.

　　집을 치면, 정화수(精華水) 잔잔한 우에 아침마다 새로 생기는 물방
　　울의 신선한 우물집이었을레. 또한 윤이 나는 마루의 그 끝에 평상(平
　　床)의, 갈앉는 뜨락의, 물내음새 창창한 그런 집이었을레, 서방님을 바
　　람같단들 어느 때고 바람은 어려올 따름, 그 옆에 순순한 스러지는 물
　　방울의 찬란한 춘향이 마음이 아니었을레.

　　하루에 몇번쯤 푸른 산언덕을 눈아래 보았을까나. 그러면 그때마
　　다 일렁여오는 푸른 그리움에 어울려, 흐느껴 물살짓는 어깨가 얼마
　　쯤 하였을까나. 진실로 우리가 받들 산신령(山神靈)은 그 어디 있을까
　　마는, 산과 언덕들의 만리같은 물살을 굽어보는 춘향은 바람에 어울
　　린 수정(水晶)빛 임자가 아니었을까나.

　　　　　　　　　　　　　　　　　　　　　　　　—「1. 수정가」

참말이다. 춘향이 일편단심을 생각해 보아라, 원(願)이라면, 꿈속에 훌륭한 꽃동산이 온전히 제것이 되었을 그것이다. 그리고 그것을 가꾸는 슬기 다음에는 마치 저 하늘의 달에나 비길 것인가, 한결같이 그 둘레를 거닐어 제자리 돌아오는 일이나 맘대로 하였을 그것이다. 아니라면, 그 많은 새벽마다를 사람치고 그렇게 같은 때를 잠깨일 수는 도무지 없는 일이란 말이다.

—「4. 화상보(華想譜)」

박재삼의 고전정신의 특색은 단순히 고전정신의 부활 그 자체가 목적이 아니다. 오히려 고전정신을 바탕으로서 정적인 리리시즘을 추구하는데 그 세계의 특징이 선명히 드러난다. 서정주적인 세계의 단순한 영향만도 아니고 청록파의 전원적 리리시즘의 영향만도 아닌 두 가지가 보다 내밀히 결합되고 응집되어 있는 정신의 독자성과 감각의 청신함이 엿보이는 것이다. 또한 그의 시에 나타나는 리리시즘은 단순한 서정의 아름다움에 목표를 둔 것이 아니라 그것이 인간의 본질적인 허무의식과 은밀히 맞닿아 있다는 점에서 철학적 깊이와 형상력의 가능성을 추출할 수 있다.

이 시 외에도 「한」, 「추억에서」, 「밤바다에서」, 「남강가에서」, 「울음이 타는 강」 등 전후에 발표된 많은 초기 시들에서 고전정신을 바탕으로 한 리리시즘이 인간의 근원적 허무와 연결되어 있음에 비추어 볼 때 박재삼의 고전정서의 지향 역시 전쟁의 가혹한 폭력과 질곡에 대응하는 정신 방법에 그 뿌리를 두고 있음을 알 수 있다. 이러한 고전적 정신의 지향은 험난한 역사를 살아온 한국인에게 있어서 육이오로 인한 정신적 파산을 보상하고 위안할 수 있는 효과적인 현실 극복의 방법이 됐던 것이다.

고전정서의 시 정신은 서구적 모더니즘의 홍수에 무방비적으로 노출되기 시작한 한국 현대 시에 자기반성을 가함과 동시에 전후시에 커다란 파장을 형성했다는 점에서 시사적 의미가 높인다.

❸ 실존과 역설

한편 전쟁체험의 현장을 노래하거나 혹은 모더니즘의 시사적 구호를 외치거나 고전적 정감으로 현실의 어려움을 대치하려는 시도와는 달리 현실 자체를 역설적으로 의식화함으로써 사회현상을 비판적으로 수용하려는 주지적인 경향이 나타났다. 이들은 전쟁이 몰고 온 인간 부정을 적나라하게 희화화하고 풍자화함으로써 상황적 절망을 극복하려는 정신의 수사법을 발굴하고 있다. 먼저 이러한 시인으로 김구용이 있다.

거리마다 총탄이 어지럽게 날라 공포의 음향에 휩쓸려 방속 나의 혼은 파랗게 질린 채 압축되었다. 한벌 남루(襤褸)세계지도에 웅크린 내 피그림자마저 무서웠다.

생사의 양극에서 발가벗은 본태는 전혀 사고와 역사성이 없었고 상상이 미지앞에 꾸러 엎드렸다. 바로 그 자세였다. 그러나 모든 지식과 과학이 인간을 부정함에 만질수 없는 용모 보이지 않는 구호(救護)를 힘없는 입술이 불렀다.

……중략……

피투성이 현실을 외면하고 진리의 길은 없었다. 진동하는 벽(壁)넘어 끔찍스레 생명이 서로 죽어가는 시가전이 열화(熱化)되자 이런 환상은 신은 절로 없어져 버렸다. 우리의 손으로 만들어지지 아니한 무기들은 불비를 쏟고 죽음이 늘비하니 쓰러져 도시는 타오르며 거듭 적색(赤色)으로 변질하였다.

……중략……

무사히 남으로 탈출한 것은 능력이 아니며 우연과 요행이었다. 생각하는 갈대는 없었다. 거칠은 기상에 빙결한 갈대를 밟으며 도중에서 죽지 아니한 것은 돈이 종교 이상이었음을 실증한데 불과하였다. 나는 이 항도(港都)에 혼 후 교회앞을 지나가기 싫어한다. 십자가가 사람들에게 피살된 정의의 시신(屍身)으로 보여 매시꼬움을 느낀 까닭이다……중략…… 오늘날의 괴멸(壞滅)에서 나는 오늘날의 사람과 꼭

같은 나다. 음모다. 생활이었다……하략……

—「탈출」에서

  이 시는 전쟁체험의 비극적 상황을 살아가는 개인적 삶의 초라함과 어려움
그리고 물질이 지배하는 현실에 대한 날카로운 비판과 풍자가 짙은 니힐리즘
을 바탕으로 묘사되고 있다. 또한 인간과 신에 대한 근본적 부정과 회의가 직
설적인 산문의 난삽한 구문 속에서 대담하게 노출되어 있다. "거리마다 총탄
이 날라/나의 혼은 새파랗게 압축되었다/진동하는 벽넘어 끔찍스레 생명이
서로 죽어가는 시가전이 열화되자/신은 절로 없어졌다/우리의 손으로 만들어
지지 않은 무기들은 불비를 쏟고 죽음이 늘비하니 쓰러져 도시는 타오르며"
와 같이 전쟁의 거대한 폭력은 전면적으로 한 개인의 실존과 신의 절대 세계
에 대한 믿음을 무위한 것으로 만들어 버리고 만다. "생각하는 갈대는 없었
다"와 같은 적나라한 인간부정, "피투성이의 현실을 외면하고 진리의 길은 없
었다"라는 처절한 현실인식의 절규, "돈이 종교 이상이었음을 실증"과 같은
직설적인 현실 고발, "십자가가 사람들에게 피살된 정의의 시신처럼 보여"와
같은 담대한 야유, "오늘날의 괴멸에서 나는 오늘날의 사람과 똑같은 나다/음
모다/생활이었다"라는 자기 모멸과 자조의 신랄함은 험열한 시대를 살아가
는 정신적 지주로서의 시인 자신에 대한 강경한 저항과 반동에서 비롯된다.
김구용은 재래시의 전통적 수사법과 형식을 거부하고 현실적인 일상어를 대
담하게 산문시적인 구성으로 개방함으로써 인간을 부정하고 상상력을 말살
하는 전쟁의 거대한 폭력에 전신적인 저항을 시도한 것이다. 시 「탈출」뿐 아
니라 「관음상」, 「서재」, 「제비」, 「뇌염」, 「시각의 결정」 등 김구용의 많은 산
문시는 전쟁체험에 따른 실존적 어려움과 인간적 고충 그리고 절망적 현실을
시 속에 정면으로 수용해 들이는 데 있어 생기는 시적 한계성을 감쇄해 보고
자 하는 안간힘으로 풀이된다. 또한 대담한 일상어의 도입, 애매한 산문의 난

삽성, 그리고 생경한 관념과 이미지의 전격적 결합으로 이루어진 김구용의 산문시는 보다 적극적으로 인간의 참혹한 현실을 비판하고 실존의 어려움을 풍자함으로써 전쟁의 전면적 인간부정에서 상대적으로 인간의 존재의의와 가치를 옹호하려는 집요한 휴머니즘의 노력인 것이다. 시에 대한 종래의 개념을 근본적으로 파괴한 김구용의 이러한 대담한 산문시들이 난해시 속에 현실수용의 영역과 방법에 대한 가능성을 확대시킨 것은 사실이다. 그러나 김구용의 시들은 현실에 대한 적나라한 비판과 풍자에 의해 인간성을 옹호하고 시적 가능성을 확대한 성과와는 상대적인 입장에서 시라는 형식에 대한 근본적인 반성을 요구하게 되었다. 대담한 일상어와 전면, 적의 산문형식의 채용이 내포하고 있는 시적 미의식의 결여가 한국어의 산문시적 가능성에 대한 의문과 함께 '시란 과연 무엇인가?'라는 원론적인 문제를 새삼 제기한 것이다. 이러한 질문에 가장 효과적인 응답을 제공한 사람은 송욱이다.

송욱의 시 세계는 데뷔작인 「장미」, 「비오는 창」, 「꽃」에서 볼 수 있듯이 전통적인 서정에 뿌리박은 생명이 몸부림을 형상화하는 데서 출발하고 있다.

> 장미밭이다.
> 붉은 꽃잎 바로 위로
> 푸른 잎이 우거져
> 가시로 햇살받고
> 서슬이 푸르렀다.
>
> 벌거숭이 그대로
> 춤을 추리라.
> 눈물에 씻기운
> 발을 뻗고서
> 붉은 해가 지도록
> 춤을 추리라.

장미밭이다.
피방울 지면
꽃잎이 먹고
푸른잎을 두르고
기진하며는 살이묻은
꽃이 피거라.

—「장미」 전문

    장미가 지닌 모순의 몸부림은 바로 시인 자신의 실존이 내포하고 있는 생의 몸부림이다. "가시"와 "꽃잎"으로 표상되는 원죄적 모순의 보조관념을 통하여 생의 본질적 양면성과 그 존재의 어려움이 서정적으로 드러나는 것이다.

    송욱의 이러한 생명에 대한 치열한 탐구의 시선은 전쟁체험을 통하여 사회 현실에 대한 적극적인 풍자와 직접적인 비판으로 변모된다.

고독이 매독처럼
꼬여박힌 8자(字)면
청계천변 작부(酌婦)를
한아름 안아보듯
치정(痴情) 같은 정치가
상식인 병인양 하여
포주(抱主)나 아내나
빚과 살붙이와
현금이 실현하는 현실 앞에서
다달은 낭떠러지

—「하여지향(何如之鄕)·5」에서

바다
아뢰야식(阿賴耶識)
억만포기 가슴들이

거울처럼 비추는 물결!

숨
틈이 쉬지 않고
송장
불타는 재가
쌀을 섬기면
찌꺼기가
대소변 두길을 트고
걸어온 너와 나
여자와 남자
폭류가 폭풍처럼
숨가쁘게 숨가쁘게
종자를 굴리고
……중략……
열 스물 서른살때
지나, 스쳐가다. 오간
전쟁전쟁이
더럽힌
세대, 연대, 시대가
총알이 박힌 시간
아아 무시간이다.

—「해인연가(海印戀歌)·4」에서

　　인용한 송욱의 두 시에 공통되는 것은 일상어를 대담하게 활용함으로써 적
극적인 현실 비판과 위트 있는 풍자를 시도하고 있다는 점과, 산문적인 시어
를 가을가개로 구사함으로써 시적 행갈 속에 음악성을 부여하는 실험을 보여
주고 있는 점이다.
　　"매독/청계천변/작부/포주/현금"(「하여지향」), "송장/찌꺼기/대소변/종자/무

시간"(「해인연가」) 등과 같이 현실 생활의 암면을 직접적으로 제시하는 비시적 일상어를 대담하게 시 속에 이끌어 들임으로써 전통시의 조사법(Poetic diction)을 파괴하고 시에 대한 종래의 보편적 개념을 근본적으로 수정하고자 하는 것이다. 아울러 "치정같은 정치/현금이 실현하는 현실"과 같은 리얼한 현실 고발은 전후의 무질서한 비리를 비판하고 전쟁이 말살한 휴머니즘의 각성을 요구하는 적극적인 현실참여를 주장하고 있는 것이다. 이러한 현실 비판과 풍자적 고발은 「해인 연가」에서 "아뢰야식/불타는 재가/쌀을 섬기면/찌꺼기가/대소변 두길을 트고/전쟁전쟁이/더럽힌/세대, 연대, 시대가/총알이 박힌 시간이/아아 무시간이다"와 같은 구절처럼 더욱 메타포리컬하게 노출된다. 이러한 인유적인 현실 노출 속에는 전쟁으로 난파된 인간들의 모습에 대한 신랄한 야유와 조소가 깃들어 있음을 간과할 수 없다. 또한 송욱은 이러한 시들에서 산문적인 시어가 갖기 쉬운 저급한 산문으로의 비시적 전락을 극복하고 그 속에 음악성을 부여하는 미묘한 시어적 실험을 보여주고 있다. "고독/매독/치정/정치/현금/현실"과 같은 비슷한 음의 교묘한 결합, 그리고 "처럼/보듯/같은/인양" 같이 직유적 계사(繫辭, copula)의 다양한 활용 그리고 "8자면/낭떠러지"와 같은 명사적인 종지법의 활용은 김구용의 시가 결여하고 있는 산문의 활용의 시적 음악성 획득에 성공하고 있는 것이다. 더구나 「해인연가」에서처럼 "숨/틈이 쉬지 않고/송장/불타는 재가/남자와 여자/폭류가 폭풍처럼/숨가쁘게 숨가쁘게/지나, 스쳐가다, 오간/전쟁 전쟁이 /세대, 연대, 시대" 등과 같이 유사한 음상의 교차, 비약적인 행 구분, 동일어의 반복, 의미의 점층적 반복 등의 자유자재로운 조직과 결합은 의미(signification, sens), 음상(sonorité, son)의 미묘한 충돌로 인해 시의 음악성을 유발하고 있다. 이처럼 송욱은 그의 산문시에서 비시적 시어의 도입과 교묘한 배역과 조직에 의하여 음악성을 형성시킴으로써 결과적으로 한국어의 시어적 가능성을 크게 확대하였다.

> 나는 한국어의 무한한 가능성을 믿는다. 나의 모국어가 어떤 외국
> 어에도 못지 않다고 생각한다. ……중략…… 한국어는 나의 또 다른
> 육체이다. 나는 이 육체로써, 보고 웃고 울려고 한다. 나의 모국어는
> 나의 법신(法身)이다. 한국어는 나의 조국이다.
>
> —『하여지향』, 「서문」에서

이와 같은 송욱의 고압적인 한국어에 대한 신뢰의 발언 속에는 재래적인 시의 일반적 통념에 대한 전면적인 회의와 도전이 자리 잡고 있음을 간과해선 안 된다. 그의 시가 시적 표현의 껄끔거림을 지니고 있다는 점, 비판과 풍자의 과도한 노출로 인한 심미적 절제와 상징의 깊이가 결여되었다는 점, 그리고 편내용으로 인한 의미구조의 난삽성과 그에 따른 시적 균형미의 언밸런스에도 불구하고 그의 시는 30년대 이상의 난해시 실험이 한국현대시의 현대적 전환에 다면적 계기를 형성했던 것처럼 당대시의 개념과 방법에 대한 지적 비판과 성찰을 보여주었다는 점에서 커다란 시사적 의미를 인정받을 수 있다. 이렇게 볼 때 김구용의 대담한 산문적 개방이 6·25전쟁의 전쟁 폭력에 대한 정신적 저항에서 비롯됐듯이 송욱의 주지적 실험과 모색은 전쟁의 회오리바람이 몰고 온 시에 대한 문화사적 전환의 심볼로서 이해할 수 있는 것이다.

전영경의 시도 전후 현실에 대한 시니컬한 풍자와 역설을 보여주고 있다.

> 느티나무 위에 금속분처럼 쏟아지는
> 하늘이 있었
> 고,
> 깨어진 석기와 더불어, 그 옛날
> 옛날이 있었
> 고,
> 금속분처럼 파아랗게 쏟아지는 햇 속에서 무고하게도

학살을 당한 것은 당신과 같은
흡사 당신과도 같은
포승 그대로의 주검이 있었
고,
느티나무 더불어, 그 어느 옛날이
있었
고,
지도자가 있었
고, 깨어진 석기, 석기속에 말없이 흩어진
이 얘기와,
그 어느 조문과
그 누구의 남루한 직함과
때묻은 족보가 있었
고,
꿈이 있었다
몇포기의 화초를 가꾸다가
느티나무와 더부러, 그 어느 옛날에
서서
세상을 버린 것은
금속분처럼 파아랗게 쏟아지는
하늘을 향해
황소가 움메……, 하고 울었기 때문이다.
　　　　　　　　　　　　　　　　—「선사시대」

　이 작품은 "무고하게도/학살을 당한/포승 그대로의 주검이 있었고"와 같이
전쟁의 비극을 테마로 하고 있다. 그러나 전쟁의 비극이 비극 자체로서 표출
된 것이 아니라 "느티나무 위에 금속분처럼 쏟아지는 하늘/황소가 움메……,
하고 울었기 때문"과 같이 평화스러운 선사시대와 대비 됨으로써 역설과 풍
자성을 지니게 된다. 그의 시는 인간이 전쟁의 허무와 비극성에 대응할 수 있

는 방법이 현상을 역설적으로 수용하는 데 있다는 점을 제시해 주고 있는 것이다. 그의 시가 「소녀는 배가 불룩했읍니다」, 「봄소동」, 「사본 김산월 여사」, 「인생이 무엇인가 묻는 주책없는 청년에게」 등과 같이 대담한 풍자와 야유 그리고 조소와 역설로 이루어져 있는 것도 바로 그 때문이다.

송욱과 김구용 그리고 전영경으로 이어지는 한국어의 시어적 가능성에 대한 실험과 모색은 다분히 실험적인 것으로 끝나고 말았지만, 전후의 혼란 속에서 주지적 비판정신을 획득하고 시 방법을 현대적인 것으로 이끌어 올리는 데 중요한 계기가 됐다는 점에서 의미가 놓인다.

❹ 존재와 언어

한편 전쟁의 냉혹한 현실에서 눈을 돌려 사물의 존재론적인 탐구를 통하여 시에 대한 새로운 인식을 시도하는 일군의 시인들이 나타났다.

김춘수는 시적 대상으로서의 존재의 문제와 그의 언어적 형상화에 대한 깊은 성찰을 보여주었다.

　　　모든 것은
　　　내 눈앞을
　　　그냥 스쳐가 버린 것이 아니다.

　　　산마루에
　　　피었다 사라진
　　　구름 한쪼각

　　　온하루를
　　　내 곁에서 울고간
　　　어느날의 바람의 그 형상

그것들은 지금
나의 속에서
하나의 모습으로 자라가고 있다.

전지(戰地)에로 가는
병정들의 눈
무서운 눈

꽃이 지면 열매를 맺듯이
그것들도 어디로
그냥 떨어져가는 것이 아니다.

그것들은 지금
세계의 가슴속에
잊지 못할 하나의 눈짓을 두고 간다.

　　　　　　　　　　　　　　　　　　　　　－「눈짓」

　이 시는 먼저 첫 연에서 "구름"과 "바람"이라는 보조관념을 사용하여 존재의 소멸과 생성에 대한 의미론적 연관성을 추구하고 있다. "피었다 사라진 구름 한조각/불고간 바람의 형상"을 통하여 존재의 변모와 의미의 심화에 대한 미세한 통찰을 보여주고 있다. "그것들은 지금/나의 속에서/하나의 모습으로 자라고 있다"라는 구절 속에는 소멸을 생성과의 유기적 관련에서 파악하고자 하는 사물에 대한 존재론적 인식 태도를 표출하고 있다. 이러한 존재의 의미에 대한 상징적 형상화는 2연에서 구체화된다. 2연의 초점은 "병정"과 "꽃"의 인유(allusion)적 대응 관계에서 존재의 소멸과 생성에 대한 인식을 예리하게 보여주고 있다. "전지로 가는 병정들의 무서운 눈"은 "꽃이 지면 열매를 맺듯이/그냥 떨어져 가는 것이 아니다"라는 보조 심상을 통하여 소멸과 생성의 변증법적 관계를 표출해주고 있는 것이다. 그러므로 그것들은 "지금 세계의 가슴 속에/잊지 못할 하나의 눈짓을 두고 간다"라는 시적 결구를 통하여 전쟁으로 인해 이름 모를 들꽃처럼 사라져 간 병사들의 죽음이 결코 무위의 것이 아니라 인류를 위해 가장 값진 것이며 인류의 가슴 속에 불멸의 의미를 생성한다는 참된 존재인식과 그의 의미에 대한 확신과 염원이 상징적으로 형상화되어 있다. 이러한 존재 방식의 인식론적 탐구와 언어적 형상화에 대한 미세한 통찰은 「별」, 「꽃」, 「꽃을 위한 서시」 등의 작품에서 더욱 선명히 드러난다.

> 내가 그의 이름을 불러주기 전에는
> 그는 다만
> 하나의 물상에 지나지 않았다.
>
> 내가 그의 이름을 불러주었을 때
> 그는 나에게로 와서
> 꽃이 되었다.
>
> 내가 그의 이름을 불러준 것처럼
> 나의 이 빛깔과 향기에 알맞는
> 누가 나의 이름을 불러다오.
>
> 그에게로 가서 나도
> 그의 꽃이 되고 싶다.
>
> 우리들은 모두 무엇이 되고 싶다.
> 너는 나에게 나는 너에게
> 잊혀지지 않는 하나의 의미가 되고 싶다.
>
> ―「꽃」

이 시는 부재와 존재의 관계에 대한 존재론적 인식에 근거를 두고 있다. "하나의 물상에 지나지 않던" 그의 존재는 나의 인식론적 관여에 의한 존재적 기투로 인해 무로부터 존재로 이끌어져 올린다. 이러한 존재개명(存在開明)은 사물의 본질에 대한 끈질긴 응시와 탐구에 의해 성취되는 것으로서 무와 존재의 변증법적 갈등을 전제로 한다. 즉 무와 유는 존재의 표리를 이루면서 항상 새로운 인식론적 기투와 관여에 의해 본질과 현상을 넘나드는 것이다. 이러한 넘나듦은 전후의 폐허로부터, 그 허무로부터 인간 존재 질서의 새로운 회복을 갈망하는 실존적 고뇌에서 비롯된 것으로 해석된다. "우리들은 모두 무엇이 되고 싶다/잊혀지지 않는 하나의 의미가 되고 싶다"라는 존재에의 갈구, 살아 있음에의 소망은 바로 전쟁의 상처, 그 깊은 허무의 심연으로부터 인간구원과 그 의미 부여를 성취하기 위한 시적 형상화의 안간힘인 것이다. 전후 인간 존재의 허망성에 대한 근원적 불안과 부정을 통해서 비로소 순수존재와 만날 수 있게 된 것이다.

이렇게 볼 때, 김춘수의 시는 전쟁의 와중에서도 사물과 존재, 존재와 시, 그리고 상상력과 언어적 형상력에 대한 깊이 있는 탐구를 지속함으로써 한국 시에 시적 대상과 언어화의 문제에 대한 암시의 미학이라는 새로운 인식의 바탕을 마련하였다는 점에서 커다란 의미를 지니게 된다. 김춘수의 사물과 인간의 존재에 대한 깊이 있는 응시는 「부다페스트에서의 소녀의 죽음」에서 보다 구체적인 휴머니즘의 양상을 지니게 된다.

> 다뉴강에 살얼음이 지는 동구(東國)의 첫겨울
> 가로수잎이 하나둘 떨어져 딩구는 황혼(黃昏) 무렵
> 느닷없이 날아온 수발의 소련제 탄환은
> 땅바닥에
> 쥐새끼보다도 초라한 모양으로 너를 쓰러뜨렸다.
> 순간
> 바쉬진 네 두부(頭部)는 소스라쳐 삼십 보 상공으로 튀었다.
> 두부를 잃은 목통에서는 피가
> 네 낯익은 거리의 포도를 적시며 흘렀다

너는 열세 살이라고 했다.
네 죽음에서는 한송이 꽃도
흰깃의 한마리 비둘기도 날지 않았다.
……중략……
음악에도 없고 세계지도에도 이름이 없는
한강의 모래사장의 말없는 모래알을 움켜쥐고
왜 열세 살 난 한국의 소녀는 영문도 모르며 죽어갔을까,
악마는 등뒤에서
웃고 있는데.
……중략……
부다페스트에서의 소녀의 내던진 죽음은
죽음에 떠는 동포의 치욕에서 역(逆)으로 싹튼 것일가
싹은 비분(非憤)의 수목들에서 보다
치욕의 푸른 멍으로부터
자유를 찾은 소녀의 뜨거운 핏속에서 움튼다.
싹은 인간의 비굴속에 생생한 이마쥬로 움트며 위협하고
한밤에 불면의 염염(炎炎)한 꽃을 피운다.
인간은 쓰러지고 또 일어설 것이다.
그리고 또 쓰러질 것이다. 그칠 날이 없을 것이다.
악마의 총탄에 딸을 잃은
부다페스트의 양친과 함께
인간은 존재의 깊이에서 전율하며
통곡할 것이다.
……하략……

이 시는 부다페스트 소녀와 한강 소녀의 죽음을 통하여 전란의 참혹성과
자유와 정의의 소중함을 함께 보여주고 있다. "느닷없이 날아온 수려제 타환
에 아무 죄도 없이 참혹하게 목숨을 잃은 부다페스트 소녀의 죽음"은 "한강의
모래사장의 말없는 모래알을 움켜쥐고/영문도 모르고 죽어간" 한국 소녀의

죽음과 대조되어 "동포의 가슴에로 짙은 빛깔의 아픔으로" 젖어 드는 것이다. 이러한 전쟁의 비극은 '일본 동경 세타가야서 감방에 불령선인으로 수감되었던' 젊은 시인의 가슴을 무참히 짓밟음으로써 인간 존재의 근원적 비극성을 확대·심화하고 있는 것이다. 그러나 참혹한 비극 속에서도 "인간은 쓰러지고 또 일어설 것이다/인간은 존재의 깊이에서 전율하며 통곡할 것이다"와 같이 인간의 존엄성과 근원적 자유에 대한 확고한 신념과 소망을 형상화하고 있다. 이 시는 소녀의 죽음을 통하여 전란의 참혹성을 상대적으로 드러냄으로써 자유를 위한 불멸의 투쟁과 인간성의 옹호를 "뜨거운 피속에서 생생한 이 마쥬로 싹튼 것이다"와 같이 휴머니즘의 공적 차원으로 상승시키고 있는 점에서 가장 대표적인 전후시로 인정된다. 이러한 김춘수의 「시는 나목과 시」에서 하나의 시론을 획득하게 된다.

> 겨울하늘은 어떤 불가사의의 깊이에로 사라져가고
> 있는듯 없는 무한(無限)은
> 무성하던 잎과 열매를 떨어뜨리고
> 무화과나무를 나체로 서게 하였는데
> 그 예민한 가지 끝에
> 닿을듯 닿을듯 하는 것이
> 시(詩)일까
> 언어는 말을 잃고
> 잠자는 순간
> 무한은 미소하며 오는데
> 무성하던 잎과 열매는 역사의 사건으로 떨어져 가고
> 그 예민한 가지 끝에
> 명멸하는 그것이
> 시일까

이 시는 나목의 존재론적 탐구를 통하여 시적 형상화의 내밀한 메커니즘을 드러내 주고 있다. "불가사의의 깊이/무한"의 탐구가 바로 시라는 인식은 "예민한 가지 끝에/닿을듯 닿을듯 하는 것이/시일까"와 같이 시인의 예리한 감수성과 시적 대상과의 충돌을 유발하게 된다. 이러한 감수성과 시적 대상의 충돌은 "언어는 말을 잃고 잠자는 순간/무한은 미소하며 오는데/그 예민한 가지 끝에/명멸하는 것이 시일까"와 같이 상상력과 언어의 만남을 통하여 시적 의미를 지닌 시어의 생명화를 이루게 되는 것이다. 이러한 시적 형상화의 메커니즘은 사물에 대한 김춘수의 존재론적 탐구에서 시적 실체를 획득하게 되며, 바로 이러한 사물의 존재론적 탐구의 끈질긴 노력이 김춘수 시의 입점이 되는 것이다.

김춘수와 아울러 신동집도 존재와 언어에 대한 깊이 있는 성찰을 보여주었다.

> 많은 사람이
> 여러 모양으로 죽어갔고
> 죽지 않은 사람은
> 여러 모양으로 살아왔고
> 그리하여 서로들끼리
> 말못할 악수를 한다.
> 죽은 사람과
> 죽지 않고 남은 사람과,
>
> 악수란, 오늘
> 무엇을 말하는 것이냐
> 나의 한편 팔은
> 땅속 깊이 꽂히어 있고
> 다른 한편 팔은
> 짙은 밀도의 공간(空間)을 저항한다
> 죽은 사람이 살았을 때를
> 그리워하며

살은 사람이 죽어 갈 때를
그리어 보며

—「악수」

　신동집의 시는 인간의 실재적 의미에 대한 질문과 존재 방식의 양면성에 대한 깨달음을 보여주고 있다. "죽음과 삶/죽은 자와 산 자"의 대화를 통하여 실재의 무의미성을 뛰어넘으려 한다. 산 자와 죽은 자의 만남은 "악수"라는 화해의 집합점에서 이미 일상적 의미를 상실하고 시적 의미로 상승하게 된다. "한편 팔은 땅속 깊이 꽂히어 있고/다른 한편 팔은 공간을 저항한다"는 실존에 대한 이율배반적 인식은 바로 전후인들의 특징적 사고방식의 하나가 된다. 그러므로 "죽은 사람이 살았을 때를 그리워하며/살은 사람이 죽어갈 때를 그려 보며"라는 현실 긍정의 자세를 취할 수밖에 없는 것이다. 대응은 "악수"라는 만남의 현장에서 현실 감각을 획득하게 된다. 실존에 대한 부재의 파악은 바로 전후인들의 내적 갈등을 표출한 것으로 파악된다.

참으로 많은 표정들
가운데서
나도 일종의
표정을 지운다.

네가 좋아하던 나의 표정이
어떤 것인지
내가 좋아하던
너의 표정이 어떠한 것인지
다 잊어버렸다고 하자

우리에게 남은
단 하나의 고백만은

영원히 아름다운
약속 안에 살아 있다.

풍화(風化)하지 않는
어느 얼굴의 가능을 믿으며
참으로 많은 표정들 가운데서
나도 임의의 표정을 지운다.

표정이 끝난 시간을랑
묻지를 말라.
창살속에 갇히인
나의 노래를 위하여

—「표정」

이 시는 '잊어버림'과 '살아있음', 즉 망각과 기억의 이중적 대응 관계에서
발생하는 정신적 에너지를 핵심으로 구성되어 있다. 시 「악수」가 인간실존의
양면성을 드러내고 있다면 「표정」은 시간의 소멸과 생성에 따른 인간 실존의
변모를 응시하고 있다. 전쟁의 참혹한 파괴는 끊임없는 시간의 흐름 속에서
지워지지 않는 상흔을 남기게 되지만 인간은 그 잃어버린 시간의 굴레 속에
서 "영원히 아름다운 약속안에 살아있을" 새로운 가능성을 찾아 나설 수밖에
없는 것이다. 시간의 끊임없는 소멸과 생성 속에서 존재의 의미 또한 소멸되
고 새롭게 생성되면서 변모해가는 것이다. 신동집 시의 이러한 시적 소멸과
생성의 변증적 화해 과정은 자신의 시관에서도 잘 나타나고 있다.

시인에게 있어서 시란 시 행위의 내면적 과잉 그 자체라면—즉 시
란 하나의 지속의 정신이라면—나는 오랫동안 시를 지속 정신의 한
소산이라고 생각해 왔으며 지금은 더욱 그러하다. 시인은 끊임없이
자기를 붕괴시켜야 하며 또한 붕괴된 그 터전에서 자기를 재인식해야

한다. ……중략…… 이 자기 붕괴와 자기 재조직은—전자를 원심력이
라 할 때 후자는 구심력의 작용이 될 것이다—긴밀히 결합 수행될 때
그는 보다 넓어지는 생의 체험과 더불어 완전에 가까운 시인으로 근
접해 갈 것이다.

이상과 같은 신동집의 시관은 바로 그의 시의 핵심을 잘 묘파한 것이다. 그
의 시는 존재의 소멸과 생성의 과정 즉 의미의 붕괴와 재조직의 변증법적 지
양 속에서 전후 현실의 비극적 상황이 극복될 수 있다는 자신의 신념을 형상
화한 것으로 해석된다. 떠남과 만남, 회상과 동경이 상징하는 소멸과 생성의
내밀한 갈등과 화해는 인간 존재의 현실적 좌표의 재인식으로 귀결되기 때문
이다.

이처럼 김춘수와 신동집은 전쟁의 가열한 상황을 내면으로 치환시켜 인간
존재의 실존에 대한 존재론적 인식을 추구하고 이러한 인식을 통해 존재와
언어의 문제 즉 한국어의 시적 형상력에 관한 문제를 집중적으로 탐구함으로
써 암시의 미학을 제시했다는 점에서 그 시사적 중요성이 인정된다.

이형기, 한성기는 리리시즘을 전봉건, 조병화, 유정은 애상을, 정한
모, 김남조는 순수서정을 김수영, 김윤성은 소시민의식을.

■존재와 서정

❶ 리리시즘(lyricism)의 형성

1946년 간행된『청록집』은 1948년 간행된『하늘과 바람과 별과 시』와 함
께 해방공간의 정치적 혼란과 사회사적 격동 속에서 방황하는 이 땅의 젊은
이들에게 정신적인 위안과 감동을 제공하였다. 특히『청록집』은 자연이라는
공동의 이데아를 탐구함으로써 상실의 시대를 살아오고 또한 격동의 시기를
방황하던 한국인 모두에게 잊혀진 정신의 고향을 찾을 수 있게 해주었다.

박목월의 향토적 리리시즘과 조지훈의 동양적인 선(禪)감각과 역사의식
그리고 박두진의 기독교적 갈망이 착색된 '자연'은 단순한 시적 대상으로서
의 자연이 아니라 삶의 현장이며 동시에 고향이며 이데아였던 것이다. 그러
므로 해방 후 데뷔한 대부분의 시인들은『청록집』의 자연과 리리시즘을 의식
하지 않을 수 없었으며 작든 크든 간에 직접, 간접으로 영향을 받지 않을 수
없었다. 실상 모더니즘을 표방하고 나선 신진세력의 대표 격인 50년대의『후
반기』동인들의 캐치프레이즈가 청록파에 대한 반발에 근거를 두고 있었던
것은 서산의 상황을 잘 반영한 것이 된다.

그러나 청록파 세 시인의 지배적인 영향에도 불구하고 이러한 자연을 바탕
으로 한 리리시즘은 전후시에 그다지 큰 반향을 얻지 못한 것이 사실이다. 이

것은 세 시인의 시와 시단에서의 위치가 지나치게 독보적인 것으로 성장해
버린 데서도 그 원인을 찾을 수 있지만, 그보다 전쟁이라는 거대한 폭력이 참
다운 리리시즘의 심화와 확대의 가능성을 폭살해 버렸기 때문인 것으로 해석
된다.

이형기는 『문예』의 추천으로 데뷔해서 전후의 서정적 리리시즘을 추구하
였다.

> 풀밭에 호올로 눈을 감으면
> 아무래도 누구를
> 기다리는 것 같다.
>
> 연못에 구름이 스쳐가듯이
> 언젠가 내 가슴을 고이 스쳐간
> 서러운 그림자가 있었나보다.
>
> 마치 스스로의 더운 입김에
> 모란이 뚝뚝 져버리듯이
> 한없이 나를 울렀나 보다.
>
> 누구였기에
> 누구였기에
> 아마 진정 누구였기에
>
> 풀밭에 호올로 눈을 감으면
> 어디선가 단 한번 만난 사람을
> 아무래도 기다리고 있는 것 같다.
>
> ―「초상정사(草上靜思)」

이 시의 주요 소재는 "풀밭/연못/구름/모란" 등과 같은 서정적인 자연을 배

경으로 하고 있다. 청록파와 같이 자연 그 자체를 목적으로 한 것은 아니지만, 자연 속에서 촉발되는 인간의 내면적 외로움을 무심히 흘러가는 구름의 그림 자처럼 생의 뿌리 깊은 고독과 외로움을 투영해 주고 있는 것이다.

적막강산에 비 내린다.
먼 산 변두리를 슬며시 돌아서
저문 창가에 조용히 머물 때
저바린 일상
으늑한 평면에
가늘고 차운 것이 비처럼 내린다.
나직한 구름자리
타지 않는 일모(日暮)……
……중략……
풍경은 정좌하고
산은 멀리 물러앉아 우는데
적막강산……
내 주변은 이렇게 저무는가
살고 싶어라
사람 그리운 정에 못이겨
차라리 사람없는 곳에 살아서
청명과 불안
기대와 허무
천지에 자욱히 가랑비 내린다.
아, 이 적막강산에 살고 싶어라.

—「비」에서

이 시에는 뿌리 깊은 삶의 외로움이 "적막강산"과 "비"로써 형상화되어 있다. 전쟁의 소용돌이는 "적막강산"이라는 상징 속에 "가늘고 차운 것이 비처럼 내린다"라는 구절처럼 아픈 상흔과 비애로서 남아있을 뿐, 시의 정면에 자리 잡고 있지 않다. 오히려 삶의 깊은 허무와 고독이 "산은 멀리 물러 앉아 우는데"와 같이 객관화의 의지로 표상되어 "살고 싶어라/사람 그리운 정에 못 이겨"라는 인간애의 시선으로 변모되어 있는 것이다. "천지에 자욱히 가랑비 내린다/아, 적막강산에 살고 싶어라"라는 구절 속에는 "가랑비"라는 서정적 매체로서 대지의 고독과 인간의 삶의 의지를 연결함으로써 청록파의 전원적 리리시즘과는 또 다른 각도에서 전후의 서정적 리리시즘을 가능케 하는 것이다.

> 눈비가 오려나
> 호지일모(胡地日暮)
>
> 먼 산자락 넘어
> 구름은 가고
>
> 정은 만리
> 청(靑)노새 울음
>
> 호지일모에
> 눈비 오려나
>
> 저녁 바람 분다
> 빈들에 홀로
>
> — 「빈들에 홀로」

그러나 이형기의 서정적 리리시즘은 근원적으로 청록파로부터 크게 영향 받는 것이 사실이다. "산자락/구름/청노새/저녁 바람/일모/빈들"과 같은 오브제는 이미 청록파의 시 속에서 체험한 것이었으며, 그러한 시를 관류하는 시 정신 역시 자연과 인간의 교감이라는 차원에 뿌리박고 있기 때문이다. 다만 이형기의 시는 자연을 목적으로 추구하기보다는 자연에 감응하는 인간의 고독과 허무를 리리시즘으로 형상화하려는데 비중을 두고 있다는 점에서 그 대비적 차이가 드러날 뿐이다.

한성기의 시 역시 리리시즘 속에서 생의 의미를 조명하려는 시도를 보여주고 있다.

> 시골에 살면서 나는 조금씩 밭에 나가 일을 했읍니다.
> 얼마간의 땅을 삽으로 일구어 보았읍니다. 한참을 온몸에 힘을 주었다가 푹쉬는 쾌적, 이것을 나는 알았읍니다. 두둑을 만들고 씨앗을 뿌린 다음 나는 그 일정한 면적이 나의 영역이나 되는 것 같이 찾아 나섰읍니다. 봄배추, 가지, 오이, 토마토 등속을…… 그것들이 싹트면서 하루하루를 지나는 것을 바라보는 일은 그지없이 기쁜 일이었읍니다. 단순한데서 지리하지 않으려는 것, 이것이 시골에서 찾은 나의 위로였읍니다. 어쩌면 무의미하고 아무것도 아닌 것과 친근해 가면서 하루하루를 깨닫노라면 미처 깨닫지 못했던 뜻이 거기 풀섶에나 또랑가에 뒹굴고 있는 것입니다. 더구나 계절이 바뀔때 마다 자연(自然)이 주시는 말씀 나는 「말씀」이 무엇인지를 비로소 들은 것 같읍니다. 조용하면서도 당당하고 나직하면서도 또렷또렷한 말씀…… 이런 것이 시골에서는 카랑 카랑 들려오는 것입니다.
>
> ―「낙향이후」

이 시는 대자연의 무한한 설득력을 깨달아가는 인간의 겸허한 몸가짐을 보여주고 있다. 살아있는 것들에 있어 생명의 근원이며 터전으로서의 자연을 외경하는 마음이 "자연이 주시는 말씀/조용하면서도 당당하고 나직하면서도 또렷또렷한 말씀"으로 형상화된 것이다. 자연을 단순한 자연 자체로서 혹은 리리시즘으로 추구하기보다는 인간의 삶의 근원으로서의 자연과 인간의 친화력을 기본적인 시 정신으로 삼고 있는 것이다.

하루를 소중히 보내고 싶다.
뜰에 내려서면
시야로 들어오는 산(山)
그 산을 잊지 않고 살고 싶다.

언제부턴가
조용한 주위가 좋았다.
조용해서 모두 정이 드는 시골
가까운 마을이며
머언 비탈

뜰로 내려서듯
시골로 내려온 십년
쓸쓸히 생각하며
돌아보고 싶다.
인사(人事)는 흐려가고
산하(山河)만은 내내 새롭구나.

하루를 소중히 보내고 싶다.
　　　　　　　　　　　　　　　　　　　—「산」에서

　한성기의 이러한 자연과 인간의 친화력에 대한 탐구는 살아갈수록 깊어가는 삶의 허적을 새로워만 가는 대자연의 끊임없는 변화와 생명력으로 극복하려는 자세를 보여준다. 주어진 삶의 분량, 목숨의 외로움을 화해하고 순응하려는 자연친화의 리리시즘을 형성하게 되는 것이다. "인사는 흐려가고/산하만은 내내 새롭구나"라는 인간과 자연의 대응을 통해서 "하루를 조용히 보내고 싶다"라는 삶에 대한 뜨거운 소망과 신념을 이룩하게 되는 것이다. 이 점에서 전후시의 리리시즘이 현실도피적인 요소를 지니면서도 삶의 소망과 신념을 확인하고 인간적 체온을 지속시켜주는 휴머니즘적 요소를 지니는 것으로 인정된다.

박성룡의 시도 전원적인 리리시즘 속에서 삶의 외로움을 정화하고 있다.

「I」
무모(無毛)한 생활에선 이미 잊힌지 오랜 들꽃이 많다.

더우기 이렇게 숱한 풀버레 울어예는 서녘 벌에
한알의 원숙과 과물(果物)과도 같은 붉은 낙일(落日)을
형벌처럼 등에 하고
홀로 바람외진 들길을 걸어보면
이젠 자꾸만 모진 돌틈에 비벼피는 풀꽃들의
생각밖엔 없다.

멀리 멀리 흘러가는 구름 포기
그 구름 포기 하나 떠오름이 없다.

「II」
풋물같은 것에라도 젖이 있어야 한다.
풀밭에 꽃잎사귀
과일 밭에 나뭇잎들,
이젠 모든 것이 스스로의 무게로만 떨어져 오는
산과 들이 이렇게 무풍(無風)하고 보면
아 그렇게 푸르기만하던 하늘, 푸르기만 하던 바다, 그보다도
젊음이란 더 답답하던 것.

한없이 더워 있다, 한없이 식어가는
피비린 종어(終焉)처럼
나는 오늘 하루
풋물같은 것에라도 젖어 있어야 한다.

「Ⅲ」
바람이여,

풀섶을 가던, 그리고 때로는 저기 북녘의 검은 산맥을 넘나들던
그 무형(無形)한 것이여
너는 언제나 내가 이렇게 한낱 나뭇가지처럼 굳어 있을 땐
와 흔들며 애무했거니
나의 그 풋풋한 것이여.

불어다오
저 이름없는 풀꽃들을 향한 나의 사랑이
아직은 이렇게 가시지 않았을 때
다시한번 불어다오, 바람이여
아 사랑이여.

—「교외(郊外)」

　이 시에는 풀꽃의 풋풋한 내음이 물씬 풍기고 풀벌레 소리 처량한 전원 속
을 홀로 걸어가는 인간의 쓸쓸함이 형상화되어 있다. "들꽃/풀벌레/과물/낙일/
바람/들길/풀꽃/구름"(「Ⅰ」)이나 "풋물/과일밭/나뭇잎/산과들/푸른 하늘"(「Ⅱ」)
처럼 서정적인 자연의 존재들이 결합되어 전원적인 리리시즘을 형성하고 있
는 것이다. 그러나 이러한 전원적 서정은 전원 그 자체로서 의미를 지니기보
다는 삶의 깊이 속에 이끌려 들어서 생의 외로움을 정화시켜 주는 외부적 상
관물로서 존재한다. 그러므로 「Ⅲ」에는 "바람이여/풀섶을 가던, 그리고 때로
는 저기 북녘의 검은 산맥을 넘나들던/그 무형한 것이여"와 같이 전후 현실의
어두운 그림자가 스며들어 있으며, 이러한 그림자는 "너는 언제나 내가 이렇
게 한낱 나뭇가지처럼 굳어있을 땐/와 흔들며 애무했거니/나의 그 풋풋한 것
이여"라는 구절처럼 인간 상실을 위부하고 감싸주는 전원과 만남으로써 목
숨에 대한 사랑으로 치환될 수 있게 된다. 그러므로 "저 이름없는 들꽃들을

향한 나의 사랑"은 바로 전원의 리리시즘 속에서 스스로의 삶의 의미를 드러내고 그 뿌리 깊은 허무와 고독을 극복하려는 박성룡의 대지적 사랑을 확인해 주는 것으로 해석된다.

이처럼 전후의 리리시스트들은 전원 그 자체를 시의 목적 내지 이데아로 생각했던 청록파들의 영향을 받으면서도, 생의 체취가 물씬 풍기는 전원적 리리시즘 속에서 자연과 인간의 친화력을 탐구하는데 몰두함으로써 전쟁의 상처를 치유하려는 노력을 보여주었다.

이러한 전원적 리리시즘의 탐구는 이후의 한국시에서 자연과 인간의 공존을 테마로 하는 박용래, 고은, 이성교 등의 베리에이션을 통해서 다양한 파장을 형성하게 된다는 점에 그 시사적 의미가 놓이게 된다.

❷ 전후 서정의 향방

전봉건의 시는 전쟁의 상혼을 정감적으로 수용하여 그 애환의 센티멘털리즘을 형상화하고 있다. 그의 시 「은하를 주제로한 봐리아시옹」은 그의 특색을 선명히 드러내 준다.

> 저
> 피묻은 유월(六月) 이래
> 나의 목적
> 나의 의미와
> 모든 희망의 하늘에서 나의
> 사랑 나의 귀여운 토끼와 더불어 사라지고 없었던
> 은하(銀河)
> ……중략……
> ─어느 아침 필
> 해바라기의 이슬일까─나의

눈시울의 무수한 탄흔(彈痕)을
씻으며

　　　　　　　　　　　　　　—「노래」에서

　이 시는 전쟁으로 인한 인간 상실과 상흔을 서정적으로 묘사함으로써 정신
의 질서를 회복하려 노력하고 있다. "피문은 유월 이래/사라지고 없었던/은
하"와 같이 그의 시는 전쟁으로 인한 상실을 시의 모티브로 삼고 있으며 "해
바라기의 이슬/나의 눈시울/탄흔을 씻으며" 등과 같이 짙은 애상의 그림자를
서정적으로 드러내 주고 있다. 이러한 전쟁으로 인한 인간성 상실은 "라이너
마리아 릴케에 대하여, 전쟁과"에서 서정의 붕괴에 대한 갈등과 아울러 인간
의 모순성에 대한 의문으로 심화되고 있다.

　　진달래 같은 은하가
　　씀바귀 미나리 노래하며 메랑 달래랑 캐던 냇가와 언덕에 비는 내
리고
　　포탄(砲彈)은 쏟아지고, 나는 외인 부대라는 「필립」 하사와 「껌」을
씹으며
　　장난을 치며 찢어 헤어진 사월의 파편 속에 인간을 사냥하고
　　그러나 포연이
　　……중략……
　　라이너 마리아 릴케
　　단 한사람, 장미의 가시에 찔리어서 죽은 수목과같이 자라나는 목
소리의 당신은 누구일까
　　오늘 시를 쓰는 나는 무엇일까

　이 시는 "씀바귀 미나리 노래하며/메랑 달래랑 캐던 냇가와 언덕에/포탄은
쏟아지고"와 같이 전쟁의 포연 속에 파괴되어가는 서정의 비극을 "필립 하사
와 껌을 씹으며 장난을 치며"로서 회화시키고 있다. 그러나 "찢어진 사월의

파편 속에/인간을 사냥하고/그러나 포연이"라는 구절 속에는 서로 죽고 죽여야만 하는 전쟁의 참혹한 모순에 대한 적나라한 응시가 나타나 있다. 이러한 인간적 모순성에 대한 깨달음은 라이너 마리아 릴케를 통하여 인간존재의 근원적 모순 양태에 대한 투시로 심화되어 있다. 실상 "장미의 가시에 찔리어서 죽은" 릴케는 이 시 전반에 걸쳐 등장하는 은하와 같이 전쟁의 거대한 충격과 인간의 모순성에 대한 갈등을 화해하고자 하는 완충적인 상징물로서 파악할 수 있는 것이다. 따라서 「파아란 눈동자」는 전쟁의 폐허에서 소생하는 새로운 몸짓을 보여주고 있다.

어름은 풀리고
고목(古木)이 서고
강(江)물은 흐르고
햇볕이 따스하다.

우리의 폐허에 우리의 흰 빨래는 〈백지의 가능〉처럼 널리이고
네 사랑이 더 높은 보람위에 건축될 것을 네가 약속하는데
우유빛 약손가락의 태양이 깃들어 반짝이는 한없이
동구란 금빛

그리고 이것은 따사한 햇볕이고 부드러운 맑음이고 그속에 풀리이는
어름 또 저 고목은 전쟁의 날피 흐르는 창유리에 불타서 죽은
사랑과 꼭같은 것이며

그리고 흐르는 강물,
……그리고 흐르는 강물은
ㅐㅓㅎㅐㄱㅓㅣㅔㅓㅣㄴㅎㅓ ㅐㅣㄹ
기울이면 파아란 강
가엔 우리들이 이름 모르는 꽃과
꽃들이 어린 새싹들이 가득히

트이고 있는 것이 보일 것이라고
……하략……

　　전쟁의 참혹한 파괴와 인간성 말살은 인간의 근원적 모순에 대한 투시를
통해서 사랑의 약속과 서정의 회복이라는 새로운 가능성을 지니게 되는 것이
다. "은하의/파아란 눈동자/속에는 꽃들의 어린 새싹들이 가득히 트일 수" 있
는 새로운 소생과 희망이 담기게 된 것이다.

　　　　1950년 6월이
　　　　울밑에 사살된 풀잎과 풀잎과 함께
　　　　아침을 잃어버린 산맥에 피고 도로와
　　　　해안에 피어오르고
　　　　……나의
　　　　후회와 기도와 희망이 목욕하는
　　　　오 태양이 결혼하는 아지랑이가……
　　　　……중략……
　　　　비는 나리고
　　　　장난감처럼 반가운 남쪽 거리에 오는가
　　　　비가 내리면 너의
　　　　눈시울 검은 속눈섭이 가리운 어디
　　　　거기에 은하 나의 정거장에 내가 내리면
　　　　<베에제>가 또렷한 웃음지며 아롱지는
　　　　너와 나의 즐거운 눈물속에서, 아 사랑하는 인간 보다도
　　　　아름다운 더한
　　　　아름다움은 없음을 나에게 확신케 하는 너의 눈동자
　　　　……중략……
　　　　비는 나린다.
　　　　은하, 한없이
　　　　부드러운 청색과 녹색에서 비는

나리고 나리는 빗발속에 빛나는 체온
나리는 빗발속에 자꾸 맑아지는 수 없이
많은 여인들의
대화……은하
나의 전부에 4월의
비가 나린다.

이 「전쟁있는 사월의 빗속의 너의 눈동자」는 참혹했던 전쟁의 상흔을 달
래듯 내리는 빗속에서 사랑에 대한 확신을 이루며 이러한 사랑의 가능성 속
에서 잃어버린 인간성을 맑은 서정으로 정화시키고 있다. 이 끝없이 나리는
비는 전후인 모두의 메마른 가슴을 적셔주며 새로운 소생의 원천을 마련해
주는 상징물이라는 점에서 바로 전후 서정의 객관적 상관물로 해석할 수 있
는 것이다.

잃어진 것은 없었다.

나무와
나무가지마다 서리인 전사자(戰死者)의
아직도 검은 외마디 소리들을 위하여
수액은 푸른 상승을 시작하고
무인지대의
155마일의 철조망 속에서도
새들의 노래와 꽃송이의 중심이
바라는 하늘과
푸름은 변함이 없었다.
하늘과 푸르음

잃어진 것은 없었다.

그것은 눈물이었다.
나의 핏자국이 검은 1950년 6월의 전차(戰車)가 녹쓰는
나의 눈시울에 따시한 그것은
눈물이었다.

2월은 오고 3월은 오고
무너진 다리에 4월은 오고
강물은 흐르고

너의 곁에서
　　　　　　　　　　　—「강물이 흐르는 너의 곁에서」에서

　이 시에서 "수액의 푸른 상승/새들의 노래/하늘과 푸름/눈시울에 따시한
눈물/강물은 흐르고"와 같은 자연과 인간의 서정적 콘트라스트는 전쟁의 비
극적 상흔을 극복하는 원동력으로서 제시되고 있다. 이 시 이외에도 「장미의
의미」, 「희망」 등의 많은 시편들은 전쟁의 어두운 그림자를 사랑의 갈구와
서정적인 세계에 대한 추구와 확신으로써 극복하려 노력하고 있다. 이러한
전봉건의 사랑과 센티멘털리즘에의 몰두는 전쟁으로 인한 자기 파산에서 스
스로의 인간과 시를 구원받으려는 정신적 노력으로 해석할 수 있으며, 따라
서 그의 시의 애상적 특질은 전후 서정의 중요한 한 특색이 자기 위안과 만족
으로서의 서정이라는 점을 제시해 준 것으로 판단된다.
　조병화의 시는 전봉건의 애상적 서정과는 조금 다른 각도에서 전후 서정의
한 패턴을 제시하고 있다. 그의 초기의 시는 다분히 과거적 상상력에 기초를
두고 있다. "잊어버려야 한다/진정 잊어버려야만 한다/오고 가는 먼 길가에서
/인사없이, 헤어진 지금은 누구던가/그 사람으로 잊어버려야만 한다/온 생명
은 모다 흘러가는데 있고"(「하루만의 위안」)와 같이 덧없는 세월의 흐름 속
에서 잊혀진 시간의 의미를 추구하는 회상의 미학을 지니고 있는 것이다. 이

러한 과거적 상상력의 애상적 정서는 그의 전후시에 이르러 현실 긍정과 자기 위안의 센티멘털리즘으로 변모되어 나타난다.

> 하얀 패각(貝殼)속에서 수업을 한다.
> 산머루처럼 익어가던
> 까만 눈알들이
> 따발총에 혼떼어
> 파란 해협의 어란(魚卵)처럼 맑다.
> ……중략……
> 아내와 싸우고 나온 기억을 잊어버린다.
> 수평에 뜬 병원선을 바라다 본다.
>
> 비내리는 날이면
> 나의 임해 교실은
> Holiday—
>
> —「임해 교실」에서

조병화의 시에는 전후 현실의 참혹한 그림자가 짙게 드리우고 있지 않다. 그의 시에는 소시민적인 애환이 평범한 시어 구성으로 담담하게 전개되고 있다. 전쟁의 아픈 상흔을 노래하기보다는 현실을 긍정하며 사는 평범한 도시인의 서정이 드러나 있는 것이다. 이러한 평범한 도시인으로서의 서정은 "소녀와 목련이/흡사 그 어느 유명하지 않은/소설집 같이 놓여 있는데"(「목련화」)나 "이렇게 될 줄을 알면서도/당신이 무작정 좋았읍니다/인생이 걷잡을 수 없이 허무하다하더라도/나는 당신을 믿고 당신과 같이 나를 믿어야 했읍니다"(「이렇게 될 줄을 알면서도」)와 같이 혹은 "오 페파민트, 푸른 숲이여 밤의 기항이여/밤을 몽땅 잡혀도 모자라는 사랑이여 외로움이여/차지 않는 마음이여"(「빠카레리오」) 등 처럼 통속적인 센티멘털리즘의 성향을 지니게 된다.

이러한 애상적 감수성은 쌀롱, 빠, 술집, 명동 등 현실의 변두리를 방황하면서 전후의 허무와 애상을 "쪼니·워어카/레디스 엔드 젠틀멘/썸머타임"등 처럼 직설적인 외국어의 남발로 노래하여 더욱 유행가적인 통속화를 빚어내게 된다.

> 향원은 좋은 술을 주는 집이다.
> 향원은 즐거운 우리 벗들이 술을 나누러 가는 곳이다.
> 향원은 명동 외떨어진 곳에 호올로 있는 집이다.
> ……중략……
> 술을 들자 가뭄이 낀 인생의 한 여름 떡갈나무 잎새 아래
> 고운 약수와 같은 우리 술을 들자, 시인의 이야기와
> 향원은 좋은 술을 주는 집, 향원 부인은 혼자서 노는 학(鶴)이다.
> ─「향원(鄕苑) -명동소묘-」에서

이러한 유행가적인 센티멘털리즘은 전쟁으로 인해 젊음을 빼앗기고 사랑을 잃어버린 전후 세대들이 필연적으로 빠져들어 갈 수밖에 없던 절망과 허무로부터 자연발생적으로 우러나온 것이다. 전후의 젊은이들은 명동의 밤을 근거지로 잃어버린 젊음과 낭만을 술과 여자와 애상 속에서 위안받으려 하였으며 니힐리즘과 패배주의로 도피함으로써 시대적 어려움에서 구원받으려 노력한 것이다.

> 나는 먼저 쓸쓸하여서 시를 읽었다. 나는 먼저 고독하여서 시를 읽었다. 그리고 쓸쓸한 나를 지키고 고독한 나를 응시하기 위하여 시를 읽었다. 나는 이러한 어둠속에 둥둥 떠 있는 나를 위안시키기 위하여 그 위안이 되는 말을 찾아서 시의 세계를 방향도 없이 방황을 했던 것이다. 이렇게 나는 무엇보다도 〈위안〉으로부터 시를 찾게 되었다. 무엇보다도 자기 해결을 위해서 시라는 인간정신의 서부로 뛰어들었다.
> ─『전후문제 시집』,「후기」에서

이러한 조병화의 술회는 그의 통속적 애상이 전후의 어두운 시대 풍속에서 스스로의 실존을 구원받고 시를 옹호하려는 정신적 암투의 일단임을 밝혀주는 것이 된다. 실상 이러한 통속적 애상의 정서는 패배주의 내지는 도피주의라는 비판을 면할 길 없지만, 전쟁이 강요한 인간 부정과 실존적인 어려움 속에서 인간적 체온을 유지함으로써 당대 젊은이들의 정신적 파산을 보상해줄 수 있던 한 방법이라는 점에서 본다면 오히려 긍정적인 요소를 지닐 수밖에 없는 것이다.

유정의 시도 전후 현실의 비극적 정황을 애상적으로 노래하고 있다.

> 뇌병원은
> 이중 창살안
> 종내 옛 전우를 몰라보는 채
> 무서운 헛고대만 중얼거리는
> 검은 동공의 벗은 진정 가슴 막히었는데
> 그 보다도
> 소녀 같은 부인이 고개 수그리며
> 흰 볼에 한줄기 빛난 것을 감출 때
> 일시에 등덜미를 엄습하여 오는 것
> 꽃새암같은 것에
> 황급히 모자를 눌러쓰고 돌아선
> 상이(傷痍)의 나는
> ……중략……
> 우리들 생사조차 촌탁할 겨를이 없던
> 그날의 비바람 치던 전야(戰野)가
> 콧날이 뜨겁도록 그리워 지는 것이다.
>
> —「꽃새암」에서

> 석웃내 서린 골짜구니
> 뽀얀 안개속

홀로 웃고 가는
가냘픈 네 뒷모습이 아른거린다.
전쟁이 너를 데리고 갔다 한다.
내가 갈 수 없는 그 가물가물한 길은 어디냐.
안개와 같이
끝내 뒷 모습인 채 사라지는 내 그리운 것아,

—「램프의 시, 1」에서

유정의 시는 전장의 처절했던 회상과 함께 상흔으로 남겨진 현실의 어둠을
비극적 서정으로 형상화하고 있다. "무서운 헛고대만 중얼거리는/검은 동공
의 벗"과 "흰볼에 한줄기 빛나는 것을 감추는/소녀 같은 부인"의 대조는 전쟁
의 상흔을 단적으로 표출하고 있다. 또한 "홀로 울고 가는/가냘픈 네 뒷모습/
전쟁이 너를 데리고 갔다 한다/내가 갈 수 없는 그 가물가물한 길은 어디냐"
와 같은 구절 속에는 전쟁으로 인한 아픈 상처가 인간의 내면적 허무의식과
깊이 연결돼 있음을 말해주는 것이 된다. "홀로 울고 가는 가냘픈 네 뒷모습"
은 실상 폐허 속을 걸어가는 전후인 모두의 자화상일 수도 있는 것이다.
    홍윤숙의 「환별」도 전쟁으로 인한 사랑의 결별을 노래하고 있다.

총대도 탄환도 없이 오르는 장도에
주먹과 가슴팍과 그리고 불타는 젊음만이
하나의 무기라고 웃음짓던 너.

낙엽도 목숨처럼 쌓이고
목숨도 낙엽처럼 쌓이는 높은 산마루엔
청춘이 한묶음 뿌려지리.

너 가거던……
옳은 것이 그리워 너 가거던

부디 사랑과 같은 것은
조그마한 이름으로 불러 두어라.
……백설이 휘날리고 얼음이 깔리었다.
밤마다 하늘은 포성에 무너지고……

아! 나는
얼어붙은 창밑에 손끝을 녹이며
너 돌아오는 날
개선의 새벽까지 살아야 겠다.

홍윤숙의 시는 전쟁과 사랑의 비극적 갈등을 "얼어붙은 창 밑에 손끝을 녹이며/개선의 새벽까지 살아야 겠다"와 같이 기다림과 신념의 자세로 극복하고 있다. 이러한 기다림과 소망은 「흐르는 창변에」, 「낙엽」 등에서 짙은 센티멘털리즘의 양상을 지닌다.

헤어지자……우리들 서로
말없이 헤어지자.
달빛도 기울어진 산마루에
낙엽이 우수수 흩어지는데
산을 넘어 사라지는 너의 긴 그림자
슬픈 그림자를 내 잊지 않으마.
……중략……
너는 별을 가리켜 영원을 말하고
나는 길을 머리 베어 목숨처럼 바친
그리움이 있었다. 혁명이 있었다.

— 「낙엽의 노래」에서

"이별/달빛/낙엽/슬픈 그림자/영원/목숨/그리움"의 시어는 50년대의 전형적인 센티멘털리즘을 반영하고 있다. 홍윤숙의 전후시들은 대부분 이러한 여성적 애상을 기본 내용으로 구성되어 있으며, 이러한 센티멘털리즘은 전쟁의 남성적 폭력에서 스스로를 구제하기 위한 위안의 문학으로서의 방법적 애상으로 해석할 수 있음은 물론이다.

지금까지 살펴본 것처럼 이들 인생파들은 전쟁으로 인해 잃어버린 인간성을 구원받고 빼앗긴 젊음을 보상받기 위해서 설익은 서구적 유행의 포즈 속에서 시대 풍속의 어두운 뒷골목을 방황하였으며 따라서 이들의 시는 술과 연애감정과 통속적 애상에 몰두하여 삶의 어려움과 시대적 고뇌를 망각하고자 노력함으로써 전후 서정을 짙은 애상의 방향으로 이끌어간 것이다.

❸ 휴머니즘의 탐구

애상적인 서정이 전후인들의 자기 위안과 구제의 정신적 방편이라는 소극적 의미를 지닌다면, 이와는 조금 달리 독자적인 각도에서 순수서정을 탐구함으로써 생명적인 것에 도달하려는 일군의 시인들이 나타났다.

정한모는 '아가'와 '나비'라는 상징을 통해서 전쟁으로 인해 상실된 인간성을 옹호하고 순수의식을 고양하는 독자적인 개척을 보여주었다.

> 바람은 산모퉁이 우물속 잔잔한 수면에 서린 아침 안개를 거둬 올리면서 일어났을 것이다.
> 대숲에 깃드는 마지막 한마리 참새의 깃을 따라 잠들고 새벽 이슬잠 포근한 아가의 가는 숨결위에 첫마디 입을 여는 참새 소리 같은 청정한 것으로 하여 깨어났을 것이다.
> ……중략……그러나 언제든 하나의 방향과 하나의 의지만을 생명하면서 나뭇가지에 더운 입김으로 꽃을 피우고 머루덩쿨에 머루를 익게 하고 은행잎 물들이는 가을을 실어본다. 솔잎에선 솔잎 소리 갈대숲에선 갈대잎 소리로 울며 나무에선 나무소리 쇠에선 쇠소리로, 음향하면서 무너진 벽을 지나 무너진 포대 어두운 묘지를 지나서 골목

을 돌고 도시의 지붕들을 넘어서 들에 나가 들의 마음으로 펄럭이고

……중략……

바람이여

새벽 이슬잠 포근한 아가의 고운 숨결위에 첫마디 입을 여는 참새 소리 같은

청정한 것으로 하여 깨어나고 대숲에 깃드는 마지막 한 마리 참새의 깃을 따라 잠드는 그런 있음으로서만

너를 있게 하라.

산 모퉁이 우물 속 잔잔한 수면에 어린 아침 안개를 걷으며 일어나는 그런 바람속에서만 너는 있어라.

—「바람속에서」에서

"바람/우물/안개/대숲/새벽/이슬잠/솔잎 소리/갈대잎 소리/참새 소리" 등과 같은 순수서정의 시어들은 "아가의 고운 숨결"과 조화되어 통화의 세계, 순수의 세계를 지향하는 정한모의 시 정신을 잘 보여주고 있다. "무너진 벽/무너진 포대/어두운 묘지" 등과 같은 삶의 어두운 세계와 "아가의 고운 숨결/아침 안개"와 같은 밝은 세계의 대응은 전후의 어려운 현실 속에서 순수세계를 갈망하는 이념적인 자아의 모습을 형상화한 것이다. 그의 이러한 순수세계에 대한 이념적 지향은 시적 정서의 건강성을 획득함으로써 전후 서정의 형이상적 가능성의 한 모습을 제시해 준다.

맑은 햇빛으로 반짝반짝 물들으며

가볍게 가을을 나르고 있는

나무잎

그렇게 주고 받는

우리늘의 반짝이는 미소로도

이 커다란 세계를

넉넉히 떠받쳐 갈 수 있다는 것을

믿게 해 주십시요.
흔들리는 종소리의 동그라미 속에서
엄마의 치마 곁에 무릎을 꿇고
모아쥔 아가의
작은 손아귀 안에 당신을 찾게 해 주십시요.
……중략……
달에는
은도끼로 찍어낼
계수 나무가 박혀 있다는
할머니의 말씀이
영원히 아름다운 진리임을
오늘도 믿으며 살고 싶습니다.

—「가을에」에서

이 시는 가을날을 "죽음/이별/슬픔" 등 어두운 애상으로 받아들이는 당대의 보편적 정감과는 달리 가을을 맑고 밝게 노래함으로써 전후의 짙은 애상을 여과시키고 있다. "닭은 햇빛으로 반짝반짝 물들으며"라는 투명한 정서와 "가볍게 가을을 나르고 있는/나뭇잎"이라는 경쾌한 율감은 "반짝이는 미소로도/이 커다란 세계를/넉넉히 떠받쳐 갈 수 있다는 것을/믿게 해 주십시요"라는 인간성 회복에 대한 소망과 갈구에 그의 시적모티브가 있음을 말해준다. 이러한 인간성 회복에 대한 염원과 갈구는 "종소리/엄마/아가/당신"과 같은 객관적 상징물의 결합과 경어체 문장의 구사로 인해 착한 것, 약한 것, 어린 것, 아름다운 것 등 순수세계에 대한 염원과 기도의 시적 경건성을 획득하게 된다. 그의 시는 "달/은도끼/계수나무/할머니 말씀" 등과 같은 순수세계, 동화적 세계를 추구함으로써 전후의 혼란과 패배의식을 극복하고 휴머니즘을 회복하려 노력한 것이다.

어머님 나는 별 하나에 아름다운 말 한마디씩 불러 봅니다. 소학교 때 책상을 같이 했던 아이들의 이름과 패(佩)·경·옥 이런 이국 소녀들의 이름과 벌써 애기 어머니가 된 계집애들의 이름과 가난한 이웃 사람들의 이름과, 비둘기, 강아지, 토끼, 노새, 노루, 프랑시스 잼, 라이너 마리야 릴케 이런 시인들의 이름을 불러 봅니다.

어머님
그리고 당신은 멀리 북간도에 계십니다.

—윤동주,「별헤는 밤」에서

아가의 머리 맡에는 햇빛이 앉아 놉니다.
햇빛은 아가의 손님입니다.

아가가 세상에 온 후로
비단결 같은 매일이었읍니다.
아직 눈도 아니 뵈는 쬐그만 우리 아가
⋯⋯중략⋯⋯
아가는 평화의 동산
지줄대는 기쁨의 시내입니다.
아가는 엄마의 등불입니다.
아가 함께 있으면
훤히 밝아오는 마음이 있읍니다.

—정한모,「아가에게」에서

윤동주의 시는 투명한 지성과 맑은 정서를 바탕으로 "어머니"가 상징하는 영원한 것, 절대적인 것으로서의 모성 회귀 속에서 "패·경·옥/가난한 이웃 사람/비둘기/강아지/토끼/노새/노루" 등 동화적인 세계 그 순수서정의 세계를 추구함으로써 식민지적 비극을 극복하려 기도함과 동시에 휴머니즘의 회복을 지향하고 있다. 정한모의 시 역시 맑고 건강한 정서를 기반으로 "아가"라는 순수세계의 상징과 동화적 정감의 추구를 통해서 전쟁의 폭력과 그 비극적 상흔을 휴머니즘으로 고양하려 한다는 점에서 윤동주의 시와 정서의 공유 형식을 지닌다. 윤동주 시가 식민지적 상실의 극복을 "어머니"라는 과거 지향적 상상력에 바탕을 둔 데 비해, 정한모는 6·25의 절망과 허무를 "아가"라는 미래 지향 속에서 극복하려 했다는 점에서 차이가 인정될 뿐이다. 정한모의 시는 그의 시가 탄력 있는 구성을 결여하고 있다거나 혹은 소극적인 정서의 섬약함을 보여준다는 비판에도 불구하고 생명의 세계, 그 휴머니즘의 독자적 세계를 개척했다는 점에서 시사적 중요성이 인정된다.

김남조는 전쟁의 험열함 속에서 목숨과 사랑에 대한 간절한 소망과 염원을 종교적인 기도의 자세로 형상화하였다.

> 아직 목숨을 목숨이라고 할 수 있는가.
> 꼭 눈을 뽑힌 것처럼 불쌍한
> 산과 가축과 신작로와 정든 장독까지
> 누구 가랑잎 아닌 사람이 없고
> 누구 살고 싶지 않은 사람이 없고
> 불붙은 서울에서
> 금방 오무려 연꽃처럼 죽어갈 지구를 붙잡고
> 살면서 배운 가장 욕심없는 기도를 올렸읍니다.
>
> 가슴 틀어박고 매 아미처럼 목 태우다 태우다
> 끝내 헛되이 숨겨간 이건 그 모두 하늘이 낸 선천(先天)의 벌족(罰族)이더라도
>
> 돌맹이처럼 어느 산야에고 굴러 그래도 죽지만 않는
> 그러한 목숨이 갖고 싶었읍니다.
>
> ―「목숨」에서

이 시는 "목숨을 목숨이라고 할 수 있는가/꼭 눈을 뽑힌 것처럼 불쌍한/누구 가랑잎 아닌 사람 없고/연꽃처럼 죽어 갈 지구/목 태우다 태우다 끝내 헛되이 숨겨간"과 같이 짙은 니힐리즘을 배경으로 하고 있다. 또한 "불붙은 서울/선천의 벌족"이라는 구절은 전쟁의 험열한 상황에 서 "돌맹이처럼 어느 산야에고 굴러" 목숨을 이어가는 한 민족의 운명적 서글픔을 노래하고 있는 것이다. 그러나 그의 시는 이러한 운명적인 비극을 "가장 욕심없는 기도를 올렸읍니다/그래도 죽지만 않는 그러한 목숨이 갖고 싶었읍니다"와 같이 종교적인 갈망과 기도로써 극복하려는 자세를 보여준다는 점에서 특징을 지닌다.

> 앙제뤼스의 기도시간
> 흰 석계(石階)위에 성촉(聖燭)의 화심(火心)이 번져나고
> 아아 얼마나 많은 영혼의 명멸들이
> 이 세찬 빛발 속에서 수정겨간다지요.
>
> ―「만종」에서

> 죄(罪)야 아니었었지, 진실로 죄야 아니었었지, 사슴처럼 외롬에
> 길들이던 끝 산불마냥 헤튼 불길이 가슴에 몰려 꼭 한번 인간을
> 두고 오히려 신(神)의 명목하심을 바래었음도
>
> ―「묵주(默珠)」에서

> 찾아 주옵소서……차마 무엇으로 내 마음 더 굳셀 수가 있겠읍니까.
> 못다 감은 눈 이밤에 마저 감고 죽어야함에라도 정녕 오늘 밤이사
> 어느 하나님께도 굽힐 수 없읍니다.
>
> ―「환호」에서

> 빌마시 바시옵소서
> 진실로 그들을 벌하지 마시옵소서.
> 당신 앞에 내가 잘못한 것에 비하면
> 그들 내앞에서 잘못했음이

너무도 적사옵나이다.
주 그리스도 내 넋의 아비이신이여
……중략……
주여! 이 목숨 불살라 한줌 재 되게 하시옵소서.
다만 죄없는 한줌 재되게 하시옵소서.
주 그리스도 영생을 가르치신이여.

—「죄」에서

    이들 인용시에서 볼 수 있듯이 김남조의 시 정신은 인간적인 사랑의 오뇌를 종교적인 신앙의 갈구와 기도로서 이끌어 올림으로써 목숨의 의미를 확인하고 영혼의 위안을 이룩하는 데 바탕을 두고 있다. 그의 시는 "소녀/성당/사랑/아픔/외로움/고독/눈물/기다림/운명" 등의 시어처럼 소녀적인 감수성의 애상적 정서를 바탕으로 하고 있다는 점에서는 전후시의 일반적 센티멘털리즘과 다를 바 없다. 그러나 그의 시는 정한모가 "아가"라는 상징을 통하여 정신의 구원을 갈구하듯이 "하느님"을 부르고 기도함으로써 그 속에서 전쟁의 비극과 허무 의식을 초극하려 했다는 점에서 그 정신적 지향의 독자성이 드러난다. 대부분의 전후시들이 전쟁의 상흔을 바탕으로 인간의 피 냄새를 짙게 드리우고 있는 데 비해 그의 시는 다분히 소녀적이고 피상적이기는 하나 종교적 경건성을 갈구하고 있다는 점에서 전후시의 또 하나의 가능성을 엿볼 수 있게 한다.

    실상 인간적 사랑의 추구와 종교적 신앙의 갈구는 그의 시에서 등가를 이루는 시 정신으로서 모윤숙, 노천명 등 해방 전 여류 시인들의 시 작업을 진일보시키고 있는 것으로 판단되기 때문이다.

    한하운은 전쟁의 험열함을 생명의 몸부림으로 전치시킴으로써 전후시의 비극성을 고조시키고 있다.

가도 가도 붉은 황토 길
숨막히는 더위 뿐이더라.

낯선 친구 만나면
우리들 문둥이끼리 반갑다.

천안 삼거리를 지나도
쑤세미 같은 해는 서산에 남는데

가도 가도 붉은 황토 길
숨막히는 더위 속으로 쩔름거리며
가는길.

신을 벗으면
버드나무 밑에서 찌까다비를 벗으면
발가락이 또 한개 없다.

앞으로 남은 두개의 발가락이 잘릴 때까지
가도 가도 천리길 전라도 길.

— 「전라도 길」에서

　한하운의 시는 문둥이라는 운명적 형벌에 대한 저주와 체념으로부터 시작
된다. "가도 가도 붉은 황토 길/숨막히는 더위"와 같은 암담한 현실 상황에서
"쩔름거리며" 사는 목숨이 저주스러움이 "발가락이 또 한개 없다"라는 강한
절망과 자학으로 처리되고 있다. 그러므로 그의 삶은 "여기 있는 것 남은 것
은 욕이요. 벌이다. 문둥이다"(「삶」)과 같이 운명의 가혹한 형벌로 받아들여
지며, 언제나 "그래도 살고 싶은 것은 살고 싶은 것은/한번 밖에 없는 자살을
아끼는 것이요"(「봄」)과 같이 죽음과 직접 맞닿아 있게 된다. 이러한 짙은 허
무와 죽음의 그림자는 "눈물은 속될진저 오리오리 슬픈 사연을 감아 넘기자"

(「추야원한」)이나 "참다 못하야 부서질 듯이 돌아서면서 흐느껴 눈물로 옷깃을 적시는가"(「추야일기」)처럼 전후시의 보편적인 애상과 연결되어 있지만, 그의 애상이 문둥이라는 운명적 형벌이라는 보다 개인적인 몸부림에 연원한다는 점에서 체험적 비극성을 한층 고조시키고 있다. 이러한 한하운의 운명적 형벌에 대한 저주와 자학의 몸부림은 마치 1930년대 서정주가 젊음의 원죄적 모순에 대한 강렬한 몸부림을 보여줌으로써 한국시의 육체성을 생명적 전율의 미학으로 확장한 것과 같이, 전후의 시대적 절망을 개인의 생명 속에 이끌어 들임으로써 전후 한국시에 생명과 육체의 험열함에 대한 공포와 전율을 새롭게 제시하였다는 점에서 시의 독자성이 드러나게 된다. 한하운의 시는 문둥이라는 개인적 운명의 비극성을 처절하게 인정하고 자학적으로 개방함으로써 운명의 형벌을 극복하고 스스로의 생명을 옹호하려는 안간힘이었던 것이다.

다소 멜로드라마적 요소를 지닌 것이 사실이지만 정한모는 "아가"라는 순수 생명의 지향을 통해서 김남조는 사랑과 종교의 등가적인 형상화를 통해서 이념적 생명의 원상에 도달하려 노력하였으며 한하운은 운명적 업고를 짊은 자학과 저주로 통곡함으로써, 이들은 전쟁의 비극성을 초극하고 생명을 옹호하려는 휴머니즘 정신을 독자적으로 개척하였다는데 서 그 시사적 의미를 인정할 수 있을 것이다.

❹ 소시민의식의 대두

육이오는 한국인의 현실 생활을 무참히 유린함과 동시에 언어와 상상력마저도 가혹히 파괴하고는 과거 속으로 서서히 사라져 가기 시작했다. 전후소설에서 한국인이 인간의 존엄성을 상실한 잉여 인간이나 오발탄으로서 상징되듯이 현실에 밀려가며 살아갈 수밖에 없는 비극을 겪어야만 했다. 부상을 당하거나 직업이 없는 제대군인과 떠돌이 위안부들 그리고 버려진 고아들의 내일 없는 생활이 소설의 전면을 지배한 것이다.

그 누구도 주인이 될 수 없는 현실에서 모두가 아웃사이더로서 뿌리 뽑힌 자로서의 삶을 실존주의라는 외래 사조로 풀이하는 데 많은 노력을 기울였던 것이다. 이러한 일상적 삶의 어려운 현실을 평범하게 받아들이며 살아가는 소시민적인 생활을 묘사한 시작 태도가 나타난 것도 소설 쪽의 아웃사이더 인간상의 탐구와 대응되는 각도에서 비롯된 것으로 볼 수 있다.

김수영의 시는 이러한 소시민의식을 직접적인 언어로 표현해 주고 있다.

> 남의 일하는 곳에 와서 아무 목적 없이 앉았으면 어떻게 하리,
> 남의 일하는 모양이 내가 일하고 있는 것보다 더 밝고
> 깨끗하고 아름답게 보이면 어떻게 하리.
>
> 일한다는 의미가 없어져도 좋다는 듯이
> 구수한 벗이 있는 곳
> 너와 나와 함께 못난 놈이면서도 못난 놈이 아닌데
> 쓸데 없는 도면위에 글자만 박고 있으면 어떻게 하리.
> 엄숙하지 않은 일을 하는 곳에 사는 친구를 찾아왔다.
> 이 사무실도 늬가 만든 것이며
> 이 많은 의자도 늬가 만든 것이며
> 늬가 그리고 있는 종이까지 늬가 제지한 것이며
> 청결한 공기조차 어지러웁지 않은 것이
> 오히려 너의 냄새가 없어서 심심하다.
>
> 남의 일하는 곳에 와서 덧없이 앉았으면
> ‖고ㄴ ‖ㅃ‖‖꿘‖.
> 어떻게 하리.
> 어떻게 하리.
>
> ─「사무실」

김수영의 시는 어려운 표현이나 상징을 사용하지 않고 직접적인 언어를 담담하게 서술하는 무기교의 기교를 지니고 있다. 일견 어눌한 것 같으면서도 그런 담담한 어눌 속에 강인하게 살아있는 정신의 대담성 같은 것이 숨겨져 있다. "남이 일하는 곳에 아무 목적없이 앉아 있는/엄숙하지 않은 일을 하는 곳에 사는 친구를 찾아온" 소시민의 평범한 삶의 진술 속에는 오히려 "남의 일하는 곳에 와서 덧없이 앉았으면/비로소 서러워진다"와 같이 삶의 페이소스가 강렬한 퓨리터니즘으로 응결돼 있다. "너는 나와 함께 못난 놈이면서도 못 난 놈이 아닌데 쓸데 없는 도면 위에 글자만 박고 있으면 어떻게 하리"라는 구절 속에는 실존의 어려움을 뛰어넘으려는 강한 기백이 오히려 평범한 시어를 통해 위악적인 제스처로 표현된 것이다.

> 고색(古色)이 창연한 우리집에도
> 어느덧 물결과 바람이
> 신선한 기운을 가지고 쏟아져 들어왔다.
>
> 이렇게 많은 식구들이
> 아침이면 눈을 부비고 나가서
> 저녁에 들어올 때마다
> 먼지처럼 인색하게 묻혀 가지고 들어온 것
>
> 얼마나 장구한 세월이 흘러 갔던가.
> 파도처럼 옆으로
> 혹은 세대를 가리키는 지층의 단면처럼 억세고도 아름다운 색감—
>
> 누구 한사람의 입김이 아니라
> 모든 가족의 입김이 합치어 진 것
> 그것은 저 넓은 문창호의 수많은 틈 사이로
> 흘러 들어오는 겨울 바람 보다도 나의 눈을 밝게 한다.

······중략······
거칠기 짝이 없는 우리 집안의
한없이 순하고 아득한 바람과 물결—
이것이 사랑이냐.
낡아도 좋은 것은 사랑 뿐이냐.

—「나의 가족」에서

　이 시 역시 평범한 가족들의 먼지 묻은 일상생활을 소재로 그 속에 숨겨진
삶의 동력으로서의 생명력의 강인함과 사랑의 힘이 묘사되어 있다. "모든 가
족의 입김이 합쳐진 것"으로서의 강한 생명력과 사랑은 전후 현실의 어려움
을 살아가는 소시민들의 실존적 응전력을 표현한 것으로 해석된다. 그러므로
"흘러 들어오는 겨울 바람보다도 나의 눈을 맑게 한다"와 같이 번득이는 정신
의 투명함을 획득할 수 있게 되는 것이다. "거칠기 짝이 없는 우리 집안의/한
없이 순하고 아득한 바람과 물결/이것이 사랑이냐/낡아도 좋은 것은 사랑 뿐
이냐"라는 구절 속에는 가족주의적인 사랑의 확신만이 어려운 현실을 극복
할 수 있다는 소시민적 자기방어 의식이 잠재해 있다. 실상 김수영의 「적(敵)」,
「잔인의 초」, 「푸른하늘을」, 「기도」, 「하, 그림자 없다」 등 60년대 초의 현실
참여시의 근저에는 신뢰할 수 없는 현실과 비정한 사회의 압력에 대응하는
개인적 실존의 무력성에 대한 비판의식과 자기방어 의식이 동시에 깔려 있음
을 간과할 수 없기 때문이다. 이렇게 볼 때 김수영의 전후시는 전후 현실의 허
망성에 대한 소시민으로서의 본능적 방어의식에 뿌리를 두고 있으며, 이러한
개인적 대응방식이 공적 차원으로 상승되는 지점에서 60년대 초에 이르러 당
당한 비판 정신과 저항의 대사회적 응전력을 획득하게 된 것으로 판단할 수
있는 것이다.
　김윤성의 시도 일상적 현실에 담담하게 순응하는 소시민의식을 표출하고
있다.

낮잠에서 깨어보니
방안에 어느새 전등불이
켜져 있고,
아무도 보이지 않는데
어딘지 먼 곳에서 단란한
웃음소리 들려온다.

눈을 비비고
소리 나는 쪽을 찾아보니
집안 식구들은 저만치서
식탁을 둘러앉아 있는데
그것은 마치도 이승과 저승의
거리만치나 멀다.
……중 략……
갑자기 두려움과 설움에 젖어
뿌연 전등불만 지켜보다
울음을 터뜨린다.
어머니, 어머니
비로소 인생의 설움을 안
울음이 눈물과 더불어 한없이 쏟아진다.
—「추억에서」에서

　김수영의 시가 일상의 담담한 묘사 속에 강한 정신의 번득임을 지니고 있
는데 비해 김윤성의 시는 평범한 일상을 담담하게 묘사하는 가운데 오히려
소외된 자로서의 두려움과 안타까움을 적시적인 이미지로 형상화하고 있다.
"아무도 보이지 않는데/어딘지 먼 곳에서 단란하게" 들려오는 가족들의 웃음
소리는 현실의 중심에서 벗어난 자로서의 소외의식이 밑바탕에 자리 잡고 있
음을 말해준다. 그렇기 때문에 "집안 식구들은 저만치서/식탁을 둘러 앉아 있
는데 그것은 마치도 이승과 저승의/거리만치나 멀다"와 같이 가족들마저도

단절감 내지는 거리감을 느끼게 되는 것이다.

> 거리에서 우연히 아내를 만났다.
> 나는 일부러 모른 척하고 지나간다.
> 「내가 인정하지 않는 한 어째서 저 여자가 나의 아내란 말인가.」
> 저녁상을 가운데 놓고 아내와 마주 앉았다.
> 갑자기 서베이어 1호처럼
> 난데없이 사뿐히 착륙하는 얼굴
> 「바로 저 얼굴이다!」
> 「뭐가 저 얼굴예요?」
> 「아니 서베이어 1호의 연착 말이야」
>
> 이제는 신비의 베일도 벗겨지고 대재벌의 몰락처럼
> 쓸쓸한 얼굴,
> 달
>
> —「아내의 얼굴」에서

이 시는 현실 생활의 어려움에 닳아진 아내의 이미지를 "신비의 베일도 벗겨지고 대재벌의 몰락처럼 쓸쓸한 얼굴/달"로 유추함으로써 일상을 평범히 살아가는 소시민의식을 형상화하고 있다. "서베이어 1호처럼/난데 없이 사뿐히 착륙하는 얼굴"이라는 기발한 직시의 이미지는 김윤성의 시작이 일상성 속에 잠겨 있는 신기한 이미지 내지는 경이성을 추출하는데 모티베이션을 두고 있음을 말해준다. 현실 속에 얼룩지고 닳아진 아내의 얼굴은 일상을 평범하게 닳아지면서 살아가는 시인 자신의 모습인 동시에 전후의 어려운 현실을 살아가는 모두의 얼굴일 수 있는 것이다. 이처럼 김윤성의 시는 소시민적인 생활의 감정을 담담하고 솔직하게 표현함으로써 삶의 저력과 여유를 획득할 수 있게 되는 것에 그 특징이 있다.

김수영의 시로 대표되는 전후시에서의 소시민의식의 대두는 4·19와 5·16

등 60년대의 정치 사적 변화 속에서 사회적 관심으로 확대되어 개인적 삶의 자유와 민주정신의 회복이라는 테마를 형성함으로써 이후의 시에 커다란 영향을 미치게 된다는 점에서 그 중요성을 드러내게 된다.

V

육이오는 패배주의와 허무주의의 심화라는 부정적 측면과 함께 민족과 개인의 발견이라는 긍정적 측면을 갖는다.

■ 맺는말, 육이오의 시사적 의의

한국전쟁은 그것이 비록 한국의 영토 내에서 한국인 동족 간의 사상전쟁으로 전개됐지만, 실상에서는 미국과 소련으로 대표되는 양대 세력전의 접경지대에서 전후 일본 제국주의의 패망과 중국대륙의 공산화에 따른 동북아시아의 국제정치가 정착되지 못한 데서 파생된 군사적 마찰이라는 성격을 지닌다. 미국은 제2차 세계대전 종결 당시의 현상을 유지하기 위한 대소봉쇄작전의 일환으로 한국전쟁을 떠맡은 것이다. 그러므로 한국전쟁은 한국인의 "조국 통일"이라는 이념적 목표를 달성하기 위한 통일 전쟁 그 자체로서 전개된 것이 아니라 미소의 양극 체제를 확고히 하기 위한 세계 정책의 일환으로 강요된 군사적 시행착오 현상으로 지적될 수 있다. 그 결과 전쟁은 민족사 초유의 동족상잔의 비극으로 국토를 송두리째 유린하고 국민을 무참히 짓밟았으며, 마침내는 통일도 강대국들의 세력 균형의 변동 여하에 의해 타율적으로 얻어질 수밖에 없는 민족의 꿈으로 남겨지게 되었다. 무려 30억 불에 달하는 재산 피해와 국토의 초토화 그리고 수백만에 달하는 전재민과 천만 명의 이산가족은 전쟁으로 인한 손실 그 자체보다도 한 민족을 사상적으로나 현실적으로 완전히 양분함으로써 민족의 이질화 현상 내지 민주문화의 걸음마 현상을 노골화하는 계기가 됐다는 점에서 더욱 비극적인 것으로 남게 된다. 또한 전쟁은 일제 36년의 식민지 체험 이상으로 한국인의 패배주의와 허무주의를 심화시켰으며, 시대를 압도하는 비극성으로 인해 한국인의 삶을 뿌리 박지 못하게 함으로써 이후의 정치사적 혼란이 되풀이되는 비극적 요인이 되었다.

조선조의 전통적인 유교 사상의 영향과 식민지 체제의 폐쇄성에 기인한 한국사의 보수성 내지 봉건 잔재는 육이오로 인한 미국과 연합군의 참전으로 인해 급격한 해체를 요구당하였으며, 그 결과 전쟁으로 인한 개화 내지 근대화라는 역설적인 아이러니를 파생시키게 되었다. 재즈 문화, 깡통 문화, 초콜릿 문화로 대변되는 미국적인 풍조의 유입은 한국인의 전통적 생활방식에 격심한 변동을 초래하여 또 다른 문화적 식민지의 양상을 지니게 만든 것이다.

그러나 전쟁은 신구 질서의 전면적 변동에 따른 붕괴와 혼란 속에서도 공동운명체로서의 민족의식을 공고히 하고 자유민주주의라는 이념적 공감대를 획득하였으며, 아울러 역사와 현실 집단과 개인, 개인과 개인의 대응 관계에서 단독자로서의 주체적 개인의식을 발견하는 결정적 계기가 되었다.

육이오는 정신사적인 면에서 패배주의와 허무주의의 심화라는 부정적 측면과 함께 민족과 개인의 재발견이라는 긍정적 측면을 제시함과 아울러 문학사에도 커다란 충격파를 형성하였다. 을유해방 이래 문학적 이념에서보다는 다분히 정치적 현실에 기인하여 분리되었던 남과 북의 문학인들은 전쟁 수행에 따른 민족 이동과 함께 월남 혹은 월북하여 문단의 재편성이라는 결과를 초래한 것이다. 전쟁을 통하여 납북된 작가로는 이광수, 김억, 김동환, 김진섭, 홍구범, 김성림, 이종산, 김기림, 유자후, 정지용(마지막 3인은 월북설이 있다) 등이 있으며, 월남한 작가로는 김이석, 강소천, 한정동, 한윤수, 박남수, 장수철, 원응서, 박경종, 한교석, 이인석, 김영삼, 양명문 등이 있다.(『해방문학20년』, 정음사, 1966, 82~86쪽) 전면전에 따른 남북 문단의 재편성과 함께 서울 집중 현상을 보였던 문인들도 전쟁이 국토의 전역을 휩쓸자 각지로 분산되기 시작하였다. 문인들은 육해공군 종군작가단을 결성하여 전장을 뒤쫓아가거나, 피난하여 대구와 부산에서 피난문단을 형성하였으며, 또한 대전,

전주, 광주, 목포, 마산, 진주, 통영, 진해 등 각자의 연고지를 중심으로 산재해 간 것이다. 이들의 지방 분산은 일시적이고 방편적인 것이긴 하였으나 문단의 중앙 집중 현상을 와해시킴으로써 향토 문화의 터전을 마련하는데 중요한 단서를 제공하였다.

육이오는 이러한 문단사적 변화 외에도 문학 내적인 면에서 다양한 변모를 초래하였다. 먼저 육이오는 서구적 문학 양식의 유입으로 한국어의 문학적 특히 시적 가능성을 개방하는 계기가 되었다. 일제하 일본어의 기미에서 벗어나려던 한국어의 투쟁은 영어라는 또 다른 외국어와 정면으로 맞부닥뜨리지 않을 수 없게 된 것이다. 한국시는 서구시의 새로운 감수성과 기법에 직접 충돌함으로써 새삼 '시란 무엇인가'라는 질문과 이에 부수되는 시사적 문제점들을 제기하도록 강요당하였다. 전쟁의 테러리즘에 의한 언어와 상상력의 파괴와 함께 문화의 복잡 다기화에 따른 사상의 혼류는 전후의 한국시가 해방 전의 시보다 훨씬 혼란되고 난삽성을 지닐 수밖에 없는 요인을 만들어 주었다. 시가 문화의 기본적인 단위인자라는 트릴링(L. Trilling)의 말로 미루어 볼 때 한국 전후시의 난해성은 바로 한국 전후 문화의 난삽성을 반영한 것으로 생각할 수도 있을 것이다.

또한 육이오는 전쟁의 거대한 폭력 속에서 한국시의 자생적 응전력을 길러 주었다는 점에서 중요한 의미를 지닌다. 상황에 대한 치열한 대응 자세를 보여줌과 함께 상황을 존재 속에 수용하여 정신적인 에너지로 치환함으로써 전쟁으로 인한 정신적 파산을 극복할 수 있는 시적 응전력을 길러주었기 때문이다. 대륙과 해양의 교차점이라는 지정학적 불리한 여건하에서 험난한 역사를 살아온 한국인들은 육이오를 통해 또다시 그 모든 것을 빼앗기고 잃어버리는 속에서도 비타고 일어남이라는 인간과 문화의 꽃을 그것도 비행한 정신적 응전과 굴절 그리고 실험과 모색을 보여줌으로써 한국인의 민족적 저력과 주체적 가능성을 확보하고 확인해 준 것이다.

또한 육이오는 60년대 및 70년대로 이어지는 한국시의 기본 의미망을 형성해 주었다는 점에서 중요한 의미를 지닌다. 전후시는 해방 전의 시적 질서를 해체하여 목적시로서의 참여시와 이에 대응하는 순수 리리시즘의 시, 모더니즘과 이에 대응하는 고전주의, 풍자와 역설의 사회시와 이에 대응하는 존재론적 탐구의 시, 그리고 센티멘털리즘과 휴머니즘 및 소시민의식의 시를 형성함으로써 이후의 현대시를 심화하고 확대할 수 있는 가능성을 제시해 준 것이다.

　육이오가 시대를 압도하는 비극성으로 이 땅의 인간을, 시인들을 식민지 체험 이상으로 역사의 수레바퀴 속에 깔아뭉개버린 것은 사실이다. 그러나 3·1운동이 표면상 독립 선언 서로 끝난 것 같지만 일제하 많은 민족시를 탄생시킨 모티베이션을 제공한 것처럼, 육이오는 이 땅 인간과 문화의 가혹한 파괴 속에서도 민족과 비극적 개인을 재발견하고 자유의 소중함을 인식게 함으로써 이후 문학사에 귀중한 원천과 동력은 제공하는 문학적 원체험이 됐다는 점에서 중요한 의미가 주어진다. 따라서 육이오를 몇 편의 현장시로서 평가하는 것은 잘못된 일이며 또한 문학사적 의의를 판단해 내는 것도 시기적으로 불가능한 일이다.

　육이오의 역사적 비극성이 문학적 비극 정신으로 승화되기에는 아직도 많은 시간과 노력이 필요한 것이며, 그렇기 때문에 육이오의 문학사적 의미 판단도 미래 완료형으로 남아 있을 수밖에 없는 것이다.

참고문헌

고 은, 『1950년대』, 민음사, 1973.

김규동, 『새로운 시론』, 산호장, 1959.

김 송, 『전시문학독본』, 계몽사, 1951.

김용호, 이설주 편, 『연간시집』, 문성당, 1953.

　　　　, 『현대시인선집』, 문성당, 1954.

박준규, 『분단과 통일』, 삼화출판사, 1973.

유종호, 『비순수의 선언』, 신구문화사, 1962.

이기백, 『한국사 신론』, 1967.

이어령, 『저항의 문학』, 경지사, 1959.

이용희, 『정치와 정치사상』, 일조각, 1958.

정한모, 『현대시론』, 민중서관, 1973.

정한모, 김용직, 『한국현대시요람』, 박영사, 1974.

오가무라 시게오(岡村重夫), 『전쟁사회학연구』, 백엽서원, 1945.

Mac Arthur, Douglas, ≪Reminiscences≫, Mc-Graw Hill, 1964.

Asgood, Robert E., ≪Limited War: The challenge to Anerican strategy≫, The University of chicago Press, 1957.

Whiting, Allen S., ≪China Crosser the Yalu≫, Macmillan, 1960.

Trilling, Leionel, ≪The Liberal Imagination≫, Viking Press, 1950.

시와 진실

金載弘 著

1982年

이우 출판사

머 리 말

R형, 오동꽃 향기 새롭게 피어나는 이곳 항구의 봄 바다가 그립지 않으십니까. 넘실거리는 쪽빛 물이랑 속에는 지난겨울의 얼었던 상처가 풀리며 새살이 돋아나는 듯합니다. 형이 계신 그곳 신촌 들녘에는 진달래 지고, 어느새 철쭉꽃 붉게 피어 의롭게 한 생애를 살다간 이름 없는 이들의 넋을 달래주고 있지나 않은지요. 해마다 이맘때면 들꽃 다투어 피어 제 어두운 맘 불 밝혀 주고 있습니다.

이름 없는 풀잎들, 들꽃들은 살아서 영화롭지 못했던 이 땅의 무명인들·의인들·예인들·작가와 시인들을 생각나게 만듭니다. 특히 저에게는 일제하 어둠 속에서도 고통과 절망을 이기고 한줄 한줄 시를 써 내려간 한용운과 이육사 그리고 윤동주 등 당대의 무명시인들을 그렇게 합니다. 어찌 그들이 생전의 칭예를 바라서 혹은 사후의 명성을 남기려고 시를 썼겠습니까.

이름 없는 들꽃들이 혼신의 힘을 다해 우주의 어둠을 밀쳐내며 목숨의 꽃을 피우고 또 스스로 사라지듯이, 이들 그 시대의 무명시인들은 어둠 속에 오직 목숨의 살아있음과 그 치열함을 시로써 증거하였습니다. 이들 당대의 무명시인들은 인간답게 올바로 살려는 자, 또한 아름답게 살려는 자, 영원히 살 것이라는 교훈과 함께 우리 민족혼이 불멸함을 역사에 가르쳐 주지 않았습니까.

80년대 들어서서 이 땅의 문학은 하나의 혼란기 혹은 전환점에 처해 있는 듯합니다. 문학은 온통 이념에 봉사해야 되며 현실과 민중에 바쳐져야 한다는 주장이 뜨겁습니다. 또한 실험과 모색이라는 명분에서 난삽한 언어유희가 순수문학이라는 이름 속에 유행하기도 합니다. 문학 특히 시가 자유의 개성과 표현이라는 점에서 이러한 견해와 주장들은 모두 일리가 있는 것이 분명합니다. 그러나 문제는 자기 신념만 옳고 다른 사람의 것은 모두 옳지 못한 것으로 매도하는 위압적인 주장들이 횡행한다는 점에 있습니다. 이럴 때면 산촌에 묻혀 묵묵히 자기 세계를 개척하는 형이 그립고, 형의 침묵이 더욱 소중하게 생각될 뿐입니다.

R형, 큰 강물은 흐르는 소리가 요란하지 않습니다. 문학, 특히 시는 주장이나 논리 그 자체가 아닙니다. 시는 자유로운 정신의 형상화이며 개성적인 혼의 표현이라는 점을 우리는 음미해야 할 것입니다. 이 시대의 문학은 그 어느 때보다 큰 주제를 다양하면서도 일관성 있게 또한 깊이 있게 천착하는 대가의식(大家意識)이 요청되는 것으로 판단됩니다. 이와 함께 문학 속에 평생의 승부를 걸고 묵묵히 정진하는 장인의식도 필요한 것으로 생각됩니다. 또한 역사의 삶, 현실의 삶을 떠난 예술은 허구에 가까운 것이 아닐 수 없습니다. 이 시대의 문학은 그 어느 때보다도 현실을 폭넓게 수용하고 그것을 형상화하는 투철한 역사의식과 현실의식이 절실한 것으로 판단됩니다. 그러나 이러한 현실의 삶, 삶의 진실은 그 자체가 바로 문학은 아닐 것입니다. 어디까지나 그것들은 탁월한 예술의식과 결합되어야만 합니다. 삶을 삶답게 만드는 것이 진실이듯이, 시를 시답게 만드는 것으로서의 미의식을 떠나서는 예술로서의 참된 시로 상승하기 어렵습니다. 그 어떤 경우라도 시인은 치열한 현실의식과 비평정신을 지녀야 합니다. 그러나 시를 쓸 때는 그러한 정신들이 아름다

운 예술의식으로 고양되지 않으면 안 된다는 말입니다. 이 점에서 한평생 독립 투쟁 끝에 외롭게 죽어간 한용운·이육사·윤동주 등의 치열한 저항정신과 아름다운 시혼은 소중한 교훈을 심어줍니다. 그들의 투쟁과 삶이 치열하면 할수록, 그들은 생의 어려움과 시대적 절망을 시를 쓰는 고통 속에서 초극하려 몸부림친 것으로 보입니다. 우리가 이들 당대의 무명시인들에게서 감동을 받는 것도 바로 이 때문입니다. 그들은 당대의 어떤 사람보다도 일제에 대한 치열한 저항의지와 대결정신으로 생애를 일관되게 살아갔지만, 이들은 독립투사의 길 그것이 바로 시의 길로 직결되는 것은 아니라는 확실한 깨달음을 보여주었습니다. 그들의 생애와 시는 우리에게 신념 있는 인생의 길이 무엇이며 또한 참된 시의 길은 어떻게 하는 것인가를 소중하게 일깨워 준 것으로 생각됩니다. 이 점에서 이육사의 "겨울은 강철로 된 무지갠가 보다"라는 절창은 바로 일제하에서 육사의 치열한 현실인식(겨울)과 저항정신(강철)이 아름다운 예술의식(무지개)와 결합되어 삶의 치열성을 시의 예술성으로 고양시킨 한 전범이 될 수 있을 겁니다.

R형, 지금은 현실을 외면하지 않으면서도 역사를 꿰뚫어 보는 가운데 치열한 시대정신을 아름다운 예술혼으로 형성화하기 위해 정진해야 하는 소중한 시간이라고 생각합니다.

1984년 4월
서해 바다를 보며

차 례

제1부
한국문학의 비평적 성찰

60~70년대의 문제작가와 작품론

1

1. 문학 열기 뜨겁던 60~70년대

요즈음 문단의 뜻있는 이들 사이에는 왜 80년대에 들어와서는 지금까지 뚜렷한 화제작 또는 문제작가가 발견되지 않는가 하는 데 대한 아쉬움을 나타내는 이들이 늘고 있다. 60년대만 하더라도 「광장」이나 「서울 1964년 겨울」·「병신과 머저리」 등의 소설과 「풀」·「껍데기는 가라」·「성북동 비둘기」 등의 시들이 세인의 주목을 끈 바 있다. 70년대에 들어서는 「삼포가는 길」·「장한몽」·「난장이가 쏘아올린 작은 공」에서부터 「소설 6·25」·「토지」, 그리고 근년의 「사람의 아들」·「만다라」 등에 이르기까지 많은 문제작들이 부침을 거듭하였다. 이와는 조금 다르지만 「별들의 고향」·「영자의 전성시대」 등도 베스트셀러로서 장안의 지가를 올려놓은 바 있다. 시만 하더라도 70년대 벽두에 파문을 일으킨 「오적」을 비롯하여 「농무」·「국토」·「메이비」, 그리고 최근의 「저 문강에 삽을 씻고」·「몸바뀐 사람들」·「우리를 적시는 마지막 꿈」 등이 화제를 불러일으킨 시집에 속하며 그 외에도 의욕적인 작품이 많이 쏟아져 나왔다. 평론 활동 또한 60년대의 순수·참여 논쟁을 시발로 하여 70년대에는 『창작과비평』과 『문학과지성』, 그리고 『세계의 문학』·『현대문학』·『심상』 등의 문예지를 중심으로 활발히 전개되어 시, 소설에 대한 비평작업은 물론 때로는 작가와 시인을 앞질러 가면서 비평의 지도적 기능과 입법적 기능을 수행하였다.

이렇게 본다면 아직 단언하기는 어려운 일이지만 60, 70년대가 오히려 문학의 열기가 뜨겁게 타오르던 시기가 아니었는가 하는 생각이 들기도 한다. 그 이유는 여러 가지가 있을 것이기 하지만 분명한 사실 한 가지는 80년대의 제반 상황이 아직 진행 중이어서 문화적 분위기의 성숙이 채 이루어지지 않고 있다는 점에 기인하는 것으로 보인다. 70년대 말과 80년대 초의 정치·사회사적 전환이 새로운 질서의 뿌리를 내리는 데는 아직 시간이 더 필요한 것이다. 따라서 문학 자체도 유동적일 수밖에 없다. 문학은 한 시대의 안테나인 동시에 시대정신의 꽃이며 뿌리이기 때문이다. 또한 지적 성숙을 반영하는 척도이기 때문에 그 시대의 환경과 긴밀하게 조응할 수밖에 없는 것이다. 물론 요즈음이라고 해서 문제작·문제작가들이 없다는 말은 아니다. 또한 이 시대가 성숙된 문화의식이 부족하다고 말할 수는 더더군다나 없는 일이다. 어느 시대나 그 시대 특유의 화제작·문제작이 있을 뿐만 아니라, 시대정신의 성숙이 이루어지고 있기 때문이다. 다만 탁월한 비평이 부재하기 때문인지도 모른다. 아니면 진지하고 열의 있는 독자들이 줄어들고 그 가치관이 변화하기 때문인지도 모른다. 작품은 물론 작가·시인에 의해 만들어지지만 그 작품의 참된 의미와 가치부여는 비평가와 독자들에 의해 완성되는 것이다. 특히 문제의 발견과 시대정신으로의 지적 상승(intelle-actualize)은 작가와 독자, 그리고 훈련된 건교 독기로 비평가인 상호기용에 의해 성취되는 것이다.

이 점에서 80년대는 아직 이 삼자의 행복한 화해와 균형이 이루어지지 않고 있을 뿐인 것이다. 물론 어느 것이 문제작이며, 또 그 논리적 기준과 근거가 객관적인 설득력을 가진 것인가 하는 것도 문제점이다. 거기에는 문예관은 물론 인생관 및 시대 상황의 변수가 작용하며, 발표 지면과 네임밸류 및 인간관계까지도 관련이 맺어지기 때문이다.

2. 문제작·문제작가의 의미

대체로 문제작·문제작가라는 말속에는 몇 가지의 의미 범주가 설정되는 것으로 보인다.

첫 번째는 기법이나 주제의 특이성이 드러나는 작품 계열, 즉 실험의식이 두드러진 작품·작가를 말한다. 이 경우의 '문제'란 주로 신기성 또는 혁신성을 의미하며, 문학사적인 면에서 주의를 환기한다. 최남선의 「해에게서 소년에게」가 1900년대 초에 우리 문학에 미친 충격과, 30년대 이상(李箱) 문학의 놀라움을 예로 들 수 있다.

두 번째는 소위 베스트셀러류의 작품·작가를 들 수 있다. 이들은 당대의 풍속도를 과장하여 표현하거나, 치부를 선정적으로 드러내어 호기심을 자극하고 대중의 기호에 영합하는 경우로서 「찔레꽃」·「청춘극장」 등을 들 수 있다. 이 종류들은 진정한 인간성의 탐구가 목적이라기보다는 통속시류의 상업성을 겨냥한다는 의미에서 문제작이 아닌 한때의 화제작인 것이다.

세 번째의 문제작이란, 참된 인간성의 탐구 혹은 가치 있는 인간형의 창조를 목표로 하여 역사와 민족, 개인과 사회, 그리고 인간과 신 등의 부딪침에 대한 본질과 현상을 투시하고 끊임없이 문제를 제기함으로써 시대정신과 인간혼을 형상화하려고 시도한 작품을 말한다. 문제작가 또한 이를 쓰기 위해 부단히 자기를 허물고 새로운 문제의식을 형성하며, 이를 확대 심화함으로써 스스로의 작품세계를 완성해 가는 '노력하는 혼의 작가', '살아있는 정신의 작가'를 지칭하는 것이다. 이렇게 볼 때, 참된 문제작과 문제작가란 시대정신을 창조하며 동시에 이를 뛰어넘으려는 열린 혼의 작가와 작품을 의미할 뿐이다.

본고에서는 어느 것이 문제작이며, 누가 문제작가인가를 판별하는 데 중점을 두지는 않겠다. 다만 70년대 문학을 중심으로 근년의 한국문학의 특징과 문제점을 살펴보고, 앞으로의 전망을 피력해 보고자 한다. 따라서 이 글은 70년대에 대한 하나의 진단서이며 80년대에 대한 예비 각서에 불과하다.

2

1. 70년대의 '고통의 문학'

80년대 문학의 밑바탕인 70년대의 시와 소설, 그리고 평론 등 제반 문학 현상은 전년대와 확연히 구별되는 특징을 지닌다. 물론 문학사에 있어서 10년을 단위로 정신사적 특성을 판별해낸다는 것은 무모한 일이며 불가능한 일에 속한다. 다만 10년 단위로 구분하는 것은 이 시대의 문학을 미시적 관점에서 살펴보려는 편의상의 노력에 지나지 않는다.

그러나 이러한 편의상의 시도는 공교롭게도 해방 이후 6·25로부터 시작되는 50년대 4·19 이후의 60년대 10월유신 전후부터 10년간의 70년대 및 10·26 이후인 현재의 80년대로 나눌 수도 있다는 생각을 갖게 해준다. 정치·경제·사회·문화 등 여러 면에 걸쳐 해방 후의 역사는 10년 주기성의 징후를 지니며 전개되어 온 것이다. 특히 70년대는 현대사의 문제점과 모순점을 드러내는 동시에 앞으로의 가능성을 제시해 준 점에서 중요성이 드러난다. 문학이 당대 풍속과 정신의 특징을 첨예하게 드러내는 척도라는 점에서 70년대 문학을 살펴보는 것을 바로 이 시대의 현장검증 작업이 된다.

그러나 70년대의 문학에 대한 본격적인 평가와 문학사적 자리매김은 시기상조이며 지난한 일이 아닐 수 없다. 아직 이들 작품과 작가들이 유동적인 대상으로 존재하기 때문이다. 다만 몇몇 문제작품과 작가를 중심으로 그 전개 양상에 대한 부분적 탐색을 시도할 수 있을 뿐인 것이다.

70년대의 한국문학은 '어둠', '밤'이라는 대표적 시어가 상징하듯이 시대의 어두움과 삶의 어려움에 대한 아픔과 슬픔을 드러낸 작품이 주류를 형성한 다. 이미 전후부터 나타나기 시작한 '허무'와 '한' 그리고 '고통의 문학'은 70년 대 초의 3선개헌과 유신 논쟁을 둘러싼 정치적 경색과 더불어 노골화되기 시 작하였으며 또한 급격한 경제성장과 공업화 추진에 따른 물량주의와 상업주 의의 팽배로 인해 심화되어 가는 양상을 보였다.

날로 거세어지는 정치 상황의 긴장, 이와 아울러 거대해지는 도시문명과 산업사회는 구조적인 모순과 부조리를 야기하였으며, 이로 인해 격심한 가치 관의 혼란과 인간 부정 현상을 초래함으로써, 이 땅의 문학인들에게 뿌리 깊 은 절망감과 예화된 부정적 인식을 심어주었던 것이다. 문학이 이러한 정치 적 갈등과 물질적 질곡으로부터 벗어나려는 자유의 몸부림 속에서 '신화적 시간'에로의 회귀를 지향할 때, 실존의 어려움과 함께 창작의 고통이 뒤따르 게 됨은 물론이다.

70년대 시의 가장 두드러진 특징의 하나는 허무주의의 팽배를 들 수 있다.

① 모든 것이 부질없구나
　　잠자는 남명(南溟)의 바다위에
　　눈꽃은 지고
　　젊은 날의 내 야심도
　　저 바다의 꽃잎같이 스러졌구나

　　　　　　　　　　　　　　—박정만, 「요즈음의 날씨」에서

② 흐르는 것이 물뿐이랴
　　우리가 저와 같아서
　　강변에 나가 삽을 씻으며

거기 슬픔도 퍼다버린다

—정희성, 「저문강에 삽을 씻고」에서

예로 들어본 두 젊은 시인들의 시는 '부질없음', '슬픔' 등의 부정적 정서를
바탕으로 한다. 세계를 바라보는 시선에 우울과 탄식의 허무주의적 색채가
짙게 깔려있다. 그러면서도 ①은 다분히 개인화된 것이며, ②는 공동체화된
허무주의라는 편차를 지닌다. 이러한 젊은 시인들의 허무주의는 시인 자신의
현실적 삶의 좌절에 기인한 것으로 볼 수 있지만 이보다도 60년대 이후의 급
격한 경제성장에 수반되는 물질주의의 대두, 그리고 정치적 억압과 부조리의
심화 등에 시인의 순수지향과 결벽증을 짓누른 데서 오는 시인적 절망으로부
터 연유한 것인지도 모른다. 또한 이 땅에서 교과서적 민주주의에 대한 꿈과
이상의 좌절과도 무관하지 않은 것으로 판단된다. 따라서 많은 시집들이 제
목에서부터 『허무집』(강은교)·『잠자는 돌』(박정만)·『어둠제』(박진환)·『고통
의 축제』(정현종)·『서울유서』(김종철)·『저문강에 삽을 씻고』(정희성) 등과 같
이 비극적 세계관을 표출하게 되는 것이다.

2. 허무주의가 팽배한 70년대 시

그렇다면 이러한 허무주의의 근원은 어디에서 연유하는가. 한국인의 전통
적인 의식구조에 기인하는가? 역사의 험난한 전개과정에서 파생된 것인가?
이러한 문제의 규명은 앞에서 시사했듯이 다각적인 해명이 가능하지만, 무엇
보다도 60, 70년대의 경색화된 정치 상황과 급격한 경제성장에 따르는 사회
의 구조적 부조리의 모습이 누적에 기인하는 것으로 판단된다. 공화당이 장
기집권 야욕으로 인한 정치적 긴장의 고조는 이 땅의 많은 지성인들에게 좌
절과 운명론적 패배의식을 강요하였으며, 물질주의의 팽배는 가치관의 혼란

과 인간 부정 현상을 가속화함으로써 뿌리 깊은 허무의식을 심화해 준 결정적 계기가 된 것이다.

원래 참된 시 정신이란 편협한 권위주의에 대한 저항과 물질주의에 대한 부정에서 비롯되는 것이라고 할 때, 이러한 허무주의의 팽배는 당연한 귀결인 것으로 보인다. 그러나 지나친 허무주의에의 경도는 흔히 과격한 아나키즘이나 데카당을 형성함으로써 창조적인 시 정신의 불임화를 초래하거나, 시작 자체에 대한 회의와 허무의식을 유발하는 등 여러 가지 모순을 야기한다는 점에서 문제점으로 지적될 수 있다.

이러한 허무주의적 경향은 토속적인 한으로 나타나기도 하였다. "아버지는 한 세상/남의 송장이나 주무르기만 할 것인가/진눈깨비 흩날리는 황토마루에/정성들여 광중이나 짓고/외로운 혼이나 잠재울 것인가"(임홍재, 「산역」에서)와 같이 생명의 밑바닥에 깔린 근원적인 허무와 한을 노래한 것이다. 이러한 계열의 문제작으로는 임홍재의 『청보리의 노래』, 송수권의 『산문에 기대어』, 권달웅의 『해바라기 환상』, 유자효의 「평왕제」, 고정희의 『누가 홀로 술틀을 밟고 있는가』, 그리고 정호승의 『서울의 예수』 등의 시 또는 시집을 들 수 있을 것이다.

한편 중진 또는 원로시인들에게서는 과거에 대한 회상주의 내지는 현실에 대한 긍정주의가 두드러지게 나타났다. 많은 젊은 시인들이 허무주의적 발상과 비관적인 현실인식의 주제를 형상화한 데 비해 중진 원로시인들은 개인의 생애사 속으로 회귀하거나 아니면 현실 주변에 대한 담담한 응시를 보여준 것이다.

"그냥 사는 거다/슬픈 거 기쁜 거/다/너대로 그냥 사는 거다/그게 세상/잠깐이다"(조병화, 「눈에 보이옵는 이 세상에서」)와 같이 삶에 대한 순응을 보여주거나 "기러기는 울지 마/바람은 죽어서 마음을 넘고/왜 이미 옛날에 그런 말을 했을까/도요새는 울지마"(김춘수, 「도요새는 울지마」)와 같이 과거적 상상력의 애수를 담담하게 노래한다.

이러한 경향의 문제작으로는 김춘수의 「이중섭」, 조병화의 『만나는 거와 떠나는 거』, 정한모의 「어머니」, 전봉건의 『북의 고향』, 박용래의 『백발의 꽃대궁』 등의 시와 시집을 들 수 있다.

이러한 순응주의 내지 긍정적 세계관은 젊은 시인들이 현실을 절망적 부정적으로 바라보는 데 반해 이들 중진 시인들이 현실과 밀착된 거리에서 삶을 관조하고 긍정적으로 받아들이려는 태도에서 비롯된 것으로 보인다.

3. 참여문학의 돌풍 일으킨 「오적」

다음으로 현실의 모순과 부조리를 풍자하고 비판하는 현실 참여시의 급격한 대두를 들 수 있다. 실상 이러한 경향은 4·19를 전후해서 크게 강세를 보이기 시작한 것이었다. 특히 60년대의 대표적인 참여 시인으로 꼽을 수 있는 김수영과 신동엽의 시에서 그 한 정점을 볼 수 있었다. 김수영의 「시여 침을 뱉어라」와 신동엽의 「껍데기는 가라」 등의 시들은 격앙된 비판정신의 현실참여를 주장한 것이다.

70년대에 들어서서는 현실의 구조적 모순에 대한 비판과 저항운동이 더욱 거세게 일었다. 이러한 즈음의 「오적」은 참여문학의 돌풍을 불러일으킨 화제작이자 문제작으로 손꼽힌다. 이 시는 당대 상황의 모순과 부조리를, 신랄한 풍자와 야유를 통해 고발함으로써 문학이 현실과 어떻게 대응해야 하는가를 선명히 제시하였다. 「오적」에서의 김지하의 준열한 고발정신과 풍자정신은 기실 조선조 후기의 판소리와 사설시조의 그것과 맥이 통하는 것으로서 그 의미를 갖는다.

그러나 내용의 비중이 지나치게 무거워짐에 따라 상대적으로 시를 시답게 하는 예술의식이 약화된 것도 사실이다. 오히려 시집 『황토』에서의 서글픈 정서와 조화된 날카로운 풍자와 비판정신이 시다운 시로서 성공한 것으로 판단된다. 그것은 시가 예술일 수 있는 가장 중요한 열쇠가 정서와 사상의 탄력 있는 조화와 등가를 성취하는 데서 얻어질 수 있기 때문이다. 정신이나 신념 그 자체가 시일 수는 없는 것이다. 그러한 것들이 중요시되는 이상으로 시를 시답게 만드는 결정적 요소인 미적 구조에 대한 섬세한 배려, 즉 예술의식도 함께 강조돼야 하는 것이다.

현실의 모순과 부조리에 대한 비판과 저항정신은 소외된 자 혹은 억눌린 자들의 공동체의식으로 확산되어 민중의식의 시를 형성하게 되었다. 이러한 현실의식 혹은 민중의식은 이성부의 「전라도」·「백제」, 조태일의 「국토」·「식칼론」, 김광협의 「농민」, 최하림의 「밤나라)」, 신경림의 「농무」·「새재」, 이동순의 「개밥풀」, 정희성의 「저문강에 삽을 씻고」 등의 문제작을 탄생시켰다. 이 시들은 역사의 뒤안길 혹은 현실의 그늘에서 억눌리며 살아가는 민중의 한과 슬픔을 노래하는 동시에 역사의 허위와 현실의 모순을 날카롭게 비판해 주었다. 특히 신경림의 『농무』는 고정된 시각과 정형화된 무대 설정 등의 약점을 내포하고 있지만, 당대 농촌의 구조적 모순과 농민들의 울분을 예리하게 형상화한 점에서 화제를 불러일으켰다.

정희성의 「저문강에 삽을 씻고」 역시 허무주의의 짙은 그늘 속에서도 억눌린 민중의 분노와 한을 지적으로 절제하여 표현하는 본보기였다는 점에서 문제작으로서의 성가를 지닌다. 또한 황동규의 「삼남에 내리는 눈」, 장영수의 「메이비」 등은 사대주의의 그늘에서 주체의식 없이 전개되어 온 이 땅의 역사적 비극을 예리하게 묘파했다는 점에서 문제작으로 꼽을 수 있다.

4. 시는 정신의 개방, 진리의 구현

그러나 이러한 참여시 중에는 지나치게 목적의식을 강조한 나머지 시의 시성(詩性, poésie)을 상실한 경우도 많았다. "모이에 길든 이 땅의 어리석은 우중/군은에 살찌는 눈먼 창맹들에게/교수시인의 아양진 기침소리에도/나는 절교장을 쓴다/메더골드여/슈퍼마킷이여/홍어X이여"(「절교장·3」에서)와 같은 어떤 시인의 시구에서 보듯이 의도적인 주제의 노출 또는 감정의 편향성으로 인해 금기어까지 마구잡이로 시 속에 이끌어 들임으로써 시의 시다움을 잃게 된 경우가 그것이다.

시가 시일 수 있는 하나의 근거인 극기와 절제의 원리를 무시하고 지나치게 감정이 노골화되고 및 비속어가 남발된다면 신념과 비판정신 자체도 왜곡되어 객관적인 설득력을 잃게 된다. 민중의식과 지향정신이 진가를 지니기 위해서는 그 자체가 올바르면서도 정정당당한 시각과 논리에서 출발해야 한다. 참여시의 진정한 가능성은 그러한 신념과 사상의 살아있는 정신이 예술적인 아름다움으로 승화될 때, 보다 큰 감동을 불러일으킬 수 있다. 시인은 목적의식에 지나치게 사로잡히거나 선입관에 구속되어서는 안 된다. 시는 본질적으로 정신의 구속이 아니라, 정신의 자유로운 개방이며 진리의 구현이기 때문이다.

지금까지 살펴본 특징 이외에도 개성적인 목소리로 자기 세계를 개척한 시인들이 많이 있다. 이유경의 「초락도」·오규원의 「우리 시대의 순수시」·강우식의 「파도조」·이승훈의 「환상의 다리」·김종해의 「항해일지」·정진규의 「들판의 빈 집이로다」·박제천의 「장자시」·손기섭의 「헌신」·나태주의 「대숲 아래서」·감태준의 「몸바꿘 사람들」·조정권의 「근성」· 김광규의 「희미한 옛사랑의 그림자」 등을 개성 있는 문제작으로 꼽을 수 있을 것이다.

③

1. 풍성한 수확 거둔 60년대 소설

소설은 본질적으로 개인과 집단, 현실과 역사, 인간과 물질, 그리고 인간과

신의 대응 관계에서 파생되는 문제들을 다룬다. 소설의 기본 원리가 비판정신과 구성력에 바탕을 둔다는 점은 상식에 속하는 것이다. 상식적인 이야기를 다시 들추는 이유는 60년대 이후의 소설만큼 괄목할 정도로 양과 질에 있어서 풍성한 수확과 문제점을 동시에 제기한 문학 장르가 없기 때문이다. 소설이 근대 산업사회의 형성과 발전과정에 따른 비판정신의 산물이며, 당대인의 사회 및 현실인식의 척도임에 비추어 볼 때, 60~70년대의 소설은 당대의 한국 사회가 직면하고 있는 구조적 모순과 문제점을 첨예하게 드러낸 것이 된다.

60년대의 소설에서 최대의 문제작의 하나로는 최인훈의「광장」과 김승옥의「서울 1964년 겨울」을 꼽을 수 있다.「광장」은 남과 북의 모순과 부조리 속에서 방황하는 한 지식인의 비극을 형상화한 작품으로서, 50년대와 60년대 소설 사이에 선명한 에포크를 그어 주었다. 6·25를 전후한 분단상황이 개인의 생애에 미치는 명암의 묘사를 통해서 민족과 역사의 갈등을 예리하게 부각시킨 것이다. 북도 남도 아닌 제3국 인도를 택하게 되고, 마침내 남지나해 바다에 투신자살하는 이명준의 고뇌는 바로 시대의 고민이며 역사의 아이러니인 것이다. 관념과 현실의 갈등을 끝내 초극하지 못하고 파산하는 분단 현실하의 지식층의 한계를 선명하게 제시한 문제작이라 하겠다.

「서울 1964년 겨울」은 4·19 이후의 지식인의 허무와 좌절의식을 화려한 감수성의 문체로 형상화함으로써 60년대 세대, 다시 말해 4·19세대의 출발을 보여준 작품이다. 이러한 새로운 감수성의 문체는「무진기행」에서 '안개'로 표상되는 지식인의 허무의식을 적절하게 반영함으로써 한 전형을 이룩하게 된다. 이청준도「선고유예」·「소문의 벽」등에서 허무와 좌절의 체험을 새로운 감수성의 문체로 형상화하여 60년대 소설의 한 경지를 개척하게 된다. 특히 이청준은 70년대에 들어서서「별을 보여드립니다」·「꽃동네의 합창」·「매잡이」등에서 산업사회 속에서의 지식인의 좌절을 묘파하는 고통스러운 작업을 지속해 왔다. 서정인도「원무」·「가위」등을 통해서 실존의 불안과 그 허구성을 예리하게 제시해 주었다.

70년대의 소설에서 중요한 문제작으로는 먼저 황석영의 「객지」와 「삼포 가는 길」, 이 문구의 「장한몽」, 조세희의 「난장이가 쏘아올린 작은 공」 등을 꼽을 수 있을 것이다. 이들 소설들은 소위 '뿌리 뽑힌 자'라고 불리는 변두리 인생의 억척스러운 삶을 통해 현실의 어려움과 허위를 고발하고 있다. 70년 대에 급격히 대두된 산업화의 그늘에서 소외되고 밀려나는 초라한 서민의 삶을 민중의식의 차원에서 다루고 있는 것이다.

2. '뿌리 뽑힌 자'들의 문학

특히 「객지」·「난장이가 쏘아올린 작은 공」은 70년대의 근본적 고민의 하나인 빈부의 극심한 격차와 노사 간의 갈등문제 등 사회의 구조적 문제점에 신랄한 비판을 제시했다는 점에서 중요성을 지닌다. 어느 면에서 볼 때 이들 리얼리즘 소설들은 조화와 협동을 지향해 가야 할 사회의 계층에 대한 심각한 불만과 우려를 표출했다는 점에서 다소 위험부담을 안고 있었던 것으로도 보인다. 계층 간의 부조화와 사회의 구조적 부조리에 지나치게 몰두하게 될 때 자칫 목적소설화 혹은 경향화할 수도 있기 때문이다.

그럼에도 불구하고 이들 '뿌리 뽑힌 자'의 문학 내지 소외자의 문학은 한국 사회가 당면하고 있던 구조적 모순과 부조리를 집요하게 추적함으로써 인간 성을 옹호하고 작가의식을 살아있는 것으로 상승시켜 주었다는 점에서 큰 의의를 지닌다. 또한 역사 추진의 원동력이 이러한 소외된 개인들의 역동화, 즉 공동체의식 내지 민중의식의 활성화에 뿌리를 두고 있으며 또 그래야만 함을 확인시켜준 결정적 계기가 되었다.

다음으로는 특히 70년대 초반 저널리즘을 풍미한 여성소설 또는 상업주의 소설을 들 수 있다. 화제작 최인호의 「별들의 고향」, 조선작의 「영자의 전성

시대」, 조해일의 「겨울여자」 등으로 대표되는 이들 여성편향 소설들은 화려한 물질만능시대에 파산돼가는 불행한 여자들의 삶, 혹은 가치관의 급격한 변화 속에서 방황하는 여인들의 모습을 주로 묘사하였다. 신문 연재소설이 대중을 이룬 이러한 여성소설들은 소비문화와 물질문명의 퇴영적 단면을 드러내 주었다.

따라서 참된 인간성의 창조와 옹호라는 측면보다는 신문소설로서의 대중의 기호에 영합하는 각도에서 흥미 위주의 주제와 플롯을 취급하였다. 어떻게 보면 급격한 산업 발전의 혼란한 외중에서 현대인의 잔인한 야수성과 천박한 감상주의에 영합함으로써 인간의 상품화 내지는 인간성의 환금화 등 타락적 징후를 드러낸 것으로 볼 수 있다.

소설이 팔릴 수 있다는 희망을 작가들에게 불러일으킨 것은 고무적인 일일 수 있지만, 예술혼과 작가정신까지도 물신에 팔아버리지나 않을까 하는 우려를 낳게 한 것도 사실이다. 또한 진지하게 계속 수련해야 할 재능 있는 젊은 작가들을 갑작스레 스타덤에 올려놓음으로써 재능의 굴절을 초래했다는 점에서, 상업주의 소설의 화려한 성공은 결코 바람직한 것만은 아닐 것이다.

3. 역사의식을 구현한 소설들

다음으로는 역사소설의 대두를 들 수 있겠다. 지금까지의 한국의 많은 역사소설들은 참된 역사의식(consciousness of history)에 바탕을 두고 쓰여지기보다는 역사주의(historicism)에 가까운 내용을 다루어온 경향이 있다.

다시 말하면 역사적 사실의 단순한 복원이나 기계적인 재현이라는 각도에서 복고주의와 회고취미로 쓰였을 뿐 역사적 사실을 정확하게 투시하고 해석하여 그 속에서 획득된 사관과 역사의식을 바탕으로 하여 본격적 창작이 이루어진 경우가 드물었다는 점이다.

이렇게 볼 때 박경리의 「토지」, 홍성원의 「소설 6·25」, 그리고 황석영의 「장길산」 등은 한국의 역사소설사에 하나의 문제작으로 평가된다.

이들 역사소설들은 역사적 사실의 정확한 재구성을 바탕으로 이들을 새롭게 해석하고 심화함으로써 진정한 역사의식의 구현을 실현하는 데 어느 정도 성공한 것으로 판단되기 때문이다. 1920년대 역사소설들의 가장 큰 결함인 옛날 이야기식의 소재주의에서 벗어나 역사에 대한 깊이 있는 통찰력을 통해 역사와 현실이 충돌하는 문제를 성실하게 천착한 것이다. 흔히 역사소설이 현실도피 내지 패배주의의 산물일 수 있다는 그릇된 선입관에 대한 시정을 요구했다는 점에서 이들 소설의 중요성이 인정된다.

이와는 조금 다른 경우지만 일제치하나 6·25 체험을 통해 민족적 한과 좌절의식을, 묘사한 문제작들도 있다. 김원일의 「노을」, 이동화의 「전쟁과 다람쥐」, 조정래의 「황토」 등이 그것들이다. 특히 민족분단의 비극과 월남한 사람들의 애환을 다룬 이호철의 「큰산」·「닳아지는 살들」이나 암태도 소작쟁의를 다룬 송기숙의 「암태도」 등은 민중의식과 역사의식의 접합을 통해서 역사적 인간의 문제를 깊이 있게 다룬 문제작으로 평가된다.

마지막으로 70년대 말을 장식한 소위 '형이상학 소설'이라 부를 수 있는 새로운 세대의 작품군을 들 수 있다. 이문열의 「사람의 아들」과 김성동의 「만다라」가 한 예로서, 이들은 인간과 신 혹은 종교와의 만남의 문제를 다루고 있다. 세속사(profane)와 신성사(sacred)와의 갈등과 화해를 집중적으로 추구함으로써 인간존재의 근원성에 대한 질문을 제기하고 있는 것이다.

이들 새로운 세대의 소설들은 70년대 한국소설들이 지나치게 현실에 민감한 반응을 보인 데 대하여, 또 상업주의 소설의 불임화 경향에 대하여, 내성의 █ 소 █ 를 █ 르 █ 고 █ 다 █ █ █ 세 █ 서 █ 기 █ █ █ █ 한 █ █ 를 지닌다. 특히 이문열은 「젊은 날의 초상」·「금시조」 등을 비롯하여 역사소설에 이르기까지 다양한 문학세계를 깊이 있게 천착함으로써 대형작가로서의 틀을 마련해 가고 있어서 관심을 끌고 있다.

지금까지 예를 든 작가 이외에도 70년대에는 개성 있고, 역량 있는 작가가 대거 등장하였다. 「굴뚝과 천장」의 오탁번, 「선생과 황태자」의 송영, 「카메라와 워카」의 박완서, 「들불」의 유현종, 「아베의 가족」의 전상국, 「장마」의 윤흥길, 「모범사육」의 김주영, 「벽속의 화자들」의 이정환 등을 비롯하여 박영한·한수산·최창학·김용성·한승원 등이 70년대의 작단을 화려하게 장식해준 것이다.

4

1. '생각하는' 쪽보다 '발산하는' 시대

이 땅의 80년대 문학은 정치사적 격동과 시련 속에서 시작되었다. 유신체제하에서 누적되었던 정치구조의 경직성은 마침내 10·26이라는 비극적 사건을 몰고 왔으며, 이 땅에 또다시 전환기의 혼란을 야기시켰다. 그러나 제5공화국의 출범과 함께 이러한 격동과 전환의 시대적 갈등은 새로운 양상을 지니기 시작하였다.

이러한 과정에서 우리의 문화, 예술계에는 다양한 질서의 개편이 이루어지게 되었다. 이 가운데서도 각종 잡지, 출판사 및 언론기관의 통폐합 등의 작업은 특히 활자 매체를 바탕으로 하는 문학 현상에 가장 민감한 영향을 미치게 되었다.

무엇보다도 80년대에 들어서서 시작된 컬러TV의 본격적인 방영은 문화구조를 활자 매체 의존형에서 전파 매체 주도형으로 바꿔놓게 되었다. 70년대에 이룩된 경제성장의 산물인 전파 매체의 급격한 신장세는 사회 전반을 컬러화하면서 그 화려한 대중적 영향력을 행사하게 된 것이다.

컬러시대·전파시대의 첨병인 양 프로스포츠의 현란한 출범과 전자오락실의 범람은 이 땅의 문화의식을 '생각하는' 쪽보다도 '발산하는' 쪽으로 기울게 만들었다. 프로야구의 상업주의 선풍과 전자오락실의 범람에 의한 반사주의의 팽창, 그리고 사치성 소비재 산업과 레저산업의 거대화는 소비문화의 풍조를 거세게 불러일으키게 되었으며, 이러한 외향적인 소비 풍조의 만연은 상대적으로 출판계의 도산과 서점의 폐업 등 활자 매체의 위축을 초래한 요인으로 작용한 것으로 보인다. 전파 매체의 직접적이면서도 화려한 영향에 비해 생각하는 기능, 창조하는 장으로서의 활자문화의 영향력은 상대적으로 감소한 것이다.

특히 휴머니즘 운동으로서의 문학은 겉보기의 화려함에 비해서 내실이 부족한 일면을 지니게 되었다. 많은 문학인들 사이에는 생각하는 일, 창조하는 일의 덧없음과 함께 실존에 대한 운명론적 회의와 허무감이 고개를 들게 된 것이다. 특히 70년대 문학에 영향력을 행사하던 몇몇 잡지의 폐간은 문학비평의 약화를 초래함으로써 문학의 비평적 기능을 위축시킨 한 요인으로 작용한 것으로 보인다.

이 무렵 화제작으로 나타난 것이 김홍신의 「인간시장」이다. 이 작품은 출판가의 불황 속에서도 수십만 부의 판매실적을 올림으로써 베스트셀러의 신기록을 수립하였다. 장총찬이라는 한 의협 대학생이 신출귀몰하며 온갖 사회악과 부조리를 소탕한다는 일종의 현대판 「홍길동전」 또는 「임꺽정전」이 바로 그것이다. 이 소설의 성공은 80년대 독자들의 문학적 취향의 변모를 단적으로 반영한 것이라 할 수 있다.

이 소설의 재미는 단연 현대인의 내면의식 속에 자리 잡은 복수심리와 이유 없는 적개심을 흥미본위로 자극한 데서 드러난다. 생각하는 것, 괴로워하는 것, 진지한 것으로서의 성모럴 새 비평 명상은 기세피고 오고지 통속적인 성인만화처럼 흥미본위의 소재와 자극적인 사건들이 좌충우돌하여 읽어 치우기에 적합한 1회용 소설로 나타난 것이다.

이런 소설이 베스트셀러로 읽힌다는 사실은 매우 시사적인 것이 아닐 수 없다. 70년대의 베스트셀러가 주로 호스티스 등의 여성을 주인공으로 한 데 비해 「인간시장」은 남녀노소 가리지 않고 인간을 시장에 방매하고 있는 것이다. 이것은 단적으로 물질문명에 짓눌린 시대의 인간경시 내지는 인간희화의 풍조와 함께 적개심과 야유가 판을 치는 현대인의 병적 심리를 반영한 것이 된다.

또한 베스트셀러 자체가 문학작품이 아닌 것으로 흘러 들어가는 현상도 나타났다. 기업의 부조리를 고발한 폭로소설과 함께 금력·권력·섹스가 판치는 외국의 기업소설의 번역들이 크게 위세를 떨치게 되었고, 문학의 열기는 차츰 스포츠와 오락 등 외향적인 것으로 바뀌어 갔으며 활자 매체도 논픽션 등의 비창작분야로 옮아가는 현상이 나타난 것이다.

80년대에는 교육제도에서도 개혁의 거센 바람이 불게 되었다. 과감한 개방정책에 따른 사회의 자율적인 전환이 그것이다. 통행금지가 해제되고 중·고교생의 두발과 복장의 자율화가 사회에 새로운 개방 풍조를 촉진시키게 된 것이다. 대학교육도 정책적인 면에 있어서 여러 가지 개혁이 단행되었다. 이 가운데 졸업정원제는 면학 분위기의 정착을 위해서는 일단 바람직한 제도로 평가될 수 있을 것이다. 그러나 그것이 장기적인 계획과 토론과정을 거쳐서 시행되지 못하고 조급하게 적용되었기 때문에 파생되는 문제점 또한 적지 않은 것으로 보인다. 무엇보다도 그것이 문학 현상에 미친 영향을 지적하지 않을 수 없다. 학생들이 경쟁적으로 학점에만 매달리게 됨으로써 인간적인 유대감이 약화되고 창조적인 상상력의 계발이 부족하게 된 것이다. 교과서 이외에는 교양 독서 특히 문학작품을 읽을 기회가 부족하게 되었고 멋과 낭만에 바탕을 둔 진지한 인간탐구 즉 휴머니즘에 대한 깊이 있는 천착이 이루어지는 데 부정적인 요인으로 작용하게 된 것이다.

많은 대학생들이 여가에는 프로야구장이나 전자오락실 또는 디스코장 등에서 스트레스를 발산하는 것이 요즈음의 한 유행인 듯하다. 공부하기에도 바쁜데 생각하는 것, 골치 아픈 것으로서의 문학작품을 읽고 괴로워할 것인 가라는 실리주의적·기능주의적 사고방식에 깊이 물들어 있는 것이다.

고급문화로서의 문학은 실상 대학생층이 중요한 독자가 된다. 이러한 독자들이 차츰 취향을 바꿔가게 됨으로써 고급문화로서의 문학은 더욱더 설 자리를 잃어갈 수밖에 없는 것이다. 이렇게 볼 때 80년대의 문화는 내성의 본질적 속성과 외향의 현실 상황 속에서 자리를 잡기 위해 끊임없이 갈등을 겪으며 뿌리를 내리려 시도하고 있는 것으로 보인다.

2. 운명론을 즐기는 80년대 문학

이러한 갈등과 시련의 문학적 분위기 속에서 지적될 수 있는 한 현상은 6·25를 테마로 한 소설이 본격적으로 쓰이기 시작한 점이다. 조정래의 「인간의 문」 시리즈와 이동하의 연작소설 「장난감도시」·「개사냥」, 그리고 문순태의 「달궁」 등이 그것이다. 그런데 중요한 점은 이 80년대의 전쟁소설들이 이데올로기에 초점을 둔 것이라기보다 운명론과 비극적인 세계관에 깊이 연관되어 있다는 사실이다.

80년대의 한 문제작이라 일컬을 수 있는 「인간의 문」의 경우 배점수라는 한 인물을 통해 한국사의 비극적 운명론과 허무주의를 드러내고 있는 것이다. 70년대의 문제작인 황석영의 「객지」나 조세희의 「난장이가 쏘아올린 작은 공」 등이 노사문제 등의 현실 문제에 관심을 둔 소위 '뿌리뽑힌 자'들을 다룬 데 비해 80년대 초의 문제작들은 역사에 의해 '부서져 간 자'로서 민족의 비극과 운명적 한을 묘파하는 것으로 이행된 것이다. 6·25의 운명적 비극성은 바로 현실의 삶과 밀접히 대응됨으로써 현대인의 뿌리 깊은 한의 운명론을 심화하게 된 것이다.

이 점에서 이문열의 80년대 들어서의 또 다른 문제작 「칼레파타칼라」, 즉 '좋은 일은 성사되기 어렵다'라는 제목의 소설은 고대 그리스를 배경으로 설정하여 역사의 허구성과 그 운명적 비극의 순환을 예리하게 풍자한 작품이다. 이렇게 볼 때 80년대의 문학은 한국인의 전통적 운명론을 즐겨 테마로 삼고 있음을 알 수 있다.

그러나 이러한 한두 베스트셀러류의 성공이나 연작소설과 풍차 소설 이외에는 아직 이렇다 할 만한 문제작이 떠오르지 않고 있다. 물론 이 점에 있어서는 무엇보다도 작가들의 통렬한 자기반성이 앞서야 할 것이다. 너무 밀착된 거리에서 현실에 매달려 작품을 상품이나 여가 정도로만 안이하게 생각하거나, 아니면 시대 여건만을 탓하는 등 지나치게 서두르는 경향도 없지 않다. 살아있는 정신, 위대한 작가혼은 시대를 뛰어넘으려는 노력으로 어려운 시대일수록 빛을 발하는 것이다. 세계 문학사상 위대한 작품들은 실상 어려운 시대나 전환기에 쓰인 것들이 더 많지 않았던가 하는 점을 작가들은 진지하게 음미해 볼 필요가 있다.

이 점에서는 또한 과감한 문화정책적 차원의 배려가 있어야 할 것이다. 전파 매체의 화려한 군림을 넘어서는 수준의 활자 매체 중심의 문예진흥정책이 계속 추진되어야 할 것이다. 또 그 방법에서 원고료 지원이나 문인 해외여행 등의 일시적이고 소비적인 투자를 장기적인 차원의 문인 육성과 문예지 자립의 촉진 등, 좀 더 생산적인 방법에로의 전환도 고려해봄직하다. 아울러 각종 문예지 전반에 대한 넓은 의미의 활발한 육성책이 정책적 차원에서 적극적으로 고려되어야 할 것으로 생각된다. 최근 매너리즘에 빠져 있는 듯한 문단에 새로운 활력을 불어넣고 있는 각종 무크지의 활발한 움직임은, 이러한 문단이 안고 있는 고민을 반영한 것일 수 있기 때문이다.

개방과 자율화의 방향으로 정책적 전환이 이루어지고 있는 이 시대에 무엇보다도 민족정신의 뿌리인 문학과 그것의 표현인 출판문화에 보다 적극적인 육성책이 장기적인 안목에서 검토되고 마련되어야 할 것이다. 대중문화의 개화는 정신문화의 핵인 문학이 꽃필 때 비로소 아름다운 열매를 맺을 수 있는 것이기 때문이다. 전파 매체의 화려한 성공이나 스포츠·레저 등의 붐도 있어야 한다. 그러나 이러한 것들이, 거시적 안목에 바탕을 둔 문학의 활성화를 바탕으로 할 때 참된 문화의 르네상스가 이루어진다는 점을 더욱 강조하고자 하는 것이다. 정부의 개방정책과 자율화 정책이 문학에서 진정한 효과를 거둘 때, 우리의 문학사에 획기적인 문제작, 문제작가를 남길 수 있으리라고 믿는다.

5

1. 지금은 문제작이 익어가는 시기

아직 70, 80년대의 문학을 본격적으로 평가하고 계열화한다는 것은 어렵고도 무모한 작업이 아닐 수 없다. 그 까닭은 70년대가 시간적으로 당대로 볼 수 있는 가까운 거리에 놓여 있으며, 대부분의 작업이 진행 중이어서 객관적인 시각과 방법론을 확보하기 어렵기 때문이다.

그러나 논의의 대상이 되는 작가와 작품이 유동적이라 해서 이들에 대한 분석·해석·평가·감상을 전개하는 비평작업이 불가능한 것은 아니다. 오히려 될 수 있는 대로 다양한 시각과 방법론에 의해 작가, 작품론 및 계열화가 활발히 시도될 때 문학의 활성화가 촉진될 수 있기 때문이다. 항상 지나간 날들을 올바로 이해하려는 노력과 과거에 대한 비평적 성찰을 통해서만이 현재를 제대로 파악할 수 있으며, 미래에 창조적인 힘으로 작용시킬 수 있는 것이다.

앞서 언급한 바와 같이 80년대에 들어서서, 문제작과 문제작가가 나타나지 않는 중요한 원인의 하나는 비평작업의 활성화가 이루어지지 않고 있다는 점이다. 문제작, 문제작가는 활발한 비평작업을 통해서 발견되고 성장할 수 있는 것이다. 창작과 비평의 역동적인 대응과 조화를 통해서 참된 문학발전이 이루어지는 것이기 때문이다. 이 점에서 훌륭한 문제작품의 탄생에는 시대의 힘과 작가의 재능, 그리고 훈련된 독자(비평가)의 격려와 비평이 합쳐져야 하는 것이다. 진정 이 시대의 정신이 자유롭고 개방적인 사회 분위기의 정착과 그의 실천이라면 그에 상응하는 비평풍토의 활성화야말로 훌륭한 문제작과 문제작가가 탄생할 수 있도록 하는 데 꼭 필요한 흙과 공기 그리고 물이 되는 것이다. 이 점에서 아직은 더 기다려야 하는 시간인지도 모른다. 기다림과 인내는 튼튼한 열매를 맺게 해주는 묘약일 수도 있으니까.

이 점에 비추어 80년대는 이 땅의 많은 시인 작가들에게, 역사의식에 바탕을 둔 깊이 있는 대가의식과 함께 예술의식과 결부된 치열한 장인의식을 동시에 요구하고 있는 것으로 판단된다. 하나의 커다란 주제를 평생에 걸쳐 깊이 있게 천착하면서도 각개의 작품이 모두 상이한 개성과 목소리를 지님으로써, 전 작품을 다 읽고 나서야 비로소 조금씩 그 작품세계를 이해해나갈 수 있는 폭넓고 깊이 있는 대가의식으로 작품을 써야 할 것이다. 상황에 대한 조건반사적 반응이나 지나친 조급성과 감정 편향성, 그리고 근거 없는 권위의식은 지양돼야 한다.

이 점에서 이 시대의 한 과제인 민중의식과 비판정신 또한 참된 역사의식을 바탕으로 한 대가의식으로 성숙되고 승화될 때 문학사에 오래 남는 대작을 탄생시킬 수 있을 것이다. 하나의 주제를 일관성 있고 깊이 있게 추구하는 대가의식과 함께 문학 속에 인생의 승부를 걸고 정진하는 프로의식으로서의 장인의식이 절실하다. 수단이나 여기가 아닌, 작품에 전 생애를 거는 투철한 극복정신과 시대 상황을 뛰어넘는 인내와 기다림이 필요하다. 이제 광복 후 교육받은 한글세대가 사회의 전면에 대두함으로써 이 땅의 문화적 적응력도 두터운 성층을 지니게 되었다. 문화적 구매력도 놀랄 만큼 신장돼가고 있다는 점에서 80년대 문학의 가능성이 뚜렷하게 드러난다. 물질문명이 위세를 떨칠수록, 시대, 의 어려움이 가중될수록 그러한 고통과 갈등 속에 살면서도 이를 초극하여 이념적인 미래와 신념의 공간을 확대하려는 휴머니즘 운동으로서의 문학은 참된 빛을 발할 수 있다.

이런 점에서 시대의 절망과 고통을 뛰어넘으려는, 이 땅 작가들의 문학과 정신이 항상 낙관적인 미래를 기대할 수밖에 없으며, 그러한 고통스럽고 진지한 노력을 통해서만이 시대의 깊은 어둠을 밀어내고 새로운 문학의 지평을 열어갈 수 있을 것이다.

지금은 문제작이 없거나 문제작가가 나타나지 않는 시대가 아니다. 다만 아직 발견되고 있지 않을 뿐이며, 영글어 가고 있는 성숙의 시간일 따름이다.

(1983년)

신문소설의 특성과 문제점

1. 인스턴트문화와 신문소설

70년대 들어서서 이 땅의 급진적인 경제성장과 함께 문학계에도 적지 않은 회오리바람이 일었다. 즉 신문연재소설의 폭발적인 상업성 획득에 따른 대중문화의 여러 가지 병적 징후가 드러난 것이다. 근대문명 특히 현대문명이 '편하게 살려는 노력'에서 더욱 편한 것을 추구함으로써 인간성마저도 기계적이고 상품적인 것으로 변모해가게 된 것이다. '단추를 누르는 동물(push button animal)'로서의 현대인은 누구나 편한 것, 쉬운 것만을 좋아하게 됨으로써 그 스스로가 기계화되고 상품화되는 비극을 자초하게 된 것이다.

「별들의 고향」에서의 경아, 「영자의 전성시대」의 영자, 「겨울 여자」의 이화 등 일일이 예를 들 수 없을 만큼 많은 신문연재소설들이 여성을 상품화하는 과정에서 현대적 삶의 타락적 징후와 현대인의 야수본능을 적나라하게 드러내었다. 따라서 재능 있는 많은 작가들의 문학정신도 점차 대중적인 취향과 편집자의 요구에 의해 '벗고 벗기는 일'이 신문소설의 제1의적 기능인 것으로 은연중 착각하게 되고 예술적 가치의식을 상실해간 것이 사실이다. 마치 라면 등의 인스턴트문화의 선풍적 보급과 같이 일회적인 상품 가치만을 반복적으로 강요당하게 됨으로써 부지불식간에 작가의식의 당당함과 예술적 품격을 잃고 대중문화의 영합자로서 상업주의 내지는 통속성을 더욱 노정할 수밖에 없게 된 것이다. 이것은 예술성을 제1의로 삼는 문학전문지들의 지속적인 발간과 대응되면서 문학적 가치의 양분화를 심화해 가게 되었다.

따라서 신문소설은 애정소설과 역사소설의 두 가지 양식을 고정하게 된 것이고 그것이 신문 판매 부수와 상관관계를 지님으로써 흥미본위의 통속성을 노골화하게 되었다. 본 소고에서는 이 땅 신문소설의 역사적 성립과정과 그 문제점을 간략하게 살펴보는데 그 뜻을 두기로 한다.

2. 신문소설의 형성

우리나라에서 신문연재소설이 처음 나타난 것이 1906년 7월부터 10월까지 만세보에 연재되었던 이인직의 「혈의 누」이다. 1900년대 초기 신문소설이 가지는 의미는 두 가지로 해석될 수 있는데, 첫 번째는 신문학 초기의 서구문학 수용과정과의 관계이며, 두 번째는 근대 자본주의의 도입으로 인해서 서서히 형성되기 시작한 문학 독자인 대중과의 관계이다.

첫 번째, 외국문학 수용과정은 우리 근대문학사에서 보여주는 외국문학의 영향과 마찬가지로 신문연재소설 역시 일본 신문소설의 영향에서 시작된 것으로 볼 수 있는바, 최초로 신문소설을 연재한 이인직이 「혈의 누」를 발표하기 훨씬 이전인 1880년경부터 일본에서는 신문연재가 성행하였다. 그러한 것을 이인직이 일본에 유학하고 있던 때에 체험한 후에 귀국해서 「혈의 누」를 연재했던 것임을 알 수 있다.

외형적인 면에서 이 땅의 초기 연재소설들이 일본의 신문소설과 연계성을 가지고 있다고 할 수 있지만 성격 면에서는 상당한 차이가 있다. 일본에서는 이미 서구문학을 받아들여서 문학의식 이나 작가, 독자층이 형성되어 있었고 근대화로 인해 대중이라는 계층이 형성되어 가고 있었다. 이러한 바탕 위에서 신문소설은 문학의 한 특수분야로서의 위치를 확보하고 대중문학으로서의 독자성을 획득해간 것이지만 우리나라에서는 사정이 달랐다.

우리나라 신문소설의 효시인 「혈의 누」는 신소설의 효시이고, 근대 문학의 발판을 마련한 최초의 소설형태인 것이다. 한국 신문학사에 있어서의 소설 문학의 형성은 오히려 신문소설을 기점으로해서 그 골격이 형성되고 발전했다고 볼 수 있다.

그것은 또한 우리나라 최초의 근대 장편소설이라고 흔히 이야기되어지는 이광수의 「무정」이 1917년에 『매일신보』에 연재되었음과도 관련을 갖는다. 우리 문학사에 대한 신문의 최대 공적은 "장편연재소설-한국의 장편문학은 여기서 개척되고 발전하며 위대한 열매를 맺었다."(김병익, 『한국문단사』, 일지사, 1973)고 보는 것과 같이 신문소설은 문학사에서 단번에 주도적 위치를 차지하게 되었다. 초기의 신문연재소설은 형식 면에서와 마찬가지로 내용 면에서도 외국소설의 영향을 받았으며, 그것은 예술성과는 별개의 문제로서 근대적 성격을 가진 소설의 출현으로서의 문화사적 의미를 가지는 것이다.

두 번째, 독자인 대중의 문제이다. 대중이라는 것은 산업사회의 발달로 인해 서로 유대가 없는 개인들로 형성되며, 어떤 계층의 사람이라도 대중의 성원이 될 수 있다. 즉 대중은 계급적 지위나 직업, 교육수준, 재력 등이 서로 다른 개인을 포함한 모든 사회계층에 속하는 개인들로 형성된다.(곽소진, 「대중문화 이론의 비판적 연구」, 1971)

신문소설은 어디까지나 대중문학의 범위에 드는 것이며, 독자는 여러 계층의 대중이어야 하는데 우리나라에서 신문소설이 형성되던 시기에 그러한 대중 독자가 적었다는 사실은 신문소설이 대중문학으로서 대중에게 보편화가 될 수 없었음을 시사해 준다.

당시에는 신문소설이 곧 순수문학이었으며 동시에 대중문학이었던 것이다.

초기의 신문소설 양식을 살펴보면 다음과 같다. 이인직의 「혈의 누」를 비롯하여 조중환의 번안소설 「장한몽」(『매일신보』, 1913), 이광수의 「무정」(『매일신보』, 1917), 진학문의 「홍루」(『매일신보』, 1917), 이하몽의 「무궁화」(『매일신보』, 1918년), 양건식의 「홍루몽」번역(『매일신보』, 1918), 그리고 나도향의 「환회」(『동아일보』, 1922) 등이다.

단행본의 출간이 어려웠고, 잡지의 창·폐간이 빈번했던 당시에 장편소설은 신문에 연재되지 않을 수가 없었고 따라서 신문소설은 대중문학으로서뿐 아니라 순수문학으로서도 그 위치를 굳히게 된 것이다.

3. 을유해방과 통속화 경향의 심화

우리에게 을유해방은 스스로의 힘에 의한 것이기보다는 2차 대전의 종전에 따라 타율적으로 주어진 것의 성격을 지닌다. 해방은 민족정신사의 전통을 되찾게 해준 동시에 혼란을 가져다준 것이다.

일제에 나라를 빼앗겼던 36년간은 부의식의 상실로, 지향하고, 자하는 것의 근본은 주자학적 질서에 의거되어 있다(김윤식, 『한국근대문학사상비판』, 일지사, 1995)는 지적에 기대어 본다면 해방 이전의 문학은 부의식 회복의 지향성으로 숨은 신을 찾는 노력이라고도 볼 수 있지 않을까 한다.

그 시대의 문학은 신의 암묵 속에서 그 침묵을 휩싸고 도는 것 (김윤식, 위의 책)이라는 주장을 용인할 때 일제시대의 문학은 우리 민족의 정신을 찾기 위한 문자 행위가 곧 문학이라는 것이 된다. 신이 숨어있는 시대는 그 신을 찾기 위한 노력이 최대의 문제였지만 국가를 회복하여 부의식을 갑자기 되찾았을 때 문학의 지향점은 혼란을 가져오게 되었다. 해방과 더불어 숨은 신이 갑자기 나타났다가 사라져버린 것이 을유해방 직후의 사정이다. 이때 문학사에서 보여주는 방향은 여러 가지로 나타나고 있으나 신문소설에 한해서 본다면 통속화의 경향이 점차 거세게 나타나게 된다. 물론 해방 이전에도 신문소설은 통속화의 경향이 있었으며 김말봉·김래성·방인근·박계주·정비석 등이 매일신보·동아일보·조선일보 등에 작품활동을 하고 있었고, 대중 독자의 증대와 더불어 통속성을 드러내기 시작하였다.

그러나, 해방 이전의 소설들은 아직 순수와 비순수의 소설이 분화되지 않은 상태에서 소설 자체의 속성으로 통속화의 모습을 보여준 것이었고, 정신사적 의미망으로 보았을 때 신문소설의 통속화는 을유해방 이후에 됐다고 본다. 이민족에게 억압을 받는 때로 국가회복의 정신적 지향점을 밑바닥에 가지고 있었던 해방 전의 문학은, 해방으로 인한 정신사적 거점의 확보에 따라서 그 방향을 흥미본위의 통속소설로 치닫게 한 것이다. 그때는 이미 어느 정도 수준의 작가군과 대중 독자의 확보가 이루어져 가던 시기이며 순수문학도 그 체계가 잡히고 있던 때이다. 신문소설 초기에는 순수와 통속의 구분이 있었으며, 해방 이전에 통속화 경향을 보이던 감은 앞에서 말한 대로 순수문학 안에서의 통속화로서 이야기될 수 있다.

즉, 신문소설이 곧 통속소설이라는 등식이 성립될 수 없었고 장편소설은 신문소설이라는 등식만이 가능했다고 본다. 이런 측면에서 본다면 신문소설의 통속화가 된 그 시점에서 장편 소설의 통속화 경향을 발견하게 된다. 해방 이전에는 이광수·최서해·현진건·김유정·김정한·유진오·전영택·채만식·안수길 등의 작가들이 신문연재소설을 쓰면서도 통속화되지 않은 모습을 보여주고 있었다. 이는 통속화된 소설과 그렇지 않은 소설이 신문연재에 공존해 있었음을 보여주는 것이다.

그러던 것이 해방 이후에 급격히 통속화의 경향을 띠게 되어 그렇지 않은 몇 연재 작품을 빼고는 거의가 흥미 위주의 소설로 탈바꿈하였다. 바로 이 시점에서 신문연재 소설이 곧 장편소설을 대표하는 것이고 장편소설은 곧 통속소설이라는 삼자 간의 등식이 성립되었을 것임을 추정해 볼 수 있다. 장편소설은 대개가 신문연재소설을 통해서 발표되어왔고, 일시적이나마 을유해방을 통한 정신사적 거점의 회복은 그것을 지향하려던 문학정신의 방향에 혼란을 야기시켜 1회 연재라는 특수성과 영합한 통속화의 길로 들어서게 되었던 것이다.

그러한 통속화 경향과 신문소설의 상품화는 1953년 서울신문에 연재했던 정비석의 「자유부인」에서 대표적으로 찾아볼 수 있다. 이 소설은 당시 법학교수였던 황모 씨와의 논쟁으로 화제가 되었던 인기소설로 대학교수 부인의 탈선행위를 묘사하면서 전쟁이 스쳐 간 후의 세태와 값싼 애정의 갈등을 그려 서울신문의 지가를 올려놓음으로써 신문소설의 상품화 경향을 여실히 드러낸 소설이었다.

현대는 사용가치가 지배하는 사회가 아니고 시장생산경제 법칙하의 교환가치가 지배하는 사회이며, 문학도 판매를 위한 상품화가 되어 시장에 보내진다는 골드만의 이론에 기대어 본다면(Lucien Goldmann, *The Hidden God*, 1976) 신문소설 역시 시장판매를 위한 생산을 전제로 한다는 점에서 상품화될 수밖에 없다. 그러나 문제는 다른 곳에 있다. 즉, 예술성을 지향하는 소설은 작가가 사용가치를 목표로 하여 글을 쓰고, 독자가 그 소설을 구입하는 과정에 있어서 시장을 통해야 하기 때문에 교환가치가 인정되는 것이지만, 통속화된 소설은 처음부터 작가는 사용가치에 목표를 두지 않고 상품으로서의 교환가치에만 목표를 두기 때문에 결국 훼손된 가치만 존재하게 되는 것이다.

그것이 교환가치를 지향하는 작가에 의해서 시장판매 수단인 신문을 매개로 훼손된 가치인 소설을 독자에게 공급하기 위함이라면 우수한 상품을 만들기 위한 노력은 곧 통속화 과정으로 연결될 수밖에 없는 것이다. 이렇게 본다면 신문소설의 통속화는 판매 상품가치의 메이머고 볼 수 있다. 이러머 에서 상업주의가 발달함과 더불어 신문소설의 통속화가 진행되었음을 추정해볼 수 있기 때문이다.

작가, 매개체, 독자의 3부분이 모두 훼손된 가치를 지향하는 소설이 신문 소설이라면 3자가 모두 그러한 통속화에 책임을 느껴야 마땅할 것이다.

4. 신문소설의 특성 및 문제점

신문소설이 대개 장편이라는 획일성에도 불구하고 특성은 1회의 연재라는 데서 가장 크게 나타난다. 정해진 분량, 1회마다 내용이 독자들의 흥미를 끌 기에만 급급하게 되는 것은 소설의 상품화가 낳는 병폐이다. 흥미를 끌 만한 내용은 대개 남녀 애정 관계의 도식적인 갈등, 또는 노골적인 성행위 묘사 및 부도덕한 모험심으로 대표된다. 현재에도 간간이 문제로서 시비가 되는 신문 소설의 외설은 독자의 흥미를 끌 수 있는 가장 적당한 재료이다. 남녀의 애정 문제를 표현하는 것도 예술성을 지닐 수 있으나 그것은 어디까지나 순수한 창작 태도에서 비롯되는 것이고, 성 묘사도 적당한 선에서 예술적으로 표현 되었을 때 가치를 지니는 것이다.

신문소설은 단행본보다 훨씬 더 광범위한, 독자가 대중이라는 조건하에 놓 여 있다. 문학전문지나 월간잡지 등은 어느 정도 독자가 한정되어 있고, 단행 본 역시 기호에 따라서 비슷한 독자층에서 읽히는 것이다. 그러나 신문소설 은 최소한 글을 아는 사람은 모두 독자가 될 수 있다. 독자가 광범위하다는 것 은 여러 가지 주제가 다 독자의 흥미에 연관되어 있다고 할지 모르겠으나, 모 든 독자에게 공통되고 공감을 가지는 문제에 접근하기가 그만큼 어렵기 때문 에 소설의 내용이 한정된다고도 볼 수 있다.

작가가 무의식적 또는 의식적으로 소설 독자를 선택한다는 것은 훌륭한 소 설일지라도 신문소설로서는 부적합하다. 문제는 예술적 수준을 유지하면서 광범한 독자층을 가지며 상품화된 신문연재에 적합한 소설이어야 한다는 데 있다. 그 양자 간의 균형을 유지한다는 것은 상당히 어려운 것으로 영원히 합치점을 찾을 수 없는 것인지도 모르지만 어느 정도의 공정한 평형이 유지되는가에 의해서 좋고 나쁨을 판별할 수 있을 것이다. 대부분의 신문소설이 양자 사이의 균형을 적절히 유지해 나가려고 하기보다는 상품으로서의 중요성을 택하고 그 수단은 남녀의 값싼 애정 관계 또는 인정세태의 자질구레한 묘사로써 지면을 채워가고 있는 것이 보편적 성향이다. "대중예술은 민중에게 우매한 신화를 제공하며 위대한 예술의 수준을 저하시키기 때문에 대중 취향의 속물화는 민주주의의 심각한 위험이 된다"(Dwight MacDonald, *A Theory of Mass Culture*, 1953)는 맥도날드의 우려는 신문소설의 대중성을 논할 때 그 타당성을 지닌다고 볼 수 있다.

예술성을 추구해야 하는 것이 문학이므로 대중문학 역시 예술성을 외면할 수만은 없으나, 신문소설은 시장판매를 목적으로 한 대중문학이기 때문에 그에게서 예술성만을 요구하는 것 또한 불가능한 일이다. 신문소설은 '위대한 예술의 수준을 저하시키는 것'이 아니고 그 나름대로의 예술적 특성과 지향하는 이념이 있어야만 한다. 만약 순수예술적인 소설을 신문소설로 연재했다면 어떻게 될 것인가? 그것은 곧바로 독자를 예술감상의 능력이 있는 계층으로 한정시키는 것이며 신문이라는 상품화 매개체 안에서 비상품화를 추구하는 것으로서, 기본전제를 배반하는 것이 된다. 독자를 한정하고 사용가치를 지향하는 것은 '숨은 신'을 찾으려던 시대에는 정당성을 인정받을 수 있을지 모르지만, 신이 나타났다가 사라졌고 문학정신의 지향점을 상정하기 어려울 때, 이미 상품화되어 교환가치를 택한 신문소설은 대중문학으로서의 독자적인 위치를 정립하는 것이 오히려 타당할지도 모른다.

신문소설의 내용적 한계가 상품화의 교환가치라면, 형식적 한계는 1회적인 기사의 성격을 지니는 점이다. 신문의 독자라고 고정 되는 것이 아니며, 계속 읽는다 해도 재미가 없으면 보지 않는 것이 독자의 특성이다. 이러한 1회라는 형식상의 한계는 작가나 신문제작자로 하여금 연극의 수법을 빌어 독자의 흥미를 유발시켜야만 좋은 상품이라는 생각을 가지게 하였다. 결국 신문소설은 예술성이나 통일성보다는 호기심을 유발하고 흥미를 지속화하는 기교를 발휘할 수밖에 없게 된 것이다.

신문소설이 대중문학으로서의 위치를 정립하려면 사용가치와 교환가치를 적절히 조화시켜 흥미 위주만으로 독자를 유혹하려는 태도는 버려야 할 것이다. 신문소설은 독자 스스로의 선택에 의해서 읽어지는 것이 아니라 신문구독집단의 범위 안에서 남녀노소 등 각 계층에 의하여 읽히는 것인 만큼 윤리적으로 크게 문제가 되는 것은 작가와 신문제작자 측에서 좀 더 신중히 고려해야 할 것으로 본다. 일부 독자가 흥미 위주의 내용을 원한다고 해서 그것이 모든 독자의 요구인 것처럼 생각하는 것은 매우 위험한 태도이고 그런 요구에 영합하는 것은 대중문학으로서의 올바른 발전을 저해하는 것이다.

신문제작자와 작가는 상품으로서의 교환가치만을 추구하지 말고 독자들에게 예술적 정보 가치를 줄 수 있는 차원에서 신문소설을 이끌어 가야 할 것이다. 독자들 또한 속물적인 성 유희나 흥미본위의 오락성에 탐닉되어서는 안될 것이다. 훌륭한 신문 편집자는 사실 보도로서의 정보 제공자만으로서 그 기능을 다 하는 것이 아니다. 그 시대의 가치관을 창조하고 문화를 육성하는 시대의 Pilot이 되어야만 하는 것이다. 바로 이 점에서 신문 편집자들 특히 문화면 편집자들은 신문연재소설 작가의 선정뿐만 아니라 집필 과정에서도 양식 있는 조화와 절충을 위해 노력을 기울여야 할 것이다.

(1981년)

6·25와 한국문학

—50년대의 시와 소설을 중심으로

  155마일 단장의 휴전선을 남기고 전쟁의 포성이 멈춘 지도 벌써 30여 년의 세월이 흘러갔다. 그럼에도 불구하고 6·25의 비극적 체험은 한국민족 모두에게 현실의 전면과 의식의 배후에서 어두운 그림자를 계속 던져 주고 있다. 아직도 격동하는 국제정치 속에서 미·소·중·일 등 강대국의 틈바구니 사이에서 한국의 현실과 미래는 긴장 상태를 벗어나지 못하고 있는 것이다. 이런 점에서 전후문학을 학문적 대상으로 삼는 것은 시기상조의 느낌이 없지 않다.

  그러나 해방공간에서 50년대 및 60년대에 이르는 전후문학은 식민지시대 문학과 당대의 현대문학(contemporary literature)을 연결시켜주는 문학사적 고리가 되는 동시에 해방 이후 한국인의 정신사적 변모의 과정을 보여주는 가장 중요한 단서를 제공한다는 점에서 서서히 연구를 진행할 필요가 있다. 따라서 본 소고에서 필자는 50년대 시와 소설을 중심으로 전후문학의 특징적 양상을 분석함으로써 6·25가 한국문학에 미친 충격과 영향을 편린이나마 살펴보고자 한다.

  해방공간의 무질서의 혼란 속에서 이념적인 갈등에 시달리던 한국인은 또 다시 6·25라는 동족상잔의 비극에 의해 무자비한 역사의 수레바퀴 밑에 깔려버리고 말았다. 6·25의 비극적 체험은 한국민족 모두에게 인간 존재의 어려움과 그 허망성에 대한 뿌리 깊은 허무와 절망감을 심어주었으며, 일제 36년의 식민지 체험 이상으로 도피주의와 패배주의를 심화해 주는 계기가 되었다.

고향(故鄕)에 돌아온 날 밤에
내 백골(白骨)이 따라와 한방에 누웠다.

어둔 방(房)은 우주(宇宙)로 통(通)하고
하늘에선가 소리처럼 바람이 불어온다.

어둠 속에서 곱게 풍화작용(風化作用)하는
백골(白骨)을 드려다 보며
눈물 짓는 것이 내가 우는 것이냐
백골(白骨)이 우는 것이냐
아름다운 혼(魂)이 우는 것이냐

지조(志操) 높은 개는
밤을 새워 어둠을 짖는다.

어둠을 짖는 개는
나를 쫓는 것일게다.

가자 가자
쫓기 우는 사람처럼 가자
백골(白骨) 몰래
아름다운 또 다른 고향(故鄕)에 기자.
                              — 윤동주, 「또 다른 고향」

어디로 가는 것이냐
누구를 찾아간다는게냐
모다 보따리를 짊어지고

찬바람에 쫓기우며 불리우며
눈덮여 허이한
광야를 걸어가는 우리 동족들
눈물마저 얼어붙었느냐
아모말 없이
오늘도 피난민의 대열은 흘러간다

　　　　　　　　　　　　　　　— 장만영, 「피난민의 대열」

　이처럼 식민지 체험이라는 빼앗긴 자로서의 강박관념과 도피주의는 6·25
체험이라는 쫓기는 자로서의 허무주의와 패배주의에 그대로 연결되고 있다.
6·25라는 격심한 사회 변동에 따른 생활방식과 의식구조의 변모 속에서 한국
근대사의 근본적 모순들이 첨예하게 그 본질과 현상들을 드러내게 되었으며,
전쟁이라는 폭력적 비극을 통한 급진적 근대화라는 엄청난 역사의 아이러니
를 노정 할 수밖에 없었던 것이다. 따라서, 전후문학에 대한 올바른 해명은 과
거의 한국문학을 올바르게 진단하고 현재의 문학을 명확히 파악하며 아울러
미래의 한국문학을 효과적으로 전개하는 데 매우 중요한 요소가 될 수 있는
것이다.

　먼저 전쟁의 극렬한 상황은 의식의 첨단을 살아가는 시인들에게 있어서 혹
자는 참전과 종군이라는 적극적 대응방식을 취하게 했으며 또한 센티멘털리
즘이나 자폐적인 세계로 굴절하는 등 다양한 개인적 편차를 드러내게 만들었
다. 크게 나누어 이러한 시적 대응방식은 세 가지로 구분되는바, 상황과 응전,
방법과 정신 그리고 존재와 서정의 세계가 그것이다.

격전의 날
마침내 최후 승리를 결판지워야 할
돌격의 신호가 오를 때
총(銃)아!

너는 네 몸이 불덩어리로 부서질 때까지
원수들의 살을 삼켜라

　　　　　　　　　　　　 — 장호강, 「총검부(銃劍賦)」에서

　6·25를 제재로 한 시들은 전쟁을 현장의 불꽃처럼 튕겨 오르게 했고 동시에 자유와 조국의 소중함과 생의 허무함을 재인식시켰다.

　전쟁체험의 현장에서 쓰여진 시들은 직설적인 상황 묘사와 인위적인 절규 및 호국의식과 승전의지를 고취한 것이 대부분이다. 모윤숙의 「국군은 죽어서 말한다」에서처럼 적개심과 뜨거운 조국애가 도도한 율문으로 형상화된 것이다. 이영순의 「연희 고지」, 김순기의 「일분간 휴식」 등 현장 상황시와 함께 유치환의 「보병과 더불어」, 조지훈의 「다부원에서」 등의 시는 격렬한 전쟁체험의 비극성을 응시하고 휴머니즘을 옹호하는 참여정신을 표출하고 있다. 또한 구상은 연작시 「초토의 시」를 통해서 전쟁체험이 몰고 온 현실인식의 비극적 세계관을 보여주었고, 김종문은 「벽」, 조영암은 「시산을 넘고 혈해를 건너」 그리고 김영삼은 「아란의 불」 등에서 반공의식을 표출하였다. 또한 박봉우의 「휴전선」 등은 전후 분단상황의 비극성을 예리하게 드러내 주었다.

　한편 방법과 정신을 추구한 시인들은 전쟁의 상황하에서도 현대시의 새로운 실험과 기법을 모색하였다. 먼저 조향, 김경린, 박인환, 김차영, 김규동 등은 '후반기' 동인을 조직하여 1930년대 이상 등이 추구하던 모더니즘의 시적 방법과 정신을 계승한다는 취지에서 현대문명의 메커니즘과 그 그림자를 형상화하였다. 김경린은 전쟁의 그림자와 도시문명의 허울을, 조향은 슈르레알리즘적 실험을, 박인환은 도시문명의 그림자와 애환을 보여주는 등 다양한 실험을 함으로써 전쟁으로 파괴된 가치관과 시적 질서를 묘사하였다. 이들 '후반기' 동인들은 그들 스스로가 인정하듯 당대 대부분의 시인들로부터 무시당했지만 험렬한 전쟁의 와중에서 그들 나름의 시를 문화사적 단위로 의식하여 실험과 모색을 보여준 것은 어느 면에서 의미 있는 것으로 판단된다.

낡은 아코명은 대화(對話)를 관뒀습니다.
-여보세요-
'뿐뿐다리아'
'마주르카'
'디젤엔진에 피는 들국화'
-왜 그러십니까?
모래밭에서
수화기(受話器)
女人의 허벅지
낙지 까아만 그림자

비둘기와 소녀들의 '랑데부우'
그 위에
손을 흔드는 파아란 기록들
나비는
기중기(起重機)의
허리에 붙어서
푸른 바다의 층계를 헤아린다

                                        — 조향, 「바다의 층계」

　또한 서정주는 「무등에게」·「학」 등의 시에서 전쟁의 공포에 대한 역반응으로서 고전정신을 지향하게 된다. 이러한 고전적 지향은 이원섭의 「향미사」·「죽림도」, 이동주의 「기우제」 그리고 박재삼의 「피리」 등의 작품을 낳게 되는바, 이러한 고전적 시 정신은 서구적 모더니즘의 홍수에 무방비적으로 노출된 현대시에 자기반성을 촉진시켜 주었다는 점에서 의미가 놓인다. 이와는 조금 달리 전후의 현실을 역설적으로 의식화함으로써 사회현상을 비판적으로 수용하려는 주지적 경향이 나타났다. 송욱의 「하여지향」, 김구용의 「탈출」, 전영경의 「선사시대」 등은 현실을 조소적으로 또한 역설적으로 야유하고 비판하면서 한글의 시적 가능성을 실험했다는 점에서 그 의미가 놓인다. 또한 김춘수와 신동집은 냉혹한 현실에서 눈을 돌려 사물과 존재의 인식론적 탐구를 보여주었다.

세 번째로 존재와 서정을 추구한 시인들을 들 수 있다. 먼저 조병화와 전봉건, 유정 등은 전쟁으로 인해 잃어버린 인간성과 빼앗긴 서정을 노래하였다. 이들은 전후의 어두운 시대 상황 아래 방황하면서 애상과 서정을 노래하는 바 이러한 방황과 애상은 삶의 어려움과 시대적 고뇌를 극복하고 정신적 위안과 구원을 얻으려 한 데서 전후시의 중요한 골격을 형성하게 된다. 또 정한모와 김남조, 홍윤숙 등은 「아가의 방」·「목숨」 등의 시에서 동심과 순수지향을 통해 시적 휴머니즘의 공감대를 확장하였으며, 이형기, 한성기, 박성룡 등은 전원적 리리시즘(lyricism)을 노래함으로써 전후 서정의 향방을 가늠하였다. 또한 김수영과 김윤성은 도시적 삶의 변두리에서 소외된 소시민의식을 표출하여 60년대 시의 사회적 관심의 대두를 불러일으키는 계기를 마련하였다. 이처럼 한국의 전후시는 전쟁이라는 극한상황에 대응하는 기본양식으로서 몇 가지의 응전과 수용을 보여줌으로써 이후 한국현대시의 기본 골격과 흐름을 형성하는 시발점이 되었다.

한편 6·25는 해방 후 한국 현대소설의 형성과 전개에도 결정적인 모티베이션이 되었다. 50년대 이후의 한국소설은 6·25의 충격과 압력에서 결코 자유롭지 못하게 되었으며, 그의 광범위한 파장에 영향을 받으며 전개되어 갔다. 실상 시보다도 소설이 상황에 대한 보다 직접적이고 예리한 응전과 수용을 취하는 문학 양식인 동시에 비판정신을 그 바탕으로 하는 '살아있는 인간의 살아있는 이야기'라는 점에서 더욱 전쟁의 구속력을 벗어날 수 없는 것이다.

소설에서도 먼저 전쟁의 상황에 대한 직접적인 수용의 작품들이 나타난다. 선우휘·송병수·강용준·서기원·오상원·홍성유 등의 참여적인 소설이 그것이다. 선우휘는 「싸릿골의 신화」·「오리와 계급장」 등에서 전쟁의 극한상황을 용감하게 대처하고 극복해 나가는 국군들의 무용담을 형상화시켰으며, 송병

수는 「잔해」 등에서 적지에 추락한 공군 조종사의 탈출상황의 제시를 통해 실존적 절망을, 강용준은 「철조망」·「밤으로의 긴 여로」 등에서 민족의 수난과 전쟁의 비극성에 대해 날카로운 응시를, 또한 오상원은 「유예」 등에서 전쟁 속에서 죽음을 앞에 둔 인간의 실존적 절망을 표출하였다. 이들 이외에도 50년대 거의 대부분의 작품들에서 전쟁이 직접 간접으로 다루어지고 있음은 물론이다.

한편 황순원·전광용·장용학·김성한 등은 전쟁의 상황 속에서 인간적 갈등과 휴머니즘적 고뇌를 심리의 섬세한 분석으로 묘파하였다. 황순원은 「학」·「나무들 비탈에 서다」·「인간접목」 등에서 극한상황에 처한 인간의 인간 본성과 상황적 갈등의 비극성을, 전광용은 「사수」 등에서 경쟁심리와 우정의 격심한 갈등을, 장용학은 「요한시집」·「비인탄생」 등에서 전쟁의 공포와 자유의 갈망을 우화적 기법과 의식의 흐름(stream of consciousness)으로, 그리고 김성한은 「바비도」·「5분간」 등에서 전쟁에서의 인간의 정의와 자유에로의 의지를 각각 형상화하고 있다. 특히 장용학은 전후 가장 문제성을 지닌 작가로서 「현대의 야」·「원형의 전설」 등에서 전쟁의 비극적 부조리와 실존주의적 인간 조건 및 자유의 문제를 집중적으로 추구함으로써 전쟁 소설의 깊이를 심화하였다.

네 번째는 전후의 절망적 상황과 타락한 인간상을 제시하려는 경향을 들 수 있다. 손창섭을 비롯하여 이범선·이호철·안수길·박경리·이문희 등이 이러한 계열에 속하는데 이들은 전후의 암담한 현실과 잉여 인간의 모습을 드러낸다. 손창섭은 「잉여인간」·「혈서」·「낙서족」·「유실몽」 등에서 전후의 폐허를 살아가는 인간의 절망적 안간힘을 탁월하게 묘파하였으며, 이범선은 「오발탄」 등에서 신이 길끗이 이 쓴 오발탄으로서의 민족인의 시련과 밀명을, 이호철은 「탈향」·「소시민」에서 월남한 실향민의 정착 과정의 어려움과 갈등을, 안수길은 「제3인간형」에서 불안과 절망의 전후인을, 그리고 박경리는

「시장과 전장」·「불신시대」에서 시달리는 전후인의 혼란상을, 이문희는 「흑맥」 등에서 6·25 후 서울역 주변의 카오스적 상황과 그 비정을 각각 집중적으로 작품화하였다. 송병수의 「쑈리킴」 등은 전후 폐허에서 목숨을 이어가는 창녀·펨프 등 버려진 인간들의 이야기를 통해 전쟁의 후유증과 상처를 선명히 드러내고 있다.

다음으로는 전후 세대들의 작품을 들 수 있는데, 이들은 전쟁 그 자체보다는 전쟁체험의 공포와 절망의 그림자를 통해 분단의 시대를 살아가는 한국인의 비극성과 불안의식을 새로운 각도에서 조명하였다. 최인훈의 「광장」을 비롯하여 김용성의 「잃은자와 찾은자」, 김문수의 「증묘」, 이문구의 「장한몽」, 조해일의 「아메리카」, 이청준의 「소문의 벽」 등 헤아릴 수 없이 많은 작가와 작품을 들 수 있다. 특히 최인훈은 「광장」 등에서 전쟁으로 인해 뿌리뽑힌 인간의 절망과 갈등을 보편적인 인간 조건으로 상승시킴으로써 전쟁의 비극성과 이 땅 분단상황의 어려움을 탁월하게 묘사하여 전후 최대의 작가로 평가되고 있다. 이들 이외에도 오유권과 하근찬 등은 전쟁으로 인한 농민들의 두려움과 한을 추구하였으며, 특히 「D데이의 병촌」으로 데뷔한 홍성원은 10여 년의 집념 끝에 대하소설 「육이오」를 완성함으로써 6·25의 진정한 모습과 그 민족적 비극성을 깊이 있게 묘파하여 현대소설사에 전쟁문학의 한 에포크를 선명히 그려 주었다.

이렇게 볼 때 6·25는 한민족 모두에게 민족사 최대의 비극으로 남아있지만 수많은 작가 시인들에게는 인간 조건을 탐구하고 개인과 집단과 국가를 재발견하는 중요한 모티프를 제시해 주었다. 그러므로 6·25 는 앞으로도 오랫동안 이 땅에서 작가가 되려는 자들에게 귀중한 문학사적 원체험으로 살아남게 될 것이 분명하다.

한국전쟁은 북괴의 남침에 의해 비록 한국의 영토 내에서 동족 간의 사상 전쟁으로 전개됐지만, 실상에 있어서는 미국과 소련으로 대표되는 양대 세력의 접경지대에서 전후 일본 제국주의의 패망과 중국대륙의 공산화에 따른 동북아시아의 국제정세가 정착되지 못한 데서 파생된 군사적 마찰이라는 성격을 지닌다. 무려 30억 불(당시 미화 기준)에 달하는 재산 피해와 전 국토의 초토화 그리고 수백 만에 달하는 인명피해 및 천만 명 이상의 이산가족은 전쟁으로 인한 손실 그 자체보다도 국토의 분단과 한 민족을 현실적으로 양분함으로써 민족의 이질화 현상을 노골화하는 계기가 됐다는 점에서 더욱 비극적인 것으로 남게 된다.

6·25는 정신사적인 면에서 패배주의와 허무주의의 심화라는 부정적 측면과 함께 민족과 개인의 재발견과 민주주의적 이념의 공감대를 획득하는 계기를 마련하였으며, 문학사에 있어서도 커다란 충격파를 형성하였다. 무엇보다도 전면적인 민족 재편성에 따른 남북분단의 재편성과 함께 서울 집중현상의 문인들을 향토로 분산시킴으로써 향토문화의 터전을 마련하는 계기가 되었던 것이다. 6·25는 이러한 문단사적 변화 이외에도 문학 내적인 면에서 다양한 변모를 초래하였다.

먼저 6·25는 서구적 문화양식의 유입으로 한국어의 문학적 가능성을 급격히 개방하는 계기가 되었다. 일제하 일본어의 기미에서 벗어나려던 한국어의 투쟁은 또다시 영어와 정면으로 맞부닥뜨리게 되었으며, 특히 2차 대전 전후의 실존주의 등 서구의 문예사조가 유행처럼 번지기 시작하였다.

한국문학은 서구문학의 새로운 감수성과 기법에 직접 충돌함으로써 새삼 '문학이란 무엇인가' 또 '어떠한 기능을 가져야 하는가' 등의 문학사적 회의와 반성을 제기하도록 강요당하였다. 또한 6·25는 전쟁의 거대한 테러리즘 속에서 한국문학의 자생적 응전력을 길러주었다는 점에서 의미를 지닌다. 상황에 내린 시일한 내용 사세나 힘께 깅꼉를 +용아니 싱신씩 메니시노 시环임으노써 전쟁으로 인한 정신적 파산을 극복할 수 있는 역사적·문학적 응전의 힘을 길러준 것이다. 열강세력의 교차점이라는 지정학적 불리한 여건에서 험난한 역사를 살아온 한국인에게 다양한 정신적 응전력과 문화적 실험 및 모색을 보여줌으로써 한국인의 민족적 저력과 주체적 가능성을 확보하고 확인해 준 것이다. 또한 6·25는 60년대 및 70년대로 이어지는 한국문학의 기본 의미망을 형성해 주었다는 점에서 중요한 의미를 지닌다. 전후문학은 해방 전의 문학적 질서를 해체하여 새로운 한글문화로의 전환을 성취하는 계기가 된다.

6·25는 시대를 압도하는 비극성으로 이 땅의 인간과 문학을 식민지 체험 이상으로 역사의 수레바퀴에 깔아뭉개버린 것이 사실이다. 그러나 6·25는 이 땅 인간과 문화의 가혹한 파괴 속에서도 민족의 의미와 개인의 재발견을 성취하고 자유의 소중함을 인식게 함으로써 이후 문학사에 무궁한 광맥으로서의 문학적 원체험이 됐다는 점에서 중요한 의미가 주어진다. 따라서 6·25를 단지 몇몇 작품의 현장문학과 상황시로서 평가하는 것은 잘못된 일이며 또한 문학사적 의미를 정확히 판단해 내는 것도 시기적으로 불가능한 일이다.

6·25의 역사적 비극성이 문학적 비극정신과 예술적 표현으로, 승화되기에는 아직도 많은 시간과 노력이 필요한 것이며, 그렇기 때문에 6·25의 문학사적 의미 판단도 미래 완료형으로 남아 있을 수밖에 없는 것이다.

(1981년)

1950년대 시론의 한 고찰

1

1950년대의 시와 시론을 논의하는 데는 한국전쟁, 즉 6·25의 충격과 영향을 검토하지 않을 수 없다. 조선조의 전통적인 유교 사상의 압력과 일제 식민지 체제의 폐쇄성에서 기인한 한국사의 보수성 내지 봉건적 잔재는 6·25로 인한 연합군의 참전과 그로 인한 일련의 영향에 의해 급격한 해체를 겪기 시작했다.

본고에서 필자는 50년대의 시론 전체를 논하고자 하지 않는다. 이어령의 『저항의 문학』(경지사, 1960)과 유종호의 『비순수의 선언』(신구문화사, 1963) 등 두 평론집을 대상으로 50년대의 정신사적 문제점과 시론의 특징적 양상을 간략히 살펴보고자 할 따름이다. 이들 50년대의 대표적 논객들의 주장에는 50년대 시론의 모순점과 문제점이 첨예하게 드러나 있는 것으로 판단되기 때문이다. 아울러 김춘수의 『한국 현대시 형태론』(해동문화사, 1958)도 첨언하고자 한다.

② 이어령 또는 부정과 저항의 수사학

이어령 비평의 입점은 당대를 위기의 상황 또는 황무지로 인식하는 데서 출발한다. 현실 상황에 대한 예리한 부정의식과 비평 감각, 그리고 응전력의 확보가 그의 비평태도와 방법론의 기저가 되는 것이다.

> 엉겅퀴나무와 가시나무 그리고 돌 무더기가 있는 황요(荒寥)한 지 평 위에 우리는 섰다. 그리하여 우리는 화전민(火田民)이다.
> — 『저항의 문학』, 9쪽

> 1950년(年)의 우화, 그것은 토끼가 간(肝)을 지키기 위하여 전전긍 긍하는 장면의 이야기이다. 그 이야기가 클라이막스에 달한 우화의 시대다.
> — 같은 책, 14쪽

이상의 두 수사적 미문은 50년대 이어령 평론 문체의 한 전형이다. 폐허의 식 또는 황무지 의식이라 부를 수 있는 날카로운 부정과 저항의식이 밑바탕에 깔려있지만, 문면에는 시적 수사와 우화의 시니시즘(cynicism)이 부드럽게 드러나 있다.

평론집 『저항의 문학』에서 시론으로 주목할 만한 항목으로는 「현대작가와 책임」, 「저항으로서의 문학」, 「무엇에 대하여 저항하는가」 등 일반론에 가까운 것과 「시와 속박」, 「시비평방법서설」 등 구체적인 시론을 들 수 있다.

먼저 「현대작가의 책임」은 작가의 책무 또는 위치에 관해 논하고 있다.

> 작가(作家)란 어쨌든 실천적(實踐的) 행동(行動)이 아니라 언어(言 語) 그것을 선택한 사람이기 때문에 커다란 의미에서 보면 문학(文學) 그것이 이미 도피라 볼 수 있다. 그러나 작가(作家)는 언어를 무기(武

器)로 하여 싸울 수 있다. 그것을 가지고 인간성을 변형하고 인간의 의
식을 변화시킬 수가 있다……그럴 때 문학은 "실천적(實踐的) 행동(行
動)" 이상의 행동성(行動性)을 발휘할 수 있을 것이다.

— 앞의 책, 88쪽

위의 인용문은 작가와 언어의 문제를 극명히 밝혀준다. 작가의 가장 큰 싸
움이 언어와의 격투에 있음을 말해주고 있다. 그러나 더욱 중요한 것은 이 글
이 이어령의 문학관과 작가관을 단적으로 들어내 준다는 점에 있다. 문학은
현실 그 자체가 아니며, 따라서 작가의 사명도 현실에 직접 참여하는 것이 아
니라는 점이다. 작가의 현실참여(engagement)는 실천적 행동이 아니라, 작품
(언어)을 통해서 성취돼야 한다는 문학적 앙가지망론을 주장하고 있다. 「저
항으로서의 문학」에서는 이러한 작가 정신이 상황에 대한 반항 의식과 인간
정신의 발견이라는 휴머니즘의 지향에 근거해야 함을 주장하였다. 무엇보다
도 문학은 '상황(situation)'의 논리에 바탕을 두어야 한다는 점을 명확히 하는
것이다. 「무엇에 대하여 저항하는가」에는 이러한 인간의 실존 및 역사 상황
과 현실의 대응 관계에서 드러나는 문학의 의미와 작가 정신의 문제가 첨예
하게 제시돼 있다.

그렇기 때문에 지난날의 인간조건과 오늘날의 인간조건을 살피면
옛 시대의 문학과 오늘의 문학에 대한 차이성(差異性)이 자명해질 점
이 될 것이다.……오늘의 역사적 현실을 비판하고 폭로하고 그리고
지양해 나아가야 한다는 것이다. 그래서 작가는 석불(石佛)을 마멸시
키는 비와 바람과 같은 '자유성'에 저항하는 것이 아니라 그것을 파괴
하는 인간 스스로의 '손' 그 인위성에 저항해야 한다.

— 앞의 책, 110~115쪽

이렇게 볼 때 우리는 이어령 비평의 핵심이 실존주의적 상황론과 부조리

론, 그리고 이에 대한 저항과 앙가지망으로써의 문학론에 근거함을 알 수 있다. 단독자로서 이 세상에 '내어던져진 자(Geworfenheit)'인 인간이 스스로의 인간적 존엄성과 의미를 확보할 수 있는 길은 부정과 저항을 통한 날카로운 역사 감각과 현실인식의 획득뿐인 것이다. 현실사회의 모순된 상황과 부조리에 저항하는 참된 휴머니스트로서 작가의 의미는 드러난다. "실존주의는 휴머니즘이다"라는 캐치프레이즈를 반영한 것이다.

바로 이 점에서 '인간회복'과 '자유에의 길'로서의 시에 대한 관심이 드러날 수밖에 없다. 「시와 속박」은 자유의 표상으로서의 시의 본질을 선명히 드러낸 평론이다.

> 그것은 모두가 비상(飛翔)할 수 있는 자유(自由)를 얻기 위한 수단(手段)이오 그 노력에 불과한 것입니다. 하나의 신화(神話)—하나의 시(詩)는 곧 인간의 구제를 위한 복된 정토에의 개척이겠습니다.
> — 앞의 책, 145~147쪽

이어령은 시를 신화와의 등가물로 생각하여 시를 쓰는 행위를 태초의 시간으로 회귀하는 작업, 다시 말해 인간성을 회복하려는 몸부림이며 동시에 자유를 향한 동경과 갈망으로 규정하고 있다.

전후의 참담한 폐허에서 인간적인 체온을 유지하고 정신적 구원을 성취하기 위한 휴머니즘 지향을 시로써 구현하려 한 것이다. 그러나 이러한 시성(詩性, poesie)은 환상이나 꿈에서 찾을 것이 아니라 역사성과 사회성에 근거를 두어야 함을 강조한다.

> 시인(詩人)이 이러한 마술(魔術)에 떨어지지 않으려면 역사성(歷史性)과 사회성(社會性)에 그 미학(美學)의 근저(根底)를 두어야 하고 진정 그것에서 해방(解放)되려는 욕망을 성장시켜 가야만 될 것입니다.

......현실(現實)의 속(俗)된 생활(生活)에서 도주기피(逃走忌避)하지 않고 어떻게 시인(詩人)이 신화(神話)의 하늘을 비상(飛翔)할 수 있는 자유(自由)와 그 꿈을 얻을 수 있는가 하는 문제를 말입니다.

　　　　　　　　　　　　　　　　　－ 앞의 책, 152~156쪽

이처럼 이어령은 시가 신화적 시간으로의 회귀를 갈망하는 것임에도 불구하고, 현실과 사회를 완전히 유리해서는 불가능한 것임을 적절히 시사한다. 현실에 바탕을 두면서도 이러한 세속적인 것을 고양시키는 데서 참된 시적 자유가 성취될 수 있다는 신념을 보여 준 것이다. 이러한 이어령의 시론은 시가 현실적 목적의 구호여서도 안되며, 동시에 현실을 바탕으로 하지 않은 환상적 자유여서도 안된다는 점을 분명히 하였다. 어느 면에서 절충적인 참여 순수론으로 해석될 수도 있지만, 그 바탕은 역시 참여론에 가까우며, 그 이념적 지향이 순수론에 근접하고 있는 것이다. 이러한 입장이 그로 하여금 『시비평방법서설』에서, 이상적 시 비평방법이란 환위(環圍, Umgebung)와 환계(環界, Umwelt)의 상관관계에서 분석·타진돼야 한다고 주장하게 하는 것이다.

그러므로 시(詩)를 그 '환위(環圍)'와 '환계(環界)'와의 관련성 밑에서 생각하려는 것은 Logos(환위적인(環圍的)인 면(面))와 Pathos(환계적(環界的)인 면(面)) 양정신(兩精神)이 상호융합하여 작용하는 지정적 비평인 동시에 인상비평과 객관비평의 상호결합된 모순을 지양시킨 이상적 비평방법(批評方法)이 될 것이다.

　　　　　　　　　　　　　　　　　－ 앞의 책, 165쪽

이러한 상호융합의 절충론 내지 조화론은 '장'과 '계'의 이론 즉 상황과 문화사적 배경의 논리에 근거한다. 환상과 시대성이 균형 있게 고려돼야 한다는 이 주장은 결국 시의 평가 기준이 시인의 환위와 환계의 조정력에 있다고 보는 데 특징이 있다. 따라서 시적 가치는 즉자적 가치와 상대적 가치(통시적 가치)의 양면성에 의해 판단되며, 이것은 '한 시인이 특정한 환위 속에 어떠한 방법으로 가장 적합한 환계를 창조했느냐 하는 문제에 달려 있다고 보는 것이다. 이 점에서 현대시는 환위에서 야기된 결과이며, 필연적으로 주지성과 비평성을 지닐 수밖에 없으며, '제작의 시(fabrication, Sullen)'로서의 특성을 지니게 된다. '환위'와 '환계'의 조정력 여부에 의한 시와 시인의 비평방법을 제시하고 전통과 고전의 개념을 새롭게 모색한 이어령의 시론은 당대의 인상비평 수준으로 보아 충분히 의미 있는 것으로 판단된다. 그러나 비평이 구체적이며 직접적인 작품분석을 통해 평가 기준과 논리를 확립해야 한다는 기초적인 관점에서 보면 다분히 추상적이고 현학적이라는 비판을 감내하지 않을 수 없다. 더구나 지나치게 수사적인 미문은 날카로운 논리를 자칫 요설이나 궤변으로 전락시킬지도 모르는 위험을 내포하는 것으로 보인다. 여하튼 부정과 저항의 논리를 바탕으로 전개된 이어령의 현학적 시론은 당대의 문단과 비평계를 뒤흔들기에 충분한 설득력을 지녔던 것으로 이해된다.

③ 유종호, 전통단절론과 비순수의 시학

유종호의 비평도 이어령과 마찬가지로 부정과 비판정신의 확립에 근거한다. 이러한 부정과 비판은 먼저 한국문학사의 이원론에 대한 자각, 즉 전통의 단절을 선언하는 데서 비롯된다.

> 문화사 전반에 걸쳐서 고스란히 해당되는 얘기이겠지만 한국의 문학사를 일별할 것 같으면 하나의 단절, 단층이 엄존해 있다. 즉 현대편과 그 이전의 것 사이에는 심연에라도 비길 만한 단층이 존재하고 있다.……(중략)……근본적인 것은 한국의 현대시가 그 이전의 시가를 전혀 전통으로 의식하지 않고 있다는 사실에 문제의 미묘성과 특수성이 있다.……시대적 거리로만 설명할 수 없는 근본적인 단절이 있다.
> ―『비순수의 선언』, 8~9쪽

이러한 전통단절론은 한국의 고전문학과 현대문학을 별개의 흐름으로 파악하고자 하는 이원적 문학사관에서 비롯된다. 이 단절론은 한국의 전통문학에 대한 부정정신과 비판의식에서 기인된 것으로 전후의 황폐한 문화적 분위기에 비추어 강한 논리성을 지니는 것이 사실이다. 이것은 이어령이 조연현및 김우종과 전개한 전통 논쟁(「사인(士人)과 생맥주」, 「바람과 구름의 대화」)과 연결시켜 볼 때 공통적인 논리로서 설득력을 지닌다. 막연한 역사주의(historicism)나 쇼비니즘적 쇄국주의에 깊이 물든 당대의 많은 전통론자들에일격을 가함으로써 보다. 분명한 전통의 실체와 민족적 자아를 발견하려 시도한 점에서 의미 있는 일이다. "그렇다면 소위 전통에 대한 지나친 쇄국적비개방적 태도도 결국은 왜곡된 자격지심이 변형된 형태에 지나지 못할 것"(앞의 책, 235쪽)이라는 지적은 완고한 전통론자들에 대한 각성을 촉구하는것이 된다. 여기에서 필자가 새삼 이러한 논쟁을 재개할 필요가 없을 것이다.이미 이삼십 년 전의 상황에서 전개된 논쟁이며, 전통단절론은 이미 국학계전반 특히 국문학계에서 충분히 검토되고 극복되기 시작한 문제이기 때문이다. '한국문학사는 하나'이며, 긴 안목으로 볼 때 문학사 또는 전통은 굴절이나 전환은 있어도 완전한 단절이나 공백은 있을 수 없다는 것도 그 중요한 이유가 된다. 그러나 당시 50년대의 전후 폐허 위에서 새로운 세대들이 느낄 수밖에 없었던 절망감과 허무감은 필연적으로 전통에 대한 회의와 부정의 단절의식을 낳을 수밖에 없었다. 바로 이 점에서 유종호의 전통단절론과 비순수의 선언이 설득력을 가질 수 있었던 것이다. 정지용에 대한 과도한 찬양과 문학사적 비중의 강조는 이러한 전통단절론의 자연스러운 귀결이다.

그가 한국 현대시를 얘기하는 자리에서 빼놓을 수 없는 이름인정지용·이야말로 이 땅에 있어서 '詩란 언어로 만들어진다'라는 평범하나 중요한 진리를 열심히 자각하고 실천한 최초의 시인이었다.……현대시사(現代詩史)에 있어 '천재적(天才的)' 이란 에피세트를 서슴치 않고 붙일 수 있는 시인이란 것은 명백하다.

– 앞의 책, 11~12쪽.

유종호에게 있어 정지용은 현대시사에 있어서 시적 완벽성을 성취한 최초의 시인이며, 한국어의 시적 가능성을 인식하고 실천함으로써 시학을 정립한 최대의 시인으로 평가된다. 특히 그의 시는 "그 이전의 시가 가지고 있는 정형적 요소와 요적(謠的) 가락, 이러한 일체의 구조에 대한 반기를 들었다는 점에서 압도적인 위치를 차지한다"는 점을 강조하고 있다. 그러나 정지용을 '한국 현대시의 아버지'(앞의 책, 14쪽)라고 재강조하는 유종호의 주장은 다분히 의도의 오류(intentional fallacy)에 젖어 있었던 것으로 보인다. '구조에 반기를 드는' 것을 개혁적이고 진보적이며 새롭고 정당한 것으로 바라보는 시각 속에는 재래의 것을 모두 낡은 것, 쓸모없는 것으로 치부하는 데서 조건반사적으로 획득되는 태도일 수 있음이 보이기 때문이다. 실상 진정한 역사의식·전통의식이란 것이 과거의 것에 대한 깊이 있는 이해와 현재적인 것의 날카로운 파악 및 미래에 대한 현명한 성찰로부터 비로소 얻어질 수 있을 것이라는 진지한 검토가 필요했을 것이다. 실상 정지용의 시는 한시 등 전통시의 정서와 서구적 감수성의 결합에서 얻어진 결과였다는 점을 보다 거시적으로 파악해야 마땅했던 것이다. 또한 정지용의 시가 그 이전에 이미 한국적 정서를 현대적으로 노래하기 시작한 소월의 민요시학과 만해의 은유와 역설의 시학을 전제로 비로소 가능했다는 점도 인식했어야 할 것이다. 정지용의 언어 감각과 시 정신 및 감수성의 혁신이 차지하는 위치는 고전시에 대한 보다 깊은 영향 관계와 당대시들과의 상관관계에서 해명될 수 있는 것이지, 정지용의 시 자체만으로 규정될 수 있는 것은 아니기 때문이다. 그럼에도 불구하고 유종호가 지용을 강조하는 의도는 분명히 타당성을 지닌다. 그것은 기존의 문학사적 안목과 태도에 근본적 반성을 요구하는 동시에 새로운 문학 전통의 발굴과 모색을 시도하고자 하는 것으로 이해되기 때문이다. 이 점에서 소월을 재평가하고자 하는 「한국의 피세틱스」, 서정주를 분석하는 「한국의 페시미즘」 등의 시론이 가능해지는 것이며, 이와 상대적인 각도에서 송욱론인 「비순수의 선언」과 시어론인 「언어의 유곡」, 「토착어의 인간상」이 쓰여질 수 있는 것이다.

> 소월이 민족시인의 위치를 차지하게 된 큰 요인은 소월의 개인적인 정한(情恨)과 이 겨레의 민족적 경험인 페이서스가 행복한 일치를 보이고 있다는 점일 것이다. 이런 의미에서 소월은 가장 한국적인 시인이다. 여기서의 한국적이란 그러나 전통적인 의미보다도 기질적이란 의미를 내포하고 있는 것이지만……
>
> — 앞의 책, 40쪽.

이러한 유종호의 소월론은 소월을 가장 한국적인 기질의 시인으로써 '민족시인'이란 호칭으로 강조하고 있음에도 불구하고 소월이 '전통시인'이란 점을 애써 부인하려는 데 그 문제점이 드러난다. 그가 도처에서 강조하는 '혈연적 애착심과 친근감'(앞의 책, 33쪽) 혹은 '생활감정에 밀착된 우리 나름의 표현의 필요'라는 관점에서 볼 때 '소월에게 구현되어 있는 민족의 페이서스의 유로'(앞의 책, 34쪽)나 '개인적 정한과 이 겨레의 민족적 정한인 페이서스가 행복한 일치를 보이고 있는' 소월의 시가 전통적인 것이 아니고 다만 기질적인 것이라 강조하는 유종호의 태도는 이해하기 어려운 면을 지니고 있다. 전통이 살아있는 과거의 혼으로서 옛것을 새롭게 창조시키고 변화시키는 정신의 힘이라 생각할 때 소월이 '개인적 정한과 이 겨레의 민족적 정한인 페이서스가 행복한 일치'를 성취하고 있는 것은 번면 전통이 현대적 계승이 아닐 수 없기 때문이다. 그것이 낡아 보이는 것이라 해서 기질적인 것으로 규정되고, 상대적으로 정지용이 최초, 최대의 천재적 시인이며, 완벽한 시인이라는 주장은 다분히 편파적인 것이 아닐 수 없다. 더구나 그가 '한국적 페시미즘의 절창'(앞의 책 105쪽)이라 주장하는 「남신의주 유동 박시봉방」(백석, 『학풍』 창간호, 1948)과의 관련성으로 볼 때도 한국적인 전통이 완전히 단절된 것으로만 규정할 수는 없을 것이 확실하다. 이러한 논리적 딜레마는 바로 50년대의 시와 시론이 감내할 수밖에 없는 문제점을 그대로 반영한 것으로 보인다. 전통논의를 떠나서 유종호가 일관성 있게 강조하는 시론은 주지주의에의 동경과 지향이다. 『비순수의 선언』이 그 대표적 입점이 된다.

> 그분의 시는 그대로 한국시를 비평하고 있는 '비평적 시(詩)'입니다. 말하자면 한국 현대시의 고민이 상징되어 있어요……그분의 시에는 한국의 현대시를 예리하게 파악, 비평하고 나서의 '시학'의 확립과 이에 따른 시학의 구체적인 발현이 있어요……여러 가지 의미에서 송욱씨는 모더니스트의 명예를 선사할 수 있는 사람입니다……따라서 비평적 시라고 할 수 있는거죠. 비순수의 선언입니다.
>   – 앞의 책, 742~754쪽.

송욱 시의 옹호론이라 생각할 수 있을 만큼 이 논문은 송욱 시의 허와 실을 해설적으로 분석하고 있다. 소월에 대한 부정적 시각에 비하면 정지용과 송욱에 대한 것은 긍정적이고 옹호적임을 쉽게 알 수 있다. 더욱 정지용과 송욱이 '시학'을 확립하고 있다고 주장한 것은, 이 '시학'이라는 개념 자체가 애매모호한 것이지만, 대단한 찬양이 아닐 수 없다. 그러나 유종호의 이 시론이 내포하고 있는 장점은 그것이 내포하고 있는 의도의 선행에도 불구하고 재래적인 것에 대한 철저한 부정과 비판을 통해 새로운 관점의 전환을 모색하고자 하는 데서 찾을 수 있다. 전통의 재발견과 새로운 창조는 과거에 대한 날카로운 비판과 철저한 부정적 인식을 통해 참다운 이념을 성취해 갈 때 비로소 가능하기 때문이다. 또한 이어령의 비평이 추상적인 데 비해 유종호의 그것이 구체적이고 분석적이라는 점은 강점이 아닐 수 없다. 특히 그가 추구한 언어에 대한 자각과 인식은 이후 현대시론의 전개과정에 있어 값진 것이 아닐 수 없다.「언어의 유곡」과「토착어의 인간상」등의 시어론은 언어를 떠나서 성립될 수 없는 현대문학의 숙명성을 철저하게 재인식하고 있다는 점에서 큰 의미를 지닌다.

언어에 대한 절망과 자의식을 철저히 훈련하는 것이 문학과 비평의 새로운 과제라는 주장을 통해 그는 50년대 문학론의 반성을 예리하게 요구하고 있는 것이다.

4

50년대의 시론은 기존의 문학과 문학관에 대한 철저한 부정과 저항으로부터 비롯됨을 알 수 있었다. 이러한 비평 정신이 치열한 데 따른 논리의 비약과 모순을 내포한 것도 사실이지만 이러한 부정의 시론과 비판의 시론은 전후의 새로운 문학 창조 과정에 있어 건전한 설득력을 지닌다. 우리 것, 옛날 것에 대한 무분별한 애정과 국수주의적 보호 본능은 마땅히 타기되어야 하는 유물이 아닐 수 없기 때문이다. 바로 이 점에 이들 두 비평서가 갖는 비평사적 의미가 놓인다.

한편 이들과는 조금 다른 각도에서 김춘수의 시론이 전개되었다. 김춘수의 『한국현대시 형태론』은 전기 두 평론집이 시비평집이라 한다면, 이것은 문학사론에 가까운 시론이다. 육당으로부터『태서문예신보』·『창조』등 자유시 초기를 거쳐 김소월, 시문학파(김영랑·정지용 포함) 및 모더니즘시, 30년대 후반 그리고 8·15 이후의 시에 이르기까지 형태론적 입장에서 고찰한 이 시론은 시사적 각도에서 더욱이 형태론이라는 단일한 방법론으로 분석·체계화한 저서라는 점에서 의미가 있다. 형태가 주로 음수율 등 외면적 양식으로 규정되어 일률적으로 적용되었으며 또한 매우 개괄적이고 피상적인 고찰이라는 점에서는 다소 문제점이 지적되나 방법론적 각도에서 처음 시도한 단일 시사론이라는 점은 충분한 가치를 지니는 것이다.

지금까지 살펴본 이 세 시론서는 50년대 시 비평의 특징적 양상과 경향을 보인다는 점에서 충분히 주목에 값한다. 이들 비평서는 해방 후, 특히 한국전쟁 후 가치관의 혼란과 비평 방법론의 부재 상태에서 부정과 생성의 창조적 비평작업을 시도함으로써 60년대 및 70년대로 이어지는 시 비평의 선구적 역할을 수행하였다. 이들과 앞서거니 뒤서거니 전개되는 송욱·김종길·정한모 등의 시론 및 시사와 유기적 관련을 맺으면서 50년대 비평풍토의 다원화를 모색하고 실천한 점에서 이들 세 사람의 비평작업은 의미를 지니는 것이다.

(1982년)

시와 비평의 상관성과 최근 동향

1) 시의 존재 양상

시와 비평의 상관관계를 규명하기 위해서는 먼저 '시란 무엇인가'라는 원론적인 문제를 짚고 넘어가야 한다. 시란 무엇인가라는 정의의 문제는 다시 시는 '무엇을 하기 위한 것인가'하는 기능 내지 효용의 문제와 '시란 어떻게 이루어지는가'라는 구조의 문제로 귀결된다. 특히 비평과의 상관성을 논하는 데 있어서는 창작예술로서의 시의 구조적 원리에 관한 해명이 앞서야 한다.

시는 먼저 세 가지 양태의 성층구조(stratified structure)로서 존재한다. 그 본성 면에서 볼 때 시는 시간과 공간을 차지하는 구체적인 현존물이 아니다. 조각이나 건축 또는 회화와는 달리 개념적 형상으로 존재하기 때문이다. 활자로서 표현되지만 구비문학처럼 기억 속에 존재할 수도 있다. 그렇다고 해서 청각적인 형상만도 아니다. 시의 낭송은 고정적인 반복이 아니라 개인차 및 상황 차를 크게 드러내기 때문이다. 시는 또한 슬픔이나 기쁨 혹은 아픔처럼 심리적으로 존재하지도 않는다. 또한 작자의 상작과정 중의 심리상태 또는 표현(전달)하고자 하는 그것 자체도 아닌 것이다.

아울러 독자의 읽는 과정 그 자체만도 아닌 것이다. 시는 이상의 여러 요소

즉 형상과 심리적 체험 그리고 개념의 종합으로 이루어지는 성층구조를 지닌다. 따라서 시는 개인적인 발화(recitation)로부터 시작되는 현실태로서의 성격을 지니는 것이다. 이러한 개인적 의미는 집단화할 때 가능한 의미로서의 공통규범을 획득하며 그 범주가 확장된다. 여기에서 시의 보편적 의미분석과 가치평가의 객관적 가능성이 성립된다. 그럼에도 불구하고 여전히 시는 '밝혀지지 않은 그 무엇'이 지속적으로 잠재한다. 이것은 시간과 공간의 변화 속에서 차츰차츰 개방되는 또한 획득되어지는 그 작품의 이념태(idée)라 부를 수 있다. 따라서 시의 의미는 쓰여짐으로써 완성되는 것이 아니라 해석과 비평이 부가됨으로써 지속적으로 완성되어 가는 유기체적 동적 구조로 존재한다. 결국 우리가 시를 분석하고 '비평한다'는 행위는 시의 수많은 소리 중에서 '하나의 소리'를 찾아내어 이를 분석·해석하고 평가감상하는 행위로 생각할 수 있는 것이다.

이제 그러면 시와 비평의 상관성을 살펴보기로 하자. 시와 비평의 상관성이란 말은 시의 창작과 그에 대한 비평행위의 관련성을 뜻한다. 혹은 창작과정으로서의 주관적 예술 양태인 시와 그에 대한

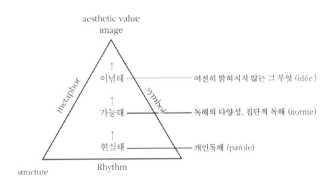

분석(analysis), 해석(interpretation), 평가(evaluation) 및 감상(appreciation)을 전개하는 해석학으로서의 비평의 함수관계를 의미하는 것이다.

위의 도표는 이러한 시작과 비평행위의 함수관계를 나타내 본 것이다.

이렇게 보면 창작과 비평은 서로 반대편에 서는 것임을 알 수 있다. 시의 창작은 주관화의 결정 과정이며 비평은 객관적인 탐구 과정으로서의 성격을 지닌다. 시작이 종합의지의 발현으로서 구조를 쌓아가는 것이라면 비평은 분석의지의 구체화로서 구조를 '해체해 가는' 작업인 것이다. 시작과 비평은 상대적인 관계에 놓이지만 그것은 떼려야 뗄 수 없는 상보적인 상관성을 지닌다. 물론 시는 일차언어로서 존재하고 비평은 시를 대상으로 해서만 존재할 수 있는 이차언어의 특성을 지니는 것이 사실이다. 그러나 시와 비평은 비유적으로 말해서 꽃과 꿀벌(나비)의 상관관계와 같은 것이다. 꽃은 얼마든지 홀로 피어날 수 있지만, 열매를 맺기 위해서는 반드시 촉매제가 필요한 것이다. 비평행위는 시의 성숙과 결실을 위해서 필요한 필수불가결의 촉매 작업이 아닐 수 없다. 일단 쓰여진 시가 발표되고 나면 그것은 독자의 손으로 넘어간다. 객관적인 유기체가 된다는 말이다. 이러한 객관적인 유기체를 올바로 분석·해석·평가·감상하여 총체적 의미 판단을 하는 사람은 독자 가운데서 훈련된 독자, 즉 비평가라 말할 수 있다. 단순한 독자와 비평가의 차이는 독자가 '좋다, 나쁘다'의 느낌·주장 등 인상적·주관적 차원에 머무는 데 비해서 비평가는 '왜 좋으냐, 나쁘냐'를 해명해 낼 수 있는 분석력과 조직력을 지니고 있으며 이로 말미암은 논리적·객관적 설득력을 지니고 있다는 점이다. 따라서 시인도 자기 작품의 독자 즉 비평가가 될 수는 있지만 직업 비평가가 견지할 수 있는 객관적 식별력과 논리적 체계성을 확립하기에는 다소 부족함이 있는 것이 사실일 것이다.

바로 이 점에서 전문적인 비평가의 상대적 중요성이 놓인다. 비평가는 작품 자체의 비평에서 출발하여 마침내 작가에까지 침투해 들어감으로써 작품에 비친 세계의 평가는 물론 작가(시인·미음간에 꽃을 피우는 나비)에게 충격과 자극을 가하여 그가 더 훌륭한 작품(시:꽃과 열매)을 쓸 수 있도록 촉매작용과 전지작업을 수행하는 것이다. 바로 여기에 비평의 독자적 자율성과 그

가능성이 존재한다.

2) 근년 시비평의 동향

이어령 등을 기수로 한 50년대 신진 비평가의 분석 비평은 해방 전 최재서 등이 성취했던 방법론적 비평의 수준을 크게 넘어섰던 것으로 보기는 어렵다. 이들 신진 비평가들의 비평은 논리적 체계나 학문적 이론에 바탕을 둔 정공법적 성격보다는 문장력에 의존한 자기 합리화 또는 센세이셔널리즘의 측면을 강하게 지닌다. 이들 비평가들의 관심은 주로 서구의 유행적인 문예사조적 징후와 문단적 관심에 대한 개인적 호악의 인상적 표출 정도에 머물고 있는 것으로 보이기 때문이다. 60년대의 시평의 경우에는 순수참여론을 핵으로 한 논쟁적 양상을 띤다. 이러한 논쟁 역시 본격적인 이론과 구체적인 작품론에 바탕을 둔 것이 아니라는 점에서, 또한 남북분단이라는 상황논리로부터 비롯되는 논의의 한계선이 처음부터 분명히 그어진 것으로써 결국 원론적인 이론과 주장의 되풀이에 지나지 않았다는 점에서 공소한 것으로 떨어질 수밖에 없었다.

70년대에 들어서서 시비평은 소장 비평가들의 조직적인 등장으로 활기를 띠게 되었다. 주로 외국문학 전공자들인 이들은 『창작과비평』, 『문학과지성』 지를 중심으로 비평의 지도적 기능을 착실히 수행해 갔다. 이들은 그들이 전공한 외국어 구사 능력과 외래적 문학론으로부터 습득한 문학적 감수성 및 비평적 해석력을 종합함으로써 작가·작품을 앞서가면서 시작과 비평을 활성화하는 데 영향을 미치기 시작하였다. 또한 이들은 본격적인 서구이론을 소개하고 실천 비평을 전개함으로써 비평의 학술화 내지는 인상비평을 전문비평의 수준으로 끌어올리는 데 기여하였다. 특히 이들은 항상 그들이 발굴하고 선정한 작품이 '왜 좋은가' 하는데, 대한 논리적 근거를 제시하고 이에 대한 해명을 시도하려 노력했다는 점에서는 매우 긍정적인 기여를 한 것으로 평가된다. 그러나 이들은 인간관계 등 현실적 여건의 어려움을 지닌 채 결합·조직되었으므로 인해서 그에 따른 비평의 집단화 내지는 독선화를 초래함으로써 '세트비평이다', '정실비평이다'라는 비판과 반발을 받게 되었다. 실상 조직화한 그룹비평은 그 조직력을 강화하기 위해서라도 의도의 강화와 논리의 굴절을 초래할 수밖에 없는 것이 자명한 이치일 것이다. 그러나 무엇보다도 이들의 문제점은 대부분 그들이 외국문학과 한국문학의 이중전공자로서의 갈등과 고민 그리고 한계점을 내재할 수밖에 없다는 보다 원론적 문제점을 안고 있다는 사실에 놓여진다.

외국문학 전공자이자 교수로서, 끊임없이 도전해 오는 새로운 외국이론에 대한 탐구와 외국어 교수를 감당해야만 하는 현실적 여건은 일정한 한계선 이상을 끊임없이 추구해야 하는 한국문학에 대한 비평작업에 일종의 한계를 초래할 수밖에 없을 것이기 때문이다. 또한 일정한 수준 이상을 뛰어넘기 힘든 것을 계속 붙들고 있다는 것도 심리적 압박감을 불러일으킬 수밖에 없을 것이다. 이러한 사정에 물론 80년 초의 정치사적인 상황의 급변에 따르는 몇몇 대표적 계간지의 폐간 등 외부적인 원인이 크게 작용하고 있는 것도 사실이다. 그러나 80년대 들어서의 비평의 침체가 꼭 외부적 원인에서만은 아닐 것으로 보인다. 그것은 70년대 비평가 자신들이 추구했던 이론에 대한 회의와 함께 이중전공자로서 자신들의 능력의 한계에 대한 자각과 반성도 작용한 것으로 볼 수 있다. 80년대에 들어서서 각종 문예지에 등장하는 시론·비평의 필자 가운데 70년대 활약했던 비평가들의 활약이 두드러지게 감소되는 현상은 이러한 비평침체의 원인에 관한 폭넓은 시사를 주는 것으로 보여지기 때문이다.

80년대 들어서서 가장 두드러지는 시평의 특징은 시인들에 의한 비평 작업의 전개이다. 최근의 시평 특히 월평에는 전문 비평가보다 시인들이 많이 참여하고 있는 실정이다. 이로써 알 수 있는 사실은 시에 대한 비평작업(거의 비평작업이 월평에 의존하고 있음에 비추어)에 비평가보다는 시인이 많은 참여도를 보여주고 있다는 점이다. 이러한 시인들의 비평작업은 그 나름으로 충분한 필요성과 타당성을 지니고 있다. 그러나 한편으로 생각하면 이들 시평들이 많은 경우 본격 전문비평보다는 인상·감상 비평으로써 독후감의 차원을 크게 벗어나지 못한다는 데서 문제점을 찾아볼 수 있다. 어떤 경우는 시인 자신의 시작 과정을 해설하거나 아니면 가까운 시인 이름 내지 시를 나열하는 등 저급한 감상문 내지 칭찬 일변도의 선전문으로 전락하는 경우도 있다. 바로 이 점이 문제인 것이다. 20매 내외의 주어진 지면에서 과연 몇 작품을 깊이 있게 체계적으로 분석·해석·평가할 수 있을 것인가. 이 땅 시평에서 관습적으로 전개되어 온 감상문 위주의 인상비평 내지는 나열식 작품비평의 딜레탕티즘이 80년대 들어 다시 되풀이되고 있는 실정이다. 이 점에서 80년대의 비평에서 최대의 과제는 전문비평의 활성화가 본격적으로 전개돼야 한다는 점이다. 시인이 비평작업에 참여하는 자체가 잘못된 것은 결코 아니다. 다만 그가 어떻게 방법론적 객관성을 획득하고 분석론과 해석력에 있어 투철함과 깊이를 성취하는가, 그리고 얼마만큼의 논리적 체계를 확보할 수 있느냐 하는 데에 문제점이 놓여지는 것이다.

　예술창작으로서의 시작과 해석작업으로서의 비평작업은 결코 분리될 수 있는 성질의 것이 아니다. 오히려 두 과정은 상호보충과 길항작용을 통해 서로를 완성해 가는 독자성과 상보성을 지니는 것이다. 여기에서 문제가 되는 것은 시인은 시인대로 비평적인 이론과 안목을 길러 가고, 비평가는 비평가대로 문학적인 감수성과 비평적 이론체계를 풍부하게 배양해 가야만 하는 것이다. 상대편의 특징을 소화·흡수하면서 각자의 전문영역을 심화하고 철저히 하는 것만이 훌륭한 시작과 비평을 전개할 수 있는 지름길이 된다는 점을 인식해야 한다. 특히 무한정신·보편정신의 탐구자로서의 시인은 자신의 개성을 심화해 가기 위해서라도 비평적인 안목을 확대·심화해 가야만 자신의 시의 지평을 광활하게 열어갈 수 있을 것이 확실하다.

(1981년)

제2부
현대시의 사적 전개

「불놀이」와 '근대시' 및 '현대시' 문제

1) 서론

연전에 필자는 만해의 시집 『님의 침묵』이 자유시적 형태의 개신과 은유 및 역설 등 의식적인 방법론의 확립 그리고 전통 시 정신의 현대적 변용을 성취함으로써 이 땅의 근대시가 현대시적 전환을 이룩하는 한 기점이 될 수 있었음을 주장한 바 있다.(「한국 현대시의 방법론적 연구」, 『현대문학연구』, 제4집, 1972, 127~130쪽) 또한 최근에 졸저 『한용운문학연구』(1982)를 발간하면서 만해 시의 문학사적 위치를 비교적 소상히 천착해 본 바 있었다. 이번에 심상사로부터 '근대시의 기점은 주요한으로부터인가'라는 "한국 근대시 문학사의 쟁점" 시리즈의 청탁 제목에 관련해서 이 문제에 관해 근자에 생각하는 바를 단편적으로 진술하여 필자 나름의 의견을 피력해 보고자 한다.

2) 근대시와 현대시

한국 시문학사를 논하면서 가장 먼저 부딪치는 문제는 용어에 대한 혼란이 해명돼 있지 않다는 점이다. 근대시사라 할 것인가 아니면 현대시사라 할 것인가 하는 문제가 그것이다. 이 점은 시에 대한 호칭에 있어서도 근대시와 현대시가 분명한 개념규정이 유보된 채, 그때그때 적당히 불리는 것과 마찬가지 사정이다. 용어의 혼란은 사고방식과 의식구조상의 오류를 노출시킨 것으로도 볼 수 있다. 학문적 객관성은 용어의 확정과 선별을 기초로 해서 얻어진다. 이 점에서 '근대'와 '현대'에 대한 명확한 개념규정이 필요한 것은 물론이다. 지금까지 현대문학 내지 현대시에 관해 연구한 주요 논저의 제목을 살펴보면 다음과 같다.

> 백　　철, 『조선신문학사조사』(수선사, 1947)
> 　　　　『조선신문학사조사 현대편』(백양당, 1949)
> 조연현, 『한국현대문학사』(정음사, 1964)
> 조지훈, 『한국현대시문학』(지식산업사, 1982)
> 김춘수, 『한국현대시형태론』(해동문화사, 1958)
> 정한모, 『한국현대시문학사』(일지사, 1977)
> 김윤식, 『근대한국문학연구』(일지사, 1973)
> 　　　, 『한국현대문학사』(일지사, 1974)
> 김용직, 『한국현대시연구』(일지사, 1974)
> 김학동, 『한국근대시인연구』 (일조각, 1974)

　이 연구서들은 대략 '현대'를 취하는 쪽과 '근대'를 고수하는 쪽으로 대별되며, '근대'보다는 '현대'가 많이 사용되고 있다. 개화기 이후 일제 말까지를 연구대상으로 한다는 공통점에도 불구하고 용어상의 일치를 보지 못하고 있는 것이다. 한 가지 관심을 끄는 사실은 김윤식 교수의 경우 '근대'와 '현대'를 함께 사용하고 있는 점이다. 이 경우는 그 의도가 분명히 드러난다. 즉 김 교수는 '근대'라는 용어를 개화기 이후부터 일제 말에 이르는 시기로 한정하고 있으며, '현대'를 1945년~1975년까지의 해방 후로 국한하여 두 술어를 확연히 구별하고 있다. 미루어 생각해 본다면 김 교수의 이 같은 구분 사용은 일제하의 시를 근대시로, 해방 후의 시를 비로소 현대시라고 부를 수 있다는 주장이될 것이다.

정한모 교수는 현대시의 개념을

①시간적인 구획으로 당대를 살고 있는 시인들에 의해 쓰여지고 있는 시,

②현대시로서의 제특질을 갖추고 나타난 시기부터 현대까지의 시,

③자유시가 처음 나타난 시기부터 현대까지의 시,

④새로운 문화가 수입되고 생성되던 개화 초기부터 현대까지의 시로 나누어 설명하고 있다.(정한모, 앞의 책, 7~8쪽) 특히 정 교수는 이 중에서 두 번째 개념인 "현대시로서의 특질을 갖추고 나타난 시기로부터 현대까지의 시"로 현대시를 정의하고 있으나 "편의상 개화기 이후 현대시에 이르기까지의 과정을 좀 더 살펴볼 필요가 있을 듯하여 본고의 범위를 넓게 잡았다"라고 부언하여 실제와 논리와의 간극을 인정하고 있다. 다시 말해 정교수는 최남선을 중심으로 한 개화기 이후부터를 현대시의 범위로 설정하여『한국현대시문학사』를 논술하고 있는 것이다.

필자의 견해는 포괄적인 의미에서 정교수의 그것과 궤를 같이한다. 다만 근대시에 관한 언급이 없음에 비추어 근대시에 관해서 개념을 규정해야 할 필요가 있는 것으로 보인다. 정교수는「배경으로서의 '근대'」라는 항목을 설정하여 18세기의 실학을 중심으로 한 근대의식의 맹아를 현대시 형성의 배경으로 기술하고 있다.

이러한 논술방법은 근대시와 현대시에 대한 구분에 내포적인 암시를 주지만 확연한 개념의 해명을 제시한 것은 아니다. 필자의 범박한 소견으로는 근대시와 현대시를 구분하여 사용하는 것이 바람직한 것으로 보인다. 국어학의 경우 근대국어와 현대국어를 명확히 구분하는 것도 그 좋은 시사가 된다. 즉 국어학에서는 17세기 초엽부터 19세기 말엽까지를 근대국어로, 20세기 이후를 현대국어로 구분하여 통칭하는 것이 보편적으로 인정되는 사실이다.

근대국어를 중세국어와 구분한 이유는 여러 가지 사실을 들 수 있을 것이다. 무엇보다도 국어의 음운·문법체계가 16세기에 큰 변화를 겪었으며, 그 결과 17세기에 와서 국어는 전반적으로 새로운 모습을 띠게 되었기 때문이라 한다.

또 현대국어를 20세기 이후 오늘날까지로 설정한 것은 갑오경장(1894)을 전후한 언문일치운동이 일어난 때와 현재 생존하고 있는 현대인의 출생 연대와도 대략 부합되기 때문이라고 한다. 이러한 국어학의 용어 구분은 근대시와 현대시의 구분에도 적용될 수 있으리라 본다. 일반적으로 '근대'라는 시대구분은 역사학에서의 '3분법'에서 유래한 것으로서, 고대(ancient), 중세(medieval) 및 근대(modern)의 마지막 항목에 해당된다. 폭넓게는 인본주의를 표방한 르네상스 시기로부터, 직접적으로는 18세기 프랑스혁명과 산업혁명을 전후한 근대 시민사회의 성립으로부터를 근대의 기점으로 잡는 것이 보편적인 사실이다. 전제 봉건제도의 붕괴와 이에 따른 시민사회의 형성 및 민권운동의 전개를 근대의식의 출발로 보아 무리가 없을 것이다.

한국사에서 특히 한국문학사에서 근대는 어떤 개념을 지니며, 또한 어느 시기부터가 이에 해당하는가 하는 문제는 다수의 곤란한 문제점을 내포하고 있으며, 아직도 논의되고 있는 중요한 논제의 하나이다. 특히 문학사에 있어서는 고전문학사와 현대문학사의 이원구조로 양분되어 논의되어 왔기 때문에 이 근대의 개념 및 기점 문제는 더욱 핵심적인 논란의 대상이 되어 왔다.

이 문제는 대체로 60년대 후반기부터 한국학 전반에 걸쳐 근대화 내지는 시대구분 문제가 대두됨으로써 문학사 연구에 있어서도 근대 문학의 기점 문제와 자율성 문제에 대한 활발한 모색이 전개되었다. 따라서 근대는 서구적 충격에 의한 근대화(modernization)가 바로 서구화(westernization)를 의미하던 종래의 주장은 논란의 대상이 되기 시작하였다. 한국문학사에서 '근대'와 근대의식을 개화기의 서구적 충격에서가 아닌 전통문학사 속에서 추출하는 시도가 크게 설득력을 갖기 시작하였으며, 이것이 한국문학사의 자율성과 입체성 그리고 일원성을 확립하는 지름길로 이해된 것이다. 이러한 시도는 임진·병자 양난 이후 전통문학의 붕괴와 신흥문학의 대두 현상에서 근대 문학의 시발을 이끌어내려는 노력을 비롯하여(정병욱, 『한국고전시가론』, 신구문화사, 1977), 「한중록」 등에서 볼 수 있는 전통적 가족질서의 와해 현상을 통해 근대정신의 맹아를 인정하려는 시도(김윤식·김현, 『한국문학사』, 민음사, 1979), 그리고 실학사상 등에서 현대시 형성의 배경으로서의 '근대'를 설정하려는 노력(정한모, 앞의 책) 등으로 요약할 수 있다.

　이러한 시도들의 공통점은 근대문학의 기점을 서구적 충격에서 비롯된 개화기에서가 아니라 고전문학사 자체 속에서, 구체적으로 영·정조 무렵으로부터 추출하려는 데 있다. 그것은 그렇게 함으로써 한국문학사의 지속성과 일원성을 확보하려는 안간힘으로 이해되는 것이다. 이러한 시도들은 아직 해명되지 못한 많은 문제점을 내포하고 있는 것이 사실이다. 그러나 필자의 소견으로는 근대 문학의 상한선을 17·18세기로 이끌어 올리는 것이 충분히 타당성이 있는 것으로 생각한다. 그 까닭은 우선 국어사에서 17세기가 국어의 음운·문법체계가 전반적으로 새로운 모습을 띤 것을 주변적 배경으로 끌어올 수 있기 때문이다. 또한 이러한 국어사적 사실뿐만 아니라 사설시조의 대두와 서민소설로서의 한글소설의 급격한 신장을 들 수 있다. 특히 사설시조의 대두는 그것이 우선 기존의 평시조 형식에 대한 과감한 해체의 시도라는 점에서 주목된다. 평시조의 3장 6구 45자라는 엄격한 형식은 전례주의·엄숙주의의 충·효·열을 바탕으로 한 유교적 체제 내의 문학이다. 이러한 엄격한 형식의 해체와 그에 따른 산문화 경향은 유교적 형식주의에 대한 반체제적 성격을 지닌다.

　내용에 있어서도 풍자와 해학에 바탕을 둔 비판정신과 인간성 자각의 평등정신의 대두는 분명 근대의식의 맹아로 볼 수 있는 것이다. 부정정신과 비판정신 그리고 사실정신과 서민정신이 실상 근대정신의 기반이라는 점에 비추어 볼 때 근대문학의 기점은 이 사설시조에서 찾아볼 수 있음이 확실하기 때문이다. 따라서 다소 무리가 있는 것이 사실이지만 한국시사에서 근대시라는 개념은 그 상한선을 사설시조의 대두로부터 설정할 수 있으리라는 의견도 제시될 수 있을 것이다. 그것은 사설시조가 비록 형식과 내용의 양면에서 기존의 봉건적인 유교이념을 완전히 벗어나지는 못했지만 근대적 자아의 발견과 인간성 해방의 몸부림을 강하게 표출했다는 점에서 충분히 그 근대성이 인정되기 때문이다. 또한 역사의 '3분법'에서 보더라도 총체적인 의미에서, 이 시기 이후의 시를 통틀어 근대시라고 부를 수 있기 때문이기도 하다.

이렇게 본다면 한국시사에서 근대시의 개념은 개화기 이후의 새로운 시가 아니라 전통시사 속에서 자생적으로 생성된 것으로 파악할 수 있는 가능성이 열리게 되는 것이다. 따라서 근대시가 최남선이나 주요한에서 비로소 시작되었다는 좁은 한정은 시정될 수 있게 된다. 주요한에서 근대시가 시작되고, 다시 10여 년 후인 1930년대에 현대시가 전개된다는 기왕의 논지는 실상 어설픈 논리성을 지니는 것으로 이해된다. 근대시가 10여 년만에 현대시로 전이된다는 것은 통시적 개념인 '근대'와 다분히 공시적 개념인 '현대'를 혼동하여 사용한 문제점을 내포하고 있다.

따라서 필자는 한국시사에서 근대시의 개념을 대략 17·18세기 부정정신과 사실정신의 대두에 따른 근대적 자아의 발견이 문학적으로 표현된 사설시조류로부터 19세기 말 본격적으로 언문일치 운동이 전개되기 시작하고 창가·신체시 등 새로운 시문학 양식이 형성될 무렵까지를 의미하는 것으로 사용하고자 한다.

현대 현대시는

① 한글이 말과 글에 있어 합치되어 사용되기 시작하고 본격적으로 연구되기 시작한 금세기 초, 혹은 현대라 불리는 20세기에 들어서서 보여지기 시작한 시.

② 시와 시조에 있어서 구시 등 외래의 영향을 받으며 쓰여지기 시작한 시.

③ 형태적인 면에서 완전히 자유로워진 시.

④ 의식의 면에서 공동체적 자아가 아닌 개인적 자아와 그 서정이 나타난 시.

⑤ 은유·역설 등 현대시적 방법론을 확립하고 있는 시.

⑥ 현대시, 즉 제작의식과 실험의식을 지니고 쓰여진 시.

⑦ 해방 후부터 현재까지의 시, 즉 당대시 등을 포괄하는 개념으로 사용하고자 한다.

이렇게 본다면 ①은 시기적으로 대략 최남선 이후의 시를 지칭하며, ②·③·④는 『태서문예신보』와 주요한 등의 시로부터, ②③④⑤는 한용운의 시로부터, ⑥은 특히 1930년대 모더니즘시로부터, ⑦은 해방 후의 모든 시를 가리키는 것으로 나타난다.

필자는 여기서 현대시라는 개념이 이 중 어느 한 항목만을 만족시키는 것이 아니라 모든 항목을 다 함께 포괄하는 것으로 생각한다. 최남선으로부터 현재까지의 70여 년을 군이 근대시와 현대시로 구분하는 것은 무리가 아닐 수 없다. 따라서 현재의 시점에서 현대시는 17·18세기~19세기 말의 근대시에 뒤이어 서서히 역사적 의미를 획득해가는, 20세기 초부터 현재까지의 당대시를 지칭하고자 한다.

이 기간 중에서도 특히 타골시 등 다소의 외래시 영향을 받고 전통문학정신을 충분히 창조적으로 계승하면서도 자유시형을 확립하고, 은유와 상징·역설 등 현대시적 방법론을 탁월하게 구사하고, 부정을 통한 긍정을 성취한 만해의 시집 『님의 침묵』이 현대시의 현대시적 모습을 본격적으로 지니게 되는 가장 중요한 한 계기가 된 것으로 본다.

그러나 현대시의 기점은 분명히 20세기 초부터 산정되어 사용돼야 하리라 생각한다.

3) 주요한 시의 한 검토

주요한의 시, 특히 「불놀이」에 관해서는 한동안 '최초의 근대시'라느니 '최초의 현대시'라느니 하여 '최초'라는 사적 비중이 크게 강조된 적이 있었다. 또한 최초의 자유시라거나 혹은 최초의 본격 상징시라 하여 시사적 신비감마저 불러일으키기도 하였다. 뿐만 아니라 이 땅의 근대 자유시의 기점이라 하여 한때는 객관식의 입시문제에까지 자주 출제되기도 한 것이다.

> 이『창조(創造)』시대에 있어서 김동인(金東仁)이 소설의 개척자(開拓者)인 것과 같은 의미에서 주씨(朱氏)는 신시(新詩)의 창설자(創設者)이다. '창가(唱歌)' 같은 것을 신시(新詩)라고 생각해 오던 독자(讀者)들은 여기서 비로소 근대시(近代詩)다운 시(詩)를 대(對)하게 되었던 것이다. 그리고 처음으로 나온 그 근대문학적(近代文學的)인 시(詩)가 상징주의(象徵主義)의 영향의 시(詩)였던 것이다.(방점필자)
>
> ─백 철,『조선신문학사조사』, 110쪽

> 이 땅의 최초의 신체시인이 육당(六堂)과 춘원(春園)이었다면 이 생경(生硬)하고 반정형적(反定型的)인 시가형태를 근대적인 산문시 형태로 발전시킨 최초의 시인이 주요한이었다. 그의 「불놀이」는 본저의 초두에 언급한 것과 같이 서구적인 형태에 있어서 이 땅에서 발표된 최초의 근대시였다. 3·1운동 이후로 전개된 이 땅의 다양한 근대시의 모든 면모는 이를테면 그의 이 「불놀이」에서 기초된 것이라 해도 과언이 아니다.
>
> ─조연현,『한국현대문학사』, 428쪽

초기의 대표적인 이 두 문학사에서 주요한과 그의 시 「불놀이」는 한국시사상 기념비적인 존재로 최대의 평가를 받고 있다. 먼저 백철은 '처음으로 나온 그 근대 문학적인 시가 상징주의의 영향의 시'라는 구절 속에서 「불놀이」가 처음으로 나온 근대시이며, 그것이 상징주의적인 시라는 두 가지 중요한 사실을 제시하고 있다. 또한 조연현은 주요한을 '반정형적(反定型的)인 시가 형태를 근대적인 산문형태로 발전시킨 최초의 시인'으로 상정하여 그의 시를 이 땅의 '최초의 근대시'로 단정하고 있다.

먼저 백철의 주장은 근대시에 대한 개념규정과 그에 대한 면밀한 검토가 기본적으로 결여됨으로써 논리적 객관성을 획득하지 못한다. 또한 상징주의적인 시라는 평가도 상징주의 시와 시론에 대한 해명이 없을 뿐 아니라 「불놀이」가 어떻게 상징주의 시가 될 수 있는가에 대한 분석적 검토가 전혀 없다는 점에서 그의 주장이 공소한 주장에 불과하다는 점을 알 수 있게 해준다. 또한 조연현의 주장도 문제점이 있다. 조연현 역시 근대적인 산문시가 어떠한 것인지에 대한 이론적 해명을 가하지 않은 채, '최초의 시인', '최초의 근대시'라는 술어를 사용하여 최초의'라는 단정적인 주장을 반복한다는 점에서 논리적 설득력을 상실하고 있다.

이러한 두 사람의 오류는 기본적으로 그러한 용어에 대한 개념규정이 모호한 데서 비롯되고 있으며, 문학사가 풍문에 의한 자료의 재구성이라는 안일한 문학사적 인식과 일관된 방법론의 결여에 기인하는 것이다. 이것은 초창기 문학사 저술로서의 한계점이기도 하겠으나 '새로움'이 '최초의'라는 역사주의적 미망에 사로잡힌 소치인지도 모른다.

두 문학사의 문제점은 초창기 시와 시단의 형성 과정에 대한 깊이 있는 해명을 시도한 정한모 교수의 『한국현대시 문학사』에서 체계적이고 논리적으로 극복되는 것으로 보인다.

　역사(歷史)는 항상 '새로움'의 기록은 아닐 것이다. 기왕의 한국 신문학(新文學)의. 사적(史的) 정리과정(整理過程)에서는 이러한 '새로움'의 기록에만 급급한 느낌이 없지 않다. 육당(六堂)이나 요한(耀翰)의 경우, 그 시사적(詩史的) 평가(評價)에서 이 '새로움'의 종에서만 탐구되어 온 것이 사실이다. 이리하여 한국신문학사(韓國新文學史)는 모방(模倣)과 이식(移植)의 역사로서 점철되었고, 그 정신적(精神的) 맥락(脈絡)이나 전통(傳統)의 흐름은 등한시 되었거나 간과(看過)되어 온 느낌이 없지 않다. 이러한 시각으로 말미암아 육당(六堂)은「해(海)에게서 소년(少年)에게」에 국한되었고, 안서(岸曙)는「오뇌의 무도」에 묶여졌고, 요한(耀翰)은「불놀이」에서 더 확대되지 못하였다. 또한「해(海)에게서 소년(少年)에게」나「불놀이」가 지니고 있는 '새로움'이란 평가는 다같이 피상적인 형태면(形態面)에 치중된 것에 지나지 않았으며……(중략)……육당(六堂)은 보다 전사적(前史的)인 관련과 시대적 배경에서 그 위치가 평가되어야 하며, 요한(耀翰)은 그 시의식(詩意識) 내지 방법의식면(方法意識面)에서 평가(評價)되어야 한다. 안서(岸曙)는 이 시기의 외국시(外國詩)의 대표적인 중개자였으며 또한 시의식(詩意識)이나 방법의식면(方法意識面)에서 요한(耀翰)보다 세밀하였다.

—정한모,『한국현대시문학사』, 404~405쪽

다소 장황하게 인용해 본 것은 이 글이 현대시사의 인식과 방법에 따르는 다양하고 깊이 있는 성찰을 보여주고 있기 때문이다. 이것은 무엇보다도 지나친 역사주의와 식민지 사관의 영향에 대한 반성의 제시이다. '새로움'이란 항상 '낡은 것·앞의 것'을 전제로 해서만 가능한 것이다. 새로운 것, 처음의 것에 대한 지나친 집착은 실상 제 것에 대한 자신감의 부족이며 남의 것에 대한 열등감의 소치일 수 있다. 낡은 것, 나의 것을 바탕으로 한 새로운 것, 남의 것의 조화 있는 탐구를 통해서 전통의 창조적 계승이 이루어지는 것이며 정신사적 인계성에 기울성이 하보된 수 있기 때문이다. 두 번째로 정교수는 문학사가 한 시인이나 한 작품에서 획기적인 문학사적 구획이 이루어지는 것이 아님을 분명히 하고 있다. 문학사에 있어서 점진적인 진보의 개념이 중요한 것이지 혁명이란 존재하기 어렵다는 점을 분명히 했다. 이 문화사적 혁명도 역시 '앞의 것'·'낡은 것'과의 상보적인 관점에서만 가능하다는 온전한 시사관이 자리 잡고 있는 것이다. 이 점에서 주요한에게 부여되었던 지나친 문학사적 비중은 육당과 안서, 그리고 요한의 상보적인 각도에서 그 시사적 위치가 매겨져야 한다는 주장으로 해석할 수 있다. 오히려 안서가 요한보다 "시의식이나 방법의식면에서 더 세밀하였다."라는 지적 속에는 요한의 시사적 위치보다 안서의 시사적 위치를 더 강조하는 입장이 내재해 있는 것으로 보인다. 바로 이 점에서 필자는 정교수의 견해를 설득력 있는 것으로 생각하고 있다. 실상 「불놀이」가 최초의 근대시 내지 최초의 현대시로 인구에 회자된 것은 그 시의 산문시로서의 과감한 형태 개혁과 내용에 있어서의 애매모호한 느낌을 주는 소위 '상징주의 풍' 때문인 것으로 이해된다.

따라서 본고에서는 이 점에 국한해서 살펴보기로 한다.

아아날이저믄다. 서편(西便)하늘에, 외로운강(江)물우에, 스러져가는 분홍빗놀…… 아아 해가저믈면 해가저믈면, 날마다 살구나무 그늘에 혼자우는밤이 쏘오것마는, 오늘은사월(四月)이라패일날 큰길을물 밀어가는 사람소리는 듯기만하여도 흥성시러운거슬 웨나만혼자 가슴에 눈물을 참을수업는고?

아아 춤을춘다, 춤을춘다, 싯벌건불덩이가, 춤을춘다. 잠잠한 성문((城門)우에서 나려다보니, 물냄새 모랫냄새, 밤을쌔물고 하늘을쌔무는햇불이 그래도무엇이부족(不足)하야 제몸까지물고쓰들째, 혼자서어두운가슴품은 절믄사람은 과거(過去)의퍼런쑴을 찬강(江)물우에 내여던지나, 무정(無情)한물결이 그기름자를 멈출리가잇스랴?─아아 썩거서 시둘지안는 꼿도업것마는, 가신님생각에 사라도죽은 이마음이야, 에라 모르겠다, 저불길로 이가슴태와버릴가, 이서름살라버릴가, 어제도 아픈발 쓸면서 무덤에 가보앗더니 겨울에는 말랏던꼿이

어느덧피엇더라마는 사랑의 봄은 또다시 안도라오는가, 찰하리 속시언이 오늘밤이물속에……그러면 행여나 불상히 녀겨줄이나이슬가……할적에 통, 탕, 불찍를날니면서 튀여나는매화포, 펄덕정신(精神)을 차리니 우구구 써드는 구경꾼의 소리가 저를비웃는듯, 꾸짓는듯, 아아 좀더강렬(强烈)한열정(熱情)에살고십다, 저긔저횃불처럼 엉긔는연기(煙氣), 숨맥히는불꼿의고통(苦痛)속에서라도 더욱 쓰거운 삶살고십다고 쯧밧게 가슴두근거리는거슨 나의 마음……

사월(四月)달 다스한바람이 강(江)을넘으면, 청류벽(淸流碧), 모란봉노픈언덕우에허어 혀케흐늑이는사람쎄, 바람이와서불적마다 불비체물든물결이 미친우슴을우스니, 겁만흔물고기는 모래미테 드러백이고, 물결치는 뱃슭에는 조름오는「니즘」의 형상(形像)이 오락가락— 얼린거리는기름자, 닐어나는우슴소리, 달아논등불미테서 목청썻길게쎄는 어린기생의노래, 쯧밧게 정욕(情慾)을잇그는 불구경도인제는 겁고, 한잔한잔쏘한잔 싯업는술도 인제는실혀, 즈저분한뱃미창에 맥업시누으면 까닭모르는눈물은 눈을데우며, 간단업슨쟝고소리에 겨운남자(男子)들은 쌔쌔로 불니다욕심(慾心)에 못견듸어 번득이는눈으로 뱃가에 쒸여나가면, 뒤에남은 죽어가는촉불은 우그러진치마 깃우에 조을째, 쯧잇는드시 찌걱거리는배젓개소리는 더욱 가슴을두른다……

아아 강물이 웃는다, 웃는다, 괴(怪)상한우슴이다, 차늬찬강물이 씀씀한 하늘을보고 웃는우슴이다. 아아배가올라온다, 배가오른다, 바람이불적마다 슬프게슬프게 쎄걱거리는배가오른다……

저어라, 배를, 멀리서잠자는 능라도(綾羅島)까지, 물살싸른대동강(大同江)을 저어오르라 거긔 너의애인(愛人)이 매발로서서기다리는 언덕으로 곳추 너의뱃머리를돌니라. 물결스테서 니러나는 추운바람도 무어시리오, 괴리(怪異)한우슴소리도 무어시리오, 사랑일흔청년(靑年)의 어두운가슴속도 너의게야무어시리오, 기름자업시는「발금」

도이슬수업는거슬—. 오오다만 네확실(確實)한오늘을노치지말라. 오
오사로라, 사로라! 오늘밤 너의 발간햇불을, 발간입셜을, 눈동자를, 쏘
한너의발간눈물을……

—「불놀이」 전문

　먼저 형태적인 면에서 이 시는 완전히 개방된 자유시, 즉 산문시로서의 호
흡과 율격을 지니고 있다. 그러면서도 내재율의 가락을 지닌다는 점에서는
산문과도 분명히 구분된다. 원래 산문시(prose poem)란 길이가 비교적 짧고
요약적이라는 점에서 시적 산문(poetic prose)과 다르고 행 구분이 없다는 점
에서 자유시(free verse)와 구분되고 내재율과 이미지를 지닌다는 점에서 산문
(prose passage)과 다른 것이다(*Princeton Encyclopedia of Poetry & Poetics,*
Princeton: Princeton Univ. Press, 1974, 664~665쪽). 이 점에 비춰 그 「불놀
이」는 산문시로서의 충분한 조건을 지니고 있다. 이것은 「불놀이」뿐 아니라
그의 시 「눈」에도 마찬가지로 적용된다.
　정형시에 대한 상대적인 것으로서의 자유시, 자유시로서 가장 개방적인 형
태인 산문시의 형태가 「불놀이」 등에서 어느 정도 확보된 것은 틀림없는 사
실이다. 그러나 이 「불놀이」의 산문적 시형은 일조일석에 이루어진 것으로
보기는 어렵다. 물론 「상전민」 등 일본시의 강력한 영향 아래서 과감한 산문
시형이 실험된 것이긴 하지만, 이러한 시형에 대한 시도는 형태적인 개방의
면에서라면 이미 『소년』과 『청춘』 그리고 『태서문예신보』의 수다한 시편에
서 간간히 전개된바 있으므로 결코 새로운 것으로만 이해될 수는 없다. 또한
이러한 산문시형은 주요한에게는 몇 편에 불과한 것으로서 다분히 실험적인
시도로서의 의미를 강하게 지니는 것이 사실이다. 오히려 이상화나 한용운의
자유시형에서 보다 완성된 산문시적 가락을 찾아볼 수 있는 것이다. 두 번째
로 시 의식의 면에서도 「불놀이」 이전에 이미 『태서문예신보』에서 김억과
황석우에 의해 근대적 자아의 서정과 미의식이 발현되고 있었다. 계몽적인
목적의식이 없는 서정적인 미의식이 선행되고 있었다(정한모, 앞의 책, 291

쪽). 리듬과 시적 형상을 위한 새로운 언어 구조에 대한 의식을 지닌 전문시인으로서 안서와 상아탑이 이미 나타나 있었던 것이다. 또한 육당에서는 '우리'로서의 공동체적 문화의식이 안서와 상아탑에서는 '나'로서의 개인적 서정이 확실하게 자리 잡고 있는 것이다.

무엇보다도 「불놀이」는 내용적인 면에서 상징시와는 매우 거리가 먼 시로 평가된다. 상징시란 가시관의 세계 불가지의 내면적 정신세계에 자맥질하여 비유와 상징 등 간접적인 표현방식과 고도의 내밀한 언어의 음악성을 통해 만상의 내면적 본질 세계를 애매모호하게 드러내는 경향의 시를 말한다. 이에 비하면 「불놀이」는 지나칠 정도로 소박한 내용과 단순한 구조를 지니고 있음을 볼 수 있다. 이 시의 주된 내용은 실연한 한 청년의 비애를 평범하게 서술하고 있다. 가신님을 그리워하며 회한에 젖는 한 청년의 불안과 감상적 슬픔이 시의 전편에 흘러넘치고 있는 것이다.

고도한 상징과 유추에 의한 내적 이미지의 조형이나 내면 공간의 형성이라는 상징시의 이념과는 현격한 차이가 있다. 다만 감상적인 울분과 자학이 강렬한 정조로 표출되어 감상적 퇴폐주의의 경향에 가까운 것이다. 이 점에서 「불놀이」는 1910년대 말 또는 1920년대 초, 이 땅을 풍미하던 감상주의적 니힐리즘을 단순히 반영하고 있는 작품으로 판단된다. 따라서 「불놀이」에 부여된 상징시 운운의 신비적 징후에 대한 과도한 칭찬과 기대는 불식돼야 마땅한 것이다. 오히려 주요한의 시는 후기의 민족주의적이고 이상주의적인 지향에 그 본령이 있으며, 그 비중이 높게 평가돼야 할 것이다. 이렇게 본다면 「불놀이」는 이 땅 '최초의 근대시'도 아니며 주요한 역시 '최초의 근대시인'일 수도 없는 것이 확실하다. 정신의 역사로서의 시사, 전통의 흐름은 하루아침에 획(劃)해 지는 것이 아니다. 앞의 것, 낡은 것을 딛고 그 바탕 위에서 한 걸음씩 진보해 가는 것이다. 이 점에서 「불놀이」에 부여된 과도한 시사적 비중은 시정돼야 마땅하고 또 그렇게 돼 가고 있는 실정이다.

4) 결언

한국 현대시사에 있어 「불놀이」는 이미 신화가 아니다. 다만 초기 시단 형성 과정에 있어서 비교적 중요한 비중을 지닌 한 작품에 불과한 것이다. 시사는 '최초의'나 '새로움'이라는 신기록의 전시장이나 갱신대회가 아니다. 오히려 '낡은 것'으로서의 전통과 '내 것'으로서의 주체성이 '새것' 혹은 '남의 것'과 결합하며 갈등과 조화를 겪는 과정을 체계화하고 그에 대해 의미를 발견하고 가치를 부여함으로써 새로운 창조의 바탕을 마련하는 데 그 의미를 지닌다. 이 점에서 현대시의 연구나 현대시사의 정리에 있어 시와 시인에 대한 기존평가에 대해 진지하고 깊이 있는 반성과 연구가 지속적으로 이루어져야만 할 것이다. 이 땅의 현대시와 시상연구는 지나치게 소문난 시와 유명한 시인이라는 선입관적 미신에 사로잡히는 경우가 많았던 것이 사실이기 때문이다.

끝으로 필자가 짤막한 본고에서 한국 시문학사의 시대구분 문제나 그 호칭의 문제에 대해 본격적으로 논의코저 욕심을 부린 것이 아님을 밝혀 둔다. 다만 "주요한의 시는 최초의 근대시인가?"라는 주어진 제목에 대하여 관련된 문제들을 극히 피상적이고 개괄적이며 또한 주관적으로 살펴보았을 뿐이다. 이 점 오해 없기 바란다. 그러나 근대시와 현대시라는 용어에 대한 개념규정이나 세대 구분의 문제가 혼란되어 있다는 점에서 이에 대한 본격적인 토의와 토론이 앞으로 전개돼야 하리라는 점을 강조하고자 할 따름이다. 이러한 기초적이며 원초적인 문제에 대한 깊이 있고 체계적인 해명에서 한국 현대시 문학사 연구가 그 넓이와 깊이를 더해 갈 수 있을 것이 확실하기 때문이다.

(1982년)

상징주의의 한국적 전개

☐ 서론

개항을 전후한 이 땅의 정신적 상황은 보수와 진보의 지속적인 갈등의 양상으로 파악될 수 있다. 그러므로 신문학은 전통적 세계관의 붕괴와 그에 대응하는 가치 질서의 모색으로부터 시작되었다. 육당과 춘원은 이러한 변화기에 신문학을 이끌어간 선각자 문학인의 대표적 인물이다. 특히 최남선은 『소년』・『청춘』 등의 잡지를 간행하여 명치기 근대화 과정의 일본문물을 비롯한 새로운 세계의 문물을 소개하고 계몽하는 데 힘썼다. 또한 육당은 이러한 새로운 서구문물의 소개에 힘쓰는 한편 조선의 역사와 고전에도 깊은 관심을 기울였는바, 육당의 시 작업 속에는 보수적 시 정신과 진보적 시 의식이 선명히 노출되고 있다. 신시의 활발한 실험과 이에 대응하는 시조에 대한 애착이 바로 그것이다. 일제하 식민지적 침탈의 압력 속에서 육당은 민족적 저항과 계몽이라는 시대정신을 문학운동을 통해 구현하려 한 것이다.

보수와 진보의 갈등, 민족적 저항과 계몽의식 그리고 문화적 풍토의 불모성이 당대의 지배적 분위기였던 것이다. 한국문학에서 상징주의는 이러한 비시적 기류와 풍토에서 출발하였다. 『태서문예신보』에 김억이 프랑스 상징주의 시인들의 시와 시론을 소개하면서 상징주의는 이 땅 위에 육상하게 된 것이다.

이제 상징주의의 한국적 수용과정에서 안서와 상아탑의 대비를 통하여 초기 수용의 특징을 구명하고 아울러 몇 작품에 나타난 상징주의의 양상에 관해 살펴보고자 한다.

② 한국 상징주의의 二大 원류

1. 김억과 상징주의

김억의 시적 출발은 『태서문예신보』의 역시작업에서 시작된다. 동 신보는 "태서의 유명한 쇼설, 시됴, 산문, 가곡, 음악, 미슐 각본 등 일체 문예에 관한 기사를 문학대가의 붓으로 즉접 본문으로부터 충실하게 번역하여 발행할 목적"(「창간사」)으로 1918년 9월 26일 창간된 문예 주간지이다. 그러므로 동 신보는 문학과 예술 및 문화 교양 등 광범위한 기사를 취급하고 있다. 특히 문학작품의 경우에는 창작시 및 번역시와 시론을 비롯하여 소설, 희곡, 수필 등이 다루어지고 있다. 그러나 이러한 작품들의 일반적 수준은 근대 문학으로서는 매우 미흡한 것이었다. 바로 여기에서 안서의 문학사적 의미는 선명히 드러날 수 있다. 안서는 동지 5호의 「밋으러」·「오히려」 등을 시작으로 창작시 12편과 투르게네프·베를렌·예이츠·구르몽 등의 번역시 18편, 그리고 「소로굽의 인생관」·「프랑스 시단(上·下)」 및 「시형의 음률과 호흡」 등 역시론류를 발표하고 있다.

여기서 우리가 주목할 것은 그의 창작시보다는 번역시 및 시론 쪽에 있다. 왜냐하면 창작시가 이룬 근대시적 기여에 비하여 그의 번역시 및 시론은 육당의 문화사적 계몽주의 문학관에 대한 직접적 저항과 반동이라는 문학 내적 동인에서 출발하고 있기 때문이다. 육당의 전시사적(前詩史的) 갈등과 그의 문화사적 발언이 신체시와 창가의 형골을 통하여 시 아닌 시로서의 몸부림을 겪고 있었음에 비추어, 안서가 서구의 시와 시론에 적극적 관심을 기울였다는 것은 매우 중요한 의미를 내포한다. 더구나 그것이 서구시의 중심 골격을 이루는 상징주의에 초점이 맞춰져 있었다는 사실은 이 땅 현대시의 초기 시단 형성 과정에 있어서 상징주의가 미친 결정적 영향을 시사해 주고 있다.

안서의 역시 중에서 가장 큰 비중을 차지하고 있는 것은 「거리에 나리는 비」·「가을의 노릭」 등 베를렌의 시편이다.

> 가을의
> 쌔올룅의 우는
> 긴 오열(嗚咽)
> 단조(單調)한 사뇌(思惱)에
> 내 가슴 압허라
>
> 종(鍾)소리 우를씩
> 가슴은 막히며
> 낫빗은 희멀금
> 지나간 그날
> 눈압해 보임이
> 아아, 나는 우노라
>
> 내 영(靈)은 부는
> 모든 바람에
> 씰리어 써돌아
> 니기네 서기
> 날아 훗터지는
> 낙엽(落葉)이어라

Les sanglots longs

des violons

de l'automne

Blessent mon coeur

d'une langeure

monotone

Tout suffocant

et blême, quand

sonne l'heure

je me souviens

des jours enciens

et je pleure

Et je m'en vais

au vent mauvais

qui m'en porte

deca, delà,

pareil à la

feuille morte

—「가을의 노릭」, 『태서문예신보』 6호, 1918

원시에서 베를렌은 자신의 주관적 정감에 대응하는 객관적 상관물을 활용하여 훌륭한 개인적 체험의 상징시를 만들고 있다. '가을·쌔올룅·오열'의 조응 관계가 형성하는 객관적 상관성을 통하여 생의 깊이 속에 잠재한 정신적인 감각, 즉 사뇌와 우수를 직접적 묘사가 아닌 분위기와 정조로 암시하고 있는 것이다.

또한 청각 "쌔올룅·종소리"와 시각 "낫빛은 희멀금" 그리고 촉각 "바람·낙엽" 등 세 가지의 공감각(synaesthesia)을 복합하여 음울한 현실의 절망을 감각적 형식으로 상징화하고 있다. 안서가 받아들인 것은 바로 이러한 베를렌의 정신적 분위기에서 환기된 애상적 정서이다. 안서는 베를렌의 많은 시 중에서 주로 「검은 끝없난 잠은」·「거리에 나리는 비」 등 비애의 정조와 음악성이 두드러진 작품을 번역하였다. 그러나 베를렌의 상징시인으로서의 중요한 위치는 그가 프랑스 시의 전통적 형식에서 이탈을 시도하였다는 점에 있다. 그는 각운을 중시하지 않았지만 시의 음악성을 크게 강조하였다. 안서는 베를렌의 상기한바 애상시 이외에도 베를렌의 시론 격인 「작시술(Art Poetique)」을 번역, 소개하고 있다.

> 무엇보다도 몬져 음악(音樂)을
> 그를 위하얀 달으지도 두지도 못할
> 썩 희미한 알듯말듯한
> 난호랴도 못할 것을 잡으라
> ……(중략)……
> 우리의 바라는 바는 색채(色彩)가 아니고
> 음조(音調) 뿐이다, 그저 음조(音調) 뿐이다.
> 아아, 음조(音調), 그것만이 완전(完全)케 하나니
> 쑴에 쑴을, 적(笛)을 각(角)으로
> ……(하략)……

—「작시술(作詩術)」에서

상징주의는 관념을 직접 묘사하는 것이 아니라 설명을 부여할 수 없는 상징을 사용하여 '색채가 아니라 오직 뉘앙스만(pas la couleur, rien que la nuance)'을 추구 환기함으로써 독자에게 무엇인가를 암시하려는 문예사조이다. 베를렌은 상징주의의 요체를 「작시술」을 통하여 시론화하고 있는바, 안서가 근대시의 태반 형성기에 이 작품을 번역하고 있다는 점은 신중한 주목을 요한다. 요컨대 이런 비시적 기류이 근대시 벽두에 시구의 인제쁘 쓰에시조가 유입되었다는 사실은 그것 자체가 시사적 불행의 요소를 내포한 것이 아닐 수 없다. 더구나 도처에서 발견되는 오역은 안서의 상징주의 이해가 얼

마만큼 피상적인 것이었는가 하는 것을 말해준다. 그러나 이러한 부정적 요소에도 불구하고 안서의 상징시 번역은 초기 시단의 풍토를 다원화해 주었으며 아울러 당대 현실의 고뇌와 비애를 극복하려는 절망적 몸부림에 미학적 근거를 제시하였다는 점에서 그 필연성이 인정된다. 안서는 이러한 역시작업 외에도 「프랑스 시단」이라는 평문을 통하여 상징주의의 사적 개관과 그 이론적 골자를 소개하고 있다. 또 안서는 이에 앞서 「소로굽의 인생관」을 통하여 "영구한 암야에서 아득이는 정신의, 비애와 고독의 시인"인 소로굽의 생과 예술을 해설하고 있다. 이러한 것은 안서의 프랑스 상징주의 시론을 소개하고자 하는 준비작업이 된다.

> 상징주의란 무엇인가? 상징파 시인들은 잡기 어려운, 이해를 뛰어넘는 신비적 해답을 우리에게 제공한다. 그 가장 옳은 "해답은 아마 간단한 듯하다. 즉 기술(記述)을 말아라, 다만 암시" 그것인 듯하다. 상징은 신비의 환의(換意)라고도 생각할 수 있다…. 물건을 가리켜 분명히 이러이러하다, 혹은 시미(詩味)의 사분의 일이나 없이 하는 것이다. 조금씩조금씩 추상하여 가는데 시라는 진미가 생긴다. 암시는 곧 환상이다.
> — 태서문예 신보 11호, 「프랑스 시단(2)」에서

안서는 상징주의의 개략을 단편적이긴 하지만 이상과 같이 소개해 주고 있다. 안서의 이러한 상징주의 해설은 만상의 조응(correspondence)의 보들레르나 베를렌의 음악성 및 현실의 배후 세계에서 본질을 투시하는 견자시인(見者詩人, le poete volant) 랭보나 절대 허무의 말라르메에 대한 깊이 있고, 체계 있는 성찰은 아니었다. 그러나 상징주의의 보편적 개념과 방법의 기초에는 어느 정도 접근한 것이었다. 바로 이 점에서 안서는 상징주의 도입의 선구적 인물로 평가된다.

안서의 이러한 노력은 이 땅 초유의 역시집인 『오뇌의 무도』(조선도서,

1923)와 창작시집 『해파리의 노래』(조선도서, 1923)를 통하여 더욱 선명히 드러난다.

『오뇌의 무도』는 『태서문예신보』·『폐허』·『창조지』 등에 소개됐던 번역시들을 거의 대부분 재수록하고 있는바, 수록된 시들의 공통적 특질은 상징시 중에서 비애와 감상이 두드러진 작품이라는 점이다. 대충 시어를 살펴보더라도 "울음·잠·목숨·눈물·비·애달픔·설움·영·낙엽·탄식·유령·공포·전율" 등과 같이 감상과 눈물로 얼룩져 있다. 이러한 『오뇌의 무도』의 감상적 정조는 『해파리의 노래』에서 더욱 구체적으로 나타난다.

이 『해파리의 노래』에는 「해파리의 노래」·「꿈의 노래」·「표백」·「스핑크스의 설움」·「황포의 바다」·「반월도」·「저락된 눈물」 및 「황혼의 장미」·「북방의 소녀」 등의 소제목 하에 75~76편의 시가 실려 있다. 이 작품들은 많은 경우 『오뇌의 무도』의 속편이라고 할 수 있을 정도로 유사한 상징풍의 시어와 이미지가 사용되고 있다. '꿈의 노래'·'잃어버린 봄'·'고적'·'내 설움'·'표백'·'하품론'·'붉은 키쓰'·'탄식'·'눈물'·'죽음'·'낙엽'·'상실'·'낙성' 등과 같이 상징풍에 짙게 감염되어있는 것이다. 김억은 상징주의 작품의 역시 과정에서 감득한 상징적 방법으로 생래적인 비애와 감상, 그리고 당시 식민지적 현실에 대한 절망과 우울을 표상하고 있는 것이다.

본래의 상징주의 시인들과 마찬가지로 안서는 현실에서 충족되지 못하는 불만의식에서 출발하여 애상과 우울 속으로 잠겨 들거나 꿈의 나라로 도피하려고 시도하였다. 이런 점에서 안서가 차츰 상징의 숲을 꿰뚫지 못하고 안이한 민요적 세계로 전이하게 된 소인이 있다. 황포에서의 어린 시절의 유년 회상과 꿈꾸는 미의 세계에 대한 회귀적 지향으로 안서는 민요적 가락 속에서 현실기 김망의 비애를 느그밀 일뜬식 한서를 바넌날 누 있었년 것이나. 비시적 기류에서 출발한 안서에게는 실상 서구시의 정수인 상징주의의 전면적 수용이 처음부터 한계 지워져 있었던 것이다. 그는 다만 그 풍요하고 심원한 상징주의의 세계에 표면적으로나마 근접하여 그 분위기와 기초 방법만을 모방할 수 있었으며, 이러한 것은 초기 시단의 형성 과정에 있어서 그 시적 풍토와 시사적 배경을 확대하고 심화하는데 결정적 계기가 됐던 것이다. 특히 초기 시단 형성의 주역이었던 안서가 베를렌적인 애상적 분위기와 음악적 방법에 지배적 영향을 받았다는 사실은 상징주의 수용의 원류의 한 가닥이 새로운 리듬의식에 의한 시의 음악적 구조성에 관한 인식에 접맥되고 있음을 뜻하는 것이 된다.

2. 황석우의 허와 실

황석우의 시적 출발 역시 『태서문예신보』에서 이루어지고 있다. 그는 동지 16호에 「어린 제매에게」란 제목 아래 「봄」·「밤」·「열매」·「앵」 등의 작품을 발표하였다.

> 달기고 솟지적이는 동산에
> 고은 밤의 접문(接吻)을 밧다
> 나의 가슴에 눈물이 괴여가다
>
> 피곤과 뇌(惱)에 부닥이던 만유(萬有)는
> 밤의 손바닥에 어리만지며
> 고요히 자다, 고요히 자다
>
> ─「밤」

이 시의 핵심은 '눈물·오뇌·만유'의 대응 관계에 있다. "달기고 솟지적이는 동산에/고은 밤의 접문" 사이에 이루어지는 밤의 감각적 색채는 만유의 내밀한 침잠으로 이어지고 있는 것이다. 또한 "밤의 접문", "밤의 손바닥"과 같은 은유법의 사용은 오브제의 형상화와 관념의 투입에 있어 황석우가 근대시의 기초를 어느 정도 터득하고 있었음을 말해준다.

황석우의 본격적인 출발은 「석양은 꺼지다」·「벽모의 묘」(『폐허』 1호, 1920) 등을 발표하고 『장미촌』(1921. 5)을 주재함으로써 비롯된다.

> 애인(愛人)아, 밤안으로흠벅우서다고
> 네우슴이 내마음을덥는한아즈랑이(靄)일진댄
> 네우슴이 내마음의압헤드리우는한꼿발(花簾)일진댄
> 나는 그안에서내마음의곱은화장(花粧)을하마
> 네우슴이어느나라에길써나는한태풍(颱風)일진댄, 구름일진댄
> 나는내혼(魂)을그우에갑야웁게태우마
> 네우슴이 내생명(生命)의상처(傷處)를씻는무슨액(液)일진댄
> 나는네우슴의그끌는감과(坩堝)에뛰여들마,
> ……(하략)……
>
> 　　　　　　　　　　　　　　　　　— 「석양(夕陽)은 꺼지다」에서

이 작품은 "네 우슴=아즈랑이·꽃발·태풍·액·우슴의 그끓는 가마"와 같은 은유법으로 이루어져 있다. 은유법에 의하여 시적 사고를 조형하고 거기에 관념을 투영시키고 있는 것이다.

> 고독(孤獨)은 내 영(靈)의 월세계(月世界)
> 나는 그 우의 사막위에 깃드려 있다
> 고독은 나의 정열(情熱)의 불토(佛土)
> 　　　　　　　　— 「장미촌(薔薇村)의 향연(響宴)」

> 잠은별틀의넉이랍니다
> 그넉은술과갓흔파란액체랍니다
>
> 　　　　　　　　　　　　— 「잠」에서

태양(太陽)은아ㅅ츰마다와서
넓은광선(光線)의부ㅅ채(扇)로서
만상(萬像)의눈우로부터 잠을날녀쫓음니다
—「광선(光線)의 부채」에서

황석우에게 있어 은유법은 시적 발상에서 비롯하여 전개와 결구에 이르기까지 시의 중심 방법이 되고 있다. 또한 '잠=별들의 넋'이라는 계사은유를 기본으로 하여 동격 '-의' 은유(appositive of metaphor), 동사은유, 의인은유 등 다양한 은유의 변주를 활용하여 시적 이미지의 회화성을 강화시켜주고 있는 것이다.

그러나 황석우는 은유법의 지나친 사용으로 인하여 오히려 시적 이미지의 도식성과 상투성을 초래하고 마침내는 시의 미감을 저해함으로써 시적 실패를 가져오고 말았다.

봄의치마는동풍(東風), 그빗은 초록!
봄의얼골은동글고눈갓치희다
봄의눈은분홍빗의비둘기눈
봄의마음은숲빗의사랑의샘!
봄의직업은숫제조(製造), 빗제조(製造) 노래제조(製造)!
봄은곳아릿다운생명(生命)을맨드는여류기사(女流技師)!
봄은태양(太陽)의영부인(令夫人)
—「봄」 전문

이 작품은 과도한 은유의 굴레에 갇혀 시적 긴장을 와해시키고 그 결과 '운율적 정형'이 아닌 또 다른 은유의 '방법적 정형의 틀'에 스스로 구속되는 결과를 빚고 있는 것이다. 그의 작품은 외계의 은유적 묘사와 서술로 얽매어 마침내는 회화적 색채의 메마른 형골만 남게 된다.

그렇다면 황석우의 이러한 시적 실패의 원인은 무엇일까. 실상 이 문제의 구명은 이 땅 상징주의 수용의 특질을 밝혀주는 한 단서가 될 수 있다. 황석우의 다음 글은 이러한 문제 해결에 중요한 열쇠를 제공해 준다.

지금 우리가 상징주의라고 부르고 있는 근대 상징주의의 특질을 열거(例擧)하건데 차(次)와 같다.
一, 내용으로 하는 관념·사상·정서·기분 및 형식은 동양(同樣)의 가치를 유(有)함
一, 형식과 내용이 분리되어 있지 아니하고 이자운융(二者運融)한 이체(二體)를 이르러 있는 것
一, 구상성이 해(害)함
一, 예술적 표현으로서 가장 심미성(審美性) 및 필연성에 부(富)하여 사물의 순일적확(純一的確)한 본질적 표현일 것
—「일본시단(日本詩壇)의 이대경향(二大傾向)」,
『폐허』1호

산궁윤(山宮允)의 이론에서 차용한 황석우의 상징주의에 대한 관점은 '상징주의=구상성이 부합'에 초점이 맞춰져 있다. 즉 황석우는 상징주의의 요체를 구상성이 부합으로 파악하고 이러한 구상성의 획득을 서구시와 시론의 번역과정에서 터득한 은유적 방법론에 의해 실체화시키고 있는 것이다. 그러므로 황석우는 상징주의의 특질을 스스로의 시작에서 구현하기 위해서 과도한 메타포를 사용한 것이며, 그 결과 상징주의의 본령인 암시의 미학이나 음악성과는 거리가 먼, 오히려 모더니즘의 회화성에 가까운 기형의 시를 낳고 말았다. 이러한 '상징주의=구상성'이라는 잘못 이해된 상징주의의 공식과 이에 이어서 쓰여진 비유적 틀이 회화시기로 비로 힘써서 상징주의 매개에 긴건 목인 것이다. 또한 황석우는 「삼목로풍」·「북원백추」·「만원유명」·「일하경지조」·「산궁윤」 등 당대 일본시단을 풍미하던 상징주의 작품들을 소개하고 있

는바, 이들 시의 기본 정조인 '눈물·영겁·환몽·무용·환희·탄식·황혼·혼' 등 퇴폐적 비애와 우울의 애매모호한 감각과 색채를 초기 시에 감염시키는 또 하나의 계기를 만들어 주었다. 황석우 스스로의 작품 속에는 "유령의 주정·음락의 더러운 엉덩이·나태의 눈곱"(「애인의 인도」·「음악의 궁」) 등의 작품을 비롯하여 퇴폐적이면서도 때로 육감적인 상징시의 면모를 보여주는 경우가 많다. 그러나 이런 것들은 보들레르처럼 영혼의 깊은 곳에서 우러나온 것이 아니라 당대의 식민지적 현실에서 비롯된 분위기적 제스처에 가까운 것이었다. 일본 상징시들의 계속적인 유입은 3·1운동 후의 절망과 우울, 퇴폐와 애상 같은 시대정신과 쉽게 결합되어 이 땅 현대시의 밑바탕에 허무주의와 계몽주의의 형질을 키워준 요인이 되었다.

안서가 프랑스적 상징주의의 음악성에 보다 더 집중적 관심을 기울이고 있음에 비하여 황석우는 일본적으로 굴절된 상징주의의 회화성에 더 많은 영향을 받고 있는 것이다. 안서가 후에 민요적 운율에 적극 관심을 기울인 것과 황석우가 「자연송」(1929)에서 회화적 이미지 구조에 더욱 기울어지고 있는 사실은 상징주의 수용과정에서의 견해차를 단적으로 보여주는 결정적 근거가 된다.

이처럼 상징주의의 한국적 수용은 초기부터 이상과 같은 두 가지 원류를 이루고 있으며 이러한 것은 현대시의 골격 형성과 체질 획득에 결정적으로 기여함은 물론 후대 시에도 많은 영향을 끼쳤던 것이다.

③ 기타 시인의 경우

김억, 황석우와 더불어 상징주의에 관심을 기울인 초기 시인으로는 먼저 주요한을 들 수 있다.

주요한은 1919년 『학우』·『경도유학생회지』와 비슷한 시기의 『창조』지에

「샘물이 혼자서」·「불놀이」 등을 발표하면서부터 시작을 개시하였다.

아아날이 저믄다. 서편 하늘에, 외로운 강(江)물우에, 스러져가는
분홍빗놀……아아 해가저믈면 해가저믈면, 날마다 살구나무 그늘에
혼자우는밤이 쏘오것마는, ……(중략)…… 아아 춤을 춘다. 싯벌건 불
덩이가, 춤을 춘다 잠잠한 성문(城門)우에서 나려다보니, 물냄새 모랫
냄새,

밤을쌔물고 하늘을쌔무는 횃불이 그래도무엇이부족하야 제몸까
지믈고 쓰들째, ……(중략)…… 아아, 강물이 웃는다 웃는다 괴샹한
우슴이다 차디찬강물이 썹썹한 하늘을 보고 웃는우슴이다 ……(하
략)……

―「불놀이」에서

주요한 스스로가 말하듯이 그는 일본유학시『산호집』·『해주음』 등의 상징
시 계통의 작품에 심취하고 직접 기와지 류코(川路柳虹)에게 작품수업을 받
았다 한다(「창조시대의 문단」, 『자유문학』 1호, 1956). 실제 그는 「불놀이」
에서 보더라도 관념과 인상을 시각, 청각 및 후각 등 복합감각으로 파악하는
데 어느 정도 성공을 보이고 있다. 그러나 작품의 내면에는 비애와 눈물의 정
조가 낭만적 터치로 묘사되고 있으며, 이러한 것은 주요한의 작품세계가 상
징주의에 기반을 두고 있다기보다는 오히려 낭만주의적 특질을 띠고 있음을
말해준다. 시집『아름다운 새벽』(1924)의 작품들을 보더라도 요한은 오히려
민족주의적 색채와 낭만주의적 정서에 훨씬 경도되어 있음을 볼 수 있다. 그
의 역시작업 또한 낭만주의와 상징주의의 양면에 걸쳐져 있다는 사실은 주요
한이 단지 형상화 방법에 있어서만 상징주의적 수법과 색채에 젖어 있다는
사실을 시사해 준다.

다음으로 상징주의에 감염되어있는 시인으로서는 박영희, 이상화, 박종화
등의 『백조』 동인을 들 수 있다.

박영희는『장미촌』을 비롯하여『백조』의「환영의 황금탑」·「월광으로 짠 병실」·「과거의 왕국」 등에서 상징주의적 색채를 보여주고 있다.

① 어둔물결우에서빗틀거리는
　황금탑(黃金塔)우에안즌 나의애인(愛人)이여!
　황금탑(黃金塔)의 녯향기(香氣)를 가삼의 품고
　두사람의 헛된꿈속의미소(微笑)를
　너의 햇슥한 얼굴에 듸우라
　　　　　　　　　　　　　 —「환영(幻影)의 황금탑(黃金塔)」에서

② 우숨의 저자를 다시못보고
　독주(毒酒)의 허화시(虛華市)를 네가볼찍에
　너의 우룸을 엇더케듣으며
　너의 붉은입살에서 흘으는
　마르지안는 피방울을 엇더케볼싸?
　아, 미소(微笑)의 허화시(虛華市)는어지럽도다
　　　　　　　　　　　　　 —「미소(微笑)의 허화시(虛華市)」에서

①의 시에서는 애인과의 사랑이 환영으로 사라져버리는 것을 "현실의 파멸＝환상의 소멸＝환영의 황금탑"이라는 시적 구조를 통하여 보여주고 있다. "꿈·비틀거리는햇쓱한얼굴·눈물·푸른별" 등과 같이 몽환적인 시어 속에서 상징파 시인들처럼 환상적 꿈의 나라로 현실도피하게 되는 것이다.

②에서도 '붉은 입술과 핏방울'·'독주' 등 악마적 이미저리를 구사하여 상징주의 시처럼 탐미적 절망의 몸짓을 보여주고 있다. 물론 회월의 이러한 상징적 색채가 생명 본질의 투시를 생명으로 하는 상징파 시인들과 그대로 부합하는 것은 아니지만 그 형질에 있어 매우 흡사한 요소를 지니고 있음은 사실이다.

이상화에 있어서도 상징적 색채는 매우 짙게 나타나고 있다.

저녁의 피무든 동굴(洞窟) 속으로
아-밋업는, 그동굴속으로
슷도 모르고
슷도 모르고
나는 걱구러지런다
나는 파뭇치이런다.

가을의 병(病)든 미풍의품에다
아, 쑴쑤는 미풍(微風)의품에다가
낫도모르고
밤도모르고
나는 술취한 집을 세우런다
나는 속압흔 우슴을 비즈런다

—「말세(末世)의 희탄(欷歎)」 전문

이 작품에서 이상화는 "피문은 동굴·꺼꾸러지런다·가을의 병든 미풍·쑴꾸
는 미풍의 품·술취한 집·속아픈 웃음"과 같은 퇴폐적 절망의 몸부림을 감각적
색채로 표현하고 있다. 또한「나 의 침실로」에서도 "수밀도의 네 가슴·맘의
촛불·양털같은 바람결·부활의 동굴·사원의 쇠북"과 같이 초조와 절망을 감각
적으로 형상화하고 있다. 그러므로 상화는 '외나무다리 건너있는 침실'로 도
깨비처럼 도피하려 하는 것이다. 마치 상징주의 시인들처럼 그 또한 허무하
고 권태로운 세상에서 꿈의 나라로 숨어 들으려 시도한 것이다.

박종화의 경우도 예외는 아니다.

사랑의 붉은실을 언으랴하야,
"삶"의 회색방(灰色房)에 취(醉)하려 하야,
넘어지는 볏우에,
마음 조리며

피빛 휘장을 그는만지다

— 「환오(煥熩)의 청춘(青春)」에서

이 시에서도 "사랑의 붉은 실·삶의 회색방·취하려·피빛휘장"과 같은 자극적 감각의 시어가 충만하고 있다. 이러한 상징풍의 감각적 색채와 어울려「자화상」·「흑방비곡」·「헤어진 갈색의 노래」등에서 보여주는 현실도피와 절망의 제스처는 월탄 자신이 말하듯(「흑방비곡」서문) 상징시적 요소를 짙게 보여주는 것이다.

낭만주의를 표방하고 나선 『백조』의 중심 멤버들이 오히려 상징시의 퇴폐적 애상과 감각적 색채 속에서 벗어나지 못한 이유는 무엇인가. 이것은 무엇보다도 당대의 시대적 분위기가 암담하였으며 더구나 『오뇌의 무도』등 퇴폐적이면서도 상징적인 모호와 애상으로 충만한 문학적 풍토가 이들의 화려한 기치를 불안과 절망 퇴폐와 애상의 세기말적 색채로 물들였기 때문인 것으로 해석된다.

그러나 비록 이들의 상징적 색채와 방법이 상징주의의 핵심과는 거리가 있는 것이라 해도, 이러한 외래 사조의 수용과 소화 과정에서 보여준 절망의 몸부림과 다원적 모색 및 실험은 이 땅 현대시의 태반 형성에 매우 값진 작업이었던 것으로 판단된다.

4 상징주의의 한국적 의미

그렇다면 한국 현대시사에서 상징주의가 갖는 의미는 무엇인가. 이러한 문제의 구명은 무엇보다도 안서를 비롯한 선구적 근대시인들의 정신적 위상을 밝히는 데서 찾아질 수 있다.

이들은 프랑스 상징시인들이 현실에서 절망하여 내적 영혼의 우주 속에서 만물의 조응과 본질계를 투시하고 그 속에서 또 다른 세계를 창조하려 노력한 것처럼 상징주의라는 미학적 저항방식을 통하여 당시의 식민지적 현실에서의 시대고와 절망을 극복하고 그 속에서 실존의 근거를 마련하려 몸부림친 것이다. 그러나 그들은 결코 식민지의 시대적 압력을 쉽게 외면할 수 없었으며 무엇보다 최남선류의 계몽주의 문예관에 대한 직접적인 반동에서 출발한 나머지 상징주의의 본질과 핵심에 적극 뛰어들기 보다는 오히려 퇴폐와 우울의 세기말적 분위기에 감염되고 애매모호한 상징적 감각의 수법만 흉내 내다 만 결과를 빚게 된 것이다. 또한 근대시의 연대적 일천함과 배경의 불모성, 그리고 일본문학을 통해서 굴절된 상징주의를 받아들일 수밖에 없었던 시사적 불행은 상징주의의 주동적 수용 및 변용 능력의 부족과 그 한계성에 부딪혀 결합되어 더욱 혼란된 양상을 보여주었던 것이다.

그럼에도 불구하고 초기 시단의 형성 과정에 있어서 상징주의는 이 땅 최초로 유입된 오랜 문예사조로서 근대시의 기본 골격과 체질을 형성하는데 결정적 영향을 미쳤다는 점에서 비판적 긍정을 받을 수 있을 것이다.

(1975년)

모더니즘의 시와 시론

모더니즘이란 용어는 현대주의 혹은 주지주의로 번역되어 사용되며, 기성도덕과 전통적 권위를 부정하고 새로운 감각과 방법론을 주장하는 사상적 예술적 사조를 의미한다. 대략 19세기 말경에 유럽에서 정치적 개혁운동으로 시작되어 차츰 예술사조로 전파되었으며, 문학에 있어서도 감수성의 혁명과 조사법의 혁신을 초래하였다. 따라서 모더니즘의 서구적 개념은 상징주의·인상주의·야수파·입체파·미래파·다다 및 슈르레알리즘·실존주의를 포괄하는 예술적 문학적 경향의 총칭으로 사용되며, 반사실주의로 규정할 때엔 사실주의 혹은 사회주의적 사실주의와 대극 된다.

특히 영미문학에 비춰 볼 때 모더니즘은 불연속적 세계관에 기초를 둔 흄(T.E. Hulme), 파운드(E. Pound) 및 상상적 이성과 통어 된 감수성의 엘리엇(T.S. Eliot) 등에 의해 전개된 주지주의 혹은 이미지즘의 개념으로 쓰인다. 한국의 현대문학 특히 1930년대의 시를 논할 때 우리는 이러한 영미문학의 모더니즘 개념에서 자유로울 수 없다. 1930년대 한국의 모더니즘이 서구와 같은 배경에서 형성되거나 똑같은 개념으로 사용되고 있지는 않지만, 그러한 개념의 유입과 전개과정에 있어서 논객들이 대부분 영미문학 전공자들로 구성되어 있다는 점은 그 영향 관계를 쉽게 추출할 수 있기 때문이다.

1930년대 이 땅의 모더니즘은 대체로 김기림·이상·정지용·김광균·신석정·장만영·최재서 등에 의하여 시와 시론의 전개를 보인다. 그러나 이 중에서 이상은 다분히 다다, 슈르레알리즘과 신심리주의에 바탕을 둔 소설에 주력하고, 최재서는 주지주의적 평론만을 전개한 점에서 별항에서 다룰 예정이므로 본 항목에서는 할애하기로 한다. 따라서 본 항목에서는 김기림의 시와 시론을 중심으로 하여 정지용·김광균·신석정·장만영 등의 시를 모더니즘, 특히 이미지즘적 각도에서 살펴봄으로써 모더니즘의 특징과 문제점을 드러내 보기로 한다.

지금까지 모더니즘의 한국적 전개에 관한 연구는 문학사적 연구와 비교 문학적 연구 및 개별적인 작가론으로 나눌 수 있다. 문학사적 연구는 대체로 모더니즘이 근대 문학적 요소를 현대문학적인 것으로 전환시킴으로써 현대적 기점이 됨을 논한 것이며, 비교과학적 연구는 서구문학 특히 영미문학이 한국문학에 미친 영향과 그 차이점을 논한 것이다. 또한 작가 연구는 주로 김기림·정지용·김광균·이상·최재서 등의 시적 특성과 이론의 전개 양상을 논함으로써 그로부터 모더니즘적인 요소를 추출하려 시도한 것이다. 이러한 연구들은 모더니즘의 한국적 전개과정과 특성, 외국이론과의 영향과 원천 관계, 그리고 문학사적 위치에 관한 어느 정도의 성과를 거둔 것이 사실이다. 그러나 많은 연구가 모더니즘을 서구적 개념에 집착하여 비교 검토한 결과 한국문학에 있어 자생적인 모더니티를 추출하는 데는 실패하고 있다. 서구적 개념만으로 모더니즘을 정의하고 그 모델로 현대의 기점을 설정하는 것은 한국문학사의 자율성과 주체성을 확립하는데 저해요인이 된다는 점을 지적하지 않을 수 없다. 이런 점에서 전통문학사 내에서의 문학적 감수성의 혁신과 조사법 등 따라기 방법론의 세고와 모에에 대한 성찰이 긴요한 과제고 시킨다. 긴틉 지향성과 모더니티 지향성은 어느 시대에 있어서나 보편적으로 나타나는 시대정신이지 어느 특정 시대에 국한되는 것은 아니기 때문이다.

모더니즘의 한국적 전개는 1930년대 초의 문학적 상황과 조건에 깊이 연관되어 있다. 특히 프롤레타리아트 문학 즉 KAPF의 성립 및 전개과정과 이에 대한 반동으로 시조부흥운동 등 민족문학운동, 그리고 1930년『시문학』발간에 따른 순수서정시 운동과의 상관체계 내의 모더니즘 시운동이 놓여진다. 또한 일제 군국주의의 급격한 대두에 따른 정치·사회적 불안과 긴장의 상황도 모더니즘의 형성에 직접·간접의 관련을 갖는다.

먼저 카프의 프로문학은 당파성을 띤 것으로써 문학이 정치적 목표와 사상의 형태 내지 수단으로써 존재해야 함을 역설하였다. 특히 임화의 주장으로 대변되듯이 편내용주의적 문학관과 함께 급진적인 개혁의 진보주의적 성향을 지닌다. 1934년의 '전주사건'에 따른 카프 맹원의 검거와 전향 및 지하운동화에 이르기까지 프로문학은 모더니즘 형성에 결정적인 영향을 미쳤다. 특히 임화의 기교주의 논쟁에 따른 김기림 비판은 프로문학과 상대적 위치에 놓이는 모더니즘의 특징을 단적으로 드러내 보여준다. 시조부흥운동은 최남선·이병기 등에 의해 주도되는 민족주의 운동의 일환으로서 프로문학과 대척적인 위치에서 전개된 국민 문학파의 연장선상에 놓인다. 특히 1920년대의 민요시 운동과 연결되어 시조부흥운동은 민중적이면서도 민족적인 정감과 전통적 시의식을 드러냄으로써 전통지향성을 선명히 보여주었다. 또한 시문학파는 해외 문학파와의 연관 속에서 KAPF의 목적주의 문학에 반발하여 서정성과 음악성을 강조하는 순수서정시 운동을 전개하였다. 우리나라의 모더니즘은 이러한 시적 상황으로부터 비롯되었다. 『가톨릭 청년』을 중심으로 문학 활동을 시작한 정지용으로부터 현대시가 출발했다고 보는 김기림은 재래의 시를 자연 발생의 시(Sein, 존재의 시)로 매도하고 정지용 등의 시를 의도적인 제작의 시(Sollen, 당위의 시)로 호평함으로써 모더니즘시와 시론의 선구자가 되었다.

김기림의 모더니즘시론은 시가 우선 "언어의 예술이라는 자각과 시는 문명에 대한 일정한 감수성을 기초로 한 다음 일정한 가치를 의식하고 쓰여져야 한다"는 내용을 골자로 하여 이전의 감상적 낭만주의와 카프의 편내용주의에 직접적으로 반발한 데서 비롯된다. 그에 의하면 모더니즘 시는 "도회 문명의 아들로서 언어의 음의 가치, 시각적 영상, 또 이 여러 가지 가치의 상호작용에 의한 전체를 의식하고 일종의 건축학적 설계 아래서 쓰여진다"는 것이다. 「시의 방법」·「모더니즘의 역사적 위치」로 대표되는 김기림의 모더니즘 시론은 무엇보다도 먼저 우리나라 신시사상 초유의 본격 시론이며 전문 시론이라는 점에서 그 의미가 인정된다. 김기림의 최초의 평론은 「일기장에서-오후와 무명작가들」(『조선일보』, 1930. 4. 28.)과 「시인과 시의 개념」(『조선일보』, 1930. 7. 24)으로 알려져 있으나, 실상 모더니즘 이론이 본격적으로 나타나는 것은 1931년에 발표된 '시로 쓴 시론인' 「시론」에서이다. '공동편소(公同便所)'·'센티멘탈한 영양(令孃)이 흘리고 간/타태(墮胎)한 사아(死兒)들'과 같은 대담한 현실어의 직설적 사용은 기존 시의 아어주의(雅語主義)에 대한 노골적인 반발과 야유를 보여준다. 이어 그의 시론은 「오전의 시론」(1935)에서 구체화되기 시작하여 「감상에의 반역」·「방법론시론」 등으로 체계를 이룬다.

그의 시론의 골자를 살펴보면 먼저 감상주의에 대한 반발을 들 수 있다. 그는 감상주의를 '필요 이상으로 슬픈 표정을 하는 것'으로 규정하고, 이의 극복 방법으로 지성을 강조하는 것이다. 따라서 우울·권태·감상·도피 등의 디오니소스적인 것을 버리고 정오의 사상(pénse de midi)으로서의 아폴론적인 지적 활동을 강조하는 것이다. 따라서 그의 시론의 두 번째 특징은 재래의 시를 자연 발생의 것으로 규정하고 현대시의 특성을 의도적인 제작의식과 방법론의 확립에 두는 데 있다. Sein의 시가 아니라 Sollen의 시, 존재 정직(être)의 시가 아니라 당위 당위(faire)의 시로서 현대시는 의도적인 방법론을 가져야 하며 시학으로서 고양되어야 한다는 주장이다. 세 번째 특징은 시의 현대성을 방법론의 확립과 함께 소재 내용에서 구한다는 점이다. 따라서 시의 소재는 정감적인 자연이나 인간사가 아니라 도회문명과 기계주의적인 것에서 얻어져야 하며, 내용에 있어서도 내용의 무게나 깊이보다는 형식과 방법의 확립에 도움이 되는 것이 가치 있는 것으로 추구되었다. 이러한 소재주의와 형식주의는 뒤에 기교주의로 매도되는 원인이 되지만 이들의 현실 감각을 선명히 드러내 준다는 점에서 의미가 주어진다. 네 번째는 앞에서의 몇 가지 특징에 연유하여 기인하는 것으로 과학적인 시론을 확립하려는 노력이다. 당대에 이르기까지의 한국시는 상징주의의 이론이 소개되고 낭만주의 및 계급주의적 이론이 열풍처럼 휩쓸어갔지만 체계적이며 조직적인 서구시론과 방법론이 유입되지는 못한 실정이었다. 이 시기에 김기림은 리처드(I.A.Richards)를 중심으로 서구의 본격 시론을 도입 소개함은 물론, 그것을 자신의 이론으로 수용 및 변용하여 시론의 전문화 내지 과학화에 획기적 전기를 마련한 것이다. 시를 전달의 최상의 형식으로 보고 경험과 전달의 심리학적 분석과 체계화를 이룩한 리처드의 방법론을 통하여 김기림은 시의 과학적 근거를 마련하고자 노력한 것이다. 「과학과 비평과 시」 등의 평론에서 그는 시의 가치가 심리적 욕구를 충족시켜 주는 데에 달려 있으며, "비평은 철학이기 전에 과학이어야 한다"는 신념을 피력함으로써 과학적 방법에 기초를 둔 시학과 비평 이론의 중요성을 강조하였다. 특히 「과학으로서의 시학」은 과학적 시학에 대한 체계적인 설명과 입론이라는 점에서 주목을 끈다. 이와 같이 모더니즘 시론의 형성과 전개에 있어 김기림은 결정적인 역할을 수행해 주었다는 점에서 그에 대한 좀 더 면밀한 검토를 필요로 한다.

김기림이 이론적 면에서 상당한 수준에 도달하고 있음에 비추어 시는 저급한 수준에 머물러 있는 것으로 보인다. 『바다와 나비』·『기상도』·『태양의 풍속』 등의 시집을 관류하는 것은 설익은 이국 취향과 기계적인 비유의 메마른 헝골뿐이다. "명상을 주물르고 있던 강철의 철학자인 철교"(「북행열차」), "샛하얀 조끼를 입은 공중의 곡예사인 제비"(「제비의 가족」) 등의 구절처럼 유치하고 설명적인 비유를 기계적으로 사용함으로써 "주지적 방법은 단순한 묘사와 대립한다"는 스스로의 시론과도 자가당착을 이룬다. 「바다와 나비」 등 극히 몇 편에서 시적 성공을 거두고 있지만 김기림 시의 대부분은 방법의 도식화와 기교적인 형태주의에 사로잡혀 비유로 짜여진 설명적인 풍경화에 지나지 않는다는 점에서 시적 실패를 보인 것으로 판단된다. 특히 지성을 크게 강조하면서도 많은 시편에서 감상적인 색조에 물들어 있는 것은 그의 중대한 약점으로 지적된다. 특히 전반적인 면에서 그의 시와 시론이 드러내는 방법적 지향과 이념적 실천의 간극 및 괴리, 그리고 시와 신념의 거리 등은 김기림의 단점이자 한국 모더니즘 시 운동의 전반적인 한계점으로 지적된다. 이런 점에서 김기림은 선구자로서의 공적과 함께 그 문제점을 선명히 드러내고 있는 것이다.

한편 정지용은 시적인 면에서 주지시로서의 한 전범을 보여준 대표적 시인이다. 김기림의 지적에 의하면 정지용은 한국 현대시의 '현대적 호흡과 맥박'을 불어넣은 최초의 시인이며, 또한 시가 언어로 씌어진다는 사실을 인식하고 언어에 주의를 기울인 최초의 시인이라 한다. 과연 정지용이 시어에 대한 주의와 깊은 인식을 기울인 최초의 시인인가 하는 논란은 차치하더라도 분명 정지용은 새로운 감수성과 감각적 지성을 보여준 중요한 시인임에는 틀림이 없다. 1925년 「카페 프랑스」에서 시작의 출발을 보여준 정지용은 『백록담』·『정지용시집』 등 중요 시집을 통하여 비유의 참신함과 지적인 투명함을 드러내었다. 먼저 그의 시는 재래의 관념어와는 달리 현실적인 구상어를 많이 사용하는 점이 특징이다. 넥타이·일본말·페스탈로치·오르간 소리 등과 같이 서구적인 감수성에 바탕을 두고 있으며, 시각·청각·촉각·후각 등의 공감각적 비유를 시의 주인 방법으로 씌우고 있다. 두 번째 그는 김김편향의 이 경향에서 벗어나 "안으로 열하고 겉으로 서늘한" 지적 제어와 반성을 보여주었다. 특히 이 점은 프로문학의 편내용주의와 선동적 경향에 비추어 매우 값진 일면이었다. 비록 그의 시가 내면적인 깊이를 보여주는 데는 부족한 것이 사실이지만 시적 경험의 감각화와 비유의 정확함, 그리고 지적인 분위기의 형성은 당대에 매우 유니크한 위치를 차지한다. 또한 바로 이 점에서 김기림이 정지용을 모더니즘의 유일한 선구자로 찬양하며, 그 시적 가치와 공적을 크게 인정하는 까닭이 있다. 또한 후기시에서의 동양적인 자연에의 몰입과 종교적 신앙심의 형상화는 한국시의 내면 형성에도 중요한 일익을 담당한 것으로 판단된다.

　김광균의 시는 특히 회화적인 이미지와 공감각적인 비유를 조형하는데 탁월한 솜씨를 보여주었다. "피아노의 졸린 여운이/고요한 물방울이 되어 푸른 하늘에 스러진다"(「산상정」)이나 "먼 곳의 여인의 옷벗는 소리"(「설야」) 등과 같이 감각적 은유와 회화적 이미지를 통해 언어의 질감과 양감 및 애정성 등에 그는 섬세한 배려를 기울인다. 이러한 김광균의 비유적 심상에 대한 몰두는 흄과 파운드 등의 주지적 문학론이 포함하는 "감각적 이미지의 창조=생명의 가치의 창조"라는 이미지즘의 원리를 반영한 것이다. 또한 그는 도시문명을 가장 중요한 소재로 사용했다. "긴 여름해 황망히 날애를 접고/느러슨 고층 창백한 묘석같이 황혼에 저져/찬란한 야경 무성한 잡초인 양 헝클어진 체"(「와사등」)이라는 구절은 도시문명을 비유적 방법으로 형상화하는 김광균의 시 방법을 선명히 드러내 준다. 그에게는 관념과 서정, 자연과 감각 등을 비유를 통해 회화적인 가시세계로 변화시키는 독특한 능력이 있었던 것처럼 보인다. 이 점에서 김광균은 김기림이 겪었던 이념과 실제, 관념과 방법의 괴리와 간극을 비교적 덜 겪은 것으로 받아들여진다. 그러나 김광균의 시는 "낯서른 거리의 아우성 소래/까닭도 없이 눈물겹고나/공허한 군중의 행렬에 석기여/내 어듸서 그리 무거운 비애를 지고왔기에"(「와사등」)라는 구절에서 볼 수 있듯이 지적 절제라는 모더니즘의 목표와는 거리가 멀게 감상적인 색채를 지니고 있는 것이 약점으로 지적된다. 이러한 감상적 색채는 1930년대 모더니즘이 이론적인 지향의 확실성에도 불구하고 실제에 있어 실험적 수준에 머물고 말았음을 증명하는 자료가 된다.

　신석정의 시는 현대문명과는 거리가 먼 전원과 향토의 이미지로 구성되어 있다. "촛불·양·호수·삼림·어머니·새새끼" 등 목가적인 시 세계는 일견 모더니즘과 거리가 먼 듯하지만 실상은 김기림의 지적대로 현대문명에 대한 간접적인 비판에 맥이 닿아 있는 것으로 보인다. 풀밭을 녹색 침대로 표현하는 비유적 이미지의 신선한 감수성과 수법은 모더니즘의 방법 바로 그것에서 연유하기 때문에 더욱 그러하다.

　이들 중요 시인 이외에도 장만영은 시집 『양』에서 비유적 이미지의 신선한 조형으로, 박재륜은 조사법에 대한 담구와 시어의 조탁을 보여준다는 점에서 모더니즘 계열의 시인으로 꼽혀진다.

　이들 이외에도 앞서 언급한 것처럼 이상이 다다, 슈르레알리즘의 모더니즘적 경향을 보이나 시 방법론상에 있어 위에 든 시인들과 커다란 상이점이 보인다는 점에서 별항에서 다루어질 것으로 보아 유보하였다. 또한 최재서도 주지주의의 모더니즘 경향을 강하게 지니고 있으나 주로 평론활동이기 때문에 역시 별항에서 다루어질 것으로 보아 할애하였다.

　이렇게 김기림에 의해 선구되고 주도된 모더니즘의 시와 시론은 한국 현대 시사에 감수성의 혁신과 시 의식의 변모 및 방법론의 변화를 유발하였다는 점에서 긍정적인 것으로 평가된다. 비록 관념과 방법, 이념과 실제, 그리고 내용과 형식의 불일치와 미숙성을 보인 것이 사실이라 하더라도 그 이념적인 지향은 높이 살 만한 것이었다. 특히 모더니즘에 대한 반동으로 생명파와 전원파 등이 형성된 사실로 보더라도 1930년대 후반 현대시의 분화에 모더니즘은 결정적인 영향을 미친 것으로 판단된다. 이것은 또한 1950년대의 '후반기' 동인의 모더니즘 시 운동으로 연결되는 등 모더니티 지향성이라는 한국시의 중요한 가치 축을 형성해 오고 있다는 점에서 그 시사적 의미가 주어진다.

(1982년)

해방 후 동인지 운동의 변모

한국 신문학사 특히 시사는 동인지 문학사라 해도 과언이 아닐 만큼 동인지 활동은 현대시 형성 및 전개과정에 있어 중요한 몫을 차지해 왔다. 1919년 『창조』로부터 『폐허』·『백조』·『해외문학』, 1920년대의 동인지 그리고 『시문학』·『구인회』·『시인부락』·『청록집』 등에 이르기까지 현대시의 기본 맥락은 동인지 또는 그에 준하는 문예운동으로 이어져 왔다고 볼 수 있는 것이다. 뚜렷한 이즘이나 공동목표를 내세운 이념 지향성을 지니건, 혹은 단순한 유대관계의 현실 취향성을 띠건 간에 이러한 문학사 흐름의 습관성은 해방 후의 시에서도 그대로 지속되고 있다. 1946년 『백맥』으로부터 전후의 '후반기' 동인, 그리고 60년대의 『현대시』, 『신춘시』와 『70년대』 동인에 이르기까지 동인 활동은 아직도 현대시의 흐름에 있어 한 시대의 특징적 경향을 대변하고 그들 나름의 방법과 지향의 고유성을 보여줌으로써 시사적 연계성의 한 기틀을 형성했다는 점에서 그 의미가 찾아질 수 있기 때문이다.

따라서 본고에서는 해방 후 각 시대의 동인지를 정리 개관한다는 각도에서 중요 동인지들의 시대적 기능과 특징을 검토해 보기로 한다. 동인지란 용어는 넓게는 시 전문지로부터 연간시집, 사화집, 순수 동인지까지를 모두 포함시킬 수 있지만, 본고에서는 주로 시 동인지를 논의의 대상으로 하고자 한다.

② 해방 및 6·25 전후

을유 해방은 민족사적으로나 정신사적으로 새로운 장을 열어준 것이 사실이다. 비록 타율적 힘으로 얻어진 해방이었지만 해방은 우리 민족에게 소생의 기쁨과 희망의 꿈을 안겨준 것이다.

> 아 기쁘다
> 하늘아
> 더 높고 더 크고 푸르러라
> 우리들은 모도다 영광(榮光)에 취하야
> 그대 푸른 가슴속에 뛰어들어
> 일하고 배우고 건설(建設)하려느니
> 영광(榮光)스러운 헌신(獻身)
> 하늘을 받들고 우리들은
> 자랑스럽게 지상(地上)에 우뚝 섯다
> 이 해방(解放)된 감격(感激)
> 이 공통(共通)된 환희(歡喜)가
> 오늘 자유(自由)의 기원(紀元)이 되야
> 조국(祖國)을 향(向)하야 받치는
> 한덩어리 열(熱)이 되고 힘이 된다면
> 누가 우리의 길을 막으랴
> 아 조선(朝鮮)의 의지(意志)와 지혜(智慧)와 생명(生命)
> ― 김광섭, 「속박(束縛)과 해방(解放)」에서

『해방기념시집』(중앙문화협회, 1945. 12)의 한 작품인 이 시는 "기쁨·영광·

감격·환희" 등의 직설적 발언으로 이루어져 있다. 이처럼 『해방기념시집』의 작품들은 대부분 "눈물·영광·감격" 등의 시어를 중심으로 "날개·하늘·아침·노래" 등 새로운 기대와 소망을 상징적으로 노래하고 있는 것이다. 그러나 해방이 많은 시인들에게 감격과 소망의 찬가를 부르게 했음에도 불구하고, 아직도 시의 저류는 일제하 특히 30년대 말의 잔영이 그 배경을 이루고 있었던 것이 사실이다.

감격의 홍수, 좌우익의 투쟁의 소용돌이를 뚫고 처음 등장한 동인지는 『백맥』이다. 1946년 10월 백맥 동인회의 『백맥』은 김윤성·구경서·정한모 등의 시인들이 모여 발간한 시 중심의 동인지로서 일제 말엽의 어두운 시의 기류 속에서 성장한 신인들의 호흡을 미숙하나마 참신하게 보여주었다. 『백맥』은 그 후 『시탑』으로 이어져, 공중인 등이 참가하여 보다 발전된 동인 활동을 보여주었다. 『백맥』·『시탑』을 선두로 하여 발간된 동인지로는 『등불』(1946, 진주시협, 이경순·조향·설창수 등), 『동백』(1947, 대전, 정훈·박용래·성기원 등), 『죽순』(1947, 대구, 이윤수·김동사·이효상·박목월·이영도·유치환)을 비롯하여 『흰구름』·『영문』 등이 있었다. 이 무렵 일제 말의 윤동주의 『하늘과 바람과 별과 시』(정음사, 1948)가 유고시집으로 간행되어 해방 후의 무질서에서 방황하던 이 땅 현대시에 새로운 감동과 자극을 불러일으켰다. 이즈음 김경린·박인환·김수영 등 일군의 신인들이 합동시집 『새로운 도시와 시민들의 합창』을 발간하여 모더니즘 운동의 신국면을 전개하였다.

아무 잡음(雜音)도 없이 도망(逃亡)하는
도시(都市)의 그림자
무수(無數)한 인상(印象)과
전환(轉換)하는 연대(年代)의 그늘에서
아 영원(永遠)히 흘러가는 것
신문지(新聞紙)의 경사(傾斜)에 얽혀진

> 그러한 불안(不安)의 격투(格鬪)
>
> — 박인환, 「최후(最後)의 회화(會話)」에서

이들은 '도시의 그림자·연대의 그늘·신문지의 경사'처럼 당대를 풍미하던 청록파의 자연 회귀에 반발하여 시의 이미지의 속 논리적 구성에 몰두하였다. 흡사 30년대 중엽의 모더니즘이 부활한 듯 이들은 도회와 문명 속에서 새로운 시의 모티브를 발견하려 노력하였다. 이들 그룹은 얼마 후 조향·이봉래·김차영 등이 더 가담하여 1951년 현대시연구회인 '후반기' 동인을 결성하여 새로운 시의 이념과 시작의 방법을 주장하고 나섰다.

> 가마귀가 흘리고 간 그림자같은 혈액 속에서
> 무럭무럭 독버섯이 움터오른다
> 밤……
> 피아노의 음향처럼 쏘나타를 형성하는 인간들의 숨소리
> 밤……
> 야행열차(夜行列車)의 숨소리처럼 첩첩이 다가오는 까마귀의 날개
> 소리
>
> — 이봉래, 「밤의 까마귀」에서

이들 '후반기' 동인들의 시에는 "검은 까마귀·밤·야행열차" 등과 같이 기계 문명의 거대한 그림자에 짓눌려 신음하는 인간들의 병적 징후를 드러내 주고 있다. 조향·김차영 등은 쉬르리얼리즘적 경향을, 박인환은 주지적 감각주의를, 또한 김봉동·이봉래 등은 회화적인 수법의 감각적 모더니즘의 색채를 각각 보여주었다. 그러나 이들은 오히려 30년대의 수법에도 미치지 못하는 산발적인 작품발표에 그쳤을 뿐 동인지 한 권 간행하지 못한 채 1953년 말 해산되고 말았다. 다만 이들은 당대에 만연했던 전원회귀 내지는 복고풍의 전통적 시 방법에 처음으로 거센 반성과 반발을 보여줌으로써 해방 후 시의 풍토

를 다양화해 주었다는 점에서 그 중요 의미를 찾을 수 있었던 것이다.

이 무렵부터 6·25 직후까지 발간된 동인지로는 『시와 산문』(1949, 인천), 『청포도』(1950, 다산), 『흑산도』(1949, 대구), 『호서문학』(1949, 대전)을 비롯하여 『신작품』, 『시와 시조』, 『전선문학』 등이 있다. 특히 종군작가단을 중심으로 한 일군의 시인들은 뚜렷한 동인 활동은 아니었지만 전장의 상흔을 현장으로 노래한 『애국시 33인집』 등을 발간하기도 하였다. 아울러 3인 시집 『시간표 없는 정거장』이 이민영·장호·고원 등에 의해 1952년 간행되었던바, 이들은 당대의 기약 없는 실존방법을 형상화해 주었다. 또한 1953년 『연간시집』이 이설주. 유치환 편찬으로 문성당에서 간행되어 산일되기 쉬웠던 작품들을 집대성해 주기도 하였다.

한마디로 말해 이 시기의 동인지 운동은 무질서한 시대적 불행, 가운데서나마 새로운 시적 질서를 형성하기 위한 방황과 모색의 기간으로 볼 수 있다.

③ 1950년대 후반

참혹했던 6·25 전쟁이 끝나고 전후의 폐허에서 시인들은 전쟁의 상흔과 그 절망을 노래하였다. 이러한 폐허 속에서 다시 『시작』을 비롯한 몇몇 동인지가 싹을 피웠다. 먼저 『시작』은 고원·구상·박훈산·김수영·박인환·장호 등이 참여한 동인지로서 1954년 4월 처음 간행되었다.

> 비몽사몽간(非夢死夢間)이랄까……난데없이 팔에다 '해방(解放)'이라는 붉은 완장을 단 녀석이 먼저 나를 가로타고 사지(四肢)를 꽁꽁 묶기 시작하자 이번엔 '불(弗)'이라는 노란 완장을 단 녀석이 난데없이 나타나 숫째 나의 목을 졸라매는 것이 아닌가.
> — 구상, 「초토(焦土)의 詩·4」에서

이 『시작』은 뚜렷한 에꼴 형성을 의도하고 있지 않지만 대부분의 시들이 구상의 작품처럼 실존적 어려움과 슬픔을 표현하고 있다는 점에서는 공통성이 있으며 특히 모더니즘의 한 기류에 젖은 시인들이 많았다.

『신작품』은 부산에서 간행된 동인지로서 김성욱·고석규·송영택·김재섭·조영서 등을 동인으로 했는데 시작품과 시론 「청마론」, 「지평선의 전달」 등이 수록되었다. 『현대문학』 또한 부산에서 조향이 중심이 되어 발간한 동인지이며, 『시문』도 김태홍·안장현·손동인 등이 중심이 된 동인지이다. 또한 목포의 『시정신』(1954.6)은 차재석·신석정·서정주·김현승·이동주 등이 중심이 된 범동인지였으며, 이를 전후하여 『시와 비평』(1955, 대구)·『청맥』(1955, 부산)·『청포도』(1954, 강릉) 등이 발간되었다. 이렇게 볼 때 6·25는 시인들의 지방분산으로 인해 한국시를 공간적으로 확장시키는 계기가 되었다.

그러나 50년대 후반 특히 57년을 기점으로 지방으로 분산되었던 동인지는 다시 서울로 돌아온 시인들에 의해 서울을 중심으로 발간되기 시작하였다. 『현대의 온도』는 50년대 후반의 대표적 동인지로서, 김차영·김경린·김원태·이영일·박태진·이철범 등이 도시의 우수와 기계문명의 그림자를 현실적 감각으로 노래하였다.

> 비는 도시(都市) 한가운데
> 피와 땀이 흐른 자축에도
> 비가 흐른다
> 확실히 저미(低迷)하는 나의 시간(時間)
> 이 지층(地層)을 지나는 하루가 젖다
>   — 박태진, 「비는 도시(都市) 한가운데」에서

이들은 시가 '오늘을 말하는 시로서 의도적인 시작(詩作)'을 주장하는 모더니즘적인 경향을 주로 보여주었다. 같은 57년에는 『평화에의 증언』, 『전쟁과

음악과 희망과』 등의 동인지적 합동시집이 나왔다. 『평화에의 증언』은 김종
문·이인석·임진수·김경린·김수영·김춘수·김규동·이홍우·이상로 등 모더니즘
적 특성을 강하게 띤 시인들의 시가 주로 수록되었다. 『전쟁』은 김종삼·김광
림·전봉건 등 3인의 연대시집으로 「그리운 애니로리」, 「은하수를 주제로 한
봐리아시옹」 등이 실려 있다. 이 『전쟁』의 후기에는 "우리는 지금 전쟁과 음
악과 희망을 동시에 지니고 있음을 자각하는 일에만 충실할 뿐이다"라고 말
함으로써 당대 50년대 시인들의 정신적 입점을 드러내 보여주고 있다.

> 나무와
> 나무가지마다 서리인 전사자(戰死者)의
> 아직도 검은 외마디 소리들을 위하여
> 수액(樹液)은 푸른 상승(上昇)을 시작하고
> 무인지대(無人地帶)의
> 155마일의 철조망 속에서도
> 새들의 노래와 꽃송이의 중심(中心)이
> 바라는 하늘과
> 푸름은 변함이 없었다
>   － 전봉건, 「강물이 흐르는 너의 곁에서」에서

이처럼 50년대 후반의 시적 상황은 폐허를 딛고 일어서는 '수액의 푸른 상
승' 속에서 현실의 애수와 낭만을 '하늘의 푸름'처럼 희망의 시학으로 상승시
키는 데 주력하고 있는 것이다.

이 무렵의 기타 동인지로는 『솔벌』(1958), 『코스모스』(1958), 『공백지대』
(1958) 및 『향안』, 『육석』 등이 있고 한국시인협회에서 회원의 시를 모아 발
간한 『시와 시론』(1957), 그리고 『신풍토』 시집 및 여류시인들의 작품을 묶
은 『수정과 장미』(1959)를 들 수 있다. 한마디로 50년대 후반의 동인지 운동
은 회복과 소망의 연대의식을 그 밑바탕으로 하고 있다.

④ 1960년대의 양상

1960년대에 들어서서 문학에 가장 충격을 준 것은 4·19였다.

> 우리들의 목표는
> 정의(正義)·인도(人道)·자유(自由)·평등 인간애의 승리인
> 만인(民人)들의 승리인
> 우리들의 혁명(革命)을 전취할 때까지
> 우리는 아직
> 우리들의 피깃발을 내릴 수 없다
> 우리들의 피불길
> 우리들의 전진(前進)을 멈출 수가 없다
>   −박두진, 「우리들의 깃발을 내린 것이 아니다」에서

4·19는 해방 후 교과서적 지식이었던 민주주의와 자유의 구체적 의미를 깨우쳐 주었으며, 문학계에도 '문학이란 무엇인가', '무슨 기능과 효용을 갖는가'라는 문제에 대한 직접적 반성의 계기가 되었다. 이른바 순수와 참여 논쟁의 시발점이 되었던 것이다.

4·19 이후 처음 간행된 사화집은 한국시인협의회의 『뿌린 피는 영원히』이다. 이 사화집은 4·19 기념 시집으로서 제1부에 강영희·이건청·윤무한 등 학생 작품과 제2부에 신동문·조지훈 등 기성시인의 작품이 수록되었다. 또한 동인지로는 『영도』가 박봉우·박성용·윤삼하·강태열·이성부·손광은·권용태 등 50년대 후반에 갓 등장한 신인들 중심으로 간행되었다. 이들은 전후의 황무지를 딛고 자라난 신세대의 참신한 감각과 지성을 보여주는 데 있어 선구적 역할을 하였다. 『시조문학』『시림』로 이 무렵 발신된 동인시이며, 『60년대 사화집』(1961) 및 『한국전후시집』(1961)이 간행되었는데, 『60년대사화집』은 50년대 후반의 시인들을 『한국전후시집』은 6·25 전후 시인들을 중심으로

수록하였다.

1962년의『현대시』는 해방 후 동인지 사상 가장 특기할 만한 동인지로 꼽힌다. 유치환·조지훈·박남수·전봉건·김광림·김요섭·김종삼·박태진·신동집·이중·임진수·주문돈 등의 창간 멤버로 발간된『현대시』는 한국시인협회의 기관지인『현대시』의 제호를 딴 것으로 별다른 이념의 제창이나 선언을 내세우지 않은 범시단적 동인지의 성격을 지니고 출발하였다. 그러나 2집, 3집을 거듭하면서 창간 멤버의 대다수가 물러나고 허만하·황운헌·정진규·이수익·김영태·이승훈·이유경 등 신인들이 새로 동인으로 가입하면서 차츰 그 성격이 범시단적 동인지에서 현대시 운동의 전문 동인지로 축소·변모되었다. 이러한 변모는 6집에서부터 차츰 고정되어 이후 박의상·이해녕·김규태·김종해·마종하·오택번 등이 더욱 보강되었다. 이들『현대시』동인들의 시 작업은 20집 기념 특집인『현대시 10인집』(1969)에서 그 절정을 이룬다.

그 안에서는
겹쳐도 쌓이지 않는다
여자위에 남자가
초콜리트 위에 크림이
경험위에 사상이 겹쳐도
쌓이지 않는다

— 주문돈,「거울」에서

사물이 열리면서 내비친
내장(內藏)에 푸른 유리가 섞여 있었다
죽음이 몰려가는 자정의
시린 바다는 기일게 흔들렸다

— 이승훈,「촬영」에서

이들의 시는 많은 경우 시적 대상이 인식론적인 표상으로 나타나서 사물화된 내면의식을 상징화하는 특성을 지니고 있다. 이들의 시론적 거점은 "이제부터 우리는 현실을 개조하는 데 직접 참여하지 않으려는 대신 현실이 야기하는 모순을 시로 극복하려 함으로서 현실에 도전할 것이며 엄격한 역사의식을 전제로 하여 이 시대의 증인이 되고자 한다"는 내용의 「현대시 까르떼」에서 찾아볼 수 있다. 인식론적 내면의식의 상징화가 '역사의식을 전제로 한 시대의 증언'으로서 시적 형상화에 성공했는가 여부의 논란은 차치하고라도 이들 『현대시』는 오세영·이건청이 보강된 25집에 이르기까지 현대시의 내면의식을 인식론적으로 발굴·심화하려는 노력을 보여줌으로써 한국시의 언어적 가능성을 확대하였다는 점에서 그 시사적 의미가 긍정될 수 있다.

『현대시』 창간호 무렵에 간행된 동인지로는 『산문시대』(1962), 『현실』(1963), 『시맥』(1963), 『시예술』(1963), 『신춘시』(1963), 『돌과 사랑』(1964), 『신년대』(1964), 『여류시』(1964), 『청자』(1964), 『원형질』(1965), 『기독교시단』(1965) 등이 있다.

『신춘시』는 강인섭 · 권일송 · 장윤자 · 윤삼하 · 채규판 · 신명식 · 이근배 · 김원호 · 신세훈 · 박이도 · 권오운 · 이가림 등 주로 신춘문예를 통해 데뷔한 신인들이 발행한 동인지로서, 뚜렷한 이즘이나 공동목표는 갖고 있지 않았지만 『현대시』와 쌍벽을 이루는 동인지로 각광을 받았다. 그러나 신춘문예 당선자들의 단순한 친목에 목표를 둔 공동발표의 장으로서 무지향성인 데다가 당선자의 계속적인 증가로 인해 뚜렷한 성과 없이 해산되는 결과에 이르고 말았다. 한편 『돌과 사랑』은 김숙자·허영자·김후란·추영수·김선영 등 여류의 동인지로 출발하여 후에 김여정·임성숙·박영숙 등이 새로 가입하여 1970년 『청미』로 발간되었다. 또한 『여류시』는 『돌과 사랑』과 쌍벽을 이루며, 발간됐는데 주요 동인으로는 박현령·박명성·박정희·김윤희 등을 들 수 있다.

또한 60년대 후반의 동인지로는 『사계』(1966), 『원탁시』(1967), 『한국시』,

『70년대』(1969) 등이 주목을 끌었다. 『사계』는 황동규·정현종·김화영·박이도 등을 중심으로 간행되었으며, 『한국시』는 유윤식·오규원·박제천·정의홍·노향림·홍신선 등, 그리고 『70년대』는 강은교·석지현·임정남·윤상규·김형영을 동인으로 활발한 동인 활동을 시작하였다.

60년대의 동인지 운동은 시대 상황과 시의 대응 관계 속에서 다양한 모색과 실험을 본격화하는 기틀을 마련하는 것이었다.

지금까지 살펴본 것처럼 해방 후의 동인지 운동은 시사의 흐름 속에서 시대의 특징을 반영하고 공동발표의 장을 형성함으로써 각개의 고유성을 표출하는 기본방법이 되어 왔다. 뚜렷한 에꼴 중심의 동인지보다는 현실적 유대관계에서 비롯된 친목 그룹이 훨씬 많았지만, 『현대문학』지 등 한두 잡지에 의존해온 폐쇄적 문학 풍토와 정치 사회사적 암중모색의 기류 속에서 동인지 운동은 부단한 이합집산을 통하여 다양한 모색과 실험을 보여줌으로써 현대시의 영역을 확대하고 심화하는데 기여한 것이다.

70년대에 들어서서 본격적인 시 전문지들의 창간과 문예 종합지들의 발간에 힘입어 발표의 무대가 크게 확대됨으로써 문학 풍토적 상황은 전년대와 많이 달라졌다. 그러나 70년대에 들어와서도 『육시』·『시법』·『목마시대』·『잉여촌』·『시인의 집』·『시인회의』·『73그룹』·『말』·『신감각』·『육성』 등의 동인지가 속속 발간되어 신인들의 발표 무대를 확대하고 스스로의 시적 깊이를 탐구하는 데 기여하고 있다.

5

그렇다면 앞으로 어떤 방향으로 이 땅의 동인지가 발간되고 그 운동이 어떻게 전개돼야 하겠는가. 무엇보다도 동인지는 동인들이 문학적 고향을 느끼게 해주는 출발점이며, 소외감을 극복시켜 주는 대화와 만남의 광장으로서 개인의 발전과 공동의 이념을 추구하는 창조의 동굴이며, 부활의 장이 되어야 할 것이다. 시를 통한 인간의 만남, 인간을 통한 시적 교감이 이루어져야 하며, 그런 의미에서 시는 존재의 거울로서 자기반성과 수련 그리고, 지양의 공간이 돼야 하는 것이다. 따라서 동인지 운동에서 동인들의 만남은 시와 함께 성숙한 인간으로서의 깊이 있고 진실한 만남이 돼야 할 것이다.

이런 점에 비추어 볼 때 앞으로 동인지의 바람직한 발전을 위하여 다음 몇 가지 방법을 모색·실천해 보는 것도 유익하리라 생각된다.

첫째는 동인지를 주제 시집으로 묶어 시적 대상과 주제를 깊이 있게 심화하고 확대하는 것이 바람직할 것이다. 하나의 주제 또는 공동 관심사를 다양한 개성으로 천착해 들어가면 그에 대한 보편성과 개성이 더욱 돋보일 것이기 때문이다. 그것은 시의 우열을 가늠하는 것이 아니라 개성의 심화와 보편성의 조화를 지향할 수 있는 장점을 지닐 것이 확실하다. 테마가 있는 만남이 깊이와 다양성을 지녀갈 것은 자명한 이치가 아닌가.

둘째는 연작시집으로 꾸며보는 것도 좋을 듯하다. 현대의 시집은 구멍가게식 잡화의 나열이 되어서는 안 될 것이다. 예를 들어 『삼국유사』같이 항목으로 나누어 그에 대해 동인 각자의 취향에 따라 연작시를 창작해 보면 공부도 되고 흥미와 관심을 유발할 것으로 생각된다. 또 하나하나의 시적 대상에 대해 전문적인 안목과 개성으로 탐구하여 연작시집을 꾸며보는 일도 매우 바람직할 것이며, 이는 그런 작업을 통해 공동체의식을 확대하고 심화할 수 있을 수도 있기 때문이다.

셋째는 공동의 시와 시론 연구작업을 전개해 보는 일이다. 군이 시의 발표지면 확보만을 위해서라면 많은 경비와 노력을 들여 동인지를 발간할 필요가 없을 것이다. 그런 의미에서 시 창작의 문제점이나 시인, 이론에 따른 공동이론을 전개하고 세미나 등을 열어 그 내용을 집중적으로 수록하는 것도 바람직할 것이다. 이를 통해서 시 창작과 이론에 관한 안목과 지식을 넓히고 아울러 하나의 공통이념이나 공동 주장을 개진해 갈 수 있기 때문이다. 공부하는 동인지의 성격을 지니는 것도 바람직하지 않겠는가.

넷째는 동인 이외의 사람들에게도 필요에 따라 지면을 개방함으로써 동인지 자체의 활성화를 꾀하는 일이다. 취향이 다른 동인들이나 평론가들에게도 지면을 과감하게 개방하여 자칫 지속적인 발간에 따르는 매너리즘을 극복하는 것도 바람직할 것이다. 모든 것이 개방사회로 전환하는 추이 속에서 외부와의 교섭을 통해 동인지에 활력과 탄력을 불어넣는 것은 매우 중요한 일이다.

다섯째는 시 낭송회 등을 정기적으로 열어 동인들 자체의 인간적 유대를 강화하고, 독자와의 지속적인 만남을 통해서 동인 지세를 확장하는 일이 필요하다. 현대시는 독자들과 점차 유리되어 고독한 성에 유폐되어 가고 있는 실정이다. 이 점에서 독자와의 격 없는 만남과 대화를 통해 시인 자신의 시적 계발을 성취함과 동시에 동인과 동인지에 대한 독자의 저변을 확대하는 것은 바람직한 일이 아닐 수 없다. 문학, 특히 시의 궁극적 목표는 인생의 행복, 나아가 인류에게 정신적 기쁨과 감동을 주기 위한 것이다.

이렇게 본다면 지금 우리 주변에서 활발히 태동하고 있는 각종 '무크'지를 눈여겨볼 필요가 있다. 공동 관심사에 대한 공동의 탐구와 공동 주장의 개진, 그리고 그에 필요한 외부 인사의 글에 대한 과감한 개방을 통해서 동인들의 인간적 결속과 동인지의 활성화를 꾀할 수 있을 것이라는 판단에서이다. 이 점에서 동인지는 시를 통한 인간적 만남의 장인 동시에 공동체의식을 함양하고, 공동 작업을 통해서 시 창작과 연구를 성취할 수 있는 진정한 '형성의 장'이 되어야 할 것이다.

제3부
현대시의 이해 방법

현대시 분석 방법론

① 서론

현대시는 일반적으로 난해한 것으로 생각되어 많은 독자들로부터 점차 소외되고 있는 것이 사실이다. 현대시의 난해성에 대한 논의는 현대시 연구자들의 중요한 관심사가 되어 왔으며, 근자에는 현대시의 필연태로서 인정하는 단계에까지 이르렀다. 따라서 현대시의 난해성의 원인을 규명해 본다는 것은 현대시 이해의 한 단서를 제공해 줄 수 있다는 점에서 의미가 놓여진다.

한국 현대시의 난해성은 첫째로 현대시가 현대문화의 구심적 단위인자라는 점으로 볼 때 현대문화의 보편성의 각도에서 그 원인을 찾아볼 수 있다. 현대 문화의 가장 큰 특징은 복잡다기성으로 생각할 수 있다. 시가 당대 문화의 척도이며 의식의 첨단을 표현하는 언어 예술이라는 점으로 볼 때 생각할 때, 현대시는 필연적으로 현대인의 복잡다기화한 생활방식과 사고방식을 형상화할 수밖에 없다. 따라서 현대시는 복잡한 메커니즘과 매스컴의 홍수 속에서 방황하는 현대인의 복합적인 의식구조의 산물로서 복잡하고 어려워지게 된 것이다.

두 번째의 원인은 시의 예술로서의 내재적 특성에 기인한다. 현대예술은 재래적인 것과 달리 의식적이면서도 구체적인 방법론(methodology)을 필요로 한다. 시에 있어서도 재래의 시가 자연 발생적인 감정의 유로와 충동에 근거를 두고 있는 데 비해, 현대의 시는 예술 자체의 자율적인 원리로서 또한 존립의 타당성을 스스로 인정받게 되는 의식적인 장치로서의 기법과 특성을 지녀야만 하게 된 것이다. 따라서 재래의 시가 '노래하는 시', '느끼는 시'로서 감성에 바탕을 둔 데 비해 현대의 시는 '생각하는 시', '보고 깨닫는 시'로서의 지성에 중점을 두게 되었다. 그러므로, 재래의 음풍영월류의 시조나 김소월류의 직정적인 시감각으로 의식적인 방법론에 바탕을 둔 현대의 주지시를 이해한다는 것은 그 자체가 난해한 태도인 것이다.

세 번째로 무엇보다 중요한 것은 시 자체의 근본 속성에 기인한다. 의식적인 방법론을 지니고 있는 현대시는 고도의 상징과 은유의 함축적인 응결태이기 때문에 필연적으로 시의 의미적 다양성과 유기체적 구조성을 지니게 되는 것이다. 그러므로 현대시를 제대로 분석하고 이해하기 위해서는 다양한 시적 방법과 기교를 익혀야만 한다. 이러한 방법과 기교를 이해하고 나면 현대시만큼 지적 기쁨을 줄 수 있고 또한 쉽게 접근할 수 있는 현대예술도 흔치 않음을 실감할 수 있다.

네 번째로는 한국 현대시사의 비극적 형성 과정을 들 수 있다. 재래 중국의 한시적 영향에서 전개되어 온 고전시가의 흐름은 갑자기 서구문화의 충격을 받음으로써 크게 변모하게 되었다. 전통시의 보수성에 대해 서구의 시 특히『태서문예신보』(1918)를 중심으로 한 프랑스 상징주의 시 유입은 한국현대시의 초기 시단 형성에 부정적 요소로 작용할 수밖에 없었다. 이후 잡다한 서구 시의 유입에 따른 영향은 한국현대시 초기의 모습을 알 수 없는 기형적인 것으로 만들어 놓았으며 특히 기교의 이데올로기 내지 혼류는 난해성을 부채질하는 중요한 요인이 되었다. 또한 당대의 식민지적 현실의 문화적 불모성은 사조와 방법의 혼란상을 더욱 가중시키는 결과를 초래하였으며, 이러한 현대시사 출발의 불모적 비극성은 이 땅의 현대시를 설익은 채로 더욱 기형적이고 난해한 것으로 만드는 잠재적 원인이 된 것이다.

마지막으로 현대시 난해성의 직접적·현실적 요인이 되는 것으로, 현대의 시인과 독자 및 평론가들의 자세 문제를 들 수 있다. 현대의 많은 시인들은 시 자체의 필연성에 기인한 참된 난해성으로서가 아닌 관념의 유희나 시어의 조작으로서의 난해성이 현대시의 특성인 줄 착각하는 경우가 있으며, 아울러 의도적인 방법과 실험을 지나치게 강조하는 데서 의도의 오류를 빚는 경우도 있는 것이다. 또한 독자들도 많은 경우 시를 이해하고 향수하려는 참된 의욕보다는 낡은 시대의 시적 감수성으로 대하거나, 아니면 현대시도 현대시로서의 자율적인 발전과정을 지녀야 한다는 점을 몰각하고 현대시라면 아예 거부반응을 갖는 감정적 오류에 빠져 있는 실정이다. 이런 점에서 특히 평론가들에게도 중요한 책임의 일단이 있다. 모든 것이 분업화·전문화되는 현대에 있어 시와 독자의 유리 현상이 필연적인 현상이며 또한 그럴 수밖에 없는 것이라 생각할 때, 작가와 독자, 작품과 감상을 연결하는 비평의 기능은 더욱 중요성이 가중될 수밖에 없다. 비평가는 작가의 상상력을 계발하고 작품을 비평하는 전문기능과 함께 독자가 시를 이해할 수 있는 구체적인 방법론을 제시하고 올바로 감상하는 데 있어 촉매적 기능을 수행해야 한다. 그럼에도 불구하고 많은 비평가들이 지나치게 현학적인 이론에만 몰두하거나 아니면 정실비평의 수준으로 떨어짐으로써 비평 불신의 시대를 초래하고 만 것이 사실이다. 이런 점에서 문학연구가 내지 비평가들에게는 현대시의 분석방법과 감상방법 그리고 나아가서는 문학교육의 방법론 등에 관한 집중적인 연구를 전개해야 할 필요성이 놓여질 수밖에 없는 것이다.

이렇게 볼 때 현대시 연구에 있어서 현대시의 분석방법 내지 독해 방법에 대한 성찰은 중요한 의미를 내포하게 되는 것이 사실이다. 실상 이러한 원론적인 방면의 시론 연구가 전무한 실정에 비추어 이러한 분야에 대한 분석적인 연구와 종합적인 고찰의 필요성은 아무리 강조해도 지나침이 없을 것이다.

따라서 필자는 현대시를 어떻게 읽을 것이냐 하는 문제, 다시 말하면 현대시를 어떻게 분석할 것이냐 하는 문제를 본고를 통해 종합적인 각도에서 고찰해 보고자 한다. 실상 이러한 고찰은 현대시 연구의 한 방법으로서뿐만 아니라 비평이 당면하고 있는 비평 불신의 딜레마를 극복할 수 있는 한 방편도 된다는 점에서 중요성을 내포하기 때문이다.

② 본론

1. 기초적 고찰

(1) 시의 존재 양상

흔히 말하듯이 시는 언어를 매체로 하여 인간의 사상과 정서를 표현하는 문학예술의 대표적 장르이다. 시는 압축된 형식 속에 시적 내용을 응결시키는 절제되고 함축된 상징성을 생명으로 하기 때문에 여타의 문학 장르보다 언어 구조의 긴밀성과 유기성이 필요하다. 따라서 시의 구조를 정확히 해부해 낸다는 것은 어려운 일이 아닐 수 없다.

이것은 시의 존재 양상을 살펴보면 구체적으로 드러난다.

시는 시간과 공간을 차지하는 구체적인 현존물이 아니다. 조각이나 건축 혹은 회화와는 달리 개념적 형상으로 존재하기 때문이다. 시가 가시적 형태로서만이 아니라 구전 문학처럼 기억으로서도 형상을 보존할 수 있다는 사실은 이를 입증한다. 또한 시는 청각적인 형상만도 아니다. 왜냐하면 시를 낭송한다는 것은 시가 가진 수천수만의 소리 중에 하나의 소리를 표출하는 것에 불과하기 때문이다. 시는 또한 아픔이나 기쁨처럼, 심리적으로 존재하지도 않는다. 우리가 시를 읽는다는 것은 시의 내용 중에서 한 부분을 이해하는 것에 지나지 않기 때문이다. 실상 진정한 시란 독자의 '읽는 과정' 그 자체에서 존재하기보다는 항상 이념적인 모습으로 존재하고 있다. 또한 시는 개념이나 관념 그 자체로서 존재하는 것도 아니다. 과학의 개념은 개념 자체의 명확한 계선을 지니지만 시는 개념의 전달만으로는 아무런 미적 감동을 얻을 수 없기 때문이다. 이렇게 본다면 시는 이러한 세 요소 즉 형상과 심리적 체험 그리고 개념과 의미의 상호작용에 의해 복합적으로 존재하는 성층구조(stratised structure)[1]로서 존재한다고 생각할 수 있다. 다시 말하면 우리가 시를 읽는 행위 즉 개인적 시의 독해는 음성을 바탕으로 한 시의 현실태로서 생각할 수 있으며, 이러한 현실태로서의 개인적 독해가 수많은 개인 발화(individual utterance)로 다양성을 내포하게 된다는 점에서는 시가 가능태로서 존재하며, 이러한 개인적 현실태와 규범적 의미로서의 가능태 외에도 시간적·공간적인 면에서 지속적으로 새로운 시의 독해가 가능하며 여전히 시가 완전 분해되지는 않을 것이라는 점으로 생각하면 시는 이념태로써 존재할 것이 확실하기 때문이다.[2] 이런 양상을 도표화하면 위와 같다.

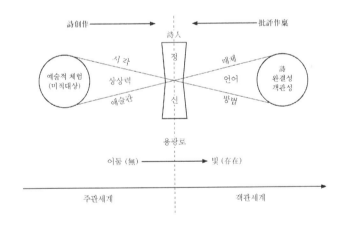

---

1) R.Wellek & A.Warren, *Theory of Literature*, London:Penguin Books, 1976, 153쪽.
2) 이러한 시의 성층구조성으로 인해서 훌륭한 작품일수록 시간적·공간적인 항구성(permanence)을 지니는 것이다.

이러한 시 구조의 복합성 내지 다층성을 생각해 보면 시를 완전하게 분석한다는 것 역시 이상 속에서만 가능할 뿐이다. 또한 우리가 시를 읽고 분석한다는 행위는 시의 수많은 소리 중에서 단지 하나의 소리를 듣는 것에 불과하다는 것을 알 수 있다. 그러므로 시를 객관적으로 분석하는 방법의 고찰 역시 개별적인 분석행위로부터 공통적인 분모를 추출할 수 있는 규범(norms)[3]을 찾아내는 일에 불과할 것이다.

(2) 제목의 문제

시를 분석하고자 할 때 무엇보다도 먼저 부딪치는 문제는 제목(title)의 해석이다.[4] 흔히 예술작품 특히 시에서 제목은 시의 전체적인 의미나 주제를 포괄적으로 함축하거나 요약적으로 제시해 주는 경우가 많다. 제목은 시를 분석하고 감상하는 데 있어 풀어야 할 최초의 관건으로서 작품 자체의 형상화의 비밀을 암시하고 있기 때문이다.

이러한 제목의 유형을 들어보면 다음과 같다.

> ① 「봄은 고양이로다」 이장희
> 　「나룻배와 행인」 한용운
> ② 「깃발」 유치환
> 　「광야(曠野)」 이육사
> ③ 「나의 침실로」 이상화
> 　「남(南)으로 창(窓)을 내겠소」 김상용
> ④ 「나의 꿈을 엿보시겠습니까) 신석정
> 　「그 먼 나라를 알으십니까」 신석정

---

3) R. Wellek & A. Warren, 앞의 책, 150쪽. Thus the real poem must be conceived as a structure of norms realized only partially in the actual experience of its many readers.
4) 이하 분석 절차는 C.B.Reaske의 *How to Analyze Poetry*(Monarch Notes, Simon&Schuster, 1966)를 많이 참고하였다.

⑤ 「진달래꽃」 김소월

　「와사등(瓦斯燈)」 김광균

⑥ 「님의 침묵」 한용운

　「나는 잊고자」 한용운

⑦ 「그 꿈을 깨치소서」 모윤숙

⑧ 「오, 날개여」 변영로

－「오, 나의 영혼의 기(旗)여」 변영로

먼저 ①의 유형은 은유로서 제목을 붙이고 있는바, 이러한 시는 은유적 표현의 실체인 원관념(tenor)과 보조관념(vehicle)을 이해하면 쉽게 그 의미가 드러난다. 제목이 흔히 시의 전체 내용을 압축적으로 제시한다는 점에서 이러한 은유적 제목을 붙이는 경우가 매우 많이 나타나고 있다.

시 ②의 유형은 시적 대상으로서 제목이 상징적으로 사용되고 있는 경우이다. 「깃발」은 생명의 몸부림을, 「광야」는 현실의 광막함을 표상하고 있는 것으로 파악되기 때문이다. 이러한 표상의 상징화 방법에 의한 제목 붙이는 법은 시의 생명이 압축성, 간결성, 상징성에 있는 점에 비추어 가장 많이 사용되고 있으며 또한 실제적으로도 중요한 비중을 차지한다.

시 ③의 유형은 직서적인 표출로 이루어져 있는 경우로서 전달을 위주로 하는 메시지 헌팅(message hunting)의 시에 사용된다.

시 ④의 유형은 설의적 방법으로 의미전달 내지 공감 영역의 확대에 중점을 두는 방법이다.

시 ⑤의 방법은 제재를 형상화하는 가운데 새로운 관념의 조형을 목표로 하고 있으며, 「나그네」·「설악부」·「국화옆에서」와 같이 친근감 있는 소재를 제재로 취택하는 경우가 많다. 이 방법은 시의 형상화에 있어 가장 기본적인 것으로 생각할 수 있다.

시 ⑥의 경우는 제목에 역설적 의미가 개재되어 시를 심화시키는 방법이다. 「님의 침묵」에서 '침묵'의 의미는 저항과 함성의 역설적 표현으로 생각할 수 있기 때문이다.

시 ⑦의 경우는 기원적인 제목으로서 소망과 염원을 제시하는 것으로 사용되며, 예시 ⑧은 돈호법에 의해 영탄적인 호소와 감동을 형상화하는 데 많이 사용되고 있다.

이러한 유형 이외에도 체언형·서술형·부사형·조건문형·문장형 등 여러 가지로 분류할 수도 있는바, 이러한 제목 설정의 다양한 유형은 주제와의 관련성뿐만 아니라 시인의 개성 내지 시 세계를 분석하는 데도 중요한 열쇠가 된다. 이런 점에서 제목의 상징성에 대한 신중한 의미 탐색은 시 분석과정의 첫째 항에 놓이는 것이다.

(3) 모티브의 분석

제목을 통하여 전체적인 '문제'를 암시받은 다음에는 시의 첫 행 내지는 첫 연에 대한 탐색 즉 모티브에 대한 고찰을 필요로 한다. 다시 말하면 시 분석의 두 번째 열쇠는 모티브에 대한 정확한 이해에서 얻어질 수 있다는 점이다.

① 이것은 소리없는 아우성
　저 푸른 해원을 향하여 흔드는
　영원한 노스탈쟈의 손수건
　　　　　　　　　　　　　　　　－ 유치환, 「깃발」에서

② 나보기가 역겨워
　가실 때에는
　말없이 고이 보내드리오리다
　　　　　　　　　　　　　　　■ 김소월, 「진달래꽃」에서

③ 님은 갔읍니다. 아아 사랑하는 나의 님은 갔읍니다.
　　　　　　　　　　　　　－ 한용운, 「님의 침묵」에서

대부분의 시에서 첫 구절 혹은 첫 연은 시의 모티베이션을 제시하면서 제목을 구체적인 내용으로 전개시키는 역할을 한다. 시 ①에서는 제목을 은유적으로 표상하여 제시함으로써, '깃발의 나부낌'은 시각의 청각화를 통하여 생명의 몸부림이라는 주제를 암시적으로 드러내 준다. 시 ②는 이별이라는 가정적 상황을 서술함으로써 시적 사건의 전모를 암시해주며, 아울러 주제를 함축적으로 제시해 준다. 시 ③은 이별이라는 구체적 단서가 시적 발상법의 단초로 제시되어 상상력을 전개시키는 구심점 역할을 하게 된다.

이처럼 시의 모티베이션은 대개 첫 행 또는 첫 연에서 제시되는 경우가 대부분으로, 제목 및 주제와 포괄적인 연관을 지니면서 도입 내지 서두 부분의 역할을 수행한다. 여기서 한 가지 주의할 점은 모티베이션에 지나치게 집착하여 제목과 주제와의 작위적인 연결을 시도해선 안 된다는 점이다. 모티베이션 역시 제목과 마찬가지로 시 구조의 한 부분에 불과하다는 점을 명확히 인식해야 한다.

(4) 분위기와 어조

분위기(atmosphere)와 어조(tone)를 정확히 이해하는 것도 시의 분석을 위해서는 꼭 필요한 절차이다. 분위기란 시의 전체적인 기분 내지 느낌의 세계를 말하며, 어조란 시의 화자가 말하는 태도 내지 자세를 뜻하는 것으로서, 분위기는 어조와 시어의 느낌과 색채에 의해서 형성된다.[5] 특히 어조는 시어의 음색(tone colour)과 소어의 강약 및 고저에 바탕을 두는 섬세한 음성적·의미적 자질을 기초로 한다는 점에서 시의 주제를 형상화하고 강화하는 데 중요한 소인이 된다.

---

5) A.Preminger et al. *Princeton Encyclopedia of Poetry & Poetics*, Princeton Univ. Press, 1974, 856~857쪽.

① 바람도 없는 공중에 수직의 파문을 내이며 고요히 떨어지는 오동
　　잎은 누구의 발자취입니까.
　　지리한 장마끝에 서풍에 몰려가는 검은 구름의 터진 틈으로 언뜻
　　언뜻 보이는 푸른 하늘은 누구의 얼굴입니까
　　　　　　　　　　　　　　　　　　　　　　　　　　　　　　　　　　　　　– 한용운, 「알 수 없어요」에서

② 모든 산맥들이
　　바다를 연모해 휘달릴 때도
　　차마 이곳을 범하던 못하였으리라

　　　　　　　　　　　　　　　　　　　　　　　　　　　　　　　　　　　　　– 이육사, 「광야」에서

③ 모란이 피기까지는
　　나는 아직 나의 봄을 기둘리고 있을테요.
　　모란이 뚝뚝 떨어져 버린 날
　　나는 비로서 봄을 여읜 설움에 잠길테요

　　　　　　　　　　　　　　　　　　　　　　　　　– 김영랑, 「모란이 피기 까지는」에서

④ 남으로 창(窓)을 내겠오
　　밭이 한참갈이
　　괭이로 파고
　　호미론 풀을 매지요
　　구름이 꼬인다 갈리 있소
　　새노래는 공으로 들으랴오
　　강냉이가 익걸랑
　　함께 와 자서도 좋소
　　왜 사냐건
　　웃지오.

　　　　　　　　　　　　　– 김상용, 「남(南)으로 창(窓)을 내겠오」

분위기와 어조는 시의 문체(style)와 음악성(rhythm) 및 의미(meaning)와

유기적인 관련을 지니면서 전체적인 시의 느낌과 내용을 형성하는 데 중요한 기능을 수행한다. 시 ①은 경어체의 산문적 구문과 설의법으로 시적 경건성과 신비감을 형성함으로써 대자연의 신비와 그 생명 질서에 대한 구도적 추구라는 시적 주제를 형상화하는데 직접적 단서를 제공한다. 시 ②는 남성적 시어의 의지적인 어조를 통한 근육적 이미지의 조형으로 선구자적 대결의식을 효과적으로 드러내 준다. 시 ③은 여성운(feminine rhyme)의 반복으로 순수서정의 비장한 아름다움을 탐미적인 것으로 이끌어 올리는데 중요한 역할을 수행한다. 또한 시 ④는 '내겠오/들으랴오/웃지오' 등 미묘한 가락의 어조를 섬세하게 활용함으로써 체념과 달관의 미학을 형성하고 있다.

이처럼 어조는 시의 의미와 주제를 섬세한 뉘앙스로 분화하고 심화하는데 불가결한 요소로서 현대시의 중요한 특성으로 강조되고 있는 실정이다.6) 이 점은 시가 전달의 '최상의 양식(supreme form of communication)'7)이라는 리처드의 말로 비추어 볼 때 어조에 대한 집중적이면서도 섬세한 연구가 시 분석의 요체가 될 수 있다는 점을 시사해준다.

이상에서 살펴본 것처럼 제목과 모티브 및 어조에 대한 고찰을 바탕으로 해서 시의 개략적인 윤곽이 드러날 수 있음은 물론이다.

2. 구조적 고찰

(1) 메타포의 분석

제목과 모티브 및 어조의 고찰을 통하여 시의 전체적 윤곽을 살펴본 다음에는 본격적인 시 해석작업이 비로소 시작될 수 있다. 이러한 작업은 시의 총

---

6) C.Brooks 와 R.P.Warren은 *Understanding Poetry*에서 토운(tone)을 구체적으로 분석하고 있다. 181~266쪽.

7) I.A.Richards, *Principles of Literary Criticism*, Routledge & Kegan Paul, 1970, 26쪽.

체적인 구조(structure)를 드러내는 작업으로써 메타포(metaphor)의 분석과
역설(paradox), 상징(symbol) 및 운율(rhythm)의 분석 작업[8]을 의미한다. 현대
시는 이러한 여러 방법의 구조적 결합으로 긴밀하게 짜여져 있기 때문에 이
러한 시의 구조적 특성을 이해하는 것이 선결 요건이 되는 것이다.

현대시의 구조 분석에서 무엇보다도 중요한 것은 메타포로 통칭되는 비유
적 방법(figurative use of language)[9]의 분해 작업이다. 새삼 말할 필요도 없이
비유법의 총칭으로서의 은유는 운율과 더불어 현대시를 구성하는 양대원리
로서 시적 인식의 세계를 확대하고 시어에 새로운 생명을 불어넣는 핵심적인
시 방법으로 활용된다. 고전 수사학(rhetoric)에서의 장식적인 은유용법
(decorative, ornamental use of metaphor)에서 발전하여 현대시에서의 은유는,
특히 신비평 이후에 와서는, A와 B의 두 관념, 즉 원관념(tenor)과 보조관념
(vehicle)[10]사이의 등가적 가치의 섬광적 조명으로서[11] 시적 진리를 발견하
고 계시하는 핵심적인 기능을 수행하는 것이다.[12] 따라서 현대시에서 은유는
문장의 장식기능으로서가 아니라 방법과 주제 형성에 결정적 역할을 수행하
는 본질기능으로서, 시의 상상력을 구성하고 주제를 전개하며 결구를 완성하
는 원동력이 된다.[13]

    ① 내가
      돌이 되면
      돌은
      연꽃이 되고

---

8) R.Wellek & A.Warren, 앞의 책, 186~211쪽.
9) C.Brooks & P.Warren, 앞의 책, 555쪽.
10) I.A.Richards, *The Philosophy of Rhetoric*, Oxford Univ. Press, 1950, 90~91쪽.
11) H.Read, *English Prose Style*, G. Bells & Sons, 1932, 28쪽.
12) C.Brooke-Rose, *A Grammar of Metaphor*, Secker & Warbourg, 1958는 이러한 분야
   의 업적이다.
13) T.S. Eliot, *The Use of Poetry & The Use of Criticism*, Faber & Faber, 1934, 155쪽.

연꽃은

호수가 되고

내가

호수가 되면

호수는

연꽃이 되고

연꽃은

돌이 되고

— 서정주, 「내가 돌이 되면」에서

② 내 마음은 호수요

그대 노 저어 오오

나는 그대의 흰 그림자를 안고

옥같이 그대의 뱃전에 부서지리라

— 김동명, 「내마음」에서

③ 이별은 미(美)의 창조(創造)입니다.

이별의 미(美)는 아침의 바탕없는 황금(黃金)과 올(糸)없는 검은 비
단과 죽엄없는 영원의 생명(生命)과 시들지 않는 하늘의 푸른꽃에
도 없읍니다.

님이여, 이별이 아니면 나는 눈물에서 죽었다가 웃음에서 다시 살
아날 수가 없습니다. 오오 이별이여, 미(美)는 이별의 창조입니다.

— 한용운, 「이별은 미(美)의 창조(創造)」에서

시 ①에서 은유는 상상력을 리드하는 기본방법이며 동시에 구조로서 시적
인식의 초월과 비약을 획득하는 동인이 된다. 시 ②에서도 은유는 시적 전개의
핵심 바탕으로 이 은유에 의해 비로소 시적 내면 공간의 형성이 가능해진다. 시
③에서는 은유가 주제를 형상화하는 열쇠로서 작용하며, 동시에 표현의 심미
적 가치를 형성함으로써 견고한 은유의 예술적 조형물을 형성하고 있다.

굳이 더 많은 예거를 하지 않는다. 하더라도 현대시는 은유의 그물, 즉 은유의 의미망으로서 존재한다 해도 과언이 아닐 정도로 은유의 홍수시대를 이루고 있다. 한국현대시에 있어 중요한 은유형태[14]는 대략 다음과 같은 몇 가지로 요약할 수 있다.

① 광화문은 차라리
　한채의 소슬한 종교(宗敎)
　　　　　　　　　　　　　　　- 서정주, 「광화문(光化門)」에서

② 님의 사랑은 뜨거워
　근심산(山)을 태우고 한(恨)바다를 말리는데
　　　　　　　　　　　　　　　- 한용운, 「님의 손길」에서

③ 조국아!
　심청이 마냥 슬프기만 한 너로구나
　　　　　　　　　　　　　　　- 구상, 「초토의 시」에서

④ 바다는 대낮에 등불을 켜고
　추억의 꽃물결 위에 소북이 지다.
　　　　　　　　　　　　　　　- 김광균, 「풍경(風景)」에서

⑤ 모혀드는 안개의
　비밀(秘密)의 곡저(曲調)올시다
　　　　　　　　　　　　　　　- 주요한, 「하야얀 안개」에서

⑥ 나도 한가지 꽃으로 서서
　기꺼이 흔들려 보노라면
　　　　　　　　　　　　　　　- 마종기, 「나도 꽃으로 서서」에서

---

14) 졸고, 「한국현대시의 방법론적 연구」, 『서울대 현대문학연구』 4집, 1971 참조.

⑦ 칼날위에 춤추는 인생(人生)이라고
　물속에 몸을 던진 몹쓸 계집애

　　　　　　　　　　　　　－ 김소월, 「가을」에서

⑧ 언어(言語)는 꽃잎이 닿자
　한마리 나비가 된다

　　　　　　　　　　　　－ 문덕수, 「꽃과 언어」에서

⑨ 겨드랑이에 옛호수(湖水)를 꺼내어 끼고
　여럿의 말씀은 무쇠도 녹인다고

　　　　　　　　　　－ 서정주, 「수로부인(水路夫人)의 얼굴」에서

　그러나 당신이 오시면 나는 사랑의 칼을 가지고 긴밤을 베어서
　천 토막을 내겠읍니다

　　　　　　　　　　　　－ 한용운, 「여름밤이 길어요」에서

시 ①은 계사형(copula form)으로서 은유의 기본형태가 되며, 대개 구상에서 구상으로, 추상에서 추상으로, 추상에서 구상으로, 구상에서 추상으로 결합되는 네 가지 기본 메커니즘[15]을 지닌다.

이러한 계사형을 기본유형으로 한 은유형태로는 ②동격 명사형, ③돈호법형, ④동격 '의'형, ⑤속격 '의'형, ⑥특수조사형, ⑦관형형, ⑧동사은유 및 ⑨ 활물변질형은유로 구분할 수 있다. 현대시에서의 이러한 은유는 단일하게 사용되기도 하나 대부분 여러 형태가 유기적으로 복합되어 사용됨으로써 은유의 두터운 베일을 형성하게 되고 때로는 난해성을 유발하기도 하는 것이다. 그러므로 은유의 구조형태를 하나하나 드러내 보면 시의 의미구조가 의외로 쉽게 드러남을 알게 되는 것이다. 따라서 시의 분석작업에서 은유 분석 및 그 해석의 중요성[16]은 아무리 강조해도 지나침이 없다.

---

15) C.C.Lewis & Altenberned, *Handbook for the Study off Poetry*, Macmillan, 1970, 18쪽.
16) 졸고, 「만해 상상력의 원리와 실체화과정의 분석」, 『국어국문학』 67호, 1975.

(2) 역설(paradox)의 의미

역설 또한 은유와 마찬가지로 현대시의 중요한 방법으로 사용되고 있다. 역설이란, 표면적으로는 모순되고 부조리한 것으로 보이지만, 내면에는 진실 또는 진리의 가능성을 내포하는 시적 조사법의 한 종류이다. 브룩스와 워렌[17]은 현대시에 있어서 시어의 구조적 본질을 역설에서 추구하고 있는바, 이러한 역설은 현대시와 그 비평에 있어 중요한 방법론이 되고 있다. 실상 역설의 중요성에 관한 주장은 현대시가 현대문명의 기본 속성인 기계화·상품화에 따른 비인간화 현상에 반발하여 휴머니즘 옹호의 노력 속에서 그 고통을 받아들이며 인간성을 회복하려는 창조 정신에 바탕을 두고 존재한다는 점에 이미 역설적 의미를 지니는 것이다. 그러므로 브룩스는 역설이 현대시에 있어서 경시될 수 없는 타당성을 지니며, 역설을 추방하려는 사람은 과학자이며, 시인의 언어는 역설을 통해 존재[18]할 수 있다고 강조하고 있는 실정이다.

① 나보기가 역겨워
  가실 때에는
  죽어도 아니 눈물 흘리오리다

                          ― 김소월, 「진달래꽃」에서

② 남들은 님을 생각한다지만
  나는 님을 잊고저 하여요
  잊고저 할수록 생각키기로
  행여 잊힐까하고 생각하여 보았습니다.

                          ― 한용운, 「나는 잊고저」에서

  당신의 소리는 침묵(沈默)인가요

---

17) C.Brooks & R.P.Warren, 앞의 책, 558쪽.
18) C.Brooks, *The Well Wrought Urn*, London: Harvest Book, 3쪽.

당신이 노래를 부르지 아니하는 때에
당신의 노랫가락은 역력히 들립니다그려
당신의 소리는 침묵(沈默)이어요
                    ― 한용운, 「반비례(反比例)」에서

③ 아아, 님은 갔지마는 나는 님을 보내지 아니하였읍니다.
    제 곡조(曲調)를 못이기는 사랑의 노래는 님의 침묵(沈默)을 휩싸고
돕니다
                    ― 한용운, 「님의 침묵(沈默)」에서

시 ①에서 '죽어도 아니 눈물 흘리오리다'하는 결구는 한국시의 전통적인 역설법의 좋은 예가 된다. '아니 눈물 흘리오리다'라는 역설적 다짐 속에는 이별의 슬픔을 카타르시스하려는 강한 극복 의지가 잠재해 있는 것이다. '아니 눈물 흘리오리다'라는 역설적 아이러니 속에는 비극적 슬픔을 극복하고 차원 높은 사랑의 미학을 성취하려는 집요한 의지가 자리 잡고 있는 것이다. 시 ②의 경우는 두 편 모두가 역설에 의해 상상력이 구성되고 전개됨으로써 역설적인 주제를 형성하고 있다. 이러한 경우는 「하나가 되어 주서요」·「참아주서요」·「꿈깨고서」·「차라리」·「알 수 없어요」 등 한용운 시의 가장 핵심적인 방법이 되고 있다. 시 ③의 경우도 '님은 갔지마는 나는 님을 보내지 아니 하였읍니다'라는 구절처럼 표면적으로는 모순되지만 신념과 소망의 세계에선 충분히 가능한 내용이 시의 주제를 형성하고 있다. 실상 이러한 역설은 은유와 함께 만해 시 전편을 관류하는 중심 골격19)으로 시집 『님의 침묵』이라는 표제가 '침묵의 절규' 내지는 '침묵의 함성' 혹은 '침묵의 저항'을 의미하는 고차적인 역설의 시학에 자리 잡고 있음을 말해주는 것이 된다. '침묵'과 '소리', '무'와 '존재', '빛'과 '어둠', 그리고 '만남'과 '떠남' 등의 역설적 대응은 바로 종

---

19) 졸저, 『한용운 문학연구』, 일지사, 1982, 194~211쪽 참조.

합과 지양으로 인해 시의 철학적 깊이를 고양해주기 때문이다.

지금까지 살펴본 것처럼 역설을 정확하게 분석해 내고 그 속에 담긴 깊은 시적 진리를 깨닫는 것도 현대시의 독해에 있어서는 필수불가결의 작업이 될 수밖에 없다.

(3) 상징(symbol)의 분석

상징이란 하나의 표상으로서 복합적 의미의 다른 것을 암시 또는 지시하는 방법 또는 언어를 말한다. 랭거(S.K.Langer)에 의하면 상징은 기호(sign)와도 구별되는바, 기호는 대상과 의미의 직접적·단순한 연결 관계인 데 비해 상징은 인간 심리의 총체적 과정에 깊이 관련되어 있으며 대상의 대용이 아니라, 대상의 개념에 대한 매개물이라고 설명되고 있다.[20] 즉 기호는 기호와 대상과 의미의 단순한 삼각관계이지만, 상징은 주체와 상징과 개념과 대상의 복합적 사각 관계라는 것이다. 또한 은유와 상징의 구별은 은유가 두 관념 사이의 유사성과 상호환기성을 근거로 한 대응 관계에서 성립하는 데 비해, 상징은 원관념이 배제된 보조관념만으로 성립하는, 다시 말하면 유추성 보다는 암시성과 함축성을 바탕으로 이루어진다.[21] 그러므로 상징은 고도한 해석 능력을 통해서 만드는 의미가 드러나며, 설사 의미구조가 드러난다 해도 어디까지나 부분적인 것으로서의 애매모호성을 지닐 수밖에 없다. 상징은 그 어원인 symballein 자체가 '함께 포함한다(put together)'라는 뜻을 내포하는바, 이미지가 암시하고 환기하는 개념의 복합체로서 애매모호한 다양성을 지니는 확장되고 복합된 은유(expanded metaphor)[22]라고도 볼 수 있는 것이다. 이러한 상징은 문학작품에 사용될 때 문학적 상징(literary symbol)으로 승화되

---

20) S.K. Langer, *Philosophy in A New Key*, Mentor Books, 58~64쪽.
21) Brooks는 '상징'을 은유에서 원관념(first term)이 생략된 형태로 설명한다. *Understanding Poetry*, 556쪽.
22) Preminger, 앞의 책, 833쪽.

어 다양한 내포적인 의미영역을 지니게 된다. 칸트(I.Kant)는 이러한 문학적 상징을 미학적 개념으로 보고, 논리적 표출에 대한 매체물로서의 합리적 개념을 제공하여 주는 객체가 지니는 속성(attribute)이며 정신을 개방시켜 정신에 활력을 주는 요소라고 말하고 있다.[23]

① 성자신손(聖子神孫) 오백년(五百年)은 우리 황제(皇帝)이요 산고수
  려(山高水麗) 동반도(東半島)는 우리 본국(本國)일세 무궁화(無窮
  花) 삼천리(三千里) 화려강산(華麗江山) 대한(大韓)사람 대한으로
  길이 보전하세.

  　　　　　　　　　　　　　　　　　　　　　– 「무궁화가(無窮花歌)」에서[24]

② 새야 새야 파랑새야
  녹두밭에 앉지마라
  녹두꽃이 떨어지면
  청포장수 울고간다
  새야 새야 파랑새야
  너 어이 나왔느냐
  솔잎 댓잎 푸릇푸릇키로
  봄철인가 나왔더니
  백설(白雪)이 펄펄 헛날린다
  저 건너 저 청송녹죽(靑松綠竹)이 날 속였네

  　　　　　　　　　　　　　　　　– 전봉준, 「파랑새야」에서

③ 산까마귀
  긴울음을 남기고
  지평선(地平線)을 넘어갔다

---

23) I.Kant, *Critique of Judgement*, 1970, R.Fowler, *A. Dictionary of Modern Critical
   Terms*, 188쪽 재인용.
24) 『대한매일신보』, 1907. 11. 30.

사방은 고요하다
오늘 하루 아무일도 일어나지 않았다
넋이여, 그 나라의 무덤은 편안한가
— 김현승, 「마지막 지상(地上)에서」에서

④ 그립고 아쉬움에 가슴조이던
　　머언 먼 젊음의 뒤안길에서
　　인제는 돌아와 거울앞에 선
　　내 누님같이 생긴 꽃이여

— 서정주, 「국화옆에서」에서

　은유가 시적 의미와 그 인식을 확대하는 쪽에 비중이 놓인다면, 상징은 오히려 그것을 심화하는 측면을 지닌다. 원래 상징주의의 핵심 방법이었던 상징은 인간의 내적 우주의 심연 속으로 자맥질해 들어감으로써 삼라만상의 본질을 색(色)과 성(聲)과 향(香)으로 둘러서 표현하는 시의 중요방법을 의미한다. 그러므로 예시에서 보듯이 상징은 몇 가지의 패턴으로 나누어질 수 있다.

　시 ①은 흔히 관습적 상징(conventional symbol)이라 불리는 유형으로서 국가나 십자가 등과 같이 일상적으로 관계있는 사람에게 특별히 상징적 의미를 지니는 것을 말한다. 흔히 제도적 상징(institutional symbol)으로도 불리는 이 유형은 보조관념만으로 원관념을 해독해 내야 하는 상징의 기본 원리를 잘 제시해 주고 있다. 실상 그와 관련된 사회적·역사적 관습에 익숙지 못한 시의 독자나 그 방면에 대한 예비지식이 없는 사람에게 이러한 관습적 상징은 난해한 것으로 받아들여질 수밖에 없다.

　시 ②에서는 풍유적 상징(allegorical symbol)[25]이 사용되고 있다. 이 시에서 파랑새 란 상징은 한국인에게는 신령스으로 생생되는 민중의 란의 표상인 동시에 희망의 상징으로 받아들여질 수 있다. 이러한 풍유는 중요한 상징

---

25) R.Fowler, 앞의 책, 5쪽.

유형(symbolic mode)26)의 하나로서 때로는 확장된 은유로 불릴 정도로 구조적 측면을 강하게 지닌다. 즉, 이 시에서 '파랑새'는 동학란 당시의 민족적 현실에 바탕을 둔 역사적 상상력의 구조적 현실 속에서만 비로소 파악될 수 있는 특징을 지니고 있기 때문이다. 이러한 풍유적 상징은 신화나 전설 혹은 설화 등을 문학적 현실로 이끌어 들임으로써 광범위한 문학적 방법론으로 사용되기도 한다. 한국시는 이 점에서 풍유적 상징이 비교적 빈약하게 쓰이고 있다. 이것은 한국 현대시인들에 있어서 역사학·인류학·철학 등 여러 형이상학을 비롯하여 성경·불경·사서삼경 등의 종교저술, 그리고 신화와 문화 현상 등에 대한 폭넓고 깊이 있는 천착이 부족하다는 점을 암암리에 드러내는 것일 수도 있을 것이다.

시 ③에서 '까마귀'는 '불길함' 또는 '죽음'이라는 관습적 상징을 바탕으로 하여, "울음·지평선·넋·무덤" 등의 보조상징을 연결함으로써 죽음에 대한 순응의 자세와 숙명의 인식이라는 시적 상징성을 효과적으로 심화하고 있다. 또한 「국화옆에서」는 '국화', '누님'으로 다시 '참된 생명'으로 심화, 상징됨으로써 지조와 정절이라는 관습상징의 범주를 넘어 시인의 창조적인 시적 상징으로 심화되고 있는 것이다. 이러한 창조적 상징(creative symbol)은 흔히 시적 상징이라 불리는 것으로 현대시인들이 시적 상상력을 확대하고 인식의 세계를 심화하는데, 불가결한 재원으로 사용되고 있다. 실상이 상징은 언어의 빈약한 표현력을 보충하려는 창조적 시 정신의 근원으로부터 파생된 현대시의 핵심 방법인 것이다. 따라서 이 상징에 대한 시인 나름의 개성적 의미 부여로 인해 현대시는 더욱 다양한 해석의 가능성과 의미의 모호성을 유발하게 되고, 그 결과 현대시는 난해한 것으로 될 수밖에 없었던 것이다. 이런 점에서 은유·역설과 함께 상징에 대한 이해는 현대시 분석과 감상에 있어서 필수적인 요소로서 존재하게 된다. 특히 상징은 은유처럼 굳이 원관념을 제시하지

---

26) 앞의 책, 5쪽.

않고서도 폭넓은 상징의 의미영역을 확대하고 심화할 수 있다는 점에서 시적 포괄성과 깊이를 지닐 수 있으므로 더욱 그 중요성이 강조된다.

(4) 운율과 이미지

은유와 역설, 그리고 상징이 현대시의 중심 방법론으로서 중요성을 갖는 것과 함께 운율(rhythm)과 이미지(image)도 현대시의 기본 구조로서 그 밑바탕을 이룬다. 시는 그 본질에 있어서 리듬의식과 구조 의식의 견고한 결합에 바탕을 두고 있는 것이기 때문이다. 시에서의 운율 즉 음악성이란 대자연의 리듬과 유기체의 생체적 순환이 시의 구조를 통하여 드러나는 것으로서, 반복성(regularity)과 주기성(periodicity)[27]을 그 특징으로 한다. 리듬은 의미와 어조, 그리고 구조적 방법들과 결합됨으로써 언어학적 자료로서의 음성적 자질을 미학적 자질로 상승하게 만드는 것이다. 실상 시적 자질의 형성에 있어서 심미적 가치를 형성하는 요인으로서의 운율론적 요소의 중요성은 매우 강조될 수밖에 없는 것이기 때문이다. 따라서 현대시에 있어서도 이러한 음악성의 이해가 중요한 것임에는 틀림이 없다. 그러나 현대시가 점차 그 중요기능을 주제의 강조 및 주지적인 것 또는 회화적인 것으로 전환시킴에 따라서 현대시의 리듬은 현대시의 의미구조 속에 용해되어 있는 미학적 요소로 생각하는 경향이 늘고 있다. 따라서 현대시에 있어서 운율은 시를 미적 구조로 상승시키고 시 정신을 생동적인 것으로 만들어 주는 잠재적 동인으로 생각하는 경향이 차츰 짙어져 가고 있는 것이다. 현대시의 운율은 시의 원천적 자질로서 시의 심미적 가치를 확립하고 섬세한 뉘앙스를 심화하며 확장하는 데 있어 중요한 의미를 지니는 것으로 이해되어야 하는 것이다. 현대시에 있어서 리듬으로서의 음악성의 문제는 시의 유기적 구조의 필요성에 따라 가변적인

---

27) R.Wellek & A.Warren, 앞의 책, 164쪽.

운율형태를 취하는 것으로 이해되기 때문이다.

아울러 음악성의 상대편에 놓이는 것으로서 이미지에 대한 이해가 필요하다. 운율이 시에서 음악성을 형성하는 자질이라면 이미지는 회화성을 이루는 기본 방법론이다. 브룩스에 의하면 시는 생활과정의 이미지를 드러내는 동시에 시인 자신의 계발적인 표현방식으로 심미적 가치를 지닌다.[28] 따라서 이미지는 시적 통찰과 해석의 용구로서 관념의 표출과 장식에 있어 필연적으로 형성되는 것이다. 이러한 이미지의 표출은 은유와 상징 등에 의해 구현되므로 이미지를 분석한다는 것은 실상 은유분석과 상징분석에 있어서의 상관과정 내지 부수과정이라 할 수 있다. 이미지는 흔히 시각적 이미지(visual image)[29]와 청각적 이미지(auditory image)를 기본으로 하여, 열 내지 압력 이미지(thermal and pressure image), 근육감각적 이미지, 후각적 이미지(olfactory), 정지적 이미지(static image)와 동적 이미지(kinetic or dynamic image), 그리고 공감각적 이미지(synaesthtic image) 등으로 다양하게 나타난다. 실상 이러한 이미지의 분석은 현대시일수록 단일 감각의 이미지로서가 아니라 여러 이미지들이 복합된 공감각적인 심상을 형성하기 때문에 정교하면서도 미세한 고찰을 통해서만이 해독될 수 있다. 특히 이 이미지의 기본속성이 심리적인 것과 심미적인 것에 뿌리를 두고 있기 때문에 현대시 분석에 있어서는 필수적인 절차인 것이다.

3. 마무리 작업

은유와 역설, 상징 및 운율과 이미지의 분석 다음에는 비로소 시 해석의 마무리 작업이 전개된다. 이 완료 작업에서 우선 중요한 것은 흔히 주제(theme)

---

28) 앞의 책, 187쪽.
29) C.R.Reaske, 앞의 책, 49~63쪽.

라고 불리는 시의 중심 의미 내지 시인의 사상 혹은 의도를 찾아내는 일이다. 어떠한 시라도 결과적으로는 사상 내지 의도를 형성 내지 제시하는 것이기 때문에 시의 중심의미를 정확하게 찾아낸다는 것은 쉽지 않은 일이다. 시인이 시에서 무엇을 말하고자 또는 의미하고자 하는 문제의 해결은 무엇보다도 먼저 제목과의 관련에서 일차적 암시가 주어질 수 있다. 제목과 어조를 통해서 드러나는 개략적인 '그 무엇'은 은유와 상징 그리고 역설 등의 방법들의 유기적인 결합을 통해 서로 종합되고 지양되어 총체적인 의미구조(meaning structure)를 형성하게 되는 것이다. 또한 때로는 어조와 분위기 혹은 결구(Poetic closure)를 통해서 나타나기도 하며 직접적인 진술을 통해서 제시되기도 한다. 그 어느 경우라도 이러한 주제는 시의 전요소들이 유기적으로 결합되고 통일됨으로써 형성되는 시적 대상에 대한 가치의 구조적 결합이며 그 해석이라는 점에 유의해야 한다. 또한 그 어떤 경우의 주제 파악도 결코 완벽할 수 없는 '하나의 해석'에 불과하다는 점이 분명히 인식되어야 한다.30) 이러한 주제 파악의 과정에 있어서 참고해야 할 사항으로는 먼저 시인의 생활 과정 내지 개성적 특질과 같은 생애사적 자료를 충분히 검토하는 일이다. 또한 생애와 관련된 당대의 문학 상황, 나아가 시대적 배경 등 문학사 내지 역사적 상황을 면밀히 살펴서 작품과 시대 상황의 대응문제도 검토해야 한다. 아울러 문학사라는 맥락에서의 문학적 원천과 영향(source & influence, literary debt)의 검증, 다시 말해 문학사 내지 비교 문학적 연구 또한 필수적인 과정이 된다. 이러한 보조적인 자료들이 때로는 시의 올바른 해석에 결정적 단서를 제공해 줄 수도 있지만, 어떤 경우에는 지나친 선입견의 영향으로 인해 작품분석을 엉뚱한 방향으로 이끌어 가는 수도 많다는 점을 유의해야 한다. 어디까지나 작품 자체의 분석을 토대로 하고 이러한 외부적 요인이 종합적으로 인용될 때 비로소 참된 작품의 총체적 의미구조가 비교적 이상에 가깝게 드러날 것이다.

---

30) R.Wellek과 A.Warren의 *Theory of Literature*는 이러한 연구의 중요한 업적에 속한다.

③ 결론

이러한 시의 구조에 대한 분석과 내용 해석이 이루어진 다음에는 시의 평가작업(evaluation)과 감상(appreciation)의 유도가 이루어져야 한다. 평가란 작품의 가치에 대한 발견과 판단을 의미하는 것으로서 가치에 대한 지식과 문학적 신념 및 문학사적 필요를 바탕으로 이루어진다. 흔히 가치평가는 주관성과 객관성을 조화시켜 판단해 내는 것이 바람직한데 어떻게 이 두 입장을 실제적인 작품평가에 적용하느냐가 가장 어렵고도 중요한 문제이며, 실상 이런 점에서 가치평가는 어느 정도 전문적인 안목과 능력을 필요로 한다. 실제로 모든 독자 내지 비평가가 자기 나름으로 작품에 대한 가치 평가를 해낼 수는 있지만 그에 대한 객관적이고 합리적이면서도 체계적인 논리적 근거와 설득력을 성취하기는 매우 어렵기 때문이다. 평가의 다음에는 마지막으로 감상의 요체를 찾아내는 일이 남게 된다. 올바른 감상이야말로 문학의 궁극적 목표인 정신적 행복과 위안을 성취함으로써 인간적 고양을 향수하게 하는 것이므로 그 중요성이 가장 강조돼야 한다. 실상 감상의 요체를 발견하고 문학의 철학성과 그 아름다움이 발견되면 이미 시는 충분히 분석되고 이해된 것이기 때문에 이 작업은 시 분석론의 마지막 과정이자 궁극적인 목표가 되기도 한다. 이런 점에서 비평가는 비평을 위한 비평의 개진이나 공소한 이론의 현학적인 전개보다도 작품과 독자를 같은 공감대로 연결시키기 위한 의식적인 노력을 더욱 경주할 필요가 있는 것이다.

지금까지 살펴본 것처럼 시를 독해한다는 것은 결국 시에 대한 하나의 질문을 제기하고 그에 대한 응답을 마련함으로써 시가 지니고 있는 수천수만의 소리들을 찾아내고 그것의 의미와 가치를 총체적으로 향수하려는 작업을 말한다.

이러한 시의 분석과정은 크게 나누어 기초과정으로서의 제목과 모티브 및 분위기와 어조의 검토에서 시작된다. 이러한 기초적 고찰을 바탕으로 은유와 역설, 그리고 상징과 운율 및 이미지에 대한 본격적인 구조분석을 전개하게 된다. 여기서 한 가지 중요한 것은 비평용어와 방법론 개개에 대한 정확한 개념 설정과 이의 통합적인 적용이 필요하다는 점이다. 이러한 시의 구조에 대한 본격적이면서도 구체적인 분석과정을 이루어낸 다음에는 시와 시인에 관한 문학세계 내지 시대와 역사적 상황에 관한 소인을 종합적으로 검토하여 시의 주제 내지 의미를 파악해내고 작품 전체의 총체적인 구조를 선명히 하는 마무리 작업이 이루어져야 한다. 이 마지막 단계에서 유의할 점은 시를 분석한다는 것이 항상 보다 완전한 해석과 감상을 위한 선행 작업에 지나지 않는다는 점이다. 문학작품의 분석과 평가는 유기적인 의미구조로서의 시를 향수하자는 것이지 결코 분석 내지 시의 해체 자체에 그 의미가 있는 것은 아니다. 시의 창작과 비평은 이러한 분석과정을 종합하고 통일하려는 종합의지의 노력으로 이해되어야 하기 때문이다.

시는 분석되기 이전에 이미 종합의 힘으로서 존재하며 유기적인 의미구조의 생명체로서 자족적인 완결성을 지닌다. 시를 쓴다는 것은 살아있는 정신을 창조하는 일이며 시를 분석한다는 것 또한 시를 통해 시인의 살아있는 정신을 체득하고 이로써 자신의 정신과 삶을 고양시키려는 노력인 것이다. 따라서 시는 살아있는 혼 그 자체로서, 미래지향적으로 존재하는 현 실태인 동시에 가능태이며 또한 이념태일 수 있는 것이다.

(1979년)

한국 현대시 은유형태 분석론

1

1. 문제 (1)

하이데거는 언젠가 다음과 같이 말한 바 있다.

> 처음 내린 결말은 시의 활동영역이 언어라는데 있었다. 그러므로 시의 본질은 언어의 본질에서 파악되어야 한다. 그런데 시란 만물의 존재와 본질을 건설하여 거기에 명칭을 부여하는 일로 결코 멋대로의 변설이 아니라 오히려 그것에 의하여 일상 언어들이 비로소 빛을 보게 되는 것이다. 그러므로 언어가 미리 창작의 재료로서 발견되어 그것을 시가 골라잡는 것이 아니라 오히려 시 자체가 언어를 가능케 하는 것이다. 시는 민족의 근원적인 언어이다. 고로 언어의 본질은 시 본질로부터 이해되지 않으면 안 된다.

문학과 언어는 변증법적 관계에 있다. 언어의 유기적 건축물인 시에 있어서 그 조직은 내적인 사상적·윤리적 가치와 외적 표현의 형식적·심미적 가치로 구성되며 이것은 엘리엇의 말대로 정서와 사상의 등가로 나타난다. 이런 점에서 심상(imagery)과 은유(metaphor)는 시의 가장 중요한 두 가지 요소이다.

리얼리티를 표출시키는 기능은 시적 심상의 생동성에 의해 비롯되며 이 심상이란 정서 또는 사상을 가진 언어로서 구상화되고 독자의 의식 속에 가시적인 영상을 '프로젝트'하는 것이다. 콜릿지가 "상상이 이성을 감각적인 심상과 합체시킨다"고 말하듯 시는 우선 상상력의 모형을 가져야 하며, 이 모형을 획득하려면 사상이나 정서의 내적·불가시적 세계를 '이미지'의 가시적 가치세계로 시상화(視像化, visualization)시켜야 한다. 즉, 상상이 실체화되려면 우선 '이미지'를 획득하고 심미적인 감각적 성질을 구유해야 한다. 따라서 이 시상화의 과정에서 내용과 표현의 밀도를 고착시키는 역할은 은유의 기능에 의한 것이다. 여기에 표현 매체로서의 은유가 그 중요성과 가치를 부여받을 수 있는 것이다.

본고에서는 지금까지 이 땅 문단·시 학계가 본격적인 은유연구를 필요로 하고 있음에도 이 부문의 논고가 양·질에 있어 거의 뚜렷한 수확이 없음에 비추어 본격적 수사비평을 위한 서설적 작업으로 은유의 원리와 그 근본적 '메커니즘'을 분석하고자 한다.

2. 문제 (2)

엘리엇(T.S.Eliot)의 말을 빌릴 것도 없이 비평의 본질적 기능은 세 가지로 구분할 수 있다. 그 하나가 작품감상의 기능이며, 둘째가 입법적 기능이며, 셋째가 지도적 기능이다. 그중 입법적 기능은 문학의 이론적 체계를 세우고 문학적 용어의 정의와 해석, 새로운 문학 형식 혹은 양식을 발견하는 일을 말한다. 그러므로 평론가는 합리성과 통일된 세계관을 가지고 주제를 취사선택하여 보편성 있는 문학 이론의 체계를 세워야 한다. 현대 비평이 랜섬·블랙머·윔

새트·엠프슨·엘리엇 등에 의하여 작품의 언어 형식·구조 등을 분석함으로써 객관적 가치를 수립하는 방향으로 진행되고 있는 것은 이런 점에서 타당한 결론이다.

시를 읽을 때 직접적으로 정서를 유발하는 것은 활자화한 언어이다. 시인의 시적 체험 즉 내부세계는 개념(signify)과 청각영상(significant)의 결합된 형태로 나타난다. 문자화란 이것이 '개인발화(parole)'로 구체화하는 대신 시각적 기호로 표현되는 것이다. 시의 언어는 보다 정서적인 효과를 위하여 사용되며 언어 자체가 가진 개별적·구체적인 세계의 방향 제시와 감각적 작용을 통한 암시적·상징적 성격을 가져야 하는 것이다.

일상어들이 이렇게 상징적·암시적이며 오묘한 의미의 복합체로서 시에 사용되기 위해서는 시인의 부단한 창조 정신이 요구된다. 탁월한 은유의 직조는 시를 시로 성립 가능하게 하는 것이며 인간의 사고영역을 무한히 확장하는 것이다. 그런데 아직까지도 이 은유의 형태론은 찾아볼 수가 없다. 은유비평을 가능케 하기 위하여 그 형태를 먼저 분석해 내야 함은 물론이다.

고로 본고에서는 비평의 입법적 기능에 입각하여 지금까지 전혀 밝혀지지 않고 있던 한국현대시에서 사용되고 있는 은유를 형태적인 면에서 분석·분류하여 제시하고자 함을 그 주목적으로 한다.

2

은유 즉 메타포는 전의(transfer)를 의미한다.

metaphor를 분석하면 meta(over)+phora(carrying), 즉 위로 옮겨지는 전의를 뜻한다.

이렇게 출발한 은유는 문학적·언어학적 정의가 구구하지만 대체로 유추나 공통성의 암시를 통하여 대치되는 사물이나 관념을 문학적으로 외연하는 언어의 사용법으로 볼 수 있다. 허버트·리드(H.Read)는 은유를 등가의 섬광적인 조명이라고 하여 그 요체를 간과하고 있다. 이 은유관은 고대 수사학에서는 전의법(trope)으로 보아 문장의 장식적인 수단으로만 생각하였으나, 현대에 와서는 은유가 의미론(semantics)에서뿐만 아니라 리처드의 경우처럼 올바른 언어 사용의 효과적 기술로도 보고 있다.

그러나 은유는 그의 시적 생명인 의식적·자각적 요소를 자유로이 구사하여 시의 중핵적 관념을 표현하는 필수불가결한 요소가 된다는 점에서 현대시에서 은유의 중요성이 인정된다. 즉 은유는 본질적으로 시의 중핵적 방법이자 구조가 되는 것이다.

언어는 자의적인 상징의 체계이며 사상의 요구이다. 언어와 사상과는 불가분의 관계에 있다. 사상의 진보는 필연적으로 언어의 진보와 생성을 의미하게 된다.

은유의 발생은 이러한 사회구조나 인간의 새로운 사상의 생성에 따른 언어 부족이 그 직접적 동인이 된다. 시 정신은 창조 정신이다. 새로운 시 세계와 관념의 창조는 새로운 은유의 발생을 필요로 한다. 브룩스와 워런(C.Brooks & R.P.Warren)도 말하고 있지만 그런 까닭에 시인은 끊임없이 현재 소유한 언어의 패각을 깨뜨리고 새로운 은유를 창조하는 모험을 계속하여 여기에 강한 생명력을 불어넣어야 한다.

엘리엇이 말하고 있듯이 시에서 필요로 하는 것은 영속적으로 형성되어 있는 인식과 평가의 인습적인 양식을 깨뜨려 사람들로 하여금 세계를 새롭게 하고 그 새로운 면들을 보게 하는 데 도움을 줄 수 있는 언어 기능의 세계이며, 그것은 은유의 바이텔리티한 직조에서 비롯한다. 은유는 시인의 개성적 이미지의 독창적인 표현방법이며 가장 웅축된 형태로 시의 중심 관념을 표현한다.

시의 존재는 대상의 묘사에 있을 뿐 아니라 일체의 근원에서부터 절대 속에 그 의의가 부여되기 때문에 더욱 은유는 그 가치가 인정된다 할 것이다. 시인은 은유로서 그의 중심 사상을 '프로젝트'하는 것이며 그러기에 은유를 사상의 용광로라고 일컫기도 한다. 랭보의 경우와 같이 시는 행동의 운율화가 아니라 선험이라는 의미에서 은유 형성의 소재들이 시인의 내부 즉 심령의 용광로에서 사상의 열에 의하여 용해되어 새로운 표현의 세계에 도달하는 것이다.

또한 그 원리적인 면에서 은유는 정도의 차는 있지만 누구에게나 구사 능력이 있다. 이 능력은 언어를 타인에게 전달하고자 할 때 즉 표현 과정에서 두드러지게 나타나며 언어의 자유스러운 활동 전반에 편재하는 원리가 된다. 한편 이 은유 구사와 해석에 있어서 정도의 차이도 리처드는 교육이나 연구에 의해 좁혀질 수 있다고 생각한다.

결국 시의 이해란 이 은유의 '베일'을 구조적으로 분석하여 걷어내며 그 내부에 축조되어 있는 사상과 정서의 심상을 명확히 밝히는 작업을 의미한다. 이런 점에서 어떤 시인을 평가할 때 구사된 은유의 질과 독창성에 의거할 수 있다고 하는 H.리드의 말도 수긍이 가는 것이다. 은유는 시인의 상상력을 역으로 자극시키기도 하고 독자의 사고영역을 확장시키도록하여 보다 고차적 시의 세계로 '카타르시스'하는 적극적 기능을 지니고 있기 때문이다.

3

그러면 이제 은유의 근본적 '메커니즘'을 분석해 보기로 한다.

은유의 기본 표현방식은 A=B의 등식(equation)이다. 구문을 통하여 나타나는 등식은 일견 단순하고 평면적인 것 같으나 그 내부구조는 의외로 복잡하고 미묘한 것이다. 리처드는 이 선어(先語, principle term) A를 tenor로, 후어(後語, secondary term) B를 vehicle로 호칭하는바 "선어와 후어의 은유적 결합은 선어와는 엄연히 구별되는 새로운 의미를 산출한다. 선어에게 후어는 단순한 장식이 아니라 이의 결합에 의하여 좀 더 다양하고 생명력 있는 새로운 의미를 창조해 내는 작용을 한다"고 하여 이 A와 B의 협작이 새로운 의미, 즉 리처드가 말하는바 시적 은유(poetical metaphor)인 은유의미를 형성한다는 것이다. 고대의 수사적 표현법은 A=B의 형태지만 은유의미는 변질된 A×B의 형태와 의미를 갖게 되는 것이다.

또한 리처드는 tenor the thing-meant와 vehiclethe thing-said의 이중단원으로 생각하기도 하지만 이 A·B의 협작은 일방적인 힘으로 되는 것이 아니라 서로 상대적인 적응력을 가지고 이루어진다. 표현된 B의 속성이 A 쪽으로 운반되어 서로 보이지 않는 암묵의 적응성에 의해 융합하여 A=B의 형태로 표현되나, 그 내용에 있어서는 각각이 지닌 원래 의미와는 달리 새로운 의미 A×B가 형성되는 것이다. 이것이 은유가 창조적인 시 정신을 표현할 수 있는 근본 방법으로 존재하는 이유가 된다.

리드는 두 가지 '이미지' 혹은 '이미지'와 사상이 동일하게 또는 반대로 존재하며 서로 혼란하고, 의미를 안고 반응하여 돌연 어떤 섬광적인 빛에 의하여 은유 의미가 생긴다고 한다(Two images or an idea and opposite; Clash together and respond significantly, surprising the reader with a sudden light).

이렇게 창조된 은유들은 시 속에서 스스로 유기적 생명력을 갖고 윔새트(W.K.Wimsatt)가 말하는바, 단순한 의미작용이 아닌 내부로부터 발현된 동적 작용으로서, 의지와 오성에 의해 조금은 제어되고 일부분은 유지되어 자발적으로 창조된 상상력에 역으로 작용함으로써 시작의 역동성을 발휘하게 된다. 여기에 표현의 문제뿐만 아니라 상상력의 자극 수단으로서의 은유의 중요성이 인정돼야 하는 당위성이 놓인다.

그런데 이 공통 성과 대상의 인식은 인간의 유추 능력에서 비롯된다. 유추에는 내용 유추와 형식 유추가 있다. 예를 들면 '꽃'이라는 표현형식에서 '花'라는 제1의미가 형성되고, 이것이 공통성 유추에 의하여 '여성'이라는 새로운 의미를 갖게 되는 것이다. 이 한 단어 내의 은유는 대개 내포 과정을 통하여 상징화되는 형태가 많다. 그러나 시에 있어 실제로는 단단어(單單語)로 된 은유는 '선어'와, '후어'의 결합인 은유의미의 형태 속에 이미 내포되어 나타난다. 또한 형식 유추거나 내용 유추는 은유의 내적 요구에 의해 결정된다. 카르납은 이러한 은유의 이중적 단원 형식(tenor, vehicle 즉 A 또는 B)이 생기는 원인은 '후어(B)'가 '선어(A)'보다 더 인상이 강하고 감명이 깊은 까닭에 그처럼 더 뚜렷한 것으로써 희미하고 애매모호한 것을 보충하려는 심리적 욕구를 뜻하는 것이라 한다.

결국 은유의 근본적 '메커니즘'은 기본적 은유형인 계사형(A=B)에서 출발하여 시인의 심령 안의 은유의 용광로에서 시적 전체험 요소들이 서로 반응 협작하여 초논리적·정적 연쇄반응을 일으키고 이것은 다시 상징과정을 통하고 두 단어 사이의 공통성을 유추하여 직관과 합하여 짐으로써 새로운 은유 표현의 세계를 창조하는 것이다. 여기에서 비로소 심미적 긴장체계의 섬광적인 조명이 이루어지는 것이다.

4

보편적인 언어 사용에 있어 은유를 식별할 수 있는 능력은 누구에게나 편재하는 것이다. 그러나 고도의 창조 정신과 복잡한 시적 '메커니즘'을 통하여 직조된 시의 은유를 식별하는 데는 고도의 시 감상능력과 분석력을 필요로한다.

루이스와 알텐번드(L.L.Lewis & Altenberned)는 말하기를 시를 읽을 때 독자는 은유적 함축을 충분히 유의해야 시의 이해가 어느 정도 이루어질 수 있다고 주장한다. 시가 원래 언어를 통해 시인의 상상력을 발동시켜 다양한 시적 이미지를 형성하고 이것을 가시적인 세계로 시상화하는 언어 기능의 세계이기 때문에, 그 표현상에 있어서 언어 사용법이 모든 시인에게 있어 상이한 것처럼 은유형태도 각각 다양성을 띠게 되는 것이다.

이렇게 은유는 시가 필요로 하는 내적 요구에 의하여 그 표현에 알맞게 변형된다. 이 은유 구사의 특성은 각 시인에 따라 다르다. 그러므로 본 항에서는 은유의 형태를 특징적으로 분석하고 이에 따라 한국 현대시에서의 은유형태의 체계화를 시도해 보기로 한다.

1. 기본형태─계사형

① 구상에서 구상으로

내 침실(寢室)이 부활의 동굴(洞窟)임을
너야 알련만

— 이상화, 「나의 침실로」에서

우주(宇宙)는 영겁의 모서리를 밝히는
호젓한 불꽃

— 문덕수, 「선(線)에 관한 소묘(素描) II」에서

② 추상에서 구상으로

나의 본적(本籍)은 거대한 계곡이다.
나무잎이다.

— 김광섭, 「나의 본적」에서

그칠 줄을 모르고 타는 나의 가슴은 누구의 밤을 지키는 약한 등불입니까.

– 한용운, 「알 수 없어요」에서

③ 추상에서 추상으로

인생(人生)은 하나의 회사(喜捨)

– 김남조, 「낙엽은 쌓여라」에서

④ 구상에서 추상으로

광화문(光化門)은 차라리 한채의 소슬한 종교(宗敎)

– 서정주, 「광화문」에서

이 계사 형태 즉 A=B의 등식을 또한 자세히 보면 다시 네 가지 과정을 통한 형태, 즉 구상-구상, 추상-구상, 추상-추상, 구상-추상의 결합으로 분석된다. 그런데 이 중에서도 특히 은유가 시상화라는 원리적 속성에 비중이 높여지기 때문인지 추상이 구상으로, 구상이 더 뚜렷한 구상으로 표현되는 경우가 많음을 본다. 이것은 존·베네트(J.Benett)가 추상-구상에의 대응관계에서 시적 '이미지'가 발생하는 것으로 본다든지, 알텐번드와 루이스가 은유의 기본적 형식을 tangible, abstract-concrete로 보는 것에서도 알 수 있다.

그러면 위의 예 중에서 서정주의 「광화문」을 살펴보기로 하자. 여기서 '광화문'은 '종교'로 은유되어 있다. 이것은 평상시의 관찰과 관조를 통하여 시인의 심령 속에 형성되어 온 광화문의 '이미지'가 시인의 내부에 오랫동안 집적되어 온 여러 요소, 즉 인생관, 우주관 등에 투영되고, 이것이 시인의 내부 즉 은유의 용광로 속에서 복합·용해되어 서로 의미를 안고 반응하여 있다가 여기에 다시 시인의 순간적 상상력이 연쇄반응을 일으켜 유사성이나 연관성을 유추하고 두 '이미지' 사이에 의미의 조응이 일어나 암묵적인 긴장체계

(crystallization)를 형성함으로써 드디어 '광화문은 종교'라는 은유적 결합을 이루어 내게 된 것이다.

또한 한용운의 「알 수 없어요」의 경우 '가슴'은 원래 구상어이지만 여기서는 '그칠 줄 모르고 타는 가슴'으로 표현되어 가연적인 새로운 의미로 추상·은유되어, 이 은유화된 '가슴'이 '등불'이라는 계시적이며 광명을 기구하는 '이미지'로 상징 은유화 되는 것이다. 그런데 이 계사형은 대체로 단순하고 기초적이며 직설적인 때문인지 시가 요구하는 고도의 심화된 은유법으로는 부적당하여 사용 빈도가 많지 않은 경향이 있다.

그 한 예로서 서정주의 시집 『동천』의 50여 편의 시 중 계사형은 거의 보이지 않는다. 그러나 이 형태는 은유의 기본적·중심적 형태로서 기타 다른 형태들은 실상 대부분이 이의 변형이라고 간주될 만큼 일반적으로 잘 알려지고 많이 쓰이는 형태이다.

2. 특수조사형

눈시울의 안팎에서
어둠이
진한 무게로 몰려 오기만 하는

                                        — 정한모, 「불면(不眠)」에서

내 살던 이승이
개천(開天)으로 불리울 먼 훗날에도

                                        — 이우주, 「김기(難呪)」에서

비개인 아침해에
가야금소리로

피는 꽃을 아시는가

— 서정주, 「석류(石榴)꽃」에서

이 특수조사형은 조사의 변형 내지는 특수활용으로서 은유의 미를 드러내며, 조사인 만큼 뒤에 용언을 동반하는데, 이것은 논리나 시상의 전개에 퍽 유용하게 쓰인다. 별로 많이 눈에 띄지는 않으나, 암시나 비약적인 시적 효과를 지니고 있다.

3. 어미형

이 형태는 계사형을 어미에서 혹은 선어에서 변화시킨 것으로 조건·접속 등의 기능이 강하며 지시된 은유 대상을 간접적, 우회적으로 표현하는 효과를 갖고 있으나 많이 쓰이지는 않고 있다.

만일에 이 시간(時間)이
고요히 깜빡이는 그대 속눈썹이라면
— 서정주, 「고대적 시간(古代的 時間)」에서

고독은 자유향(自由港)
밤이라는 언덕이여
— 조병화, 「스카이라운지」에서

평화(平和)란 불우(不遇)한 심벌
— 박태진, 「불우한 서정(抒情)」에서

4. 동격형 명사형

이 동격형은 명사 또는 구를 중복하므로 명사형이라고도 할 수 있으며, 이 형태는 계사를 전혀 요하지 않는다. 이것은 음률적으로 조화되고 압축된 음악성을 특징으로 한다.

> 님의 사랑은 뜨거워서
> 근심산(山)을 태우고 한(恨)바다를 말리는데
> — 한용운, 「님의 손길」에서

> 말갛게 씻은 얼굴 고운 해야 솟아라
> — 박두진, 「해」에서

> 라일락숲에
> 내 젊은 꿈이 나비처럼 앉는 정오(正午) 계절(季節)의 여왕(女王) 오월(五月)의 푸른 여신(女神) 앞에
> — 노천명, 「푸른 오월(五月)」에서

여기에는 또 약간의 변형이 있다. 이것은 명사의 중복 내지는 직접 연관에 의해 형성되므로 동격은유로 처리한다.

> 이 여울을 끼고 한켠에서는 소년이 또 한켠에서는 소녀가 두눈에 초롱불을 밝혀 가지고
> — 서정주, 「마른 여울목」에서

5. 돈호법형(頓呼法型)

> 바위!

그것은 허무유암(虛無幽暗)한 우주의지(宇宙意志)의 구상(具象)

– 유치환, 「현시(現示)」에서

조국(祖國)아!
심청(沈淸)이 마냥 불쌍하기만 한 너로구나

– 구상, 「초토(焦土)의 시(詩)」에서

돈호법이란, 수사학에서 문장의 중간에 갑자기 사람 또는 물건의 이름을 불러 그의 감탄적인 서술로써 주의를 환기하는 수법으로 시에서도 독특하게 사용되어 왔다. 이 영탄적인 은유 형태는 대상의 명확한 지시와 시적 감정의 노출로 직접적 효과를 갖고 있어 축시·조시에 가끔 쓰이나 암시적·응축적인 시의 본성과는 거리가 있으므로 많이 쓰이지는 않는다. 동격 은유와 어느 면에서는 비슷한 점이 있으나 표현법이 특이하므로 따로 설정하였다.

6. 동격 '~의' 형 oppositive 'of'

① 구상에서 구상으로

오후 두시 머언 바다의 잔디밭에서
바람은 갑자기 잠을 깨서는

– 김기림, 「호수(湖水)」에서

② 추상-구상

그대와 내 의식(意識)의 쟁기날은
대지의 목덜미를
겨냥한다

– 주문돈, 「일상(日常)」에서

시간(時間)의 바다를 나는
아득히 표류(漂流)하고 있었다

　　　　　　　　　　　　－ 김원호, 「시간(時間)의 바다」에서

내 마음의　만해해변(萬海海邊)엔
해당화 분홍불이 붙고

　　　　　　　　　　　　－ 서정주, 「나는 잠도 깨여지도다」에서

③ 구상-추상

뜨거운 햇빛 오랜 시간의 회유에도 더 휘지 않는 목관악기(木管樂
器)의　가을
그 높은 언덕에 떨어지는

　　　　　　　　　　　　－ 김현승, 「견고(堅固)한 고독」에서

이 '~의' 형태는 계사형에서 A와 B가 서로 도치된 변형이다. 이 명칭에 있어 '의'는 물론 조사이므로 조사형에 넣어야겠고 또한 동격을 연결한다는 점에 있어서 동격형으로 생각할 수 있으나 그 어느 쪽에 넣는 것도 적당치 않고 그 빈도에 있어서나 효과에 있어서 특수한 성질을 갖고 있으므로 동격 '~의 (oppositive 'of')' 형으로 설정하였다. 이 형태는 A=B의 계사형을 B의 A로 대치한 것이다(가령 '가을은 목관악기이다'를 '목관악기의 가을'로 환원한 것으로 생각할 수 있다).

그런 만큼 'A는 B다'라는 설명적인 방법보다는 'B의 A'로 압축하여 간결화한 표현이 보다 시적인 애매모호성과 함축의 효과를 유발하기 때문에 특히 최근 내부의식 세계를 깊이 탐구하는 젊은 시인들의 시에서 두드러지게 나타나고 있다.

혼미한 며칠간의 꿈으로부터

돌아온 내 의식(意識)의 빈 방(房)에는
　　　　　　　— 이수익, 「의식(意識)의 하류(下流)에서」에서

　　투명(透明)한 공기(空氣)의 성곽(城廓)
　　　　　　　— 김규태, 「의자(椅子)」에서

　　쉽게 짚어본 예사와 같이 젊은 세대의 시에는 이 은유 형태가 유난히 많다. 확실히 이 형태는 계사형보다 '플렉시블'하며 응축적이어서 고차의 표현법임에는 틀림없으나 때로 한 시에서 너무 빈번히 쓰이면 표현의 묘미를 죽이고 사고의 고정성을 초래하기 쉬운 단점을 갖고 있다. 이 형태는 추상-구상(「의식의 쟁기날」), 구상-추상(「목관악기의 가을」), 구상-구상(「바다의 잔디밭」)의 유추결합으로 각각의 의미에서 새로운 은유심상을 형성하여 제3의 의미 세계로 이끌어 올려지는 것이다.

　　그 한 예로 김현승의 '목관악기의 가을'이라는 은유적 표현은 목관악기와 가을과의 공감각적 심상 결합에 의해 발생된다. 공감각적(synaesthesia)이란 인간의 감각 영역 사이에서 유사관념에 의한 연상작용이 이루어지는 것을 말하며 시에 있어서 공감각적 심상은 월렉과 워렌에 의하면 시각과 청각, 시각과 촉각, 청각과 촉각 등의 결합에서 비롯된다.

　　또한 감각에는 내부감각과 외부감각이 있어 이 속에 내포된 가을은 목관악기가 주는 촉각적·청각적·시각적 이미지와 유사한 것이 된다. 즉 시각적인 면에서 가을이 주는 색감 혹은 회색의 정조는 목관이 내포하고 있는 암갈색 목질의 질감과, 청각적인 가을바람의 신선하고 청량한 '이미지'는 목관의 맑고 낭랑하게 나부끼는 선율과 서로 부드럽게 조응되고 '오버랩'되는 것이다.

　　또한 가을의 이미지가 함유한 회상이나 외로움 그리고 애조의 정서적인 가치는 목관악기의 목가적이고 구슬픈 음색과 음질이 분비하는 정적 반응과 같은 것이다. 그러므로 시인의 견고한 지성과 인고가 작용하여 서로 견제되며 정밀한 심령작용을 거처 가을은 새로운 심상 세계인 '목관악기의 가을'로 표현되는 것이다. 이것은 소위 리처드가 말하는바, 그 대상어 사이의 공통성 유무와 정적 반응 관계 여하에 따라 나눈 논리적 은유와 정적 은유의 양자에 모두 해당되는 것이다.

결국 이 형태는 가장 압축된 은유 구조로서의 특성을 갖고 있는 것이다.

7. 형용사적 은유형

① 투사형

가득히 감람물결위에 뜬
한떨기 수련화(睡蓮花)

— 김동명, 「진주만(眞珠灣)」에서

천년(千年)을 불붙는
바다

— 이성교, 「노을」에서

②관형형

보석이 끓는
물면(面)에

— 박남수, 「갈매기 소묘(素描)」에서

소금보다도 짠 인생(人生)을
안주하여

— 김용호, 「주막(酒幕)」에서

이 형태는 원래 대상(원관념)을 드러내지 않거나 제목으로 던져놓는 투사형과, 관형적으로 수식하는 관형 은유형으로 구분된다.

일반적인 형용 은유법이므로 의외로 많이 쓰인다.

8. 동사은유

옛 맹세는 차디찬 티끌이 되어
한숨의 미풍(微風)에 날아갔습니다
— 한용운, 「님의 침묵(沈默)」에서

언어(言語)는 꽃잎이 닿자
한마리 나비가 된다
— 문덕수, 「꽃과 언어(言語)」에서

선명한 한 죽지의 날개의 무늬는
다시 별속에 살아나 지금은
박물관 진열장에서 이천년(二千年)전의
노래가 되어 날아가지만
— 박남수, 「새의 암장(暗葬)」에서

이 구멍에다 그녀 바다를 끼어두었지만
그것은 구름되어 하늘로 날아가고
— 서정주, 「비인 금가락지 구멍」에서

내가 돌이 되면
돌은 연꽃이 되고
연꽃은 호수가 되고
— 서정주, 「내가 돌이 되면」에서

이 동사은유는 두 단어 (맹세-티끌, 언어-나비, 무늬-노래, 하늘-구름, 돌-연꽃, 연꽃-호수)가 상상력에 의해 결합하여 시의 총체적·조직적인 질서 아래 이미지의 역동성을 유발함으로써 새로운 시상의 비약을 가능케 하는 것이다. 이 연결은 공통성과 유사인식에서 발생한다기보다는, 상상력의 활동으로 인해 상상력과 지성이 충돌하여, 돌연한 비약 속에 시적 긴장(poetic tension)을 유발함으로써 마침내 동사은유로 승화되는 것이다. 시적 사유가 추론적인 요소를 갖기도 하지만 전체적인 면에서는 비추론적 표현이기 때문에, 또한 표상적 사유에 기초를 둔 것이므로 여기에는 반드시 정서의 요인이 수반되어야 하는 것으로 판단된다.

시적 은유 의미의 이중성에 의하여 '카타르시스'를 유발하고, 다음에 전개되는 시상을 통일로 이끄는 가교적 역할을 하므로 이 동사은유에는 필연적으로 비약이 개재되어 역으로 상상력을 자극하기도 하므로 시적 성공을 거두는 요인이 되는 것이다. 따라서 이 형태는 시적 비유를 생명력 있는 '산 언어'로 만드는 고차원적 은유법이다. 한용운의 시집 『님의 침묵』이나 서정주의 『동천』에는 많은 시편들이 동사은유로 표현되어 있는 것을 볼 수 있다.

9. 활물변질형 은유형

겨드랑에 옛 호수(湖水)를 꺼내어 끼고
아버지가 입고 가신 두루마기
            — 서정주, 「내가 또 유랑해 가게 하는 것은」에서

여럿의 말씀은 무쇠도 녹인다고
물속 천리를 뚫고
            — 서정주, 「수로부인(水路夫人)의 얼굴」에서

님이 자며 벗어 놓은 순금(純金)의 반지
그 가느다란 반지는
이미 내하늘을 둘러 끼우고
— 서정주, 「님은 주무시고」에서

그러나 당신이 오시면 나는 사랑의 칼을 가지고 긴 밤을 베어서
천(千) 토막을 내겠습니다
— 한용운, 「여름밤이 길어요」에서

이 은유 형태는 매우 특수한 것으로 은유에 있어 고차적이면서도 중요한 불가결의 재원이다. 지금까지의 대부분이 계사형의 변형 혹은 이종이지만 이 형태는 의미 세계 그 자체가 활물 내지 변질되어 일상어의 상식적 범위를 넘어 고도한 은유 세계로 탈바꿈한다. 언어의 진정한 가치는 존재에 있는 것이 아니라 그 사용에 있다는 점을 선명히 드러내 주는 예가 된다. '반지는 하늘을 둘러 끼우고', '말씀은 무쇠도 녹인다고', '겨드랑에 호수를 꺼내어 끼고', '긴 밤을 베어서 일천 토막을 낸다' 등과 같이 일상언어의 개념은 존재하지 않고 고차한 시적 은유 세계로 상승되어 비로소 언어를 가능케 하는 것이다. 그만큼 이 형태는 인간사고의 능력과 영역에 무한한 확산을 일으키는 동인이 되는 것이다. 여기에 은유가 비로소 진정한 시적 방법론으로서의 가치를 인정받게 되는 소이가 있다. 한 예로 서정주의 평판작 「동천」을 분석해 보기로 한다.

내 마음속 우리님의 고운 눈썹을
즈문 밤의 꿈으로 맑게 씻어서
하늘에다 옮기어 심어놨더니
동지섣달 나르는 매서운 새가
그걸 알고 시늉하며 비끼어 가네
— 「동천(冬天)」 전문

시인의 내적 세계에서 유미적 관조의 대상이던 '눈썹'을 객관적 '오브제'로 등장시켜 놓고 이것을 정신적 고뇌의 세월 '즈믄 밤'을 통해, 또한 시인의 상상력 내부의 용광로에서 변형된 은유 세계 즉 '꿈'으로 '맑게'라는 청정한 '이미지'를 가하여 '씻을 수 있도록' 변질시킨 것이다. 이것을 전혀 새로운 경험 세계인 '하늘'로 투사하여 이 정신화된 눈썹을 '옮기어 심을 수 있도록' 다시 다중으로 은유화한 것이다.

이렇게 해서 「동천」의 '이미지'를 조형하고 여기에 새로운 '오브제'인 '동지 섣달 나르는 매서운 새'를 등장시켜 '동지섣달'의 시간적 계절 감각과 '매서운'이라는 감각적 형용사를 조응시킴으로써 정신 능력의 유연성을 획득하게 된다.

계속해서 새로이 등장된 '오브제'인 '새'가 의인은유화하여 '그걸 알고 시늉하고', 여기에 다시 '비끼어 감'의 이미지를 부가하여 시의 유미적·신비적 비상을 이룩하게 되는 것이다. 이 시에서는 거의 전체가 다중은유로 직조되어 마침내 언어 사용의 새로운 '패턴'이 창조되는 것이다. 결국 은유의 모든 형태 중 이 형태는 가장 핵심적이고 뛰어난 것이 된다.

이런 점에서 또한 다른 수사법과의 비교 계량에 의하여 얻어지는 은유의 의미는 시에 다양한 형태로 사용되어 무한히 확산되므로, 시에 있어 압도적인 표현 가치를 인정받을 것이다.

이 형태를 계속 발굴하는 것이 좀 더 심화된 은유를 사용할 수 있게 되는 것임은 물론이다.

10. 의인법

필자는 소위 의인법(personification)을 은유의 한 형태로 보아 '의인형'으로 설정하고자 한다.

① 바람아 나는 알겠다
   한오라기 풀잎이나마 부여잡고 흐느끼는
   네말을 정녕 나는 알겠다
                              — 유치환, 「바람에게」에서

② 우리님의 손톱의
   분홍속에는
   내가 아직 못다 부른
   노래가 살고 있어요
                      — 서정주, 「우리님의 손톱의 분홍속에는」에서

③ 하얀 조개 꿈꾸는
                              — 김광섭, 「바다의 소곡(小曲)」에서

   그러나 의인법은 직유법으로도 쓰이기 때문에 의인법 전체를 은유의 의인
형으로 보는 것이 아니라 활물변질형과 유사한 종류로 의인화(personize)된
것만을 의인은유형으로 설정한 것이다. 이것은 고대 수사학에서나 Geoffrey
혹은 Quintilian 등이 말하는바, 무생명에서 생명(inanimate-animate)으로 전
이됨으로써 은유가 이루어지는 형태로 생각할 수 있다. 사실 인간의 감정에
관한 한 생물과 무생물의 구별은 없을 수 있는 것이므로, 이 의인 은유형은 시
에서 다른 은유나 상징 역설 등과 결합되어 사용될 때 더욱 설득력을 불러일
으키고 실감적인 효과를 지니게 된다.
   이 의인형은 ①과 같이 주체와 객체가 서로 어울려 호흡하고 대화하는 유
형과, ②와 같이 객체가 의인화하는 유형 그리고 ③과 같이 객체가 인간의 사
고나 감각적 술어를 차용하는 형태로 세분된다. 이 형태는 고도화하면 활물
변질형과 쉽게 구분하기 어렵지만 호소력과 생명력을 강하게 지닌다는 점에
서 심화된 은유 사용법의 중요한 방법이다.

은유에 의하여 강한 생명력을 가졌던 언어 의미들은 언중들에 의하여 곧 익숙해지며 그 새로움을 잃고 평범한 단어로, 즉 일상어로 동화되어 버린다. 이것을 흔히 사은유(死隱喩, dead metaphor)라고 한다. 이러한 현상은 시에 있어서도 마찬가지다. 그러므로 은유가 계속 생명력을 갖고 내용의 밀도를 고착시키는 새로운 기능을 유지하는 데는 몇 가지의 조건이 필요하다.

C.D.루이스는 현대시 전반에 걸치는 '이미지'는 ①청신감(freshness), ②강렬성(intensity), ③환정성(evocativeness)을 가져야 한다고 말하고 있다.

필자는 은유가 활은유(活隱喩, métaphor vivanté)로 계속 존재하기 위하여는 다음과 같은 조건들이 필요하다고 생각한다.

첫째는 시 정신의 본질을 나타낼 수 있는 독창성을 가져야 하고, 둘째는 광범하게 분산되는 의미를 최소의 공간으로 밀착시키는 정밀성과, 셋째는 '이미지'의 생동력을 위한 참신성과, 넷째는 상호 의미 연관과 확산에 따른 표상성과, 다섯째는 정서를 환기하는 미감 형성을 은유의 보편적인 조건으로 설정하여야 한다는 것이다. 리처드도 정확성·생동성·표현성·섬세성 등을 들고 있다.

결론적으로 은유는 언어를 통하여 두 대상 간의 공통성을 유추하여 이를 종합·표현하는 방법으로서 시인의 내부적 '이미저리'를 외부적 언어 세계와 연결하여 새로운 차원에서 언어의 의미 세계를 가능케 하는 원동력이 된다.

또한 은유는 인간의 유추 능력에서 비롯되며 인간의 제 세계의 진보에 따른 언어의 부족을 보충하려는 데서 기인하고, 시인이 현재 소유한 언어에 대한 불만으로 새로운 의미 세계·정신세계를 확대 심화하려는 노력을 반영한다.

은유는 언어의 자유스러운 활동 전반에 편재하는 원리로서 그 근본 '메커니즘'은 시인의 상상력 내의 은유의 용광로 안에서 시인이 표현하려고 하는 전체험요소들이 상징과정과 유추 과정을 바탕으로 직관과 결합하여 서로 반응·작용함으로써 마침내 창조적인 미지의 은유 세계로 고양되는 것이다. 이로 말미암아 이 반응·융합과정에서 은유는 시 자체의 내적 필연성에 의하여 여러 가지 형태로 존재하게 된다.

지금까지 필자는 한국 현대시의 은유 형태를 ①계사형, ②특수조사형, ③어미형, ④동격조사형, ⑤돈호법형, ⑥동격 '의'형, ⑦형용사적 은유형, ⑧동사형, ⑨활물질형, ⑩의인형의 10종류로 나누어 살펴보았다.

서구시에서는 분석적 수사 비평이 활발히 전개되고 있음에 비추어 앞으로 이 땅의 문학평론의 한 갈래도 이러한 방향으로 전개돼야 한다고 생각한다. 이 땅 문학평론에서 가장 부족한 요소의 한 가지가 바로 이러한 원론적인 면에서 깊이 있는 시학·시론의 이론적 바탕이 부족한 것으로 생각되어지기 때문이다. 시인은 살아있는 정신의 창조자이며 동시에 언어의 완성자인 것이다.

시인은 심오한 은유를 탐구 구사하여 형이상적 사상영역을 심화하고 정서의 새로운 '패턴'을 발견하려는 노력을 숙명적으로 계속하여야 하는 것이다.

(1969년)

현대시의 새로운 정의

1. 휴머니즘 운동으로서의 시

70년대, 그 어둠의 시대를 벗어나서 한국시에 깊이 있는 의미를 부여하려면 본격적인 인간성 회복운동을 전개해 나가야 하리라고 생각된다. 급변하는 세계정세는 차치하고서라도 80년대 한국의 제반 상황은 그 풍향을 명확히 추측하기가 어려운 것이 사실이다. 문학과 시대 상황은 떼려야 뗄 수 없는 긴밀한 함수관계를 지닌다. 더구나 현대문명은 중앙 집권적 정치 체제의 가속적인 견고화와 상업주의 및 기계주의의 미망에서 벗어나지 못하며 획일화·대형화의 홍수 속에서 더욱 인간의 무력화와 비인간화를 부채질하고 있다. 인간의 가치척도는 점점 물질화하고 현실화하여 참된 인간성의 고귀함과 존엄성은 상실되어 가는 것이다. 이러한 기계문명의 거센 폭력이 참된 인간성을 더욱 어둠 속으로 떨어뜨리고 있다. 위기의 시대일수록 실상은 신화가 필요하다. 이기주의와 현실주의의 시대는 필연적으로 인간들로 하여금 원시의 시간, 그 신화의 공간 속으로 회귀하도록 강요하고 있는 것이다. 신상 까화 문명은 여러 가지 면에서 한계점 내지는 문제점을 야기시키고 있으며, 마침내는 인간 스스로를 기계와 상품의 노예로 전락시키고 있는 실정이다. 신화는 상상력의 소산으로써 인간의 원시적 꿈과 생활과 이상의 원형이 복합적으로 내포되어 있다. 그러므로 신화는 인간성의 원형으로 돌아가려는 낙원 회복의 의미를 지니며 과학문명의 상대편의 방향에 서게 되는 것이다. 끊임없이 물질적으로 편해지려는 노력의 반영인 과학문명의 정신이 벽에 부딪치는 그 지점에서 참답게 살려는 신화로의 회귀, 인간의 시원에의 향수가 참된 의미를 지니는 것이다. 그러므로 현대에 있어서 신화는 이미 황당무계한 요설이 아니라 과학과 이성의 결합과 한계점을 상대적인 입장에서 보충하려는 진리의 보충소(Supplement)인 것이다. 현대에 있어서의 신화는 '시'로 대치될 수 있다. 시는 실상 참답게 살려는 노력, 고통스럽게 살려는 인간성 회복의 몸부림이라는 점에서, 또한 그것이 상상력의 소산이라는 점에서 신화와 공분모를 가지고 있기 때문이다. 시는 기계주의와 물질문명의 폭력 속에서 인간의 살아있음을 확인시키며 그 존엄성의 가치를 고양할 수 있는 대표적인 예술 장르인 것이다. 그런데 바로 여기에 또한 문제점이 있다. 현대의 여러 예술들이 현대문명의 물질화·상품화 경향에 따라 본연의 의미인 인간성회복 내지 옹호로서의 참된 몸부림을 보여주는 것이 아니라, 오히려 상품화 내지 속물화로 치닫고 있다는 점이다. 예술창작은 인간 영혼과의 격투가 아니라 대중의 기호에 영합하고 기능에 부응하는 수단적 가치로 변화하고 있는 것이다. 그러므로 현대의 어떤 예술가들은 상인과 다름없이 부를 축적하게 되고 그 결과 예술 자체도 인간성회복으로서가 아니라 수단적 가치 내지 장식적 가치로서 전락하게 되었다. 바로 이 점에서 시는 여타의 예술 장르 심지어는 가장 설득력 없는 예술로서 인식되어 왔다. 이슬을 먹고 사는 예술가로서의 시인들은 그러므로 속물취미의 대중과 더욱 유리되게 되고, 따라서 시는 더욱 외롭고 고독한 길을 가지 않을 수 없었던 것이다. 실상 70년대 한국문학에 있어서 소설의 주류가 속물주의의 여성소설 내지 대중소설로서 상업적 성공을 거둔 데 비해 시는 짙은 허무주의 내지 순응주의로 굴절해버린 것은 당연한 일인지도 모른다. 시가 19세기 말 20세기 초반부터의 상징주의 운동 이래 난해성의 문제를 커다란 숙제로 안고 있음도 중요한 문제점을 지닌다. 사실 자연주의의 이성법칙 내지 과학적 객관성을 거부하여 인간정신의 심원한 깊이를 발굴하려 노력한 상징주의는 언어의 빈약한 표현력을 극복하기 위해서라도 필연적으로 상징과 은유와 유추 등의 방법에 의지하지 않을 수 없었다. 따라서 현대시는 난해한 것으로 생각되어 더욱 대중과 유리될 수밖에 없었으며, 시인들 스스로도 굳이 대중의 기호와 취미에 부응하지 않고 독창적인 정신영역 발굴에만 힘써 온 것이 사실이다. 그러므로 시는 단독자로서 삶을 살아가는 인간성의 본원적 고독과 갈등을 심화하는데 가장 알맞은 장르로 선택되었으며, 그 결과 인간으로 하여금 과학문명의 노예로 전락하지 않고 인간성을 지킬 수 있게 하는 원동력이 되었다. 스스로 고통스럽게, 인간답게 살아감으로써 물질문명과 상업주의의 질곡에서 벗어나 건강한 인간적 생명력을 회복하고, 마침내는 과학문명이 초래한 정신의 위기를 극복하려는 휴머니즘 운동으로서의 시의 새롭고 참된 의미가 발견되게 된 것이다. 이 점에서 볼 때 물질문명이 더욱 가속화 하는 80년대에 있어서의 시는 인간의 인간적 가치를 옹호하려는 본성과 노력에 의해 새로운 지평을 전개해 갈 것이 확실하다. 따라서 새로운 시란 물질문명의 급격한 발전에 따른 인간성 상실에 저항하는 휴머니즘 운동으로서 확고한 설득력을 강화해 갈 것이 자명한 이치이다.

2 역설의 새로운 의미

역설이란 표면적으로는 모순된 것처럼 보이지만 진실 또는 진리의 요소를 내포하는 시의 중요한 방법이다. 현대문명 속에 신화로서의 문학 특히 시가 존재한다는 것부터가 어쩌면 역설적이지도 모른다. 실상 편해질수록 그 무엇가 인간적인 고뇌와 갈등이 심화되는 것을 보면 현대인의 삶 자체가 역설로서 가득 차 있으며 현실과 사고의 불균형이 역설을 불가피한 것으로 요청하고 있는 것으로 보인다. 그러므로 현대의 시론가들은 역설을 시의 구조 그 자체로 이해하며 그만큼 그 중요성을 인정하려 하고 있다. 특히 브룩스(C.Brooks)는 시 자체를 '역설의 구조'로 생각하여 "역설은 시에서 피할 수 없는 타당성을 지니며, 시인이 말하는 진리는 역설을 통해서 가능하다"(『*The Well Wrought Urn*』, Harcourt, Brace, 3쪽)고 할 정도로 역설을 현대시의 근거이며 평가 기준으로 설정하고 있다. 또한 휠라이트(P.Wheelwright)도 현대시를 은유와 역설로서 해명하려 시도하였다. 특히 그는 역설의 발생을 논리적 질곡으로부터 자유를 획득하려는 욕구에서 파악하고 있으며, 따라서 비모순의 원리에 대한 반대 명제로서 역설의 의미를 강조하고 있다.

그러므로 역설은 실존을 초월시키고 이성적 합리주의에서 상상력이 자유를 획득할 수 있게 하는 원동력이 되는 것이다. "아아, 님은 갔지마는/나는 님을 보내지 아니하였습니다"라는 만해 시 「님의 침묵」의 한 구절은 실상 역설에 근원을 두고 성립되어 있다. '님은 갔지마는'이라는 이성의 차원은 '나는 님을 보내지 아니하였습니다'라는 역설에 의해 신념의 차원으로 고양됨으로써 상상력의 초월과 함께 예술적 진리의 차원으로 상승될 수 있는 것이다. 또한, "나보기가 역겨워/가실 때에는/죽어도 아니 눈물 흘리오리다"라는 소월의 절창도 역설에 의해 비로소 시적 성공을 획득할 수 있었음에 비춰볼 때, 현대시에서 역설의 중요성은 결코 간과할 수 없음을 알 수 있다. 굳이 역설이 한국시의 전통적 방법임을 새삼 주장하지 않는다 하더라도 역설이 실존의 어려움을 시적으로 극복하는 데 있어서 핵심적인 방법으로 사용됐음을 소월과 만해의 시는 대변해주고 있는 것이다. 바로 이 점은 80년대 현대시가 새롭게 전개될 수 있는 온고지신의 참된 뜻을 암시해준다. 현대시사에 있어 만해와 소월의 시가 차지하는 시사적 비중은 차치하고라도 이들의 시만큼 깊이 있는 설득력과 감동을 지속하고 있는 것이 있는가. 이 점이 바로 난해성과 현기벽에 시달리고 있는 현대시의 고질성을 극복하고, 많은 독자에게 새롭고 신선한 시적 감동과 기쁨을 줄 수 있는 열쇠가 되는 것이다.

이것은 바로 역설의 새로운 시적 의미와 가치를 시 속에 참답게 구현하는 길에 놓여 있다고 생각된다. 현대인이 당면하고 있는 물질과 정신·육체와 영혼·감성과 이성·현실과 이상의 갈등과 대립 그리고 가치의 양극화 현상을 통일시키고 조화시킬 수 있는 것은 역설의 시적 형상화를 통해서만이 가능한 것이라 보여진다. 다시 말하면 역설은 메커니즘과 트리비얼리즘의 폭력에 대한 현대인의 효과적인 응전방식이 되는 것이다. 실상 역설과 풍자와 해학은 현실 상황의 압력에 대응하는 문학의 전통적 정신 방법인 동시에 표현법이었다는 점에서 좋은 예증이 된다.

또한 역설은 두 개의 극단적인 관념과 가치를 조화 통일하는 힘 이외에도 두 세계를 대응시킴으로써 예술적인 긴장체계를 형성해 준다는 점에서 중요한 가치를 지닌다. 다시 말하면 현대의 정신적 위기를 극복해 주는 '정신의 힘'으로써 존재하는 동시에 심미적 가치를 고양하는 '언어의 긴장력'을 내포함으로써 시적 탄력성 획득의 원동력이 된다. 그러므로 역설은 새롭게 또한 지속적으로 연구되고 실천됨으로써 불안의 시대를 극복하는 정신의 빛으로서 시의 소금으로서 자리 잡아야 할 것이다. 이 점에서 역설의 새로운 기능과 시적 가치가 새롭게 인식돼야 할 것은 물론이다.

3. 서정의 활성화와 시의 위의

시의 본도는 어디까지나 서정과 지성의 조화에 있다. 왕성한 실험 정신도 시의 다양성 획득을 위해서 필요한 것이지만 어느 경우라도 언어 예술이라는 시로서의 기본적인 요건은 갖추어져야 한다. 현대시가 어느 면에서는 지나치게 시대 상황에 민감한 반응을 취해온 것도 사실이다. 시는 물론 당대인의 감수성과 사상 그리고 신념과 분리되어서는 안 될 것이다. 당대 문명과 사상 및 정서의 반영으로써의 시는 그 시대의 감수성의 체계와 가치관에 직접 간접으로 영향 받으며 또한 그 스타일을 창조해 내는 것이기 때문이다. 현대문명의 복잡다기성은 필연적으로 현대인의 의식을 복합적인 것으로 만들었으며 시도 따라서 복잡한 것 난해한 것으로 변모해온 것이 사실이다.

시 자체의 난해한 속성은 현대문명의 난해성과 결합되어 현대시를 더욱 건조하고 난삽한 것으로 만들었다. 특히 50년대의 모더니즘의 피상적 실험과 모색은 난해성을 유행적인 것으로 부채질하였으며, 이 땅의 정치사적인 혼란과 시사적인 불모성으로 인해 지식 대중 속에 뿌리를 확고히 내리지 못하였다. 따라서 이러한 섣부른 모더니즘과 어울려 애상의 허약한 정서가 현대시의 혈액 속에 짙게 용해되어 나타났다. 더욱이 60년대 한국전쟁의 공포적 체험은 이 땅 현대시의 정서를 감상주의와 복고주의적인 것으로 뿌리내릴 위험마저도 내포하고 있었다.

60년대에 이르러 현대시의 서정은 비로소 서정 그 자체로서 탐구되기 시작하였으며, 이에 즈음하여 지성적 훈련이 가미되기 시작하였다. 엘리엇의 '정서와 지성의 등가설'과 함께 '객관적 상관물'이론이 시의 서정의 질을 결정하는 중요한 척도로서 한국시의 표면에서 적용되기 시작한 것이다. 그러나 이후 계속된 정치·사회 상황적 경색은 시적 풍토에 외적 긴장을 초래함으로써 서정의 본도와 지성적 화해의 행복한 조화를 심화하는데 저해요소로 작용하였다. 서정의 아름다운 형질의 천착은 물론 깊이 있는 지성의 화해가 이루어지지 못한 것이다. 따라서 한국의 전통적 서정은 패배주의 혹은 허무주의로 떨어져 빛나는 황금열매로 개화되고 결실되지 못한 것이다. 서정의 불모화 혹은 불임화 현상이 심화되어 마침내는 허무주의로의 도피와 설익은 참여 제일주의로의 경도 그리고 내용 없는 난해시로의 탐닉 등으로 퇴영적 징후를 드러내고 말았다.

이렇게 생각해볼 때 80년대에 있어 시가 참된 위의를 회복하는 길은 시의 밑바탕으로서의 인간성, 인간성의 근원으로서의 서정을 활성화함으로써 현대인의 메마른 심성에 생명력을 불어넣는 일에 달려 있다. 과학의 시대에 감동을 줄 수 있는 것은 신선한 감동의 서정을 회복하는 길뿐이기 때문이다. 그럼으로써 시는 기계문명에 시달리고 합리주의에 소외된 현대의 대중들에게 커다란 호소력을 발휘하고 마침내는 시의 참된 가치와 효용을 인정받을 수 있게 될 것이다. 지적이면서도 아름답고 투명한 서정을 활성화하는 데서 또한 현대시는 새로운 의미를 획득할 수 있는 것이 확실하기 때문이다. 지적 감동을 수반한 생명력 있는 서정만이 현대시의 위기를 타개하고 시의 참된 위의를 확립해 줄 것이다.

4. 80년대 한국시의 지평

이제 70년대 한국시의 어둠은 한 시대의 종언을 고하고 있다. 이제 허무주의의 깊은 늪에서 잠 깨어 새로운 시를 위하여 신선한 노동의 고삐를 잡아야 할 시간이다. 이제 한국시는 즉물적·조건 반사적인 현실참여의 미망에서도 벗어나 정당한 비평의식과 부정정신을 획득함으로써 그 건강성을 회복해야 할 것이다. 또한 무기력한 일상의 순응주의에서 벗어나 좀 더 탄력 있는 생명감을 찾아내고 서정의 투명성을 심화하고 지적 공감대를 확대해 나아가야 할 것이다. 시인들만의 시에서 벗어나 보다 많은 대중에게 아름다운 감동의 뿌리를 내림으로써, 현대의 어렵고 복잡한 상황을 살아가는 우리 모두에게 정신의 힘과 영혼의 빛이 되어야 할 것이다. 이 점에서 이 땅의 시인들은 자신의 시에 대해 깊은 비평적 성찰을 가해야 하리라 생각한다. 무엇보다도 이 땅의 시인들에게 필요한 것은 대가의식·장인의식(프로의식·전문의식)의 심화이다. 좋은 시·훌륭한 시인으로서의 자질이 바로 시인으로서의 연륜만을 의미하는 것이 아니라, 그 시인의 전체 시들이 어느 하나도 소홀하게 취급될 수 없는 독자적 세계를 지니고 있으며, 또한 그것들이 총체적 통일성을 가지고 있는 시들을 말한다. 다시 말하면 그의 시 전체를 다 읽어야만 비로소 그의 시의 한

모습을 짐작할 수 있을 정도로 다양하면서도 깊이 있는 문제의식을 발견하고 장인의식을 연마하는 지속적인 노력이 경주되어야만 한다는 말이다. 이 땅의 많은 시들이 안일하게 쓰여지고 있으며 또 적당히 발표되고 있을 뿐, 나름대로의 굳은 신념이나 확고한 의식 그리고 치열한 자신과 언어와의 격투가 없이, 발표되는 바로 그 시간에 생명력이 소멸해버리는 경우가 많은 실정이다. 바로 이 점에서 이 땅의 시들은 유행성보다는 문제성(seriousness)을, 명성보다는 진지성(sincerity)을, 그리고 안일함보다는 치열성(intensity)을 심화해 가야 할 것이다. 한평생 하나의 주제를 깊이 있고 다양하게 천착하는 대가의식과 여기에 목숨을 걸 수 있는 장인의식을 함께 확립해야 할 것이다.

또한 80년대 이 땅의 시는 왕성한 비평적 도전을 겪어야 한다고 생각된다. 발표되는 많은 시들이 활발하게 토론되고 비평됨으로써 건전한 비평적 성찰을 통한 문화적 성숙을 이루어야 한다. 소비문화로서가 아닌 창조적이면서도 비평적인 정신문화의 핵으로써 시가 존재해야 하는 것이다. 이렇게 됨으로써 시인들의 시는, 시인들 자신에게는 성취감·완성감을 주고, 독자에게는 시를 읽는 기쁨과 감동을 주며 아울러 후배 시인들에게는 무언가 그들도 새로운 것을 창조해 낼 수 있다는 자극과 자신감을 불어넣어 줄 수 있을 것이다. 실상 시사는 시인과 비평가 및 독자의 상관관계가 완성해 가는 정신적 질서의 체계이며, 동시에 완성자로서의 선배 시인과 창조적 계승자로서의 후배시인이 충돌하는 가운데 새롭게 창조되고 전승돼 가는 것이기 때문이다. 이런 점에서 80년대 이 땅의 시는 시인과 독자 그리고 비평가가 무언가 새로운 정신적 도약을 위해 치열한 긴장 관계를 형성해야 하는 중요한 시기임에 틀림없다. 시인들의 대가의식과 장인인식에 대한 자각과 자부심, 그리고 비평가들의 왕성하고 날카로운 비평의식, 아울러 독자들의 고급한 문화의식의 고양이 함께 부딪칠 때 한국시의 80년대는 새롭고 탄력 있는 문화적 창조력을 확대·심화해 갈 것이 확실하기 때문이다.

(1979년)

제4부
현대 시인편론

1. 민족시의 등불/한용운

1

만해 한용운(1879~1944)은 투철한 독립투사로서, 진보적인 개혁승으로서, 또한 시집 『님의 침묵』(1926)의 시인으로서 입체적인 성격을 지닌다. 만해는 한국 근대사가 내포하고 있던 모순과 문제점을 첨예하게 파악하고 실천적으로 극복하려고 노력한 민족적 선구자인 동시에 전통의 창조적 계승을 성취함으로써 문학사의 한 에포크를 선명히 그어준 신문학사에 있어 최대의 인물 중의 한 사람인 것이다.

2

시집 『님의 침묵』은 이별하는 데서 시작되어 만남으로 끝나는 극적 구조성을 지닌 한 편의 연작시로 볼 수 있다. 즉 88편 중 첫 시 「님의 침묵」의 첫 행이 "님은 갓습니다 아아 사랑하는 나의님은 갓습니다"로 시작되어 끝 시 「사랑의 끗판」의 마지막 행이 "네네 가요 이제 곳가요"로 끝남으로써 시편 전체가 이별과 만남을 상대측으로 한 존재론적 드라마를 구성하고 있다. 시「

「님의 침묵」의 '떠남-이별 후의 고통-희망으로의 전이-만남'이라는 기·승·전·결
의 구성은 그대로 시집『님의 침묵』에서의 '이별 갈등-희망 만남'이라는 구조
로 연결되는 것이다. 이렇게 본다면「님의 침묵」은 '소멸(正)-갈등(反)-생성
(合)'이라는 변증법적 지양을 목표로 하는 극복과 생성의 시인 것이다. 이 점
에서「님의 침묵」을 이별의 시라고 진단하는 견해는 수정돼야 한다. 이별은
만해시 전체의 대전제로서, 생성에 이르는 방법적인 원리이며 사랑을 완성하
는 자율적인 법칙인 것이다. 이별이라는 가정적 상황을 시의 모티프로 제시
함으로써 시적 긴장감을 유발하고 보다 큰 만남을 성취할 수 있는 바탕을 마
련하게 된다. 님을 이별한 시대는 바로 침묵의 시대·상실의 시대인 것이며 따
라서 언젠가 맞이하게 되는 만남의 시간은 바로 참된 낙원 회복의 시대, 광복
의 시대가 되는 것이다. 이 점에서 만해 시는 기다림의 시 또는 희망의 시인
것이다.

두 번째는 만해 시 도처에서 부정적 세계관을 찾아낼 수 있다는 점이다. 시
집『님의 침묵』의 총 시행 수 8백 42행 가운데 "못한다·아니한다·없다·말라"
등의 부정적 종지법이 상당수에 달함은 바로 만해의 부정적 세계관 내지는
세계인식의 비극성을 보여주는 것이 된다. 이와 같은 부정적 사유와 비극적
세계인식은 만해가 당대 사회를 모순의 시대로 파악하는 데서 비롯된 것으로
보인다. 만해는 일제의 강점에 의한 식민지 지배가 근본적으로 모순된 것이
며 이에 대한 타파와 극복만이 정상적인 질서를 회복하는 것으로 생각한 것
이다. 이에 대한 적극적 표현이 바로 33인의 한 사람으로 독립운동에 참여하
고「공약삼장」,「조선독립의 서」등 투쟁적 논설을 발표하는 행위였던 것이
다. 그러나 1920년대 들어서서 한층 가혹해진 언론통제와 탄압으로 직접적
인 표현이 어려워지자 마침내 이러한 시행과 부정정신을 시를 통해 부정적
세계관으로 상징화하여 표출하게 된 것이다. 일제하 식민지 상황이라는 시대
에는 정상적인 논리가 통하지 않는 시대였다. 이러한 불합리와 모순의 시대

를 침묵의 시대·부재의 시대로 파악하여 이별의 모티브를 설정한 것과 함께 부정적 세계인식을 통하여 그에 대한 부정과 저항을 시도한 것이다. 이별이 더 큰 만남을 성취하기 위한 방법적 원리였던 것과 같이 부정은 참다운 긍정을 이룩하기 위해 필수 불가결한 전제조건이었던 것이다. 바로 이 점에서 저항시로서의 만해 시의 참된 면모가 드러나는 것이다.

세 번째 『님의 침묵』의 특징은 신성과 세속의 갈등이 적나라하게 드러난다는 점이다. "나의 노래는 세속의 노래 곡조와는 조금도 맞지 않습니다"와 같이 신성 지향을 갈망하면서도 "나는 당신의 첫사랑의 팔에 안길 때에 왼갓 거짓의 옷을 다벗고 세상에나 온그대로의발게버슨몸을 당신의 압헤 노앗슴니다"와 같이 담대하면서도 진솔한 세속적 사랑의 표현을 서슴치 않는 것이다. 실상 『님의 침묵』의 전편을 통독하면 많은 시구가 대중가요와 같은 느낌을 준다. 본능적이면서도 인간적인 정감이 밑바탕에 깔려있으며 그것이 직설적으로 드러나 있기 때문이다. 또한 『님의 침묵』에는 숱한 충청도 방언과 토속어가 세련되지 않은 표현으로 평범하게 사용되고 있다. 이러한 향토적 정감의 방언 및 토속어 애용과 서민적인 시어의 활용은 『님의 침묵』의 민중정신을 잘 반영한 것으로 보인다. 세속적인 정감의 진솔성이 불러일으키는 인간적 설득력과 함께 방언과 토속어 및 서민적인 시어가 환기하는 향토적 친근감과 서민적인 따뜻함은 바로 만해 시의 민중정신 내지는 시민정신을 뜻하는 것이 되기 때문이다. 또한 세속적인 사랑을 표출하면서도 세속사의 진부함에 떨어지지 않으며, 목소리 높여 민중정신을 강조하지도 않는, 바로 그 지점에 참된 민중시로서의 만해 시의 진가가 드러나는 것이다.

네 번째, 만해 시에는 여성적인 수동적 정서와 표현이 특징적으로 드러난다. 『님의 침묵』에서 사랑을 호소하는 주체는 여성으로 나타나 있으며 시적 분위기 또한 여성적인 정감으로 가득 차 있다. 여성 주체는 물론 '어요'·'셔요' 등의 여성운이 활용되고, '치마'·'경대'·'바느질 그릇' 등 여성적 상관물들이 등장하고 "이별 한 한이야 너 뿐이라마는/울래야 울지도 못하는 나는" 등과 같은 여성적 한과 매저키즘적 성향이 주조를 이루는 것이다. 이렇게 볼 때 여성주의는 『님의 침묵』의 정서적 형질을 구성하는 가장 중요한 특질이 된다. 이러한 여성주의는 불교의 관음사상 또는 인도의 여성사상에 기인한다고도 볼 수 있지만 그 보다는 한국시가의 전통에서 연원하는 것으로 보는 것이 옳을 듯하다. 왜냐하면 고려 가요는 물론 많은 시조·한시·가사·민요 등의 저변을 이루는 것이 여성적인 분위기와 주체 그리고 이와 상통하는 한과 눈물의 애상적 정서로 되어 있다는 점에서도 한 근거를 찾을 수 있기 때문이다. 여기에서 이러한 여성주의의 내포가 무엇인가를 살펴보는 것도 중요할 것으로 생각된다. 이 점에서 송강 정철의 「사미인곡」은 적절한 해답을 제공해준다. 주지하다시피 「사미인곡」은 정철이 창평에 유배된 시절, 왕권으로부터 소외되어 그에 대한 회복을 갈망하는 애절한 심정이 표현된 연가이다. 선조에 대한 연군 지정과 복직에의 갈망이 한 여성이 님을 그리워하는 연가형식으로 상징화된 것이다. 다시 말해 송강이 유배라는 절망적 상황에서 벗어나고자 하는 끈질긴 갈망을 여성주의적인 하소연과 안타까움으로 바꾸어 표현한 것으로서, 임금이 상징하는 남성적 힘에 대응하는 역설적 응전방식을 보여준 것이다. 『님의 침묵』의 여성주의도 이러한 각도에서 해명될 수 있다. 즉 일제라는 지배적 폭력에 대항하는 길은 직접적인 독립 투쟁이 있을 수 있는 한편 문학적으로는 우회적이면서 상징적인 방법이 있을 수 있는 것이다. 송강이 왕권으로부터 소외를 극복하기 위해 여성주의의 「사미인곡」을 쓴 것처럼, 만해도 님이 침묵하는 시대에 잃어버린 조국과 민족에 대한 회복의 소망을 역설화한 여성주의적 방법으로 형상화한 것이다. 이렇게 볼 때 만해 시의 여성주의는 정감적인 호소력을 유발하기 위한 표면적 기법일 뿐 그 내면에는 저항과 극복정신이 잠재해 있음을 알 수 있다. 따라서 만해 시는 여성주의로 특징 지워지는 표층적 정서와 극복이라는 심층구조로 이루어져 있음을 알 수 있으며, 이 점은 한국문학의 내면구조의 한 모서리를 단적으로 드러내고 있는 것이 된다. 여성주의적인 부드러움과 애한의 정조는 실상 현실의 어려움을 극복하기 위한 정신적 응전방식일 뿐 내면에 흐르는 선비정신으로서의 저항정신 및 극복정신과 조화되어 한국문학의 총체적 구조를 형성하는 것이다. 바로 이 점에서 만해 시의 극복시로서 또한 전통시로서의 면모가 선명히 드러나는 것이다.

다섯 번째로 만해시는 은유와 역설 등 시의 방법과 산문적인 개방을 지향한 자유시로서의 형태를 완성시킴으로써 현대시적 특성을 지니게 된다. 이 점에서 만해 시의 형성에 있어 타골 등 외래시의 영향을 지적할 수 있다. 그러나 만해 시는 외래시보다도 전통시에 그 정신과 방법상의 맥락을 계승하고 있다. 향가에서의 종교적인 깊이와 고려가요에서의 서민적 사랑의 정감 그리고 황진이 등의 시조에서의 고도한 은유법과 송강·매천 등의 시 정신이 직접·간접으로 만해 시 형성에 커다란 영향을 미친 것이다. 또한 당대 시로서 육당의 '님'에 의한 조선심 사상과 소월의 이별의 시학 등은 만해 시 형성에 깊은 연관성을 지니고 있는 것이다. 실상 만해 시는 신문학사 초기의 각종 문예사조의 범람 등 서구지향의 홍수 속에서 전통적인 시 정신의 심화와 확대를 통해서 창조적 계승을 성취한 것이다. 탁월한 만해 시의 은유와 역설 역시 서구의 것만이 아니라 전통시에서 연원한 것이 확실한(졸저,『한용운문학연구』, 일지사, 1982) 것이라는 점에서 만해 시는 민족주체성을 시적으로 탁월하게 형상화한 민족시로서의 성격을 지닌다.

결국「님의 침묵」은 이별이나 그 슬픔 자체를 노래한 시가 아니다. 오히려 이별을 통해서 절망과 갈등의 변증법적 모순을 겪은 다음, 인생과 사랑의 참된 의미를 새롭게 발견함으로써 크고 빛나는 만남을 성취하는 생성과 극복의 시라고 할 수 있다.

한국 신문학사를 논하는 데 있어 만해 문학은 우리가 반드시 뛰어넘어야 할 가장 큰 봉우리의 하나로 생각된다. 이것은 단지 그의 문학이 지닌 예술적 형상성의 우수성 때문만은 아니다. 또한 그의 문학이 전통문학사와 현대문학의 맥락을 이어주는 소중한 문학사적 교량의 역할을 하고 있기 때문만도 아니다. 그의 문학은 험난한 역사를 살아가는 예지와 용기를 가르쳐 주며, 현실적인 생의 어려움을 극복할 수 있는 신념과 희망을 불러일으켜 준다는 점에서 참된 의미를 지니는 것이다. 또한 그의 문학이 한국문학에 있어 가장 부족한 요소인 종교적 명상의 진지함과 형이상학적 깊이를 추구하고 있기 때문이다.

그러면서도 그의 문학에는 추상적인 이론이나 관념적인 주장에 의한 종교적 깊이가 아니라 세속의 삶에 깊이 뿌리박고 있으면서도 범속에 물들지 않고 이상적인 삶을 갈망하는 신성지향의 숭고함이 자리 잡고 있는 것으로 보인다. 역사와 현실사회의 상황에 치열하게 부딪치면서도 물러나 정관하고 투시하는 구도자적 삶 속에서 만해 시가 견지한 미적 거리와 형이상적 주제의 진지함은 한국문학의 원숙을 위해 참으로 값진 교훈이 아닐 수 없다. 일관성 있는 행동에 따른 실천의지와 저항정신을 깊이 있는 불교사상으로 이끌어 올리면서 끊임없이 변모하고 스스로 뛰어넘음 만해의 예술혼은 우리가 되살려야 할 소중한 정신사적 자산이 될 수 있는 것으로 판단된다. 만해의 시 정신과 미학은 어려운 시대일수록 '풍란화 매운 향내'로서 더욱 그 빛과 향기를 더해 갈 것이 확실하다.

(1983년)

2. 진달래꽃의 미학/김소월

이 땅 현대시사에 있어 '소월시학'이 차지하고 있는 커다란 비중은 그의 시가 아직도 수많은 독자들을 가지고 있다거나 아니면 그가 천성적 시인의 풍모를 지닌 시인이었다든가 하는 사실에만 기인하는 것은 결코 아니다.

오히려 그것은 소월이 이 땅 현대시사의 초기 시단 형성 과정에서 다른 어떠한 시인보다도 뚜렷하게 자기의 목소리를 가지고 있었다는 사실에 있으며, 이러한 점은 그가 이 땅에서 전통적인 한국적 리리시즘 미학을 발굴하고 구축하는데 선구적 역할을 수행했다는 결론에 귀착되게 한다. 필자는 소월 시 중 가장 걸작으로 회자되는 「진달래꽃」을 분석하여 소월 시 미학의 일단을 살펴보고 아울러 이 시의 발상법의 원천과 시적 위치를 추출하고자 한다.

① 나보기가 역겨워
　가실 때에는

말없이 고이 보내드리오리다

    사랑은 인간의 구원한 테마이다. 또한 사랑의 문제는 문학의 중요한 모티프와 주제가 된다. 이「진달래꽃」의 제 ①연은 플라토닉한 사랑을 배경으로 한 이별의 대위법으로부터 그 모티프를 구하고 있다. '님'이라는 거대한 사랑의 표적은 '나'와의 위치에 있어서 이미 선험적으로 우월한 자리에 놓여 있다. 이 이별의 대위법은 "나보기가 역겨워"라는 역설적 자조와 비관적 매저키즘의 성향으로부터 출발한다. 이러한 '나'의 자세는 다시 전통적인 생의 율조이던 체념과 침묵으로 "말없이 고이" 보내드리겠다는 이별의 자세를 취한다. 그러나 이 온순한 체념과 침묵의 심저에 보다 적극적인 사랑의 호소가 깔려 있음은 물론이다.

    ② 영변에 약산
      진달래꽃
      아름따다 가실길에 뿌리오리다

    ①연에서 7·5조에 실린 이별의 자세는 제②연에 와서 5·4조의 음률 변조에 의해 리듬의 긴장체계를 유발하게 된다. 아울러 이렇게 유발된 시적 긴장의 분위기는 "영변의 약산/진달래 꽃"을 배경으로 향토색이 물씬 풍기는 리리시즘을 형성하게 된다. 한편 진달래꽃은 한스러우면서도 정열적인 사랑의 상징이다. 이 진달래꽃을 "아름따다 가실길에 뿌리 오리다"하는 것은 바로 사랑과 이별이라는 절대의 장을 통한 생명의 적극적 연소를 의미하는 동시에 아울러 내면에 숨겨진 자기극복 노력의 치열성을 말해주는 것이 된다.

    ③ 가시는 걸음걸음
      놓인 그 꽃을

사뿐히 즈려밟고 가시옵소서

이렇게 내면으로 불타는 정열은 마치 한용운의 시에서처럼 님에 대한 원망이나 이별의 슬픔에 비탄한다는 것이 "스스로 사랑을 깨치는 일인 줄 아는 까닭에" 비탄을 스스로 억누르고 님의 밝은 미래를 위해 님이 가시는 길 위에 진달래 붉은 정열의 꽃을 깔아 사뿐히 즈려 밟고 가시게 한다는 것이다. 또한 이 체념의 신선함과 "사뿐히 즈려밟고 갈 수 있도록" 눈물을 넘어선 내적 가락은 그 외형적 율조에서도 다시 7·5·7·5조로 전환되어 시적 가락의 경쾌미를 유발하고 있다. 이것은 이 시가 이별을 노래하고 있으면서도 쉽게 통속성에 떨어지지 않는 요인이 되며 시적 묘미를 더해주는 것이 되기도 한다.

④ 나보기가 역겨워
　가실 때에는
　죽어도 아니 눈물흘리오리다.

이 ④연에서는 7·5조 운율의 회복으로 감동의 정리를 꾀하는 동시에 이 시의 탁월성이 기습적으로 폭발하게 된다. 이 시의 절정은 바로 "죽어도 아니 눈물 흘리오리다"라는 구절에 있다. 이 "죽어도"라는 역설의 긴장법은 이제까지 참았던 슬픔의 정열을 다시 한번 뛰어넘어 이 시가 극적인 성공을 거두는 데 결정적 역할을 한다. "죽어도 아니 눈물 흘리오리다"'라는 자기 카타르시스는 슬픔의 절정에서 자기를 다시 극복하여 이 이별의 슬픔이 인간의 숭고한 비애에 도달하게 하는 것이며, 이 입술을 깨무는 자기정화의 숭고한 비애와 극복은 마침내 형이상적 이별의 미학을 구축하게 되는 것이다.

여기에 「진달래꽃」의 탁월성이 인정되는 소이가 있으며 이 「진달래꽃」은 이별의 노래라기보다는 오히려 이별이라는 가정적 상황을 통하여 보다 적극적인 사랑을 호소하는 것으로 해석되어야 한다.

그러면 이러한 사랑의 상징인 진달래꽃을 님이 가시는 길에 뿌려드린다는 탁월한 발상법의 근원은 어디서 비롯되는 것일까? 고(故) 이양하 교수는 그의 「춘향·소월의 진달래」(『이양하교수추념문집』, 민중서관, 1964)에서 소월의 「진달래꽃」과 예이츠의 「꿈」(하늘의 융단)의 유사성을 지적한 바 있다.

즉 그는 두 시를 대비하여 놓고 ①진달래를 밟고 꿈을 밟는 데 사뿐히 밟으라는 것의 일치, ②두 시가 다 애인에게 사랑을 호소한다는 사실의 일치, ③ 1899년에 예이츠의 「꿈」이 먼저 발표되었다는 점에서 영향 관계의 가능성을 시사하였다. 그런데 지금까지 필자가 고구한 바에 의하면 이외에도 이 두 시는 다음과 같은 증거에 의해 확정적인 영향 관계가 성립된다.

첫째, 소월은 1916년부터 1919년까지 오산학교에 재학 중이었는데 당시 그가 안서에게서 시작을 지도받았다는 것은 공적으로 널리 알려진 이야기이다.

둘째, 이러한 사실은 1918년 12월 14일 발행된 『태서문예신보』 11호 7쪽에 안서가 예이츠의 「꿈」을 번역했다는 사실과 쉽게 관계가 지워진다. 즉 문제 된 부분의 안서의 역시를 보면

> 내가만일 광명(光明)의 황금(黃金)으로 짜낸 하늘의 수(繡)노흔 옷.
> ……(중략)……
> 물들인 옷을 가졌다하면
> 그대의 발아래 펼지나
> 아아 가난 하여라 소유(所有)는
> 꿈뿐임에
> 그대의 발아래 내 꿈펴노니
> 나의 생각 가만한 꿈위로
> 그대여 가만히 밟고서라
>
> (1918년, 안서 역)

(Had I the heaven's embroided cloths,

……(중략)……

I would spread the clothes under your feet,/But I, being poor, have only my dreams/I have spread my dreams under your feet,/Tread softly because you tread on my dreams

(이양하, 윗책 원문)

소월이 「진달래꽃」에서 사랑의 상징인 '꽃'을 길 위에 까는 행위가 예이츠의 「꿈」에서는 사랑의 상징인 '꿈'을 까는 것으로 나타나 있다. 비록 하나는 이별을 주제로 한 사랑의 호소이며, 다른 하나는 가난한 연인에 있어 사랑의 호소이지만 이 두 시의 발상법은 시 자체에서도 근본적인 차이점을 발견하기 어렵다.

셋째, 이 「진달래꽃」은 안서의 지도를 받은 소월이 오산학교를 마친 2, 3년 후이며 안서가 예이츠의 시 「꿈」을 번역하고 2, 3년이 지난 1922년경 『개벽』지에 발표되었다는 사실이다. 또한 안서는 「꿈」을 번역할 무렵 『태서문예신보』의 지면을 통하여 (가령 「나의 어린 벗들아」) 신문 『태서문예신보』를 선전하고 있는 것이다. 이상과 같은 몇 가지 사실들을 종합하여 볼 때 소월의 「진달래꽃」은 그 발상법에 있어 예이츠의 「꿈」을 차용한 것으로 볼 수 있다.

그러면 이러한 발상법의 영향 관계가 의미하는 것은 무엇인가. 실상 이러한 문제의 해결은 소월의 초기 시를 해석하고 평가하는 데 새롭고도 중요한 의미를 갖게 된다. 아마도 이것은 이 땅 현대시사 출발의 시대적 풍토성과 밀접한 관련을 갖는다. 육당의 1908년의 『소년』, 1914년의 『청춘』지를 통한 신시의 창작과 보급은 1918년 『태서문예신보』의 「롱펠로」・「예이츠」・「베르레느」・「투르게네프」 등의 잡다한 서구시 번역 소개와 본격 시인의 점진적인 출현으로 인하여 본격적인 초기 시단 형성운동으로 전개되어 간다. 그렇게 볼 때 이러한 소월(소월은 그다음 해인 1919년 창간된 『창조』5호부터 작품을 발표한다)의 예이츠 발상법의 변용은 오히려 긍정되어질 수밖에 없는 것이다(물론 이 문제에 대해서도 본격적인 비교 문학적 검토가 필요하다). 그러나 한편 소월의 「진달래꽃」이 예이츠의 「꿈」과 비슷한 사랑의 노래이지만 이별이라는 직접적 정한을 한국적 체념과 달관이라는 역설적인 미학으로 극복하여 이별의 고뇌와 슬픔을 형이상적 차원으로 승화시켰다는 점은 훌륭한 시적 성과로 받아들여져야 할 것이다.

결국 소월의 「진달래꽃」은 내적인 면에서는 향토적 리리시즘을 배경으로 전통적인 민요의 가락을 치밀하게 구사하여 사랑과 이별의 슬픔을 형이상학적으로 극복 승화시킨 것이며, 외적인 면에서는 서구적 발상법을 자연스레 차용하여 역설의 한국적 메타포를 탁월하게 성공시킨 작품인 것이다.

(1971년)

3. 하늘과 땅의 변증법/서정주

　"물질은 그 본질이 무겁고 밑으로 떨어지는 것인데 반해 정신과 생
명은 물질을 거슬러 올라가려는 노력이며 위로 올라가는 상승의 원리
를 갖는다."

— 앙리·베르그송, L'evolution Créatrice, 268쪽.

　1

　인간의 모든 형이상적 노력이, 그중에서도 특히 문학이 인간의 대지성(근
원성, 물질성)과 세계성(지향성, 정신성)에 관한 존재 문제와 질문방식을 탐
구하는 것이라 한다면, 우리가 한 시인에 있어서 시간과 공간의 변화에 따른
대지성과 세계성의 다양한 변모양상과 그 원리를 살펴본다는 것은 분명 의의
있는 일이 아닐 수 없다. 그것은 마르셀·레이몽이 말하듯 시인은 체험적 감각
세계에서 파악한 것을 가지고 자신과 자신의 꿈에 대한 상징화된 초상을 마
련하고자 하기 때문이다(Marcell Raymond, De Baudelaire au Surréalisme, 24
쪽). 이러한 경우 그 시인이 차지하고 있는 시사적 위치가 중요하면 할수록 그
러한 시도는 시사의 발전이나 평론 풍토의 다원화를 위해서도 필요한 작업이
된다. 우리에게 있어 서정주는 바로 그러한 시인의 한 사람이다.

지금까지 서정주의 시는 이 땅 현대시사에서 가장 빈번한 논의의 대상이 되어 왔으며, 그러한 논의는 대략 두 가지 방향에서 전개되어 왔다. 그 하나는 그의 시를 이 땅 현대시의 정상에 달하는 작품으로 평가하는 일군의 평론가들과 다른 하나는 그의 작품들을 폄평하는 입장을 취하는 평론가들에 의해서 라고 말한다. 전자는 조연현·원형갑 등이 중심으로, 그들은 서정주의 시를 일종의 신화적 비술로 보고 있으며, 후자는 김종길·염무웅 등 주로 외국문학 전공의 평론가들로서 이들은 서정주의 시를 "한 무더기 관념의 껍질"로 보거나 나아가서는 그를 "점쟁이로서의 시인" 혹은 "접신술의 오만한 전통주의자"로 매도하고 있음을 볼 수 있다.

　　본고에서는 이러한 논쟁에 개입할 아무런 의도도 갖고 있지 않다. 그러나 문제는 여기에 있다. 그들이 그들 나름의 정당한 관점이나 방법론에 의해 서정주 시의 해석과 평가에 있어 어느 정도의 부분적 성과를 거둔 것은 사실이다. 그러나 논란하는 어느 쪽이거나 간에 대부분 그들의 작업은 개괄적인 관심으로 시의 현상적 해석과 평가에 머물렀거나 아니면 편견의 미망에 빠져 논리를 위한 논리의 전개에 치우친 경우가 허다했음도 부인할 수 없는 사실이다. 사실 우리는 서정주에 관한 그 많은 논고 가운데서 단 한 편의 시도 제대로 정공법적으로 다루어진 사실을 알지 못한다. 즉 대부분의 논고들은 구체적이고 깊이 있는 분석을 결하고 있다는 치명적인 약점을 내포하고 있으며 그 평론의 발상법에 있어서도 항상 구태의연한 모습을 벗어나지 못하고 있음이 드러난다. 이런 이유로 참된 서정주 시의 본질이나 이념태를 발견하려는 우리의 노력은 아직은 이상과는 먼 거리에 있다. 이것이 일반적으로 우리의 평론, 나아가서는 한국 문학사가 극복해 나아가야 할 한 가지 문제점으로 지적된다.

　　따라서 본고에서 시도하고자 하는 작업은 그 문제 제기의 명확한 근거를 갖는다. 본고에서는 서정주 시사의 출발에 있어 가장 중요한 위치를 점하고 있는 「화사」(1936)와 이와는 달리 30여 년의 시간적 격차를 지니고 있는 「동천」(1966)을 구체적으로 분석 평가하고자 한다. 즉 본 소고의 목적은 단면을 통하여 전체를 파악할 수 있다는 칸트적 논리를 배경으로 두 대표작을 비교 분석하고 이를 통하여 서정주 시의 본질구조와 시적 이데아의 변모양상을 고구하고 나아가 그 변모의 원리와 서정주 시학의 새로운 가능성을 모색해 보고자 하는 데 있다. 물론 이러한 새로운 시각의 방법론은 문예 사회학적 관점보다는 문학 자체의 내적 분석에 의한 내재적 접근법(intrinsic approach)에 바탕을 두고, 메타포를 시의 중핵적 구조로 보는 신비평적 분석 태도를 취한다. 이러한 방법론의 채용은 아직 생존시인을 대상으로 하는 위험을 제거하는 데 효과적이기 때문이다.

2

다음은 1936년 『시인부락』 2집에 발표되고 1941년 발간된 『화사집』에 실린 「화사」의 전문이다.

> 사향박하(麝香薄荷)의 뒤안길이다
> 아름다운 배암……
> 을마나 커다란 슬픔으로 태어났기에
> 저리도 징그러운 몸뚱아리냐
>
> 꽃 대님 같다
>
> 너의 할아버지가 이브를 꼬여내던 달변(達辯)의 혓바닥이
> 소리 잃은 채 낼룽거리는 붉은 아가리로 푸른 하늘이다……
> 물어 뜯어라. 원통히 물어 뜯어,

달아나거라, 저 놈의 대가리!

돌팔매를 쏘면서 쏘면서 사향방초인(麝香芳草人)길 저놈의 뒤를 따
르는 것은

우리 할아버지의 아내가 이브라서 그러는게 아니라

석유 먹은듯, 석유 먹은듯……가쁜 숨결이야

바늘에 꼬여 두를 까보다……꽃대님보다도

아름다운 빛……

클레오파트라의 피 먹은양 붉게 타오르는

고운 입설이다……

스며라! 배암

우리 순네는 스물난 색시, 고양이 같이 고운 입설—

스며라! 배암

—「화사(花蛇)」전문

　　보들레르의 「만물의 조응(correspondances)」에서 처럼 사향박하(lemuse)는 관능적 쾌락과 육체적 욕망을 암시하며 따라서 젊음의 은유적 해석인 '뒤안길'과는 적절한 이미지의 조응을 갖는다. 그러므로 '배암'이라는 시적 오브제가 등장하는 것은 타당하며 '아름다운'이라는 뱀의 형용사는 무언가 불길한 시적 사건의 잠재와 돌발의 가능성을 동시에 암시한다. '아름다운 배암'에 대한 이러한 불안한 예감은 "얼마나 커다란 슬픔으로 태어났기에/저리도 징그러운 몸뚱아리냐"하는 생명성의 절규로 나타난다. 바슐라르에 의하면 뱀은 인간의 무의식세계를 탐구하는 촉수이다. 또한 뱀은 신화성을 띤 동물적 상상력의 중요한 원천으로서 대지에 그 삶의 뿌리를 박고 있다. 바로 이 점에서 우리는 서정주 초기 시의 발상법과 상상력의 원천이 인간의 대지성에 관한 존재 문제와 그 질문에서 출발하고 있음을 알 수 있다. 시인에게 대지는 영원한 모성의 상징이다. 대지의 엄청난 풍요와 포용력은 시인에게 무언의 설득

력을 계시해 준다. 여기에서 유발된 대지에 대한 외경과 놀라움은 인간의 생명성에 대한 진지한 탐구에서 비롯된다. 「화사」의 경우, 꽃처럼 아름다운 외양을 지니고 있으면서도 징그러운 속성을 지닌 꽃배암의 모순성에 대한 발견은 서정주가 선과 악, 미와 추의 모든 것을 포용하고 있는 대지에 대해 원초적 경악과 의문에 눈뜨게 된 것을 말해준다.

사실 시가 외경과 의문이라는 수동적 정서를 표현하려는 능동적 욕망 때문에 쓰여진다는 오든(W.H.Auden)의 말을 빌리면 이러한 「화사」의 발상법은 쉽게 이해된다. 그러므로 꽃배암에서 비롯된 대지적 모순성의 자각은 서정주 자신의 시적 형상화에 의하여 존재의 원상(urbild)을 파악해 보려는 노력으로 나타난 것이다. 실상 「화사」에서 꽃배암은 서정주 자신의 본질적 내면의 원형을 비춰보는 '존재의 거울'이 되고 있다. 즉 '아름다운 배암'과 '슬픔으로 태어난 징그러운 몸뚱아리'의 실존적 갈등의 콘트라스트는 존재의 원초적 질문에로의 환원과정을 의미하는 동시에, 궁극적 모순에 대한 고뇌와 회의의 심연으로 빠져드는 것을 뜻하기 때문이다. 한창 예민하고 감수성이 강한 초년의 서정주에게 이러한 대지적 모순의 자각은 분명 인간의 존재문제와 운명에 관한 극심한 불안과 격렬한 의문을 안겨주었을 것은 물론이다.

꽃대님 같다

그러나 이러한 최초의 충격과 의문은 정신적 균형의 내적 욕구로 인해 '꽃배암'과 '꽃대님'의 부드러운 직유적 아날로지를 형성하며 이러한 아날로지의 형성은 운명성에 대한 자조적 달관의 모습으로 연결된다. 그러나 이러한 현상적 달관의 밑바닥에는 보다 난폭하고 잔인한 아이러니가 깔려있으며, 또한 비정적 관념의 사디즘이 서서히 싹트고 있음을 간과할 수 없다.

> 너의 할아버지가 이브를 꼬여내던 달변(達辯)의 혓바닥이
> 소리 잃은 채 낼룽거리는 붉은 아가리로 푸른 하늘이다—
> 물어 뜯어라, 원통히 물어 뜯어

　이러한 대지적 모순의 충격과 의문은 서정주에게 생명과 존재의 내질에 관한 적극적인 탐구의 계기를 마련해 준다. 꽃뱀이 서정주 자신의 '존재의 거울'이 되고 있음은 이미 살펴보았지만 이 연에서는 서정주의 내면의식이 더욱 존재의 원상을 향해 접근하고 있다. 이러한 접근은 적극적인 시적 투기에 의해 궁극적 모순의 화해를 추구하는 모습으로 나타난다. 인간의식의 심층에 소위 원죄라는 인간존재에 대한 궁극적 질문이 자리 잡고 있다고 가정한다면, 원죄를 상징하는 이브의 도출은 이런 의미에서 타당하다. 생명의 근원에 대한 질문은 표상된 뱀을 통하여 차츰 내면화한다. '낼룽거리는' 젊은 생명의 원죄적 모순성은 '붉은 혓바닥'과 '낼룽거리는 붉은 아가리'의 관능적 갈등의 이미지를 형성한다. 또한 수사의 거칠은 표현은 의미의 대담성을 유발하여 내용과 형식의 상보작용으로 고뇌를 가열화하며, 마침내는 숙명성에 대한 완강한 저항을 시도하게 된다. 이러한 저항은 원죄의식과 심적으로 복합되어 '푸른 하늘로 표상되는 모든 열려진 세계'를 부정하고 '"물어 뜯어라, 원통히 물어 뜯어"'하는 극단적 콤플렉스의 사디즘에 도달하게 된다. 이 처절한 비원의 절규는 숙명성의 거부와 생명의 해체를 유발하게 된다.

　실상 이러한 생명해체의 몸부림은 운명에 대한 자기 극복 노력의 한 변형에 지나지 않으며, 서정주의 이러한 격심한 몸부림은 서정주 자신이 인간조건들을 극복해가는 삶의 어려움과 시의 어려움에 대한 좌절과 절망을 표현한 것이 된다. 실로 서정주의 숙명성에 대한 거역의 몸부림은 대지적 모순성의 화해를 추구하는 적극적인 운명의 극복 자세로 해석되어야 할 것이다.

> 달아나거라 저 놈의 대가리!

돌팔매를 쏘면서 쏘면서 사향방초인(人)길 저놈의 뒤를 따르는 것은
우리 할아버지의 아내가 이브라서 그러는게 아니라
석유 먹은듯, 석유 먹은듯……가쁜 숨결이야

　꽃뱀이라는 '존재의 거울'에 비춰진 원죄적 업고의 극복과 대지성에 관한
모순의 화해를 추구하던 서정주의 시적 에스프리는 이러한 복합적 고뇌와 갈
등이 내면적으로 팽창하여 마침내 시인 자신의 생명 속으로 넘쳐흐르게 된
다. 그러므로 이러한 팽창의 변증법에 따르는 생명의 원리는 보다 적극적인
행위의 투기를 초래한다. '물어뜯는' 더욱 '원통히 물어뜯는' 자학적 해체 행
위에 의한 운명의 극복자세에 만족할 수 없는 서정주는 반작용적으로 자기
해방의 모습으로 변모하게 된다. 자기 해방의 열렬한 욕구는 뱀을 쫓는 행위
로 구체화되는 것이다. "달아나거라 저놈의 대가리"하는 관능적 추방행위가
존재의 밑바닥에 깔려 있는 본질적 허무의 발견과 그 극복 노력임은 물론이
다. 그러므로 허무 쪽으로 "돌팔매를 쏘면서 쏘면서" 자조에서 자학으로 발전
하여 서정주는 다시 자폭으로 빠지게 되고, 마침내는 스스로 고통을 이끌어
오는 작업에 몰두하게 된다. 보들레르의 경우처럼, 서정주는 고통을 회피하
거나 초월할 수 없었기 때문에 스스로 고통을 이끌어 오려고 노력한 것이다.
서정주는 스스로 격렬히 고뇌하고 방황하는 것에 의해 자신의 운명성과 그에
따른 허무를 극복하고자 노력한 것이다. 그러나 서정주는 인간의 실존적 한
계에 부딪쳐 방법적 관능인 "사향방초인길"로 투신하고 만다. 또한 그는 "할
아버지의 아내가 이브라서 그러는게 아니라"와 같이 이러한 운명과 허무와
의 대결에서 패배하고는 원죄적 현실도피를 기도한다.
　존재의 원형을 탐구하고 운명성을 극복하기 위해 내면화하던 서정주는
"석유먹은듯, 석유먹은 듯" 초조히 현실로 회귀하고 마는 것이다. 이러한 서
정주의 실존적 한계는 바로 초기의 시적 능력의 한계와도 통하지만, 또한 불
안의 센티멘털리즘이 풍미하던 1930년대의 현실적 압력에도 기인한다. 이러

한 현실적 강박관념은 개인적 모순과 갈등의 절정에 달한 서정주에게 운명과 의 적극적 대결에서의 패배와 절망으로 귀착하게 만든다. 그는 자기의 패배 를 "가쁜 숨결이야"와 같이 성적 엑스터시에 의한 절정으로 캄프라지하려고 하는 것이다. 정서의 섬세성 결여와 지성의 균제 부족, 또한 감수성의 한계와 더불어 바로 이런 점에서 「화사」의 시적 결점은 비판받아야 마땅하다.

> 바늘에 꼬여 두를까보다
> 꽃대님보다도 아름다운 빛……
> 클레오파트라의 피먹은양 붉게 타오르는 고운 입설이다……
> 스며라! 배암

　존재문제와의 직접 대결에서 패배한 시적 화자로서의 서정주는 어이없이 "바늘에 꼬여 두를까보다/꽃대님보다도 아름다운 빛"이라는 안타까운 체념 의 미학으로 자신을 합리화하게 된다. 이 체념의 미학은 「화사」에서 운명애 (amor fati)의 모습으로 나타난다. 극렬한 자기와의 싸움에서 패배한 서정주 는 니체를 통한 헬레니즘적 신화의 광선 속에서 스스로의 살길을 찾은 것이 다. 니체에 의하면 인간의 위대성을 표시하는 방법은 운명을 사랑하는 것이 며, 이것은 필연적인 것을 견딜 뿐만 아니라 사랑하는 것이라 한다. 사실 이러 한 운명애의 태도는 운명을 극복하려는 적극적 노력의 한 귀결이 된다. 그렇 다면 '꽃대님 같다'에서 '꽃대님보다도 아름답다'는 비교급으로의 상승적 전 이는 실로 「화사」의 시적 메커니즘에서 타당한 결론이며, 이 상승적 운명애 의 전이는 운명애에 의하여 대지성적 모순과 갈등을 화해하고자 하는 변증법 적 노력으로 연결된다. 또한 우리는 이 운명애의 눈길이 원죄적 콤플렉스 해 소의 한 효과적 방편이며, 서정주 자신의 정신적 질서 회복 욕구의 결과임을 알 수 있다. 사실 이것은 "꽃대님보다도 아름다운 빛"과 "피먹은양 붉게 타오 르는 고운 입설"과 같이 마성적인 수사에 의해 이지적 명석화의 의지를 내포함으로써 처절한 생명의 아름다움으로 형상화되는 것이다. 아울러 "스머라! 배암"처럼 명령형과 명사로 연결되어 창조적 긴장의 지속을 가능케 하고, 젊음의 지칠 줄 모르는 정열을 가까스로 균제할 수 있는 능력을 보여준다는 점에서 「화사」는 초기작으로서는 비교적 성공한 작품이 된다.

또한 "클레오파트라의 피먹은양 붉게 타오르는 입설"은 「화사」의 사랑이 관능적 물질적 차원에서 비로소 성립되고 있음을 뜻한다.

> 우리 순네는 스물난 색시 고양이 같이 고운 입설.
> 스머라! 배암

'존재의 거울'인 꽃배암은 '이브'에서 '클레오파트라'로 다시 '순네'로 조명되어 우리의 공감적 내재율을 마련하고자 한다. 스물난 색시인 순네는 고양이 같은 입술을 가진 관능적 이미지로 표출되었다. 고양이의 센슈얼한 이미지와 여성의 육감적인 이미지는 적절한 조응을 이루기 때문이다. 이렇게 「화사」에 육감적이며 능동적인 관능의 이미지가 짙게 깔려있는 것은 서정주의 정신사적 방황의 핵심적인 부분이 생의 본질과 방법에 대한 집요한 질문과 운명의 도전적인 자세에 기초를 두고 있음을 뜻한다. 또한 「화사」의 마지막 구절이 "스머라! 배암"으로 끝나고 있는 것은 이러한 질문들을 본질적으로 해결하지 못한 자신에 대해 스스로의 가책과 비원을 표출한 것으로 해석되어야 한다. 서정주는 정리할 수 없는 「화사」의 원죄적 카오스의 심연에서 관능적 사랑으로 숙명성을 극복하고 대지적 모순을 화해하고자 노력한 것이다. 결국 이러한 「화사」의 사랑은 꽃배암으로 표상된 물질적이면서도 대지성적인 차원에 자리 잡고 있음을 뜻한다. 또한 이것은 인간의 대지성에 관한 존재 문제가 「화사」의 중심 모티브가 되고 있으며, 나아가서는 서정주 초기 시 상상력의 모든 원천이 인간의 육체성 즉 대지적 자세에 바탕을 두고 있음을 뜻하는 것이 된다.

이것은 서정주의 초기 시집 『화사집』(1941)·『귀촉도』(1948)의 대부분의 시들이 인간사·세속사 문제에 비중을 두고 있는 것으로도 구체적인 증거가 될 수 있다. 꽃배암은 인간의 육체성·운명성·대지성의 가장 적절한 표상이 되며, 그런 의미에서 「화사」가 더욱 문제성을 지니게 됨은 물론이다. 결국 이 무겁고 물질적인 꽃배암의 닫혀진 세계는 대지적 질서에서 파악된 서정주 젊은 날 생명의 뒤안길의 원상이었던 것이다.

3

다음 시는 「화사」의 30여 년 후인 1968년 간행된 시집 『동천』에 실린 시 「동천」의 전문이다.

> 내 마음 속 우리 님의 고운 눈썹을
> 즈문 밤의 꿈으로 맑게 씻어서
> 하늘에다 옮기어 심어 놨더니
> 동지 섣달 나르는 매서운 새가
> 그걸 알고 시늉하며 비끼어 가네
>
> —「동천」전문

눈썹은 실제적 내밀성을 지닌 동양적 사랑의 상징이다. 서정주가 그의 내면 공간에서 오랜 세월 익혀오던 사랑은 「동천」에 와서 비로소 "우리 님의 고운 눈썹"으로 표상되어 확고한 가치관을 획득하게 된다. 곧 이것은 "즈문 밤의 꿈으로 맑게 씻"는다는 활물변실법은유에 의해 언설되므로 시적 일치를 얻는다. 여기서 "즈문 밤의 꿈"은 「화사」이래의 '천둥과 먹구름 속에서 그립고 아쉬움에 가슴조이던' 수십 년에 걸친 생활사와 정신사적 편력의 과정에서 익혀온 스스로의 인생관이며 또한 오랫동안 동경하고 염원하던 형이상적 미의 실체이다. 이미 서정주에게 있어 인생을 경영하는 것은 예술의 꿈을 실현하는 그 자체가 된 것이다. 그러면 '눈썹을' '꿈으로' '씻는다'는 문제를 어떻게 해석해야 할까? '씻는다'는, 더구나 '맑게 씻는다'는 청징한 이미지는 물의 이미지를 전제로 하여 가능하다. 이것은 꿈이 갖는 유동성, 액체성의 내포적 의미작용과도 관련을 갖는 해석이 된다.

바슐라르의 말을 빌리면 물의 이미지는 시적 실체로 쓰일 때 시의 내밀성을 부여할 뿐 아니라 이미지의 심화작용을 한다(L'Eau et les réves, *Imagination et Matier*, 7~9쪽). 또한 물은 대지의 혈액이며 생명의 근원이 된다(가스통 바슐라르, 『물과 꿈』, 87쪽). 아울러 물은 그 유동성 결합력, 생성력으로 사랑을 표상하기도 한다. 그러므로 「화사」에서 끈질기게 추구하던 대지성의 문제는 「동천」에 와서도 중요한 내용성을 갖는다. 이것은 여성의 이미지, 즉 대지성을 바탕으로 한 사랑의 문제다. 그러나 같은 사랑의 문제이지만 「동천」의 사랑은 「화사」의 무겁고 물질적인 관능성을 갖는 것이 아니라 꿈으로 맑게 씻을 수 있도록 형이상화한 정신적 차원의 사랑이다. 또한 사랑의 눈썹을 맑게 씻을 수 있다는 것은 바로 생명의 투명화를 지향하는 정신적 노력이 됨은 물론이다.

하늘에다 옮기어 심어 놨더니

사랑의 형이상화와 생명의 투명화를 지향하는 서정주의 시적 에스프리는 내면 공간의 눈썹이 하늘로 투사되어 심어지도록 다시 은유화한다. 여기서 '하늘에다 옮기어'라는 공간의 감수성은 서정주의 상상력이 우주성적인 방향, 곧 하늘로 향한 비상의 방향으로 열려져 있음을 뜻한다.

또한 '심어 놨더니'라는 식물적 이미지의 구축은 서정주 자신이 형이상화한 사랑의 절대적 확신과 아울러 대지성적인 구속력이 아직도 작용하고 있음을 의미한다. 인간이 대지에 발을 붙이고 살지만 머리는 수직으로 하늘을 향하고 있다는 사실은 인간이 언제나 대지성적인 것에 구속을 느끼는 동시에 우주론적인 비상을 꿈꾸는 것이라고도 해석할 수 있다. 바슐라르의 말대로 인간을 수직화하는 꿈은 인간이 가장 해방되는 꿈이며, 존재의 초월성을 얻을 수 있는 것이다(BachelardGaston, *La flamme d'une chandelle*). 우리는 이미 앞에서 「화사」에서 모든 상상력의 원천이 '푸른 하늘이다! 물어 뜯어라 원통히 물어 뜯어'하는 철저히 닫혀진 대지성적인 것에 귀착되고 있음을 살펴본 바 있다. 그러나 「동천」에 와서는 그것이 하늘을 향해 열려진 우주성적인 것으로 변모한다. 이것은 실제로 "하늘에다 옮기어 심어놨더니"하는 심상구조를 형성하였으며, 서정주가 생명 본질의 이데아를 우주적 질서 속에서 찾고자 한다는 것을 뜻하는 것이 된다. 또한 '심는다'는 작업은 서정주가 우주성적인 비상을 꿈꾸면서도 우주적 질서 내에서 대지적 질서를 회복하고자 하는 정신적 균형의 내적 요구를 뜻하는 것이 된다. 여기서 한 가지, 그러면 이러한 놀라운 공간의 감수성의 원천이 어디에서 비롯되는가 하는 문제에 대한 접근은 서정주의 전통성 논의의 한 실증적 자료가 될 것이다. 우리는 다음과 같은 정송강의 시조를 기억하고 있다.

> 내마음 버혀내어 저 달을 만들과저
> 구만장천(九萬長天)에 번듯이 걸려 있어
> 고운님 계신 곳에 가 비취여나 보리라
>
> — 「청춘」 2권에서

우리는 서정주가 '마음속 님의 눈썹을' '하늘에 옮기어 실어 논' 것과 송강이 마음을 버혀내어 달을 만들어 "구만장천에 걸어논 것"과에 있어 본질적 차이를 발견할 수 없다. 이미지의 구조와 발상법, 상상력의 굴절 방향 및 은유의 용법과 가락에 있어 두 시는 서로 같은 맥락을 지니고 있다. 다만 우리는 서정주가 '눈섭을 심어 논' 것과 송강이 '달을 걸어 논' 것에서 시적 밀도나 정서의 섬세성의 차이를 발견할 수 있을 뿐이다. 또한 이러한 공간적 감수성은 향가의 「찬기파랑가」나 황진이의 「명반월」에서도 나타나고 있다.

> 誰斷崑崙玉, 누가 곤륜산의 옥을 깍아서
> 裁成織女梳 직녀의 빗을 만들었는가
> 牽牛一去後 견우가 떠나간 후에
> 愁擲碧空虛 시름하여 던진 빗, 하늘의 반달이여
> — 황진이, 「명반월(詠半月)」

이렇게 볼 때 서정주는 「동천」에 와서 비로소 시집 『신라초』에서의 추상과 관념에 치우쳤던 역사의 하늘에서 진일보하여 전통적 시가의 내적 흐름을 육화(incarnation)하게 된 것이다.

또한 이것은 서정주가 무한한 우주적 공간에서 안주하기를 원하는 동양적 인생관에 뿌리박고 있음을 뜻하는 것이 된다. 사실 이 '겨울하늘'의 발견은 『화사집』(1941)의 관능적 사랑과 『귀촉도』(1948)의 열모, 『서정주시선』(1956)의 체념과 달관, 『신라초』(1961)의 역사적 정관을 거쳐 비로소 생명과 예술이 합치된 서정주 시사의 이념형에 근접하고 있는 것으로 볼 수 있다.

> 동지 섣달 나르는 매서운 새가
> 그걸 알고 시늉하며 비끼어 가네

서정주는 '동지 섣달'이라는 계절적 절정에서 하늘을 나르는 '매서운 새'를 통하여 겨울 하늘을 조형하고 있다. 이것은 논리의 경직성을 초극한 정신 능력의 유연성을 의미한다. 굳이 바슐라르의 말을 빌지 않더라도 새의 이미지는 인간정신의 상징이다. 따라서 '나른다'는 것은 인간의 가장 본능적인 욕구이다. 한편 '동지섣달'과 '매서운'이라는 감각적 형용사는 서로 조응되어 이미지의 충돌을 유발하며 여기에서 획득된 상상력의 내적 에너지는 '나른다'는 인간 정신의 동력성을 획득하여 상상력의 영역을 심화 확장시키게 되는 것이다. 따라서 매서운 새가 겨울 하늘을 나르고 있다는 것은 바로 서정주의 생명이 역동성을 획득하여 우주에로 확산되어 가는 것을 의미한다. 한 인간의 생명 자체 속에서 형성되는 우주적 질서는 바로 정신의 유연성을 획득하여 생명의 이데아에 도달하려는 서정주 자신의 예술적 의지를 표현한 것이다.

그러면 "그걸 알고 시늉하며 비끼어 가네"라는 행의 의미는 무엇인가. 하늘에 심어진 형이상화한 그믐달의 눈썹을 사랑인 줄 알고 시늉하며 비끼어 나르는 '새'는 이미 현실계를 벗어난 윤회의 하늘을 날고 있는 '새'이다. 여기서 서정주 시학의 축이 되는 불교적인 윤회의 인생관은 의인화된 새에 의하여 파악되고 있다. 서정주는 이처럼 객관물의 주관적 상징화에 의하여 시간성과 공간성을 언제나 초월할 수 있는 바탕을 마련하고 있다. 사실 이것은 그 자신 「동천」의 후기에서 밝히고 있는 불교적 은유법의 한 종류로서, 표상된 언어의 예술세계와 인간과의 합치를 가능케 하는 방법이기도 하다. 차갑게 얼어붙은 경직된 겨울 하늘을 '시늉하며' 나를 수 있는 놀라운 달관의 태도와, 더욱 '비끼어' 나를 수 있는 정신 능력의 유연성은 바로 서정주 자신 오랜 대지적 방황과 끈질긴 운명성의 극복 자세에서 얻어진 숭고한 삶의 상승적 저력을 암시하는 것이다. 이것은 결국 삶이 물질과 정신의 끝없는 투쟁 과정이라고 생각할 때 서정주 예술의 무한한 가능성을 의미하는 것이기도 하다. 따라서 이 겨울새는 그의 내부로부터 광명을 발하는 영원성의 현실이며 또한 이데아 자체인 것이다. 또한 보들레르의 경우처럼 무수한 관능적 이미저리의 흐름과 맥빛과 향기가 동정이어 원피의북이니 이가세성 모느 정신의 세계를 조명하고 있는 것처럼 미당에게는 또한 무수한 새(학·소쩍새·기러기·부엉이·종달새 등등)들이 등장하여 생명적 영원성을 우주적 질서에서 파악하고

자 하는 그의 열린 상상력을 표출시키고 있다. 결국 서정주는 「동천」에서 불교적 인생관을 바탕으로 델리커시한 지성의 암투와 생명의 투명화와 정신의 유연화를 획득하여 우주적 질서 내에서 구원한 정신적 사랑의 미학을 구축한 것이다.

마치 말라르메가 「긴 휴식에 겨워」에서 생명과 지성의 투명화를 얻어 시적 이데아에 도달한 것처럼 그는 「동천」에 이르러서 눈썹과 새의 변증법에 의해 겨울 하늘에서 '내 영원은 물빛 라일락의' '꽃과 향의 길이러라'라고 하는 영원한 생명과 예술의 궁극적 이데아에 접근하고 있는 것이다.

④

우리는 지금까지의 작업에 의해 「화사」에서 서정주의 모든 문제는 바로 인간의 대지성에 관한 존재 문제와 질문에 결부되고 있음을 알았다. 그것은 '꽃뱀'이라는 '존재의 거울'을 통해서 원죄적 생명의 원상을 탐구하려는 노력이었으며, 이러한 존재의 원상 파악은 인간의 정신적 가치를 축으로 하여 표상된 물질세계를 추적함으로 가능하였다. 따라서 그의 초기 상상력의 원천은 물질적 대지적인 것에 뿌리를 박고 있으며, 그 바탕에는 인과응보와 윤회 사상이라는 불교적 세계관이 자리 잡고 있었다. 또한 「화사」에 육감적이고 능동적인 관능과 방황의 이미지가 짙게 깔린 것은 그의 정신사적 방황의 핵심적인 부분이 대지적 모순의 화해와 운명성의 극복에 대한 존재론적인 고뇌와 예술적 갈등에 뿌리박고 있기 때문이라는 것도 알 수 있었다.

한편 동천에 와서 그는 생애사적 편력의 절정에서 비로소 정신 능력의 유연성을 회복하였으며 스스로의 생애사적 사랑과 운명에 대한 안정된 가치관을 확립하였다. 화사에서 대지적 물질적이던 모든 문제들은 「동천」에 와서 정신적, 정관적인 생명의 모습으로 변모하였으며, 이러한 상상력은 대지성적인 것에서 우주성적인 비상의 방향으로 확산되었다. 그러므로 서정주는 불교적 윤회사상을 기반으로 겨울 하늘의 논리적 경직성을 초월하여 정신 능력의 유연성과 생명의 투명화를 획득하였고, 마침내는 모든 대지적 질서를 우주적 질서의 차원으로 상승시킨 것이다. 바슐라르에 의하면 물질 상상력이 시적 가치를 얻는 방법의 하나는 대지로 잠겨 드는 심화의 방법이며 다른 하나는 우주로 날아오르는 비상의 방향에서라고 한다.(『물과꿈』, Imagination et Matiere)

그러므로 「화사」의 대지적 상상력과 「동천」의 우주적 상상력은 충분히 시적 설득력을 얻을 수가 있다.

그러면 이러한 생명과 예술의 대지성에서 우주성에로의 내밀한 변모의 원리는 무엇인가 하는 문제에 도달하게 되고 실상 이 문제의 해결은 지금까지 시도한 모든 노력을 정리하여 주는 마지막 작업이 될 것이다.

니체에 의하면 인생은 무의 초극에 근원적 의미를 지니며 예술은 생의 근원 자체에 대한 하나의 질문이라 한다. 또한 창조는 인간의 가장 깊은 본질이며 삶과 예술은 본질적인 관련을 갖는 것이라 할 수 있다. 그러므로 인간의 존재 자체는 훌륭한 예술이며, 예술은 삶을 보족하고 상승(steigerung)시키는 기능을 가지고 있다는 것이다. 그는 학문도 예술도 삶의 상승수단이라고 하며 "삶은 상승하려 하고 또 상승하면서 자기를 극복한다"고 한다. 자기극복의 꾸준한 노력에 의해서 생명의 상승, 즉 위버멘쉬의 길에 이른다는 것이다. 또한 베르그송에 의하면 "생명과 정신은 물질이 지배하는 구속을 벗어나려는 노력이며, 물질을 거슬러 올라가려는 상승적 본성을 갖고 있다"(『창조적 신화』, 269쪽)고 하여 그러한 서정주 시의 변모원리를 생명과 예술 자체의 본성으로 파악하는데 중요한 이론적 근거를 제시해 준다.

서정주가 「화사」를 출발점으로 이어 인간존재로서의 운명적인 짐들을 존재론적인 고뇌와 예술적 갈등을 통하여 하나씩 극복하고 덜어감으로써 물질로서의 육신의 무게가 차츰 가벼워지고 투명해져서, 드디어 「동천」에 이르러서는 베르그송적 생명의 원리에 의해 지성의 투명화와 정신의 유연화를 획득하여 구원한 생명과 예술의 이데아에 도달하게 된 것이다. 또한 불교의 윤회 사상에서는 인간의 생명이 욕계에서 색계로 다시 무색계로 변모 순환한다고 한다. 여기서 욕계와 색계는 물질적 대지적인 차원을 의미하고, 무색계는 영원성의 현실적 초월이며, 투명한 우주와 무의 하늘을 의미한다고 생각할 수 있다. 그렇다면 우리는 이제 스스로 결론에 도달하게 된다.

서정주의 시학은 체험을 통한 삶의 초극을 지향하면서 삶의 상승(Lebenssteigerung)과 하강이라는 생명의 원리에 기초를 둔다. 또한 불교적 윤회의 은유법을 통해 인간의 물질적·대지적 근원성을 우주적 영원성으로 상승시키려는 모든 노력에 뿌리박고 있다. 또한 「동천」은 관념에만 치우쳤던 신라나 저승의 하늘에서 벗어나 역동성(dynamics)과 정지성(statics)이 조화된 생명의 날개를 획득함으로써 구원한 시의 이데아와 생명의 구경에 도달할 수 있게 된 것이다. 실로 서정주의 진정한 시사는 「동천」에서 정리되는 것이 아니라 더 크고 높은 시의 하늘을 향해 비상하는 계기가 되어야 한다. 바로 이런 이유에서 우리가 그를 주목하고 있는 것이며 여기에 본고의 의미가 놓여진다 하겠다.

(1970년)

4. 대결 정신과 허무의 향일성/유치환

어떤 의미에서건 한 시인의 작품의 구체적 전모를 밝힌다는 것은 그 시도 자체가 상당히 무모한 일에 속한다. 더구나 그 시기 문제성을 많이 내포하고 있거나 그 시인이 시사적으로 중요한 위치에 있을 경우 그 작업은 더욱 어려워진다. 그러므로 그러한 시인의 작품을 대하는 우리의 자세는 매우 신중하고 조심스러워야 할 것이다.

청마 유치환(1908~1967)도 그렇게 다루어져야 할 시인에 속한다. 그는 현대시 사상 식민지하의 어두운 시대와 해방 후의 어두운 격동기를 가장 혐열하게 살다간 대표적 시인의 한 사람이기 때문이다.

따라서 본고에서는 청마 시의 내밀 구조를 분석하여 그의 정신사적 굴절 과정을 밝히고 나아가서 그가 갖는 시사적 의미를 새로이 조명해 보고자 한다.

① 연가, 그 과거지향의 의미

청마의 시는 원초적 사랑의 그리움에서부터 출발한다.

오늘은 바람이 불고

나의 마음은 울고 있다
일찌기 너와 거닐고 바라보던
그 하늘 아래 거리언마는
아무리 찾으려도 없는 얼굴이여
바람 센 오늘은 더욱 너 그리워
진종일 헛되이 나의 마음은
공중의 깃발처럼 울고만 있나니
오오, 너는 어디메 꽃같이 숨었느뇨

                              ─「그리움」

　꽃같이 숨어버린 사랑, 잃어버린 자취에 대한 그리움으로 울고 있는 데서
청마 시의 모티브는 이루어진다. 이러한 모티브는 "바람 센 오늘은 더욱 너
그리워/진종일 헛되이 나의 마음은/공중의 깃발처럼 울고만 있나니"와 같은
짙은 애상적 정서 속에서 회한과 뉘우침의 양상으로 과거 지향적 자세를 지
니게 된다.

나무에 닿는 바람의 인연(因緣)-
나는 바람처럼 또한
고독(孤獨)의 애상(哀傷)에 한 도(道)를 가졌노라

                              ─「이별(離別)」에서

깊은 깊은 회한(悔恨)이 아니언만
내 오오랜 슬픔을 성(聖)스러이 지녔노니
이는 나의 생애(生涯)의 것이로다

                              ─「사모(思慕)」에서

덧없는 목숨이매
소망일랑 아예 갖지 않으매
높게 높게 불타는

나의 노래여! 뉘우침이여

                                － 「청령가(蜻蛉歌)」에서

애상과 회한 그리고 뉘우침은 과거적 원인의 현재적 결과이다. 그러므로 청마시는 현재적 부재감에 의한 과거지향적 상상력에 그 뿌리를 내리고 있다고 볼 수 있다. 그와 동시에 그의 연가는 언제나 회한과 기다림의 몸짓을 보여주고 있다.

설령 당신이 이제
우산을 접으며 방긋 웃고 들어 시기로
내 그리 마음 설레지 않으리
이미 허구한 세월을
기다림에 이렇듯 버릇되어 살았으므로

                                － 「모란꽃 이우는 날」

'기다림에 버릇되어 살았다'는 것은 사랑이 채 이루어지지 않은 미완의 상태로 남아있음을 뜻하며, 동시에 그것은 과거적 원인이 현재에까지 작용하고 있다는 것을 의미한다. 그의 기다림은 상실 내지는 이별이라는 모티브의 시간적 연장선 위에 놓여 있는 것이다. 그러므로 청마는 "쉬이 잊으리라/그러나 잊히지 않으리라/가다 오다 돌아보는 어깨 너머로/그날밤 보다 남은 연정의 조각/지워도 지워지지 않는 마음의 어룽"(「낮달」에서)처럼 의도적인 망각의 노력 속에서 미련과 상혼의 갈등을 노출하고 있는 것이다.

그러나 미완의 지속은 상실의 회복이나 사랑의 현실적 실현에 목표를 두고 있는 것이 아니다. 오히려 청마의 사랑은 현실태로서가 아니라 미래적 영원성을 갈구하는 보다 관념적인 이념태로써 존재하고 있다. 청마의 연가가 과거지향적 상상력에 뿌리를 내리고 있다는 것은 이러한 사실을 반증하는 것이 된다. 실상 그의 시에 짙게 드리워져 있는 애상과 회한은 그의 사랑의 현실태와 이념태 사이의 간극이 보여주는 갈등의 한 양상으로 볼 수 있기 때문이다. 깃발은 바로 이러한 갈등이 단적으로 드러나 있는 대표적 작품이다.

> 이것은 소리없는
> 아우성 저 푸른 해원(海原)을 향하여 흔드는
> 영원(永遠)한 노스탤쟈의 손수건
> 순정(純情)은 물결같이 바람에 나부끼고
> 오로지 맑고 곧은 이념(理念)의 표(標)ㅅ대끝에
> 애수(哀愁)는 백로(白露)처럼 나래를 펴다
> 아아, 누구던가
> 이렇게 슬프고도 애달픈 마음을
> 맨처음 공중에 달 줄을 안 그는
>
> — 「깃발」 전문

이 시의 핵심은 "영원한 노스탤쟈 곧은 이념·애달픈 마음"의 정서적 긴장 관계에 놓여 있다. 과거지향의 영원한 노스텔쟈와 미래지향의 '맑고 곧은 이념'의 대응이 '애달픈 마음'이라는 현 실적 정감을 유발하는 것이다. 감정적인 생명의식과 정신적인 이념 의지의 갈등이 "소리없는/아우성"으로 나부끼고 있다는 것은 바로 청마의 정신 구조를 단적으로 밝혀주는 것이 된다. 여기에서 청마가 "아, 누구던가/이렇게 슬프고도 애달픈 마음을/맨처음 공중에 달줄을 안 그는"과 같이 과거 회상적 애수의 영탄으로 시를 끝맺고 있다는 것은 매우 중요한 사실이 된다. 이러한 시적 결구는 청마가 이념 지향에서 좌절하고 있음을 뜻한다. 이념 의지보다는 정감적 연민에 사로잡힐 수밖에 없는 청마의 괴로움이 '소리 없는 아우성' 속에서 과거지향으로 나부끼고 있는 것이다.

그렇다면 청마의 연가를 비롯한 많은 작품을 관류하고 있는 과거지향의 의미는 자명해진다. 그것은 바로 생명적인 것과 이념적인 것의 대립과 갈등을 뜻하며, 여기에서의 이념적 패배에서 연유하는 것으로 보인다. 그러므로 청마는 언제나 현재의 시점에서 과거 회상을 통하여 애상과 회오에 빠질 수밖에 없는 것이다. 바로 여기에서 청마의 이율배반이 발생한다. 즉 생래적 휴머니스트로서의 인간적 연민과 본성적 이념 지향의 이율배반이 형성되는 것이다.

결국 청마는 이러한 '이율배반'에서 벗어날 수 있는 길이 생명 자체와 대결할 수밖에 없다는 사실을 직시하게 된다.

2 북만체험과 대결 정신

청마의 생명에 대한 대결정신은 원수라는 상대적 개념의 설정으로 나타난다.

　　내 애린(愛隣)에 피(疲)로운 날
　　차라리 원수를 생각노라
　　어디메 나의 원수여 있느뇨
　　내 오늘 그를 만나 입맞추려 하노니
　　오직 그의 비수(匕首)를 품은 악의(惡意) 앞에서만
　　나는 항상 옳고 강(強)하였거늘

　　　　　　　　　　　　　　　　　　－「원수(怨讐)」 전문

청마가 과거 지향적 애상과 연민에만 머물러 있었다면 그의 시는 실패하였을 것이 분명하다. 청마는 스스로의 이율배반을 극복하기 위하여 "내 애린에 피로운 날/차라리 원수를 생각노라"하는 대결의 자세를 취함으로써 그러한 애상과 연민을 벗어나려고 노력한다. "오직 그의 비수를 품은 악의 앞에서만/나는 항상 옳고, 강하였거늘"과 같이 극복해야 할 대상 앞에 설 때 청마의 시 정신은 패기지향에서 들치의 대결 정신의 건실성을 획득하게 되는 것이다. 그러므로 원수의 개념은 일제라는 시대적 현실일 수도 있으며 또한 비생명적, 비인간적인 모든 것일 수도 있는 것이다.

이 길은 고독과 주우림에 저물었건만
일절(一切) 비소(卑小)함을 치욕하고
타산(打算)을 거부하고
더욱 이 암울한 포유류(哺乳類)는 멀리 기계(機械)에 맞서므로
호올로 울울히 산정(山頂)에 포효(咆哮)하나니
아아, 이는 차라리 의지(意志)의 적막한 기(旗)ㅅ발이로다
　　　　　　　　　　　　　　　　　－「사자도(獅子圖)」에서

　"고독과 주우림으로 저물"은 길에서 "일절 비소함을 치욕하고/타산을 거부"한 암울한 포유류는 자신일 수밖에 없다. 그러므로 "호올로 울울히 산정에서 포효하며" 어두운 시대를 살아갈 수 밖에 없는 당대의 현실적 고뇌를 표출하고 있는 것이다.
　그의 북만 체험은 바로 이 점에서 매우 중요한 의미를 갖는다.

혹은 너의 삶은 즉시
나의 죽음의 위협을 의미함이었으리니
힘으로써 힘을 제(除)함은 또한
먼 원시(原始)에서 이어온 피의 법도(法度)로다
내 이 각박(刻薄)한 거리를 가며
다시금 생명(生命)의 험렬(險烈)함과 그 결의(決意)를 깨닫노니
끝내 다스릴 수 없던 무뢰(無賴)한
넋이여 명목(瞑目)하라!
아아 이 불모(不毛)한 사변(思辨)의 풍경(風景) 위에
하늘이여 사혜(思惠)하여 눈이라도 함빡 내리고지고
　　　　　　　　　　　　　　　　　－「수(首)」에서

　청마가 "십이월의 북만 눈도 안오고/오직 흑룡강의 말라빠진 바람에 헐벗은 가성 네거리에/높이 걸려 있는 비적의 머리 두개"를 보며 느낀 것은 무엇

이었겠는가. 그것은 아마도 절망과 허무 그 자체였을 것이다. 동시에 그는 그 속에서 인간 존재의 초라함과 허망성을 깨달았고 아울러 인간의 잔혹과 비정의 횡행에 다시 한번 절망하였을 것이다. 그가 이러한 절망에서 주저앉고 말았다면 그의 시 또한 여기에서 끝나버렸을 것이다. 그러나 청마는 "암담한 진창에 갇힌 철벽같을 절망의 광야"(「광야에 와서」에서)에서 불사신처럼 일어서는 것이다.

> 나의 지식이 독(毒)한 회의(懷疑)를 구(救)하지 못하고
> 내 또한 삶의 애증(愛憎)을 다 짐지지 못하여
> 병(病)든 나무처럼 생명(生命)이 부대낄 때
> 저 머나먼 아라비아(亞剌比亞)의 사막(沙漠)으로 나는 가자
> 거기는 한번 뜬 백일(白日)이 불사신(不死神)같이 작열(灼熱)하고
> 일체(一切)가 모래 속에 사멸(死滅)한 영겁(永劫)의 허적(虛寂)에
> 오직 아라의 신(神)만이
> 밤마다 고민(苦悶)하고 방황(彷徨)하는 열사(熱沙)의 끝
> 그 열렬(烈烈)한 고독(孤獨) 가운데
> 옷자락을 나부끼고 호올로 서면
> 운명(運命)처럼 반드시 '나'와 대면(對面)케 될지니
> 하여 '나'란 나의 생명(生命)이란
> 그 원시(原始)의 본연(本然)한 자태(姿態)를 다시 배우지 못하거든
> 차라리 나는 어느 사구(沙丘)에 회환(悔恨)없는 백골(白骨)을 쪼이
> 리라
>
> — 「생명(生命)의 서(書)」

이 시는 "아라비아 사막으로 나는 가자", "방황하는 열사의 끝", "회한없는 백골을 쪼이리라 하는 세 구절에 무게가 쓰나나 있다. 청마는 일편적 실망과 고뇌의 끝에서 스스로가 극복해야 하는 것은 오히려 생명의 내부에 있다는 것을 깨닫게 된다. 그것은 운명적인 '나'의 고독이며 회의이며 애증이며 회한

인 것이다. 그러나 "도포같은 슬픔을 입은/가라면 어디라도 갈/꺼우리 팡스"로서의 청마가 생명의 온갖 험열함 속에서 비생명적인 것, 비인간적인 모든 것과의 존재론적 대결을 성공으로 이끈다는 것은 실상 불가능 한 일이었다. 그의 대결의식을 보여주는 북만 체험의 모든 시가 '하면 ~하리라/거든~하리라'와 같은 가정법의 미래형으로 끝나고 있는 점은 이러한 사실을 반증하는 것이 된다. 끝내 이러한 대결 정신은 또 다른 의미의 현실패배에 이르게 된다.

> 일편(一片) 인식(認識)의 영자(影子)조차 용납 않는
> 이 가열한 원시(原始)의 부정(否定)에
> 차라리 나는
> 하나 오점(汚點)!
> 요요(嫋嫋)한 애련(哀戀)에 감정(感情)하여 서다

청마의 대결정신은 어두운 시대를 살아가는 실존적 존재로서의 한계와 인간적 인고의 벽에 부딪쳐 끝내 대결적인 당당함을 보여주는 것이 아니라 "차라리 나는"·"하나 오점"과 같은 인간부정의 현실 패배에 도달하게 되며 끝내는 "요요한 애련에 감정하여 서다"라는 구절처럼 과거지향의 현실도피에 빠져버리고 마는 것이다. 그러므로 청마의 대결정신은 가정법과 미래형 혹은 과거지향의 현실도피적 양상을 띠게 되며, 그 결과 자학의 허무주의 속으로 빠져들 수밖에 없는 것이다.

그러나 여기서 주목할 것은 이러한 청마의 대결정신이 패배적 양상을 띠고 있지만, 후기에는 「전선에서」·「칼을 갈라」·「강오원」·「뜨거운 노래는 땅에 묻는다」 등의 시에서 볼 수 있듯이 조국애와 현실 참여의식으로 변모하고 있다는 점이다. 청마가 가열한 개인의 생명적 대결정신을 역사와 조국, 인류와 정의 같은 보편적 차원으로 이끌어 올려 시의 보편성을 획득하고 있다는 사실은 중요한 의미를 지니고 있는 것이다.

③ 자기 패배와 허무주의

청마에게는 과거지향의 애상과 회한처럼 대결정신의 현재성도 끝내 자신의 것일 수 없었다. 그러므로 청마는 짙은 자학과 자책으로 신음하게 된다.

우환(憂患)은 사자(獅子) 신중(身中)의 벌레
자학(自虐)의 잔(盞)은 담즙(膽汁)같이 쓰도다
……(중략)……
나는 비력(非力)하여 앉은뱅이
                    ―「비력(非力)의 시(詩)」에서

마음 속으로는 끝없이 울리노니
아아, 이는 다시 나를 과실(過失)함이러뇨
이미 온갖을 저버리고
사람도 나도 접어주지 않으려는 이 자학(自虐)의 길에
내 열번 패망(敗亡)의 인생(人生)을 버려도 좋으련만
아아, 이 회오(悔悟)의 앓임을 어디
호읍(號泣)할 곳이 없어
                    ―「광야(曠野)에 와서」

새벽이면 새벽마다 먼 예루살렘 성(城)에 닭은 제 울음을 길게 홰쳐 울고, 내 또한 무력(無力)한 그와 나의 비굴(卑屈)에 대하여 죽을 상히 사모치는 분함과 죄스럼과 그 자책(自責)에 눈물로써 눈물로써 벼개 적시노니
                    ―「예루살렘의 닭」에서

인용시들에서 읽을 수 있는 것은 자신의 비굴과 무력에 대한 자책과 자학의 눈물이다. 이러한 자책과 자학의 눈물은 현실패배로 인한 절망과 허무에서 기인하는 것임은 말할 것도 없다. 그리하여 청마는 허무주의의 심연으로

빠져들게 된다.

> 드디어 크낙한 공허(空虛)이었음을 알리라
> 나의 삶은 한 떨기 이름없이
> 살고 죽는 들꽃
> 하그리 못내 감당하여 애닯던 생애도
> 정처없이 지나간 일진(一陳)의 바람
> 수유(須臾)에 멎었다 사라진 한 점
> 구름의 자취임을 알리라
> ……(중략)……
> 억조성좌(億兆星座)로 찬란히 구천(九天)을 장식(裝飾)한 밤은
> 그대로 나의 크낙한 분묘(墳墓)!
> 지성하고도 은밀한 풀벌레 울음이여 너는
> 나의 영원(永遠)한 소망의 통곡(痛哭)이 될지니
> 드디어 드디어 공허(空虛)이었음을 나는 알리라
>
> — 「드디어 알리라」

여기에서 허무의지는 죽음(분묘(墳墓))으로 표상되고 있다. 청마는 존재의 가장 깊은 곳에 자리 잡고 있는 무(Nichts)의 심연을 들여다보고 "드디어 공허 이었음을 나는 알리라"와 같이 말할 수 있게 된 것이다. 그러나 청마는 죽음 자체가 결코 생의 문제 해결이나 극복은 될 수 없다는 것도 알고 있었다. 그것 은 다만 또 다른 현실패배나 도피를 의미한다는 것을 깨닫고 있었던 것이다. 여기에서 만난 것이 바로 신의 존재이다.

> 나는 신(神)의 존재(存在)는 인정(認定)한다. 내가 인정하는 신이란
> 오늘 내가 있는 이상(以上)의 그 어떤 사총(思寵)을 베풀고 있는 신(神)
> 이 아니라 이 시공(時空)과 거기 따라 존재(存在)하는 만유(萬有)를 있
> 게 하는 의지(意志) 그것인 것이다. 나의 신은 형상(形象)도 없는 팽배

모호(澎湃模糊)한 존재(存在)이다. 목적(目的)을 갖지 않는 허무(虛無)
의 의사(意思)이다.

—「허무(虛無)의 의지(意志) 앞에서」에서

청마의 신은 극히 인간적인 신이며 동시에 허무 의사로 표현되고 있다. 청
마는 신까지도 인간을 위해 존재하는 것이며 그것 자체가 허무를 표상하는
것으로 해석하고 있는 것이다. 이처럼 청마는 죽음으로도 신으로도 존재의
허무가 극복될 수 없다는 것을 확연히 깨닫고 있는 것이다. 그러나 청마는 또
한 알고 있었다. 생명 본질의 구명과 허무의 초극은 허무를 정시하고 허무를
살아가는 그것 자체로서 얻어질 수 있다는 사실 또한 청마는 알고 있었다.

오늘이야말로 인간(人間)은 그의 양지(良知)와 선성(善性)으로써 이
절대(絶對)한 허무(虛無)의 의지(意志)를 정시(正視) 인정(認定)함으로
써 진실(眞實)한 자신(自身)의 길을 택(擇)하야 앞날을 설계(設計)하여
야 될 것이다.

—「허무(虛無)의 의지(意志) 앞에서」에서

청마는 허무의 정시와 인정으로써 인간 존재의 허무가 극복될 수 있다고
생각하는 것이다. 이것은 실상 단순한 허무로의 도피나 좌절이 아니라는 점
에서 실존적 의미를 지닐 수 있음이 사실이다.

④ 향일성, 그 미완의 긴장

허무를 통한 허무의 극복이라는 문제는 청마에게 있어 향일성으로 나타
난다.

해바라기 밭으로 가려오
해바리기 밭 해바라기들 새에 서서
나도 해바라기가 되려오
―「해바라기 밭으로 가려오」에서

나의 가는 곳
어디나 백일(白日)이 없을소냐
……(중략)……
마지막 우럴은 태양(太陽)이
두 동공(瞳孔)에 해바라기처럼 박힌 채로
내 어느 불의(不意)에 즘생처럼 무찔리기로
오오 나의 세상의 거룩한 일월(日月)에
또한 무슨 회한(悔恨)인들 남길소냐.
―「일월(日月)」에서

　　청마는 디오니소스적 절망과 그 허무의 심연에서 허무를 정시하고 인정함
으로써 허무를 타오르는 태양으로 발견한 것이다. 모든 생명적인 것과 인간
적인 것에 대한 추구와 동경의 이념 의지가 해바라기처럼 영원히 타오르는
백일의 의미를 지니게 된 것이다. 이러한 청마의 향일성은 "높이 뜬 맑은 넋/
백일의 세계위에 높이 날개 편/아아, 저 소리개"(「소리개」에서)에서 처럼 백
일의 광명정대한 순수의지의 표상으로 나타내는 것이다. 일체의 비인간적인
것과 비생명적인 것에 대한 증오와 대결정신에 거점을 두고 있는 청마의 시
적 에스프리는 찬란히 타오르는 백일의 태양에서 그 이념태의 중요한 한 면
모를 발견하고 있는 것이다.
　　청마에 있어 백일과 더불어 또 하나의 이념태가 되고 있는 것은 바다이다.

이것 뿐이로다
억만년 가도

종시 내 가슴 이것 뿐이로다
온갖을 다 내던지고
내 여기서 펼치고 나누웠노니
오라 어서 너 오너라
……(중략)……
아아 내 안엔
낮과 밤이 으르렁대고 함께 사노라
오묘한 사랑도 있노라
삽시에 하늘을 무찌를 죽음의
포효(咆哮)도 있노라
……(중략)……
아아 너 오기 전엔
나는 영원한 광란(狂亂)의 불사신(不死神)
여기 내 가슴 있을 뿐이노라

—「바다」에서

이 작품은 청마의 자화상과 같은 의미를 지니고 있다. 청마는 「바다」에서 스스로 가눌 길 없는 몸부림과 절망과 슬픔, 운명애와 오묘한 사랑, 광명과 어둠의 갈등, 죽음의 포효, 우주와의 합일과 영원한 기다림, 의연하고 당당함을 그 자신의 것으로 감지하고 있다. 청마는 바다를 통하여 "파도야 어쩌란 말이냐/임은 물같이 까딱 않는데/파도야 어쩌란 말이냐"(「그리움」에서)와 같은 절대와 영원을 읽고 있는 것이다. 이렇게 볼 때 영원과 절대의 표상인 바다는 또한 청마의 이념태의 중요한 부분이 되는 것이다. 청마는 백일을 통한 생명의 순수의지와 바다를 통한 절대세계와 영원성 속에서 자신의 시적 이데아를 찾으려고 노력한 것이다. 그러나 이러한 청마의 이념은 "내 죽으면/두 쪽으로 깨뜨려져도/소리하지 않는 바위가 되리라"(「바위」에서) "그 원시의 본연의 자태를 배우지 못하거든/나는 어느 사구에 회한없는 백골을 쪼이리라"「생명의 서에서」에서 볼 수 있듯이 가정법의 미래형으로 남아있다. 마치 이러한 미래형은 "설령 이것이 이 세상 마지막 인사가 될지라도/사랑하였으므로 나는 진정 행복하였네라"(「행복」에서)와 같이 과거형처럼 미완의 상태로 남아있는 것이다. 결국 이렇게 볼 때 청마시는 사랑에 대한 과거지향과 이념세계에 대한 미래지향을 가치 축으로 하여 대결정신과 허무의지의 긴장체계로 형성되어 있는 것이다. 청마의 생명과 사랑이 미완인 이상, 그의 시 또한 과거형과 미래형의 긴장 관계에서 영원한 미완으로 남아 있을 수밖에 없는 것이다.

5 청마 시의 시사적 의의

청마가 직접적으로 반발한 것은 모더니즘의 기교적 수사법과 기계주의적 형태화에 대한 것이었다. 그는 1930년대 시단의 서구지향적 취향과는 달리 스스로의 생명의 깊이를 탐구함으로써 한국시의 새로운 정신적 수사법을 보여주고 있다는 점에서 그 시사적 위치를 인정받을 수 있다. 또한 그는 우울과 애상의 여성주의적 분위기가 주류를 이루던 일제하 한국시의 내면에 향일성의 남성주의적 건강성을 불어넣어 줌으로써 현대시의 내면세계를 확대하고 심화해 주었다.

무엇보다도 청마 시가 갖는 의미는 어두운 시대를 살아가는 인간의 실존방식을 제시하고 있다는 점에서 찾을 수 있다. 그는 정의와 양심에 위배되는 모든 비인간주의에 반발하여 가열한 생명 자체와 대결을 시도함으로써 이육사의 참여적·직접적 대결이나, 만해의 은유적 침묵의 저항과는 또 다른 차원에서 존재론적 저항방식을 보여주고 있는 것이다. 따라서 청마의 시는 개인의 가열한 생명의지가 사회와 현실을 응시함으로써 인간애와 조국애 내지는 준열한 역사의식으로 접맥 이행되며 그렇게 될 때 비로소 한 편의 시가 보편성을 획득하게 되는 것이라는 사실을 보여주는 좋은 예라 하겠다. 이 보편성의 획득이야말로 청마 시가 언어 미학적인 면에서 볼 때 많은 결점과 비판적 요소를 내포하고 있음에도 불구하고 시적 긴장을 유지하고 시적 가치와 타당성을 인정받을 수 있는 원동력이 되고 있기 때문이다.

　결국 청마는 한국현대시 사상 가장 대표적인 휴머니스트 시인으로서 존재론적 생명의 몸부림을 통하여 한국시의 형이상학적 가능성을 보여주었다는 점에서 그 시사적 의미가 집약될 수 있는 것이다.

(1975년)

5. 청교도적 구도와 서정의 힘/박목월

한국시사상 가장 뚜렷한 봉우리의 하나였던 목월이 작고하기 얼마 전에 썼다는 「구름밑에서」·「태평춘」·「지난 겨울」·「찻잔을 들며」·「이름없는 꽃」·「설악을 보며」·「단시 5수」·「탈」 등의 박목월 유작시 10편은 목월 후기 시의 특징을 선명하게 압축해 보여주고 있다는 점에서 주목을 요한다.

1

「자갈돌」은 삶의 본질에 대한 깊은 응시와 인생관을 드러내 주고 있다.

> 나는 자갈돌을 닦는 것으로
> 충만하였고
> 그것으로 나의 생애는
> 충실할 수 있었다
> 그것은 누가 보석이라 하든
> 혹은 자갈돌이라 하든
> 그것은 그들의 평가(評價)
> ……(하략)……
>
> — 「자갈돌」에서

이 시에서 '자갈돌'은 목월의 생 그 자체이며 동시에 그의 시를 상징한다. 따라서 '자갈돌을 닦는' 행위는 삶을 살아가는 끈질긴 노력을 뜻하는 동시에 한 편의 시를 쓰는 구도자적 고행을 의미하는 것이 된다. "자갈돌을 닦는 것으로/충만하였고"라는 구절은 노력하는 삶, 구도로서의 시작 행위가 목월 자신의 생명 그 자체에 뿌리박은 자족적 원리임을 말해 준다. 또한 "그것으로 충실할 수 있었다/누가 보석이라 하든/혹은 자갈돌이라 하든/그것은 그들의 평가"라는 시구 속에는 삶의 바탕으로서의 성실성의 깊은 신뢰와 함께 시인으로서의 자신의 삶에 대한 확고한 자존과 신념의 인생관을 확인할 수 있게 해주고 있다. 아울러 "다만 나는 그 반들반들한 자갈돌로 나의 길을 정결하게 하고"와 같이 지고지순한 삶에 대한 그의 애정이 청교도적인 갈망으로 승화돼 있는 것이다.

또한 그 "반들반들한 자갈돌을 가는 끝없는 구도행위로서의 삶"에 대한 목월의 응시 속에는 스스로 소멸하는 것, 끊임없이 부딪치면서 닳아지고 비워져 가는 것으로서의 삶의 본질에 대한 극명한 깨달음이 내재해 있는 동시에 허무의 존재로서의 인간의 중요성과 가치가 노력하는 삶의 과정과 성실한 시적 구도 속에 있음을 드러내 준다. 목월은 허무와 만나는 지점에서 "내일은 영원으로 이어가는 길에/깔게 될 것이다"와 같이 노력하는 삶, 창조하는 삶의 아름다움과 영원함에 대한 굳은 신념과 긍지를 획득할 수 있게 되었던 것이다.

2

목월의 이러한 노력하는 삶, 창조하는 삶에 대한 청교도적 갈망은 미래지향성을 추구함으로써 극복정신을 지니게 된다.

마당을 쓴다

어제의 지저분한 쓰레기를
말끔하게 쓸어버리면
빗자루가 스쳐간 자리마다
오늘의
차분하고 청결한
새벽이 머문다

―「새벽에」에서

어둡고 긴 지난
겨울을 향하여
습기저린 검은 가죽장갑을
벗어던진다
그
손에 봄바람

―「태평춘(太平春)」에서

지상(地上)에서는 무수한 손들이
잔을 든다
인류(人類)의 미래(未來)를 생각하며
사람과 사랑과
가랑잎을 생각하며

―「찻잔을 들며」에서

이 시들에서 "새벽·봄바람·내일의 꽃"이 뜻하는 것은 미래의 소망과 동경이다. 이러한 미래지향의 시 정신은 현실의 부정적 인식에서 비롯되지만, 부정 그 자체에 의미가 있는 것이 아니라 긍정을 전제로 한 극복의 양상을 지닌다는 점에 그 중요성이 놓인다.

실상 이 시들이 "어둠·습기·검은 장갑·어제의 쓰레기·묵은 먼지·과거" 등 과거지향적이며 부정적 세계와 그에 대응하는 "물오른 가지·희고 가뿐한 손·소

망의 움·새벽·시냇물처럼 맑은 소리·미래" 등과 같은 맑고 밝은 미래지향의
긍정적 세계의 이중구조로 이루어져 있다는 점은 목월의 시 정신이 순수한
것, 새로운 것, 선한 것을 끊임없이 추구하는 이념태로 존재함을 말해주는 것
이 된다. 어둠으로서의 현실과 밝음의 미래의 대응 속에는 목월의 현실 극복
의지가 담겨 있으며, 그와 함께 생명의 상승(steigerung)을 갈구하는 목월 시
의 안간힘이 내재해 있는 것이다. 특히 이러한 미래지향은 "한번 뿐인 나의
인생/단 한번 뿐인 나의 몸"과 같이 일회적 인생(einigen leben)의 소중함에 대
한 인식의 지점에서 선의 의지, 인간애의 의지로 변모하게 된다. 이러한 선의
의지가 목월의 생래적인 성실성과 순결벽으로 내면화되는 데서 목월의 미래
지향은 휴머니즘의 시 정신으로 응결될 수 있었던 것이다.

이렇게 볼 때 목월의 묵묵한 성실성과 담담한 시작 자세는 실상 그것이 소
극적인 현실도피의 순응주의에서 비롯된 것이 아니라, 오히려 끊임없이 새로
워지고 선해지려는 미래지향의 내밀한 극복 정신을 보여준 것이라 할 수 있
다. 현실참여라는 슬로건의 섣부른 투쟁의식에서 보다는 사물과 인간에 대한
잔잔한 정관으로부터 우러난 차원 높은 운명애의 견고한 극복정신을 형상화
시키고 있는 것이다.

3

무엇보다도 목월의 이 시편들은 압축된 서정 속에 투명한 심상의 아름다움
을 보여준다는 점에서 서정시의 본도를 제시해 주고 있다.

　①잎새에 맺히는 빗방울
　　우주(宇宙)의 테두리 안에서
　　떨어지는 물 한방울

　　　　　　　　　　　　　　　　－「구름 밑에서」에서

② 새가 날아간
　　흔들리는 나뭇가지 그림자가
　　비치는 창앞에서
　　손톱을 깎는다
　　내일쯤은
　　물빛 봄옷으로 갈아입고
　　나들이를 나가볼까
　　아니면 막내의
　　혼담(婚談)을 매듭지을까

　　　　　　　　　　　　　　　　　—「태평춘(太平春)」에서

③ 눈발이
　　굵어지는 창(窓)안에
　　벙그는 동백(冬栢)꽃 곁에서
　　묵(墨)을 간다

　　　　　　　　　　　　　　　　　—「단시오도(短詩五道)」에서

　시 ①은 잎새 끝의 한 방울 이슬에서 대지의 순환과 우주의 질서를 감지해 낼 수 있는 노시인 목월의 생의 깊이를 보여준다. 더구나 "맺히는 물 한방울/구름 아래서/나는 귀가 먹어간다"라는 구절과의 조응은 순천체명이라는 목월의 삶과 자연의 친화력을 확인할 수 있게 한다. 거역보다는 순응을 격앙보다는 내성을 소망하는 목월의 자연관을 제시해 주고 있는 것이다.

　시 ②는 자연의 미세한 질서에 대한 응시와 함께 자연사로서의 인간사에 대한 잔잔한 관조를 형상화하고 있다. "새가 날아간/흔들리는 나뭇가지"를 볼 수 있는 서정의 여유는 바로 "막내의 혼담을 매듭지을까"와 같은 삶의 달관이며 여유로 나타나는 것이다. 이러한 서정의 여유는 바로 하느님 다음가는 창조자로서의 시인 목월, 가장 죄 없는 자로서의 삶의 힘이며, 자연의 보이지 않는 질서에 대한 사랑의 확신인 것이다. 실상 "송화가루 날리는 외딴 봉우리/눈먼 처녀사/문설주에 기대어 엿듣고 있다"(「윤사월」에서)라는 젊은 날의 설레임과 "막내의 혼담을 매듭지을까"라는 이순의 정관 사이에는 시간적 거리 이상으로 한 시인의 생애 속에 잠겨 있는 숭고한 삶의 궤적에 경건함을 느끼게 하는 시적 엄숙함이 내재해 있는 것이다.

시 ③에서는 "눈발·창·동백·묵"의 공감각적 이미지에 대한 탐미적 서정을 느낄 수 있다. 이러한 탐미적 서정은 바로 "한 오리 구름이 비낀/낭떠러지에/연연하게 타는 오늘의 단풍/지금의 아아, 절경"과 같이 자연의 아름다움에 대한 경탄으로 이어지고 있다. 실상 자연의 순환에서 오는 천변만화의 설득력은 인간에게 깊은 감동을 불러일으킴으로써 인간의 산문적인 삶을 시적 삶으로 고양해주는 원동력임을 목월은 일찍이 간파하고 있었던 것이다. 목월은 한국의 어느 시인보다도 시가 인간과 자연의 교감에서 오는 서정의 아름다움에 본원을 둔 언어 예술임을 확신하였으며, 이러한 서정의 아름다움이 바로 삶에 탄력을 불러일으키는 시의 힘이자 삶의 원동력임을 제시해 주었다.

지금까지 살펴본 것처럼 목월의 노력하는 삶에 대한 청교도적 갈망과 미래 지향적인 극복정신 그리고 서정의 아름다움에 대한 깊은 투시는 목월의 시 정신이 궁극적으로 보다 나은 삶을 추구하고 정신의 평화와 행복을 창조하는 사람으로서의 천부적인 휴머니즘의 시의식에 자리잡고 있음을 확인해 주는 것이 된다.

(1979년)

6. 운명애와 부활 의지/윤동주

　윤동주(1917~1945)는 망명의 땅 북간도에서 태어나 외지 일본의 감옥에서 29세를 일기로 죽어간 일제 말의 대표적 시인 중의 한 사람이다. 그는 고향을 잃은 실향민으로서, 또한 조국을 잃은 망 국민으로서의 비애를 투명한 지성으로 이끌어 올리는 한 시범을 보여주었다.

　윤동주는 당대의 기성문단과는 교류가 없이 묵묵히 시업에 정진하였다. 그의 시는『카톨릭소년』, 조선일보 학생란 및 연희전문 문과 발행의『문우』등에 동시, 자유시 및 산문 몇 편이 발표되었을 뿐 1948년 유고 31편이 유고시집『하늘과 바람과 별과 시』로 묶여짐으로써 비로소 이 땅 문학사에 빛을 보게 되었던 것이다.

　지금까지 이루어진 윤동주에 관한 연구로는 대략 백여 편의 대소 논문이 있으나 특히 본격적으로 윤동주가 학계에 주목을 받기 시작한 것은 1960년대 중반 이후가 된다. 대체로 윤동주에 관한 연구는 그를 저항시인의 관점에서 논한 것이 주종을 이루고 있으나, 근자에 이르러 이에 대한 반성이 일어나 좀 더 다양한 시각과 방법론의 적용이 시도되고 있다. 윤동주의 시가 일제하에서 쓰여졌고 그가 적지에서 옥사했기 때문에 저항시인의 관점에서 논의되는 것은 일면 설득력을 지닐 수밖에 없다. 그러나 그의 시의 진면목을 밝히기 위해서는 그의 시가 민족정서에 바탕을 둔 동심의 세계와, 향수 그리고 운명에 대한 사랑과 그리움을 원형적 심상으로 순수하게 노래했다는 점은 더욱 새롭게 부각되어야 할 것이다. 저항의식이라는 것도 순수한 인간애와 선한 의지를 바탕으로 할 때 비로소 더욱 참된 가치를 발할 수 있기 때문이다.

시집 『하늘과 바람과 별과 시』는 내용적인 면에서 몇 가지 정서의 특질과 정신의 지향을 보여준다. 우선 무엇보다도 중요한 것으로 운명애(amor fati)의 정신을 들 수 있다.

> 죽는 날까지 하늘을 우러러
> 한 점 부끄럼 없기를
> 잎새에 이는 바람에도
> 나는 괴로와 했다.
> 별을 노래하는 마음으로
> 모든 죽어가는 것을 사랑해야지
> 그리고 나한테 주어진 길을
> 걸어가야겠다.
>
> 오늘 밤에도 별이 바람에 스치운다.

대표작 「서시」는 "모든 죽어가는 것을 사랑해야지/그리고 나한테 주어진 길을 걸어 가야겠다"라는 핵심 구절처럼 운명에 대한 뜨거운 긍정과 사랑을 표현한 것이다. 실상 험하고 어두운 절망의 시대일수록 스스로를 구원할 수 있는 방법은 자기의 운명을 긍정하고 사랑하는 운명애의 길일 수밖에 없을 것이다. 시 「자화상」에서의 '미움→가엾음→그리움'의 과정은 바로 윤동주의 시가 사랑의 정신 또는 운명애의 정신에 깊이 뿌리박고 있음을 뜻하는 것이 된다.

두 번째는 실향의 비애가 두드러지게 나타난다는 점을 들 수 있다. 일찍이

한 시론가가 지적한 것처럼 '북간도→평양→서울→동경→복강' 등으로 옮겨다닌 그의 시가 실향의식을 그 바탕으로 하고 있음은 자명한 이치이다(정한모, 『한국현대시의 정수』, 서울대출판부, 1979, 190쪽). "어머님, 나는 별 하나에 아름다운 말 한마디씩을 불러 봅니다//이네들은 너무도 멀리 있습니다/별이 아슬히 멀듯이/어머님/그리고 당신은 멀리 북간도에 계십니다"(「별헤는 밤」)에서와 같이 고향을 잃고 떠나와 외지에서 느끼는 현실적 거리감과 절망감은 그의 시집 전체를 통해 반복적으로 나타난다.

　세 번째는 저항의식이 드러난다는 점이다. 이것은 식민지치하 지식인으로서 갖게 되는 현실에 대한 부정정신의 결과이며 저항정신의 드러남인 것이다. "목아지를 드리우고/꽃처럼 피어나는 피를/어두워 가는 하늘밑에/조용히 흘리겠습니다"(「십자가」에서)와 같은 구절이나 "바닷가 햇빛 바른 바우위에/습한 간을 펴서 말리우자"(「간」에서) 등은 이러한 저항의식을 보여주는 것이 된다. 여기에서 중요한 것은 그의 저항의식이 밖으로 소리치는 외향적·행동적인 것이라기보다는 '안으로 열하고 밖으로 서늘한' 내재적·지성적인 특징을 지닌다는 점이다. "밤이면 밤마다 나의 거울을/손바닥 발바닥으로 닦아 보자"(「참회록」에서)라는 구절에는 이러한 인고의 내재적 저항정신이 잘 함축돼 있다. 실상 "괴로움·부끄러움·강박관념"으로 요약되는 윤동주 시의 부정적·소극적 정서는 이러한 저항정신을 적극적으로 행동화하지 못하는 데서 유발되는 자책 내지 자기혐오의 감정에 기인하는 것으로 해석된다. 이 점에서 윤동주를 저항시인으로만 규정하는 것은 현명한 판단이 되지 못함을 알 수 있다. 분명 그의 시 도처에 뜨거운 분노와 저항의 함성이 내재해 있지만 단지 그것만으로 윤동주의 시 세계 전체를 단순화하는 태도는 나무를 보고 숲을 보지 못하는 태도일 뿐인 것이다.

　네 번째는 자연친화의 정신을 들 수 있다. 그의 시어는 대부분 이 자연에 바탕을 둔 원형적 심상으로 이루어져 있다. "하늘·바람·별·구름·우물·강물·거

울·길" 등의 전원 상징과 "어머니·아이·동무·사랑" 등 따뜻하고 착한 인간의
원형적 이미지가 가득 차 있는 것이다. "우물 속에는 달이 밝고 구름이 흐르
고 하늘이 펼치고 파아란 바람이 불고 가을이 있습니다"(「자화상」에서)에서
라든가 "여기저기서 단풍잎 같은 슬픈 가을이 뚝뚝 떨어진다. 단풍잎 떨어져
나온 자리마다 봄을 마련해 놓고 나뭇가지 위에 하늘이 펼쳐 있다. 가만히 하
늘을 들여다 보면 눈썹에 파란물감이 든다"(「소년」에서)라는 구절들 속에는
자연과 인간의 친화와 교감이 선명히 드러나 있다. 실상 윤동주 시의 서정적
아름다움은 그의 시가 이러한 자연친화의 정신에 의해 원형적인 섬세한 심상
을 활용하기 때문인 것으로 파악된다.

다섯 번째는 동화적 세계의 갈망이다. 그의 시집에 수록된 116편의 시 중
에서 무려 35편가량을 동시로 볼 수 있다. 그의 시에는 "노새·노루·사슴·귀뚜
라미·나비·병아리·누이" 등 약하고 착하며 귀여운 동화적 이미지들이 많이 등
장하며 그의 순수하고 맑은 선의지를 드러내 준다. 거칠고 억센 현실의 억압
과 질곡에서 동심에의 지향은 순수함과 착함, 그리고 휴머니즘을 간직하게
할 수 있는 힘을 제공하기 때문이다. 자연과 동심이야말로 윤동주에게는 정
신의 고향이며 동시에 존재의 이데아인 것이다.

마지막으로는 부활의 정신 또는 유토피아에의 지향을 들 수 있다. "백골 몰
래 또 다른 고향에 가자"라는 처절한 강박관념의 표출과 또 다른 고향에 대한
동경은 운명애와 자연친화 및 동심의 망을 거쳐 마침내 부활의 신념을 성취
하게 되는 것이다. "그러나, 겨울이 지나고 나의 별에도 봄이 오면/무덤우에
파란 잔디가 피어나듯이/내 이름자 묻힌 언덕우에도/자랑처럼 풀이 무성할
거외다"(「별헤는 밤」에서)라는 그의 대표시의 한 구절은 바로 윤동주 시의
부활의식 내지 고향에 대한 신념과 소망을 노래한 것이다. 이 점에서 윤동주
의 시는 신념의 시 또는 희망의 시라 말할 수 있다. 그의 '또 다른 고향'이란 바
로 이러한 부활이 이루어지는 유토피아를 뜻하는 것이다. 여기에서 윤동주의

시는 단순한 서정시가 아니라 극복정신에 바탕을 둔 이념시 내지는 형이상학시라고 볼 수 있는 가능성이 열리게 됨은 물론이다.

이렇게 볼 때 윤동주의 시가 저항시인가 아니면 순수시인가 하는 문제를 놓고 왈가왈부하는 것은 현명한 일이 되지 못함을 알 수 있다. 그의 시는 어두운 시대에 투명하고 아름다운 서정을 섬세하고 따뜻한 지성으로 이끌어 올림으로써 참된 시의 한 시범을 보여주었으며, 자연과 동심 그리고 부활에 대한 신념과 소망을 간직함으로써 진정한 용기와 지혜를 일깨워주었기 때문이다. 바로 이 점에서 윤동주의 시는 일제 말 암흑기의 한 별이며, 해방 후 시의 한 등불로서 영원히 빛을 발할 수 있는 것이다.

(1983년)

7. 휴머니즘 또는 미래 지향의 역사의식/정한모

　　나비는 인간의 꿈이며 동경의 대상이다. 그것은 자유로운 정신의
　표상으로, 현실과 꿈을 이어주는 아름다운 영혼의 촉매이다.
　　나비의 여행은 진·선·미의 지고지순한 휴머니즘의 장인 '아가의 방'
　을 찾아가는 구도의 역정이며 고달픈 인생 순례의 길이다.

　'아가'와 '나비'의 시인 정한모의 시적 출발은 1945년 동인지 『백맥』으로
부터 시작된다. 해방 후 최초의 문예 동인지인 『백맥』에 「귀향시편」을 발표
한 이후, 그는 『시탑』(1946)과 『주막』(1947)의 핵심 동인으로 활약하면서 해
방 시단에 '나지막하면서도 힘차고, 부드러우면서도 저력 있는' 특유의 목소
리를 들려주기 시작한 것이다.

　그의 시적 출발이 이루어진 해방공간, 즉 1945년 광복 무렵부터 1950년대
초반 6·25까지의 이 땅은 혼란한 격동기였으며 역사적인 전환점에 놓인 시기
이기도 하였다. 8·15 해방은 이 땅 민족사의 일대 전기가 되었음은 물론 문학
사에 있어서도 획기적인 전환점이 되었다. 그러나 해방이 우리의 주체적·능
동적 노력에 의한 것이라기보다는 연합국의 승리에 따른 타율적인 힘에 의존
한 것이라는 부정적 측면이 강했기 때문에 이의 당연한 결과로 민족의 자주
적 역량이 부족하였고, 따라서 정국은 극심한 혼란에 휩싸이게 되었던 것이

다. 좌우익의 격심한 갈등과 대립은 38선을 경계로 한 미·소의 대립과 더불어 극에 달하였으며, 끝내는 식민지 체험 이상으로 비극적인 남북분단이라는 민족분열의 상황을 초래하게 되었던 것이다.

이러한 정치·사회사적 혼란은 문학뿐 아니라 모든 학술·사상·종교·예술에 이르기까지 파급되어 이 땅 전체가 일대 소용돌이에 휩싸이게 만들었다. 특히 문단에서는 1920년대 카프 이후 지하운동화하였던 계급주의 문학이 다시 위세를 떨치기 시작하여 문단을 정치적인 격전장으로 몰아넣었다. 해방 직후에 간행된 『해방기념시집』에는 벌써 이데올로기류의 낯선 시어들이 대거 등장함으로써 문단이 정치 상황적인 난기류에 휩싸이기 시작했음을 예고해 주기도 하였다. 거리에 범람하는 낯선 이데올로기의 정치적 구호와 흥분된 어조의 센티멘털리즘이 그대로 시 속에 이끌어 들여져 '시 아닌 시'들이 시로서 행세하게 된 것이다. 또한 민족진영에서 시단을 이끌어 간 시인들은 대부분 해방 전에 활약하던 사람들로서 신선한 목소리가 부족하였다. 따라서 해방 시단의 특징은 식민지시대의 연장선상에서 이를 마무리하면서 새로운 목소리의 신진 시인들이 나타나기 시작하는 전환기적인 성격을 지닌다.

정한모는 바로 이러한 해방 시단에 나타난 신진시인 가운데 선두주자의 한 사람으로서 개성 있는 목소리를 들려주기 시작하였다. 물론 그의 시가 시단의 전면에서 커다란 목소리로 울리기 시작한 것은 시집 『카오스의 사족』이 발간된 1950년대 후반에 이르러서이다. 그러나 해방공간의 혼란한 시단에서 그가 들려준 저력 있는 목소리 속에는 격동기의 험난한 현실을 성실하게 극복해 온 한 젊은 시인의 진솔한 내면 고백이 담겨 있다는 점에서 쉽게 흘려버릴 수 없는 중요성이 놓여진다.

본고에서 필자는 본격적인 정한모론을 전개하려고 시도하지는 않는다. 다만 첫 시집부터 제 5시집에 이르는 시적 변모 과정을 개관함으로써 그의 시 세계에 대한 편모나마 살펴보고자 한다. 따라서 이 글은 정한모의 시에 대한 하나의 중간점검이며, 예비 각서에 불과하다.

① 카오스의 좌절체험

첫 시집 『카오스의 사족』(범조사, 1958)에는 제1부 '너는 서 있는가'와 제2부 '바람 속에서'라는 큰 제목 아래 「얼굴」 등 32편의 시가 실려 있다. 우선 『카오스의 사족』이라는 제목 속에는 이 시집이 혼란과 무질서의 시대인 1950년대에 부치는 하나의 송가 또는 에필로그의 성격을 지닌다는 점이 암시되어 있다. '너는 서 있는가'·'바람 속에서'라는 소제목은 전란의 소용돌이를 헤쳐 온 자신과 이웃에 대한 자기 확인의 자세를 반영한 것이 된다.

　　　　얼어붙은 지붕들 위에
　　　　겨울해가 구름에 덮여 지나간다.

　　　　바람이 부는 끄스른 지붕 끝에
　　　　많은 욕구(慾求)에 지친 의지(意志)가 매달려 있다

　　　　유기(遺棄)된 역사(歷史)처럼 낡은 헝겊조각들이
　　　　전쟁(戰爭)과 함께 피곤히 범람하는 지붕 위에
　　　　오늘도 또 한장 목마른 아우성이 떠올랐다

　　　　그 아래 욕구(慾求)도 갈망도 없이 흘러가는
　　　　어깨 늘어진 그림자들에 끼어
　　　　말없는 내 그림자가 기어간다

　　　　그 이튿날
　　　　닫힌 유리창이 차디찬 골목에
　　　　바람이 바람을 몰고 날이 저문다

　　　　　　　　　　　　　　　　　　　　—「프랑카아드」

이 시에는 시집 『카오스의 사족』을 관류하는 부정적인 현실인식이 잘 드러나 있다. 전란의 상흔으로 얼룩진 50년대의 을씨년스런 풍경 속을 힘없이 걸어가는 사람들의 모습이 묘사되어 있는 것이다. "얼어붙은 지붕들·끄스른 지붕·낡은 헝겊조각·목마른 아우성·흘러가는 그림자들·닫힌 유리창·차디찬 골목·날이 저문다"라는 구절들 속에는 전후 폐허의 어두운 인상화가 은은하게 찍혀져 있다. 특히 '바람'은 이 시에서 시대의 어둠과 현실의 시련을 몰고 오는 부정적 표상으로서 지속적으로 사용되었다. 실상 6·25는 그것 자체가 거대한 역사의 회오리바람이었으며, 동족상잔의 무서운 북풍이었던 것이다.

> 신작로 먼짓길 삼백여리(三百餘里) 걸어와서
> 재 넘어 샛길 산(山)길에 들어서니
> 민가(人家)도 행인(行人)도 우는 새도 하나 없이
> 우거진 들국화만이 가을 하늘 아래 아름다웠다
> 여기는 충청도(忠淸道) 땅
> 이제 다 왔다
> 금나간 양은냄비며
> 불 속에서 끌어낸 몇 가지 옷이며
> 어린 것들 기저귀 등을 꾸려 넣은
> 보퉁이를 내려놓고 앉아서
> 아픈 다리 지친 마음을 쉬고 있는 고개머리
> 점심 새때 기울어지는 햇살이 따스한 속에
> 앞서서 걸어가는 쌍동이 업은 어머니랑 진희랑
> 그 뒤를 칭얼대며 따라가는 진경이를 바라보면서
> 불쌍한 어머니는 우리가 생전 모시고 살자고
>
> ―「고개 머리에서」에서

이 시에는 전쟁의 회오리바람에 쫓겨 날려가는 한 가족의 피난길이 생생하게 묘사되어 있다. 먼지와 바람에 풍화돼 가는 50년대의 고달픈 생활상이 드러나 있는 것이다. 이 점에서 시집 『카오스의 사족』은 어두운 시대 상황을 반영한 전후의 풍속도인 동시 개인의 생활사를 기록한 생활시로서의 특성을 지닌다. 실상 '바람'의 이미지는 '밤' 혹은 '어둠'의 이미지로 전이되어 시대의 어둠과 개인적인 좌절체험을 함께 드러내 준다.

> 어둠이 쌓이는 밤의 깊이에서
> 서로의 가슴으로 불을 켜놓고
> 미소(微笑)같은 우리들의 촛불을 밝혀 놓고
>
> 촛불같은 우리들의 미소를 지키면서
> 어둠에 밀려와 창 밖에 소복이 밤은 쌓이고
> 어둠이 쌓이는 밤의 품안에서
> 공백(空白)만이 남은 우리의 오늘들이 앉아서
> ──「어둠이 쌓이는 밤의 깊이에서」에서

이 시의 중심 이미지는 어둠과 밤이다. 이 어둠과 밤의 대응적 이미지는 미소와 촛불이다. 시대의 어둠과 개인의 밤을 밀어내려는 촛불과 미소의 은은함은 바로 50년대 정한모의 실존의 몸부림이며 하소연인 것이다. '공백만이 남은 우리의 오늘들이 앉아서'라는 구절 속에는 전후인의 뿌리 깊은 무력감과 허무에 대한 자각이 깃들여 있다. 이러한 어둠과 밤이 표상하는 불안과 허무의식은 바로 시인 자신의 시대의식을 반영하는 것으로 보인다. 실상 50년대의 어두운 풍경과 궁핍한 실존은 카오스의 상태 그것이었는지도 모르기 때문이다. 그러므로 "나의 생활을 출입시킬 문도/나의 사념을 호흡시킬 창도/나는 가지고 있지 않다"(「바위에서의 의장」에서)라는 구절에서처럼 절망적인 인식에 도달하게 되는 것이다. 그러나 이러한 절망적 인식은 그것이 "당신과 나 사이 또 저 어린 것과 우리들 사이 서로의 소중한 생애가 얽히어 가는 이 엄숙한 운명의 위치에서 또한 이렇게 범연히 앉아 있는 이유를 생각해 보는 것"(「아내에게」에서)처럼 운명론으로 받아들여짐으로써 새로운 양상을 지니게 된다. 그것은 어두운 시대와 고달픈 삶을 운명적인 것으로 긍정하게 되는 것이다. 이러한 긍정의 자세는 고난의 바람마저도 생성의 그것으로 바꿔 놓게 되며, 어둠 속에서도 빛을 발견하게 된다.

> 바람과 함께
> 다시 들려올 노래소리 그리워
> 물오른 미류나무 가지 끝
> 필연인 듯 움터 오르는 생명은 있어라
> ——「바람과 함께」에서

> 바람이여 새벽 이슬잠 포근한 아가의 고운 숨결 위에 첫마디 입을 여는 참새소리 같은 청청한 것으로 하여 깨어나고 대숲에 깃드는 마지막 한마리 참새의 깃을 따라 잠드는 그런 있음으로만 너를 있게 하라.
> 산모퉁이 우물 속 잔잔한 수면(水面)에 서린 아침 안개를 걷으며 일어나는 그런 바람 속에서만 너는 있어라
> ——「바람 속에서」에서

이 두 작품에서 바람은 생성의 힘 또는 평화의 이미지로 나타난다. '필연인 듯 움터 오르는 생명'을 탄생시키는 힘으로서의 바람은 자연의 섭리이며 우주적 질서를 의미한다. 또한 바람은 대자연의 아름답고 평화로운 질서를 갈구하는 희망의 표상이다. 파괴와 부정, 고난과 시련의 바람이 아니라 생성과 탄생, 순수와 평화의 바람에 대한 믿음과 소망이 깃들여 있는 것이다. 이 점에서 '바람'의 심상 속에는 현실의 어려움을 이겨내려는 극복의지가 내포되어 있으며, 아울러 운명에 대한 따뜻한 긍정의 시선이 깔려있음을 알 수 있다.

> 밤새도록 어둠으로 씻기운 가슴에선 한톨 진주(眞珠)알 같은 빛이

눈을 뜬

　먼 곳에서부터 빛과 소리 속에 어둠을 거두면서 다가오는 아침을
향하여 파장(波長)하는 나의 아침

　새벽 종소리에도 소스라쳐 흔들리며 퍼져 가는 진주빛 나의 밝음
　　　　　　　　　　　　　　　　　　　　　　　　—「오늘」에서

　스쳐가는 사람마다 이웃 같은데
　떠나간 너도 돌아오는가
　허무 위에 쌓이는 가상(假像)일지라도
　잠간 타오르는 불길일지라도—
　기쁨처럼 밝아 오는 내 가슴에
　이제야 돌아오는 즐거움으로
　달려오는 숨 막히도록 마구 달려오는 너를
　여기 눈보라 속 오연(傲然)히 서서
　달려와 안길 너를 기다리게 하여 다오

　　　　　　　　　　　　　　　　　　　—「눈보라 속에서」에서

　이 두 시에서는 밝음에 대한 강한 향성과 기다림의 자세가 표출돼 있다.
"밤새도록 어둠으로 씻기운 가슴에/빛이 눈을 뜬다"라는 구절 속에서 그는
시대의 어둠을 밀치며 다가오는 희망의 빛을 발견한 것이다. 또한 "숨막히도
록 마구 달려오는 너를/기다리게 하여다오"라는 구절처럼 지향 없는 그리움
과 기다림을 드러낸 것이다. 이처럼 바람과 밤의 어두운 이미지 속에는 밝음
에 대한 안타까운 기다림과 갈망의 극복의지가 잠재되어 있다.

　이렇게 볼 때 시집 『카오스의 사족』은 전후의 험난한 생활과정 직접적으
로 느러난 생활시적 특성을 지난다. 선생의 상흔과 생활의 고날씀이 어둠과
바람 속에 명암으로 교차되면서 젊은 날의 좌절체험을 반영하고 있는 것이
다. 바로 이 점에서 시작은 살아가는 보람으로서 격동기의 생을 지탱시켜 주

는 근원적인 힘이 될 수밖에 없었던 것이다. 첫시집 『카오스의 사족』에는 바로 이 어두운 시대의 내면 고백이 생생히 담겨 있는 것이다.

② 어둠의 통과제의(通過祭儀)

제2시집 『여백을 위한 서정』은 『카오스의 사족』이 나온 1년 뒤인 1959년 신구문화사에서 간행되었다. 여기에는 '여장'·'화방심서'·'낙수첩' 등 세 소제목 아래 모두 31편의 시가 수록되었다. 시집의 발간 시기로 보나 내용 면에서 보더라도 이 두 시집은 서로 밀접한 상관성을 지니고 있다. 『여백을 위한 서정』은 『카오스의 사족』의 연장선상에서 카오스의 시대를 마무리하며 그 속에서 느끼는 여백의 서정을 노래한 것으로 보인다. 따라서 『카오스의 사족』에 짙게 깔려있던 어둠과 밤의 이미지가 『여백을 위한 서정』에서도 그대로 연결되고 있는 것이다.

> 꽃의 아름다움마저 덮어버린 이 절망과 같은 어둠 속에서
> 별을 향하는 동경도 없이 스스로의 빛을 지키는 반딧불이며 반딧
> 불 같은 생명들과 더불어 찾아가 몸부림으로 부딪쳐 볼 창 하나 없이
> 사는 나도
>
> 멀리 떨어져 살고 있는 차디찬 별의 마음으로 까물거리는 나의 심
> 지를 돋워가며 빛을 지키고 앉아 있으면
> 그늘진 가슴의 골짜기를 쓸며
> 자정의 음악이나 먼 여울소리 같은 고요가 흐른다
> 모든 내가 돌아온다
> ―「밤의 생리(生理)」에서

이 시에도 '절망과 같은 어둠 속'과 같이 부정적인 현실인식이 짙게 깔려있

다. 또한 '몸부림으로 부딪쳐 볼 창 하나 없는 반딧불'처럼 자학의 심정마저
엿보이는 것이다. 그러면서도 '까물거리는 나의 심지를 돋워가며 빛을 지키
고 앉아 있는'이라는 구절에서 보듯이 절망을 이겨 나가려는 목숨의 안간힘
을 보여준다.

이러한 부정적인 시대인식과 어둠 속에서나마 빛을 찾으려는 삶의 몸부림
은 바로 『카오스의 사족』에서의 그것과 상통하는 것이다. 여전히 『여백을 위
한 서정』의 많은 시편에는 전쟁의 상흔과 그 어두운 그림자가 드리워져 있음
을 볼 수 있다.

> 기한(飢寒)과 고독으로 해를 지나고
> 탄우(彈雨) 속에 굶주리며 불바다를 헤매고
> 산 넘고 물 건너 먼지길 사백리(四百里)
> 걸어 걸어서 살아온 어린 목숨들이
> 찬바람 거센 겨울 하늘 아래
> 이제 하나밖에 없는 몸 붙일 곳을 찾아
> 저기 저렇게 떨며 떠나간다
>
> ―「아가들에게」에서

> 하늘이 무너지고
> 어머니는 타죽고
> 찢어지던
> 순이의 울음소리와
> 불타던 젖꼭지
> 울음 소리와 함께
> 기억은 사라지고
>
> ―「서울 서장(序章)」에서

이 두 편의 시에는 전쟁의 상흔이 그대로 남아있다. 정처 없는 피난길을 떠

도는 어린 자식들에 대한 연민의 정과 함께 폐허화된 삶의 주변에 대한 애상을 노래한 것이다. 역사의 험난함과 시대의 어둠을 헤쳐가는 개인적 실존의 어려움이 생생하게 표출돼 있다. 이 점에서 『여백을 위한 서정』도 생의 어두운 그림자 속에서 느낀 생활의 서정이 투영된 생활시의 성격을 지닌다.

한편 『여백을 위한 서정』에는 어두운 현실에 대한 반작용으로서 순수하고 착한 세계에 대한 동경과 지향이 나타난다. 이것은 먼저 새 생명에 대한 기대 즉 아가의 탄생으로 시작된다.

> 깊어 가는 이 밤에도
> 내 핏줄 타고 고요히 숨쉬고 있는
> 아가
> 꽃봉오리 같은 조그마한 네 存在에
> 내 마음 이렇게도 엄숙하고
> 네가 있어 나는 내일이 아름답구나
> 오, 움직이는 어린 생명이여
>
> ―「태동(胎動)」에서

'아가'는 이 시에서 역경의 현실을 이겨 나갈 수 있게 하는 꿈과 희망의 표상이다. 새롭게 태어난 새 생명으로서의 아가는 어둠을 정화해 주는 힘이며 마음속에 빛을 간직할 수 있게 하는 원천이다. 아가에게서 느끼는 경건감은 바로 시인 자신의 인생에 대한 용기와 자신감을 불러일으키는 원동력이 된다.

> 지금
> 아가는
> 먼 피리 소리를 듣고 있다
>
> 영원과도 같은

그렇게 먼 곳으로부터
들려 오는 피리소리를
하늘의 푸르름도 흐르다 여기 머물고

모두 다 그대로 고운 것처럼 지니고
맑음만이 엉기는 정한 우물

지금껏 아득히 잊고 있었던
이 우물 위에서
나의 웃음은 서글프고
담겨진 얼굴은 구겨지기만 하는데

아가는
지금
맑게 서리는
먼 피리소리만을
두손 모아 듣고 있는 것이다

                                ─「눈동자」에서

　이 시에서 아가의 세계는 진실한 것, 아름다운 것, 영원한 것으로서의 세계
를 의미한다. 인류에게 구원한 꿈을 꾸게 하고 희망을 일깨우는 생명의 빛이
며 소금으로서 아가는 존재한다. 실상 50년대의 혼탁하고 어두운 상황에서
믿고 기대할 수 있는 것은 오직 '아가'가 상징하는 새로운 세계밖에 없을 것이
다. 이러한 믿음은 다음 시에서 더욱 구체적으로 나타난다.

　　　맑은 해빛으로 바짝바짝 물들며
　　　가볍게 가을을 날고 있는
　　　나뭇잎
　　　그렇게 주고받는 미소(微笑)로도

이 커다란 세계를
넉넉히 떠받쳐 나갈 수 있다는 것을
믿게 해 주십시오

흔들리는 종소리의 동그라미 속에서
엄마의 치마곁에 무릎을 꿇고
모아 쥔 아가의
작은 손아귀 안에
당신을 찾게 해 주십시오

이렇게 살아가는
우리의 어제 오늘이
마침낸 전설(傳說) 속에 묻혀 버리는
해저(海底) 같은 그날은 있을 수 없읍니다
달에는
은도끼로 찍어낼
계수나무가 박혀 있다는
할머니의 말씀이
영원히 아름다운 진리(眞理)임을
오늘도 믿으며 살고 싶습니다

— 「가을에」에서

이 시의 장점은 어둠의 색감을 벗어나서 맑고 밝은 동심의 세계를 갈구하는 희망의 시심을 표출한 데 있다. 으레 '가을'하면 조락과 상심의 시상을 떠올리는데 반해 여기서는 맑고 밝은 세계, 순수하고 착한 아가의 세계를 지향하고 있는 것이다. 동화의 아름답고 순수한 세계로서 천진무구한 아가의 세계에 대한 신뢰와 동경이 '맑은 햇빛·반짝이는 미소·종소리의 동그라미·엄마·아가'의 이미지 조응으로 형상화되었다. "무릎을 꿇고/모아 쥔 아가의/작은 손아귀"는 바로 인류와 역사의 어둠을 밀어내는 생명의 빛이며 구원의 힘인

것이다. 실상 동화적 세계의 지향이나 아가의 세계에 대한 동경과 갈망은 현
실이 어둡고 불안한 데서 이를 극복하고 지향하기 위한 반작용의 성격을 지
닌 것으로 볼 수 있다.

그러므로 『여백을 위한 서정』에는 현실극복의 또 다른 방법으로서 사랑의
정감이 나타난다.

> 땅 밑으로 흘러가는
> 저 수맥(水脈)의 노래 같은
> 아름다운 사랑의 화음(和音)을
> 그 누가 연주(演奏)할 수 있을까
>
> 장대 같은 행복의 맨 꼭대기에서
> 깍지 낀 열손가락이 졸라매는
>
> 너의 꿈틀거리는 육체로 하여
> 나의 목숨은 싱싱한 칡넝쿨이 된다
>
> 밤하늘을 금 긋고 흘러간
> 능선(稜線)의 기억도
> 사랑의 거짓말도
> 이제는 다 몰아내 놓고
> 우리 떨며 깍지 끼는
> 뜨거운 손바닥으로
> 살아있는 우리의 생명(生命)을 연주(演奏)하자
>
> ―「연주(演奏)」에서

이 시뿐만 아니라 많은 시의 밑바탕으로서 사랑은 정한모 시에 지속적으로
나타난다. 생명의 근원이자 삶의 원동력으로서 사랑은 어려운 시대일수록 소
중하게 빛나는 정한모 시의 중요한 자산인 것이다. 실상 '아가'에 대한 동경과

지향도 사랑의 정신에 바탕을 두고 있음은 물론이다. 살아가는 보람으로서의 '아가'에 대한 믿음과 소망은 바로 시를 쓰게 하는 힘으로서의 사랑의 정신에 그 근원을 두고 있는 것이다. 이 시점에서 「화방심서」편은 특히 이 사랑의 마음과 깊이 연관되어 있는 것으로 보인다.

이렇게 볼 때 시집 『여백을 위한 서정』은 카오스의 심연에서 서서히 벗어나는 통과제의의 과정을 보여주는 것으로 이해된다. 『카오스의 사족』의 어두운 세계와 직접·간접으로 연관되어 있으면서도, 여기에서 한 걸음 더 나아가 '아가'의 세계, '사랑'의 세계를 발견하게 된 데 그 선명한 의미가 놓여진다.

③ 사랑과 휴머니즘의 실천

제3시집 『아가의 방』(한국시인협회, 문원사, 1970)에 이르러 정한모의 시는 하나의 전환점을 맞이하게 된다. 『카오스의 사족』과 『여백을 위한 서정』에서 생활사에 밀착되었던 시 세계가 '아가의 방'과 '나비'라는 상징적인 공간을 마련하게 되는 것이다. 역사의 그늘과 시대의 그림자가 던지는 암울한 어둠으로부터 벗어나 '아가의 방'이라는 독립된 자기만의 세계를 구축하게 된 것이다.

먼저 『아가의 방』에는 인간적인 사랑의 정감이 중요한 모티프를 이룬다.

　　바람이 분다
　　꽃잎이 전율(戰慄)한다
　　어기여차 저어라

　　말랑한 말괄량이
　　노라 사라호(號)
　　열(熱)하는 소용돌이

치솟는 물기둥
아름드리 불기둥
두둥실 불꽃송이

달빛으로 터지는
연꽃 피는 꽃잎소리

강풍(强風)이 지나간
아산만(牙山灣)
전쟁(戰爭)이 있었단다

— 「꽃체험(體驗)·2」에서

「꽃체험」이란 사랑의 정감과 그 체험을 의미한다. 특히 이 시에서는 에로틱한 분위기까지 느껴질 정도로 관능적이면서도 탐미적인 사랑의 모습이 표출돼 있다. "꽃잎·바람·물기둥·불기 등·달빛·태풍·전쟁"이라는 아름답고 격정적인 시어들의 조응은 사랑의 미학을 형성하는 것이다. 이러한 사랑의 체험은 흔히 '밤'의 이미지와 연결된다.

어둠이 등불처럼 켜져 있는
눈시울 속에 고향(故鄕)처럼 돌아와
다시 숨돌려 쉬는 밤이여
내 안에서 나래 접으며
젖은 눈을 뜨며 네가 살아날 때
따뜻한 등불이 다시 켜지듯
어둠은 다시 생명(生命)이 된다.

— 「귀향(歸鄕)」에서

여기에서 밤과 어둠은 『카오스의 시족』이나 『여백을 위한 서정』의 부정적인 이미지와는 다르게 나타난다. 그것은 사랑과 휴식의 따뜻함이 있는 재생의 장소로서의 의미를 지닌다. 시대와 역사의 어둠이라는 외부적 원인이 점차 사라지고 생명의 법칙에 따른 내부적·자율적 요인이 작용한 것이다. 밤은 대지와 만물의 휴식의 장소이며 몽상의 공간이고, 동시에 재생의 동굴로서 새로운 의미를 지니게 된 것이다. 따라서 시집『아가의 방』에는 "신의 문을 열고/들어선 깊은 밀실/달게 잠든 수면의 팔 안에서/고운 숨소리는 내 핏속을 돌고"(「돌의 노래」에서)와 같이 '밤=사랑=잠=재생'의 등식이 성립하게 된다. '아가의 방'이란 현실에 지친 인간의 육신과 영혼이 사랑을 감응하고 휴식을 취함으로써 새로운 탄생을 예비하게 하는 부활의 동굴로서의 원형적 의미를 지니는 것이다. 여기에서 '아가'는 실제적인 어린 아가로서 보다는 다양한 상징성을 지니는 것으로 이해된다. 그것은 바로 "순수한 것·착한 것·약한 것·옳은 것·아름다운 것" 등 모든 진선미의 표상으로서, '어린 아가'로부터 "아들·딸·아내·연인·형제·어머니·아버지·일가친척·어진 이웃·인간 전체·신", 그리고 '나 자신'을 모두 포괄하는 상징적인 표상인 것이다. 바로 여기에서 정한모의 사랑의 정신에 바탕을 둔 휴머니즘의 시 정신을 읽을 수 있다.

> 아가는 밤마다 길을 떠난다
> 하늘하늘 밤의 어둠을 흔들면서
> 수면(睡眠)의 강(江)을 건너
> 빛 뿌리는 기억(記憶)의 들판을
> 출렁이는 내일의 바다를 날다가
> 깜깜한 절벽(絶壁)
> 헤어날 수 없는 미로(迷路)에 부딪치곤
> 까무러쳐 돌아온다
>
> 한강 검은 표지(表紙)를 열고 들어서면
> 아비규환(阿鼻叫喚)하는 화약(火藥)냄새 소용돌이
> 전쟁(戰爭)은 언제나 거기서 그냥 타고

연자색 안개의 배일 속
파란 원포(怨怖)의 강(江)물은 발길을 끊어 버리고
사랑은 날아가는 파랑새
해후(邂逅)는 언제나 엇갈리는 초조(焦燥)
그리움은 꿈에서도 잡히지 않는다

꿈길에서 지금 막 돌아와
꿈의 이슬에 촉촉히 젖은 나래를
내 팔 안에서 기진맥진 접는
아가야
오늘은 어느 사나운 골짜기에서
공포(恐怖)의 독수리를 만나
소스라쳐 돌아왔느냐.

— 「나비의 여행(旅行)」

　　이 시에는 냉혹한 현실과 아름다운 꿈의 환상적인 교차를 통해서 착하고 순수한 이데아의 세계를 찾아 날아가는 나비의 역정이 묘사되어 있다. 나비의 고달픈 여행은 바로 인생의 험난한 행로를 의미한다. 나비는 꿈과 현실을 이어주는 영혼의 촉매로서의 상징성을 지닌다. 흔히 나비는 인간의 정신과 혼의 표상으로 사용되기 때문이다. 이 점에서 현실의 험한 절벽을 넘어 전쟁의 참혹한 소용돌이 속을 기진맥진 날아돌아온 나비는 바로 험난한 역사와 현실을 가까스로 헤쳐온 시인 자신의 또 다른 자화상인 것이다. 나비는 지금도 험한 세파를 항해하는 우리들 모두의 모습이며, 동시에 앞으로도 여린 날개 파닥이며 어두운 하늘을 날아가야 하는 아가의 미래적 영상일 수 있는 것이다. 이 점에서 '나비'는 '아가'와 근원적인 동일성을 지니는 시적 상징으로 존재한다. 따라서 '아가'가 무럭무럭 자랄 수 있는 아름다운 생명의 공간, '나비'가 평화롭게 날 수 있는 자유의 하늘을 만들어 주고 또 수호해야 하는 것은 인류의 의무이며 사명으로 받아들여진다. '아가의 방'은 인류의 마지막 날까지 무너지지 않고 지켜져야 하는 경건한 인간성의 성지이며, 따뜻한 사랑의 보금자리인 것이다.

사실 시집『아가의 방』이 시적 성공을 거둔 것은 바로 '아가의 방'이라는 이 인간성의 요람을 발견하고 그것을 수호하려는 결연한 의지를 '나비의 여행'으로 형상화한 데서 드러나는 것으로 판단된다. 목소리 높여 사회참여를 부르짖는 격정적인 모습이 아니라 나지막하면서도 부드러운 목소리로 인간성을 발견하고 휴머니즘을 노래하려는 데서 정한모의 참된 사회의식과 역사의식이 드러나는 것이다. 또한 시가 시로서의 위의를 잃지 않으면서도 상징의 아름다운 깊이를 간직할 수 있게 되는 것이다. 아울러 이 지점에서 확고하면서도 결의에 찬 시의식의 참모습을 형성하고 성숙된 인생관을 정립해가게 된다.

> 이제는 나도
> 내 목청대로 소리내며
> 살아야 하겠읍니다
> ……(중략)……
> 내 소리와 내 빛깔 아닌
> 내 것 같던 모든 것을
> 말끔히 씻어가 주십시오
>
> 빈 나뭇가지나 그 끝에 앉아 있는
> 한마리 새
> 그런 나만이 남을지라도
> 그것이 바로 내 것일 바에야
>
> 바람을 견디면서 하늘을 떠받치고
> 내 모습대로 살아야 하겠읍니다
>
> —「한마리 새」에서

정한모는 시집 『아가의 방』에 이르러 상징적인 '아가의 방'과 '나비의 하늘'을 발견하여 예술로서의 시의 참모습을 정립하고, 비로소 휴머니즘을 바탕으로 한 인생관을 확립함으로써 신념 있는 인간의 길을 당당하게 걸어갈 수 있게 된다. 이렇게 볼 때 시집 『아가의 방』은 시인 자신의 생애와 시사에 있어서 뚜렷한 전기를 마련해 준 점에서 중요한 의미를 지니는 것으로 보인다.

④ 역사의식과 균형감각

제4시집 『새벽』은 1975년 일지사에서 나왔다. 연작시 「새벽」과 「어머니」 등 모두 55편이 수록된 이 시집에는 『여백을 위한 서정』 이후 누락됐던 많은 작품들이 보위되었다.

시집 『아가의 방』에서 '아가'와 '아가의 방' 그리고 '나비'와 '나비의 여행'이라는 상징적인 공간을 마련함으로써 시의식과 인생관의 확립을 이룬 정한모의 시 세계는 『새벽』에 이르러 연작시를 집중적으로 발표하여 진일보한 모습을 보여준다. 세계와 인생 그리고 시를 보는 눈이 그만큼 확실해지고 넓어지고 또한 깊어지게 된 것이다.

시집 『새벽』의 세계는 크게 보아 '새벽'이라는 미래지향의 역사의식을 다룬 시와, '어머니'라는 대지적 사랑의 근원적 고향을 천착한 시로 대별할 수 있다.

> 새벽을 예감(豫感)하는 눈에겐
> 새벽은 어둠 속에서도 빛이 되고
> 소나기 이전(以前)의 생명(生命)이 되어
> 혼지(混池)의 숲을 갈라
> 한줄기 길을 열고
> 두꺼운 암흑(暗黑)의 벽(壁)에

섬광(閃光)을 모아
빛의 구멍을 뚫는다

그리하여
새벽을 예감(豫感)하는 눈만이
빛이 된다 새벽이 된다
스스로 빛을 내뿜어
어둠을 몰아내는
광원이 된다

—「새벽·1」

새벽마다
내 머리맡
언 비탈길
중턱쯤 가지에 앉아
그 여린 발가락으로
미끄러운 나뭇가지를 디디고
혼신(渾身)의 힘을 모아
첫마디 우짖는
참새소리

밤새도록 시달려 온
암흑(暗黑)의 공포(恐怖)
그 두꺼운 벽(壁)을 향(向)해
건곤일척(乾坤一擲)
일격(一擊)을 가(加)하는
철권(鐵拳)같은
울음소리

어둠의 켜가 갈라진다
찌르렁

'국경(國境)의 밤' 그 어두운 강하(江河)의
얼음장 갈라지는 소리가
메아리쳐 울린다.

—「새벽·7」에서

「새벽·1」은 어둠 속에서 새로운 빛과 생명을 예감하는 미래지향의 시의식을 보여준다. '새벽을 예감하는 눈'은 험난한 과거와 어두운 현실 속에서 밝고 힘찬 미래를 내다보는 정신의 힘, 즉 역사의식을 의미한다. 「새벽·7」에는 밤이 표상하는 현실의 어둠과의 대결정신이 드러난다. "암흑의 공포/그 두꺼운 벽을 향해/건곤일척/일격을 가하는/철권 같은/울음소리"라는 구절 속에는 온갖 불의와 비순수, 그리고 악덕에 저항하는 휴머니즘의 대결정신이 들어 있는 것이다. 이처럼 현실의 모순과 부조리에 대한 강한 비판의식과 대결정신을 바탕으로 하여 미래에 대한 새로운 신념과 희망을 표출한다는 점에서 정한모의 역사의식이 확실한 가치관을 형성하게 된다. 여기에서 비로소 "꽃이 떨어진 자리에/과실의 둥근 결실을 믿으며/바람 부는 들판에/미래의 씨를 뿌린다"(「시야」에서)라는 확신에 찬 미래를 예감하게 된다. 또한 "우리는 다시 미래 앞에 서다"라는 생에 대한 자신감 속에서 '지혜의 별', '예지의 기'를 바라보게 되는 것이다.

이처럼 연작시 「새벽」이 미래지향의 역사의식을 확립한 데 비해 어머니는 현실을 있게 하고 튼튼히 지탱시켜 주는 과거지향의 대지적 사랑을 추구하고 있다.

어머니
시금은 째쭈반이신
당신의 젖가슴
그러나 내가 물고 자란 젖꼭지만은
지금도 생명의 샘꼭지처럼

소담하고 눈부십니다
……(중략)……
어머니
새다리같이 뼈만이신
당신의 두 다리
그러나 팔십년(八十年) 긴 역정(歷程)
강철의 다리로 걸어오시고
아직도 우리집 기둥으로 튼튼히 서 계십니다.
어머니!

—「어머니·1」에서

　어머니는 모든 인간 생명의 근원으로서 인류 역사를 있게 하는 동력이 된
다.「어머니·1」에서도 어머니는 온 가족의 '생명의 샘꼭지'이며 동시에 '우리
집 기둥'을 떠받치는 힘으로서 존재한다. '아가'가 현실의 어둠을 정화시켜 주
고 미래에의 꿈과 소망을 열어주는 이데아로서 그 의미를 지닌다면, '어머니'
는 인간의 육체적·정신적 고향으로서 현실을 지탱시켜 주는 근원적 힘인 대
지적 사랑으로서의 의미를 지닌다. '아가'가 아름다운 이상의 표상이라면, '어
머니'는 과거적 원천이면서 동시에 현실적인 힘으로 작용하는 존재인 것이
다. '어머니'와 '아가'는 과거와 미래 쪽에서 현재의 '나'를 올바로 잡아당기는
균형추로서 작용하며 정신을 극복하게 하고 상승시켜 주는 사랑의 표상으로
존재한다. 이 점에서 '어머니'와 '아가'는 과거를 과거답게 존재하게 하고, 현
재를 올바로 살아가게 하며, 미래를 슬기롭게 예감할 수 있게 하는 정한모의
참된 역사의식을 반영하는 상징어로 이해된다. 실상 정한모의 시에는 전편을
통해 끈질기게 과거적 상상력이 작용하고 있음을 본다. 그러나 그가 말하려
고 하는 것은 어디까지나 과거에 바탕을 둔 현실이며 또한 현실에 바탕을 둔
미래이다.
　바로 이 점에서 정한모의 미래지향의 역사의식이 정당한 의미를 획득하고

가치를 인정받을 수 있게 된다. 또한 '아가'와 '어머니'를 통해서 그는 삶의 평형을 유지하는 놀라운 균형감각을 획득하고 있는 것이다. 부부와 자녀만 있고 점차 '어머니'를 잃어가는 핵가족 중심의 불안한 현대인의 가족구조 속에서 잊혀 가는 존재로서의 어머니의 의미와 그 위치의 중요성을 일깨워 줌으로써 올바른 인생이 가족질서의 균형과 조화를 회복하는 데서 성취된다는 점을 강조한 것이다. 어느 한쪽에 과도하게 치우치거나 또 다른 쪽을 소홀히 하지도 않으면서 삶의 주변으로 밀려난 소외된 것, 약한 것, 원초적인 것에 대한 지극한 애정을 기울인다는 점에서 정한모의 놀라운 균형감각을 읽을 수 있으며 또한 그 휴머니즘의 진가가 드러남을 알 수 있다.

바로 이 점에서 시집 『새벽』은 정한모의 미래지향의 역사의식과 균형 잡힌 휴머니즘이 집약된 것으로 이해된다.

5 미래지향의 유토피아

제5시집 『아가의 방·별사』에는 과거적 상상력과 삶의 현장, 그리고 미래지향의 시의식이 종합되어 나타난다.

「아가의 방·별사」와 「흔적」 등 연작시는 흘러간 세월과 사랑체험을 돌아보는 회상의 미학을 보여준다.

　　바람이 분다
　　갈대가 울고 있다
　　두고 온 젊은 날의
　　갓(汀)가에서
　　갈대가 소리내어 울고 있다

　　아니에요

우는 것이 아니에요
갈대가 된 그리움이
바람에 쓸려
소리를 내네요

바람이 분다
두고 온 강(江)가에서
갈대가 울고 있다
내 가슴 속 깊은 안컨에서
갈대가 소리내어 울고 있다
　　　　　　　　　　　　　—「아가의 방(房) 별사(別詞)·4」

　이 시에는 침묵 속에 문득 되살아나는 젊은 날의 추억이 안타까운 그리움
으로 표출돼 있다. 스스로의 생의 깊이 속에 감춰져 있던 고독과 슬픔이 극기
의 노력과 함께 연민과 그리움으로 떠오르는 것이다. 특히 '갈대가 된 그리움'
이라는 구절은 그것이 어떤 옛사랑의 추억과 관련되는 것으로 보여지기도 한
다. 이러한 추측은 "누가 눈물 없이 울고 있는가/이 한밤에/또렷하게 반짝이
는 별 하나 보인다/바람에 떨고 있는 별 하나 보인다"(「별사7」)라는 구절을
살펴보면 더욱 그 신빙성이 드러난다. 「흔적」에는 이러한 온갖 과거적 체험
들이 이미 원숙과 달관으로 이끌어 올려져 있음을 볼 수 있다.

흙 속에서 물 밑에서
여기저기 산기슭 한 귀퉁이에서
역사의 흔적들이 울고 있다
떨어져 나간 서로의 조각
그 가장자리를 그리며
소리없는 울음을 울고 있다
　　　　　　　　　　　　　—「흔적·1」에서

이 시에는 이미 흘러간 것들, 소멸한 것들에 대한 그리움 속에 스스로의 생애를 되돌아보는 원숙한 고독과 슬픔이 드러나 있다. '소리없는 울음' 속에는 지나간 세월의 온갖 희노애락의 추억이 담겨 있는 것이다. 특히 「흔적·5」에는 배고픔을 막걸리로 요기하던 옛 문우들에 대한 애틋한 그리움이, 「고려항행」에는 "그 밖엔 아무것도 없었다/옛날은 다만 정적 속에/자연 속에 잠들고 있었다//보이지 않는 고구려쯤의 시간을 향하여/나는 옛날로 걸어들고 있었다"와 같이 흘러간 역사의 숨결에 대한 아련한 동경이 드러나 있다.

연작시 「성북산조」에는 삶의 현장에 대한 응시와 애정의 눈길이 어려 있다.

> 이른 첫새벽
> 골짜기를 기어 내려오며
> 은은하게 퍼지는 새벽 종(鐘)소리
> 묻혀 있는 소리들이
> 개중에는
> 만해(萬海)의 바튼 기침 소리
> 지훈(芝薰)의 숨찬 목소리도 섞인다
> ─「성북산조(城北散調·1)」에서

'성북동'은 상상의 공간이 아니라 삶의 현장, 그 현실의 생생한 현주소를 의미한다. 일상사에 쫓겨 밖으로, 멀리로만 향했던 눈길이 비로소 삶의 터전인 자신의 동네로 돌아오게 된 것이다. 따라서 여기에는 필연적으로 "막아선 담장 안의 하늘로 솟은 본관사또 위엄처럼 자리 잡은 삼청각 담을 끼고 돌아가다 길을 잃은 바람은 다가서는 성벽 너머 뿌우옇게 먼지 긴 서울의 소리를 다시 만날 뿐이다"(「성북산조·3」에서)와 같이 현실감각 또는 문명비판적인 시신을 띠게 된다. 일상사 현실을 택한 것이 바로 그러한 문명비판의 미세적인 발언을 효과적으로 전달하기 위한 이유인지도 모른다. 한편 시집 『아가의 방·별사』에는 미래지향의 시의식도 강하게 드러난다.

아가의 마음같이
태어나 이레 안 된 아가의 눈동자
하나님이 깃들어
그분의 눈빛으로
세상을 투시하는
아가의 마음같이

— 「맑은 물같이」에서

이 새벽에도
밤의 무거운 이파리들을 흔들며
밝은 빛의 방울로
새벽향기 풍기는
말씀의 억양으로
울리는 그 빛소리

— 「빛소리」에서

언제나 앞으로만 다가오는
맑은 얼굴로
해가 솟는다
오늘이 밝아 온다

— 「아침 교향(交響)」에서

　　다시 현실로 돌아와 생활 주변에 대한 응시와 애정을 표백하게 되면서 가
족과 이웃의 의미를 새롭게 발견하게 되고, 마침내 운명과 삶을 보다 적극적
으로 긍정하게 된다. 따라서 과거의 모든 추억이나 현실에서의 온갖 체험이
미래에 대한 소망으로 살아나게 되는 것이다. 인용시에서 보이듯이 맑고 밝
은 아가의 세계 즉 미래지향의 유토피아를 꿈꾸는 건강한 시 정신을 읽어낼
수 있는 것이다.
　　결국 정한모는 시집 『아가의 방·별사』에 이르러 과거와 현실이 종합된 미
래지향의 역사의식을 확립하게 되고, 이를 통해서 삶에 대한 긍정과 사랑의

실천이라는 휴머니즘에의 길로 나아가게 되는 것이다.

에필로그

정한모의 시에 관한 논의는 아직 완료형으로 기술될 수 없다. 갑년을 맞는 그의 인생사와 40년에 이르는 그의 시사는 이제부터 더욱 본격화할 것이기 때문이다. 따라서 시적 가치평가와 문학사적 위치판단도 앞으로의 일로 미루어질 수밖에 없으며, 본고의 결론도 미완성으로 남아있을 수밖에 없을 것이다.

한 가지 문제가 되는 것은 그의 학문적 업적과 학계 및 시단에서의 비중 때문에 그의 시가 오히려 상대적인 평가절하를 당할 수도 있으리라는 점이다. 이것은 그를 논하지 않고서는 해방 후의 시사, 특히 50년대 시에 대한 기술이 어려울 것이라는 의미와 다르지 않다. 또한 분명한 것은 그의 시가 휴머니즘의 실천에 대한 강한 향성과 미래지향의 역사의식을 바탕으로 한 온건한 시의식과 건강한 시인 정신을 보여주었다는 점이다. 항상 비껴선 위치, 조금 물러선 겸양의 자리에서 그 특유의 '낮고 부드러우면서도, 힘 있고 저력 있는 목소리'를 들려주고 있다는 것이다. 또한 그의 시는 '아가'라는 생의 지표, 그 상징 공간을 확보한 데서 중요성이 드러난다. 현대시사에서 독자적인 이념의 지표, 상징적인 시적 공간을 확보한 시인이 과연 몇 사람이나 될 것인가. 일제 하 빼앗긴 시대에 '님'의 세계를 지향하여 만남과 극복을 탁월하게 형상화한 만해와 더불어, 전후의 어두운 시대에 '아가'를 발견하여 자기정화와 자기구원을 성취하려 노력한 정한모를 기억할 수 있을 뿐이다.

이제 갑년을 맞이하여 그의 생애는 제2의 인생에 접어들고 있다. 불혹을 맞는 그의 시사 또한 원점에서 새로운 출발을 시도해야 할 의미의 시점에 놓여 있는 것으로 판단된다.

(1983년)

8. 낭만주의의 생철학 / 조병화

조병화의 「안개로 가는 길」은 삶의 본질과 현상에 관한 근원적 투시를 보여준다는 점에서 관심을 끈다. 특히 이 시는 갑년을 맞은 그의 생애사와 40년에 가까운 그의 시력에 있어 시적 세계관의 편모와 현주소를 살펴볼 수 있는 좋은 기회를 제공해 준다.

① 안개로 가는 사람
　안개에서 오는 사람
　인간의 목소리 잠적한
　이 새벽
　이 적막
　곧은 속도로 달리는 생명
　창밖은
　마냥 안개다.

② 한마디로 말해서
　긴 내 인생은 무엇이었던가
　지금 말할 수 없는 해답
　아직 안개로 가는 길이 아닌가

③이렇게 생각하면 이렇게
　저렇게 생각하면 저렇게
　생각할 수도 있던 세상에서
　무엇 때문에 나는
　이 길로 왔을까

④ 피하며, 피하며
　비켜서 온 자리
　사방이 내것이 아닌 자리
　빈 소유에 떠서

⑤ 안개로 가는 길
　안개에서 오는 길
　획획
　곧은 속도로 엇갈리는 생명
　창밖은 마냥 안개다.

　이 시의 핵심은 '안개'와 '길'이 표상하는 생의 근원에 대한 질문과 현존재 (Dasein)에 대한 확인에 있다. 알 수 없는 것으로서의 생, 덧없는 것, 미지의 것으로서의 삶의 본 것과 그 의미에 대한 깊이 있는 추구가 시의 뼈대를 이루고 있는 것이다.

　①연에서는 '안개'·'목소리 잠적한'·'새벽'의 신선한 이미지 연관에 의해 고요와 평화를 갈구하는 시인적 정관(contemplation)을 표출한다. 이러한 정관 속에는 삶의 본질에 대한 응시와 순수에 대한 갈망이 잠재해 있다. 이러한 점에서 ②연의 '긴 내 인생은 무엇이었던가' 와 같은 삶의 본성에 대한 질문이 가능해지는 것이며, 이 시인의 시석 테마가 생철학적 양상을 지니는 것으로 해석되어 진다.

　③연에서는 삶을 바라보는 시각과 삶의 자세가 두드러지게 나타나 있다.

그것은 삶에 대한 긍정과 순천명의 인생관이다. 삶의 이치와 목숨의 인과율을 벗어나지 않고 순리에 따르려는 운명애의 따뜻함이 시의 저류를 이루고 있는 것이다. 그러면서도 단순한 체념의 순응주의에 머물지 않고, '무엇 때문에 나는 이 길로 왔을까?'처럼 존재에 관한 내성적 질문과 탐구의 시선을 늦추지 않고 있다는 점에 그의 시의 감춰진 깊이가 드러난다. 바로 이 점에서 ④연은 이 시의 주제를 제시하게 된다.

④연의 핵심은 선함과 약함의 선성, 그리고 물질의 질곡에서 벗어나려는 인간적 노력, 즉 정신의 가벼움과 투명함에 대한 자유의 갈망에 있다. "피하며, 피하며/비켜서 온 자리"라는 구절은 어느 면에서는 소극적인 도피의식 내지는 패배주의라고 비난할 수도 있지만 그 내면에는 무욕을 바탕으로 한 인간적 선성과 약한 생명에 대한 옹호의 휴머니즘이 짙게 깔려있음을 볼 수 있다. 그러므로 "사방이 내것이 아닌 자리/빈 소유에 떠서"라는 구절을 통해서 삶의 본질이 허무에 있음을 확신하게 되고, 아울러 육신의 무게를 덜어버리고 투명해진 삶의 에센스인 정신의 자유를 성취하게 되는 것이다. 특히 '빈 소유에 떠서'라는 인간존재에 대한 근원적 깨달음은 그의 생감각과 시 정신이 생애의 한 절정에서 철학적 사유의 저 깊은 속에서 우러나 그것이 하나의 시적 표현을 획득한 것으로 판단된다.

⑤연에서는 '곧은 속도로 엇갈리는 생명'과 같이 영원히 만날 수 없는 너와 나, 엇갈려 가는 인생사에 대한 깊은 통찰을 보여준다. 만남과 떠남의 무수한 반복 속에서 영원한 단독자로 살아갈 수밖에 없는 인간실존의 원리와 그 뿌리 깊은 외로움이 시의 결구를 형성하는 것이다. 그러면서도 '창 밖은 마냥 안개다'와 같이 미지의 신비를 지니며 새날을 살 수밖에 없는 삶, 꿈을 잃지 않는 삶의 소중함에 대한 긍정이 표출되어 있다.

이렇게 볼 때 「안개로 가는 길」은 이순에 다다른 시인 자신의 삶에 대한 자세와 인생관을 확연히 드러내 준다. 그것은 허무와 부정의 비극적 세계관에 대한 투시와 극복을 통해 비로소 성취되는 순천명과 운명애의 긍정적 세계관을 말한다. 이미 그의 시는 관념이 아니라 생활 그 자체이며 동시에 선성과 성실성에 바탕을 둔 살아있는 정신으로서의 생철학으로 고양돼있는 것이다. 이런 점에서 흔히 그의 시에 가해지는 폄평들 즉 치열성의 부족, 시적 긴장 결여, 그리고 시어의 평이성 혹은 통속적 애상성과 등의 비판과 폄시는 실상 그의 시의 내면에 감춰진 진술한 시 정신과 성실한 탐구의 깊이를 간과한 소치인 것으로 판단된다. 실상 1949년 첫시집『버리고 싶은 유산』으로부터 1978년 제25시집『안개로 가는 길』까지를 관류하는 그의 시 정신의 지속과 변모를 뛰어넘을 수 있는 시인과 독자가 과연 얼마나 되겠느냐 하는 질문에 아무도 자신 있게 응답할 수 없을 것이다. 창작량의 많고 적음이 문제 되고 비난받아야 하는 것이 아니라, 실상 이 땅에서 긴요하고 절실한 것은 한 편 한 편에 대한 철저한 비판적 성찰을 통해서만이 시와 시인에 대한 평가가 이루어져야 한다. 이러한 진지하고 성실한 작업에 의해 우리는 소위 소문난 작가 혹은 일류 시인의 미신에서도 자유로워질 수 있으며 또한 비로소 이념태에 가까운 시사가 쓰여질 수 있는 것이다. 대가시인·일류작가는 선천적인 레텔 혹은 굳어진 편견에 의해 결정되는 것이 아니라 그 시인·작가의 한 생애에 걸쳐 쓰여지는 진짜 시의 양과 질 또한 그 체계와 깊이로 평가될 수 있을 뿐이다. 특히 생의 깊이를 쉽고 평이한 시어로 형상화함으로써 예술적 공감을 확대하고 심화할 수 있는 능력의 여부는 진짜 시인과 그렇지 못한 시인, 혹은 중요 시인과 기타 시인을 판별해 낼 수 있는 효과적인 한 기준이 될 수 있다.

이런 점들로 비추어 볼 때 조병화는 장인적 기질의 시인 혹은 대가적 풍모의 시인에 속하면서도 양의 과다함으로 인해 질을 제대로 평가받지 못하는 시인의 한 사람이다. 이것은 뒤집어보면 그의 생애가 바로 시 그 자체이며 시가 바로 생이라는 점을 단적으로 웅변해 준다. 이렇게 본다면 그에 있어 앞으로 남은 문제는 갑년에 이른 남은 생이 아껴져야만 하듯이 그의 시도 좀 더 아껴져야 한다는 점이다. 다시 말해 그의 생애가 절제와 극기를 통한 유종의 미와 여운을 남겨가야 하듯이 그의 시도 예리한 지적 절제와 언어적 극기를 통해 한 편 한 편이 소중한 것으로 창작되고 발표되어야 할 것이라는 점이다. 따라서 앞으로의 그가 어떻게 질과 양을 심도 있게 조절하고 폭넓게 조화시켜 갈 수 있는가에 그의 오랜 시업의 마지막 성패가 달린 것으로 판단된다. 이 점에 관한 투철한 인식과 그에 따른 시작이 바로 그가 좀 더 완벽한 시인·대가시인으로 시사 속에 오래 살아남기를 소망하는 우리 모두에게 그가 들려줄 수 있는 속 깊은 응답이 될 것이다.

(1981년)

9. 전원 상징과 낙화의 상상력 / 박용래

시집 『싸락눈』과 『강아지풀』 그리고 근작 『백발의 꽃대궁』을 관류하고 있는 것은 자연사와 인간사의 화응이며 아울러 정지적이고 과거적이며 식물적인 낙하의 상상력이다. 그의 시는 자연친화의 전원상징(natural symbolism)에 크게 의존하고 있으며 이러한 전원 상징과 인간적인 생명 감각의 결합은 박용래 시의 골격을 이룬다. 이 점에 비추어 본고는 자연사와 인간사의 화응이라는 이원적 세계관으로 박용래의 시 정신을 파악하여 그 시 세계의 편모를 더듬고 아울러 상상력의 몇 가지 유형을 추출해 보고자 한다.

① 전원상징-향수와 그리움의 시

> 잠 이루지 못하는 밤 고향집 마늘밭에 눈은 쌓이리
> 잠 이루지 못하는 밤 고향집 추녀밑 달빛은 쌓이리
> 발목을 벗고 물을 건느는 먼 마을
> 고향집 마당귀 바람은 잠을 자리
>
> ─「겨울밤」 전문

시 「겨울밤」은 "눈·달빛·물·바람" 등의 전원상징의 시어와 "잠·고향·마늘

밭·추녀·발목" 등 인간적 체취의 소재가 결합됨으로써 자연과 인간에 대한 근원적 향수를 표출하고 있다. 이러한 근원적 향수는 "눈·달빛"의 시각적 이미지와 "물·바람"의 청각적 심상의 대응을 통해 그리움과 외로움의 정서를 유발하게 된다. 자연의 본질적 고독과 인간의 생래적 외로움은 전원상징의 시어 속에서 향수와 그리움으로 변모해 있는 것이다.

> 어두컴컴한 부엌에서 새여 나는 불빛이여
> 늦은 저녁 상(床) 치우는 달그락 소리여. 비우고 씻는 그릇 소리여
> 어디선가 가랑잎 지는 소리여. 밤이여 섧은 잔(盞)이여
> 어두컴컴한 부엌에서 새여나는 아슴한 불빛이여
> ─「삼동(三冬)」 전문

이 시에서 자연은 '밤'과 '가랑잎 지는 소리'로 표상되고, 인간은 '불빛'·'달그락 소리'·'그릇소리'로 현상화 돼 있다. 이것은 어둠과 밝음의 대응, 그리고 청각과 시각의 교차에서 오는 아련한 생명에의 그리움과 그 생명 감각을 환기시켜 준다. '가랑잎 지는 소리'의 쓸쓸함과 '저녁상 치우는 달그락 소리'의 그리움의 정서가 이 시의 뼈대를 이루고 있는 것이다.

> 늦은 저녁때 오는 눈발은 말집 호롱불 밑에 붐비다
> 늦은 저녁때 오는 눈발은 조랑말 발굽 밑에 붐비다
> 늦은 저녁때 오는 눈발은 여물 써는 소리에 붐비다
> 늦은 저녁때 오는 눈발은 변두리 빈터만 다니며 붐비다.
> ─「저녁 눈」 전문

이 시의 구조 역시 "저녁·눈발"의 전원상징과 "호롱불·조랑말·여물 써는 소리"의 인간적 심상의 대응으로 이루어져 있으며 "호롱불·여물 써는 소리" 등 시각과 청각의 교차에 의해 자연의 쓸쓸함과 함께 삶의 뿌리 깊은 허적을 형

상화하고 있다. 바로 이 점에서 박용래의 시는 전원상징의 시어를 통해 자연과 인간의 교감과 친화를 추구하고 있으며, 그것들의 본질이 쓸쓸함과 외로움, 그리고 그에 대한 변증법적 향수와 그리움에 바탕을 두고 있음을 말해준다. 박용래 시의 전원 상징들은 바로 자연의 깊이에 자리 잡고 있는 근원적 고독 그리고 인간의 내면에 감춰져 있는 생명적 허적과 그리움의 표상인 것이다. 전원상징은 자연사와 인간사라는 이원적 세계관이 향수와 그리움이라는 시적 주제로 합일되는 지점이기 때문이다.

② 휴머니즘 또는 애상과 달관

전원 상징을 통한 자연과 인간의 허적과 그리움은 약한 것, 외로운 것, 슬픈 것을 응시하는 휴머니즘으로 응결되어 애상주의를 형성하고 나아가서는 늙음의 표정 속에서 죽음의 이미지로 이행되어 달관의 시로 변모하게 된다.

> ① 후루룩 후루룩 처마깃에 나래 묻는 이름모를 새, 새들의 온기(溫氣)를 생각합니다. 숨을 죽이고 생각하지요.
> ― 「월훈(月暈)」에서

> ② 한오라기 지푸일레
>
> ……(중략)……
>
> 창(窓)을 내린 하행열차(下行列車)
> 곳간에 식리
>
> 한마리 눈 속 양(羊)일레
> ― 「자화상(自畵像)·II」에서

인용시 ①에서 "이름모를 새/새들의 온기를 생각합니다"라는 구절이나 ②
에서 "한오라기 지풀·한마리 눈 속 양"의 이미지는 약한 것, 어린 것, 순수한
것에 대한 사랑과 응시의 시선을 내포하고 있다. 이처럼 약한 것들에 대한 사
랑의 휴머니즘은 그의 시의 전반적인 이미저리가 서민적 체취의 식물적인 것
으로 이루어져 있으며, 또한 동물적인 이미저리의 경우라도 "조랑말·산까치·
기러기 떼·방울새·제비·잠자리·개구리·송아지·삽살개·양·고양이" 등의 약하고
순한 것들만이 등장한다는 점에서 확인될 수 있다.

이러한 약한 것에 대한 응시와 사랑의 휴머니즘은 외로운 것, 슬픈 것에 대
한 애상의 정서를 표출하게 된다.

> 눌더러 물어볼까
> 나는 슬프냐
> 장닭꼬리 날리는 하얀 바람
> 봄길
> 여기사 부여(扶餘), 고향이란다
> 나는 정말 슬프냐
>
> ―「고향(故鄕)」에서

> 노을 속에 손을 들고 있었다
> 도라지빛
> ……(중략)……
> 그리고 아무 말도 없었다
> 손끝에 방울새는 울고 있었다
>
> ―「별리(別離)」에서

> 상금(尙今)도 밖은
> 장대 같은 억수비
> 귓전에 맴도는

목놓은 소리
오오. 이런 시간에 나는
우, 우니라

—「장대비」에서

　이 세 편의 시는 슬픔과 눈물이라는 애상의 정서로 충만되어 있다. 이러한 애상의 정서는 실상 전원시의 뿌리 깊은 허적과 향수에 근원을 둔 것이며, 약한 것, 슬픈 것, 순수한 것을 응시할 때 유발되는 자기 감동의 자연스러운 유로인 것으로서 박용래 시정서의 기본 형질이 된다. 슬픔의 정서에 의한 자기 위안과 눈물의 카타르시스는 문명과 과학의 시대를 살아가야만 하는 숙명적인 전원시인 박용래가 삶의 가장 근원적인 것에 접근하는 유일한 길이며 이는 동시에 순수해질 수 있는 정신에 힘을 주는 원동력이 되고 있다. 자연의 근원적 고독을 통한 인간적 외로움의 극복, 그리고 눈물에 의한 자기정화의 안간힘은 실상 박용래 시 정신의 근간이 되고 있기 때문이다.

구구 비둘기는
이제 밤마다
울지 않는다
자다 깨다
목침(木枕) 돋우면
마른 손
복사뼈에
달빛 스며
초간(草間)에 살으란다,
살으란다,

—「木枕 돋우면」 전문

깊은밤 풀벌레 소리와 나뿐이로다

시냇물은 흘러서 바다로 간다
어두움을 저어 시냇물처럼 저렇게 떨며

                            −「가을의 노래」에서

슬픔과 눈물의 정서는 "마른 손/복사뼈에/달빛 스며" "깊은 밤 풀벌레 소리
와 나뿐이로다"라는 구절에 이르러서는 견고한 슬픔의 정적으로 가라앉게
된다. '마른 손'의 자아성찰, '나뿐'이라는 자기확인의 지점에서 슬픔과 눈물
의 애상은 죽음의 이미지와 만나게 된다.

고양이는 더위에 쫓겨 누다락 오르고 모기향(香)에
바람 한 점 없는 밤 내 눈감은 면벽(面壁) 5분 멀리 달빛 어린 벼이
삭 스치
는 꽃 상여
어하어하……
어하어하……

                            −「면벽(面壁)·I」 전문

가난이 푸르게
눈자위마다
밀리는

상둣군 요령(鐃鈴)

                            −「요령(鐃鈴)」에서

외로운 인간의 실상, 고독의 본질이 허무에 있음을 인식했을 때 애상의 정
서는 쉽게 주검의 이미저리와 연관을 갖게 된다. 이들 시에서 "꽃상여·요령소
리"의 이미지는 박용래의 고독과 애상의 필연적인 귀결이 아닐 수 없다. 그러
나 이러한 주검의 이미지는 바라보고 들을 수 있는 외부의 것, 타인의 것으로

서일 뿐 시인 내부의 죽음의 인식과 삶 그 자체에 직접 연루돼있는 것은 아니다. 아직 박용래 시에 있어서의 죽음은 타인의 것, 즉 가정으로서의 의미를 지니고 있기 때문이다. 이러한 점은 주검의 이미지가 최근의 시집인 『백발의 꽃대궁』에 이르러 체념 혹은 달관의 이미지로 변모해 있는 것으로도 입증된다.

> ① 달아, 달아
>   어느덧
>   반백(半白)이 된 달아.
>   수염이 까슬한 달아
>   탁배기(濁盃器) 속 달아
>
>   —「탁배기(濁盃器)」에서

> ② 상치상치 꽃대궁 백발(白髮)의 꽃대궁 아욱아욱 꽃대궁 백발(白髮)
>   의 꽃대궁
>
>   —「건들 장마」에서

> ③ 오오냐 오냐, 들녘 끝에는 누가 살든가
>   오오냐, 오냐 수수이삭 머리마다 스쳐간 피얼룩
>   오오냐, 오냐 화적(火賊)떼가 살든가
>   오오냐, 오냐 풀모기가 날든가
>   오오냐, 오냐 누가누가 살든가.
>
>   —「누가」 전문

시 ①과 ②는 '반백'과 '백발'의 이미지로서 이미 그리움도 넘어, 애상도 넘어, 또한 주검의 그림자도 넘어, 체념의 흰색으로 변모해버린 늙음의 표정을 보여준다. 특히 시 ③에 드러나는 "피얼룩 화적떼 풀모기" 등 시 고금도 감정의 동요나 흔들림 없이 '누가누가 살든가'라는 허심탄회한 심경으로 가라앉아 마침내 '오오냐, 오냐'라는 달관의 미학을 형성하고 있는 것이다. 이렇게

볼 때, 약한 것 순수한 것에 대한 애정의 휴머니즘은 자기동정과 자기연민으로 변모되어 슬픔과 눈물의 애상적 정서를 형성하고 이러한 눈물의 카타르시스에 의해 애상을 극복하는 지점에서 주검의 이미저리와 만나게 되며, 마침내는 체념과 달관의 세계로 나아가게 되는 것이다.

③ 여성주의 혹은 female complex

박용래의 시에서 빼놓을 수 없는 또 하나의 특징은 그의 시가 여성적인 취향 또는 여성편향의 컴플렉스에 깊이 침윤돼 있다는 점이다.

① 코스모스
　　또 영
　　돌아오지 않는
　　소녀(少女)의
　　지문(指紋)

　　　　　　　　　　　　　　　　　　　－「코스모스」에서

② 누이야 가을이 오는 길목 구절초 매디매디 나부끼는 사랑아
　　　　　　　　　　　　　　　　　－「구절초」에서

③ 검정치마, 흰 저고리, 옆가르마 젊어 죽은 홍래(鴻來)누이 생각도 난다
　　　　　　　　　　　　　　　　　　　　－「담장」에서

④ 어머니 젊었을 때
　　눈썹 그리며 아끼던
　　달

　　감 떨어지면 친정(親庭)집 달 보러 갈거나

손거울

　　　　　　　　　　　　　　　　－「손거울」에서

　⑤ 손톱 발톱
　　하나만
　　깎고
　　연지곤지
　　하나만
　　찍고
　　할매
　　안개 같은
　　울 할매

　　　　　　　　　　　　　　　　　－「할매」에서

　　시 ①의 '소녀', 시 ②,③의 '누이', 시 ④의 '어머니', 그리고, 시 ⑤의 '할매'
는 모두 여성이 시의 핵심으로 등장한다. 다시 말하면, 여성이 시의 주체로서
혹은 객체로서 시와 중심 내용을 이루고 있다는 것이다. 이러한 여성편향은
또한 "외가·친정" 등의 시어와 연관되어 박용래의 짙은 여성컴플렉스의 증상
으로 해석된다. 실상 그의 시집에는 남성적인 이미지의 시어 내지는 주체가
거의 나타나지 않는다는 점에서도 이러한 진단은 적절한 것으로 판단된다.
또한 그의 시가 앞에서 언급한 눈물과 슬픔의 애상적 정서에 침윤돼 있음과
뒤에서 언급하고 과거적·식물적 상상력에 뿌리박고 있는 점도 이러한 여성편
향 내지 여성컴플렉스의 증상과 무관하지 않은 것으로 해석할 수 있다. 박용
래의 이러한 여성주의가 한국시 전통의 주류인 한 여성주의에 접맥되어 나타
나고 있는지 아니면 개인적인 체질이나 섬벽에 기인하는지 아직 확실히 판별
해 낼 수는 없지만, 적어도 확실한 것은 그의 시가 이러한 여성주의의 선병질
적인 나약함에서 벗어나는 것이 그의 시에 있어 깊이의 심화나 지평의 확대

를 위하여 긴요하다는 사실이다. 왜냐하면 그의 시의 여성성이 자연의 생성력과 결부되는 것이 아니라 오히려 소멸로서의 불임적인 모습으로만 나타나고 있기 때문이다. 그의 시에 있어서의 전원과 여성이 보다 생명력 있는 생성의 힘을 지니게 될 때 그의 소멸의 시학은 비로소 시적 탄력성과 긴장의 깊이를 획득할 수 있을 것이 확실하다.

④ 낙하의 상상력—소멸의 미학

박용래 시의 상상력은 크게 보아 세 가지로 나눠진다. 그것은 낙하의 상상력과 과거적 상상력 그리고 식물적 상상력으로 볼 수 있다.

> 나리는 사람만 있고
> 오르는 이 하나 없는
> 보름 장날 막버스
> 차창밖 꽂히는 기러기떼
> 기러기떼 보아라
> 아 어느 강마을
> 잔광(殘光)부신 그곳에
> 떨어지는가
>
> —「막버스」 전문

> 볏가리 하나하나 걷힌
> 논두렁
> 남은 발자국에
> 딩구는
> 우렁껍질
> 수레바퀴로 끼는 살얼음
> 바닥에 지는

햇무리의
하관(下棺)
선상(線上)에서 운다
첫 기러기떼

―「하관(下棺)」전문

낙하의 상상력이란 떨어지는 것, 없어지는 것 가라앉는 것으로서의 형상을 구성하는 상상력의 힘을 말한다. 인용시에서 보듯이 "나리는 잔광·막버스·떨어지는 것·남는 것·껍질·지는 것.하관" 등의 이미지는 박용래의 시가 낙하적인 소멸의 상상력에 그 중요한 뿌리를 두고 있음을 말해준다. 그의 시 도처에서 볼 수 있는 "가랑잎 지는 소리·살구꽃 또 지다·날리는 눈발·능금이 떨어지는·잔 한 잔 비우고" 등등 낙하 또는 소멸의 이미지는 바로 박용래의 시가 이러한 낙하의 상상력에 바탕을 두고 있음을 확인시켜 주는 것이 된다.

두 번째로 들 수 있는 것은 과거적 상상력의 유형이다.

오동나무 밑둥
한쪽만 적시는
가랑비
지난날을 울어

―「곡(曲)」에서

오동(梧桐)꽃 우러르면 함부로 노(怒)한일 뉘우쳐진다
잊었던 무덤 생각난다
……(중략)……
젊어 죽은 홍래누이 생각도 난다

―「담장」에서

중학교 하급반 땐 온실 당번였어라 질펀히 진눈깨비라도 오는 늦

은 하오(下午)라치면 겨운 석탄통 들고 비틀대던 몇 발자국 안의 설핏
한 어둠. 지우고 지워진지 오래건만 강술 한 잔에 떠오누나

―「진눈깨비」에서

　　인용시에서 "지난날을 울어·함부로 노한 일 뉘우쳐진다"라는 과거적 회한
과 "잊었던 무덤·젊어 죽은 홍래누이 생각도 난다"라는 과거적 회상, 그리고
'중학교 학급반 땐 온실 당번였어라'라는 회고적 모티프는 모두 박용래 시의
중요한 상상력의 한 면모를 제시해 준다. 이른바 과거적 상상력이라 부를 수
있는 이러한 발상법은 그의 시를 형성하고 전개하는 중요한 모티베이션이 되
는 것이다. "어머니 젊었을 때/젊은 날을 앓다가/추수도 끝난/어느덧 우정의
잎지고/젊어서 울었듯 서서 울어" 등 많은 시의 이미저리가 과거적인 상상력
에 연원을 두고 있기 때문이다. 이것은 그의 시 정신이 밝은 현실이나 미래지
향의 요소보다는, 과거지향이나 회상의 미학에 근거를 두고 있기 때문인 것
으로 판단된다. 항상 그의 시에서 현실은 우수로 가득 찬 세계이고 과거지향
의 향수와 그리움만이 그의 삶과 시를 지탱해 주는 힘이 되는 것으로도 짐작
할 수 있기 때문이다.

　　세 번째로 지적할 수 있는 것은 식물적인 상상력의 모습이다.

　①낙엽(落葉)져
　　벌거숭이
　　잡목림(雜木林)은
　　조석(朝夕)으로

　　쓸쓸한 마을
　　초가지붕

―「잡목림(雜木林)」에서

② 반쯤은 둔벙에 묻힌
  창포(菖蒲)실뿌리 눈물지네
  맨드래미 꽃판 총총 여물어
  그늘만 길어가네
  절구에 깻단을 털으시던
  어머니 생시(生時)같이
  오솔길에 낮달도 섰네.

                              – 「낮달」에서

③ 눈보라 휘돌아간 밤
  얼룩진 벽(壁)에
  한 참이나
  맷돌 가는 소리
  고산식물(高山植物)처럼
  늙으신 어머니가 돌리시던
  오리 오리
  맷돌 가는 소리

                              – 「설야(雪夜)」 전문

　시 ①의 총체적 이미저리는 식물적인 상상력에 근거를 두고 있다. 시 ②와
③에 있어서도 식물적 이미저리가 특징적으로 드러나는데 특히 여기서는 어
머니 즉 여성적인 상상력과 결합되어 있다. ③에서는 비유적 보조관념으로
대상을 묘사하고 있는바 그의 많은 시에서 색채를 표현하는 데에 식물이나
꽃의 이미지를 활용하고 있는 것과도 연관되어 진다. 그의 시 도처에 나타나
는 "탱자울·강아지풀·엉겅퀴·미나리·버들잎·살구꽃·등나무·파초" 등 헤아릴
수 없이 많은 소박한 식물적인 이미지군은 그의 상상력이 식물적인 것에 뿌
리박고 있음과, 바로 이 이름 모를 식물처럼 담담히 살아가는 시인 자신의 삶
의 모습을 반영하고 있는 것이다. 또한 음식 이름조차 동물성은 거의 나타나
지 않고 '열무김치·상칫단·콩나물·골파·시락죽·비름·호박잎·목과다·오이·연시'

등 거의 채소류의 식물성이 주류를 이루고 있는 것도 이의 증명이 된다. 이러한 식물적 상상력은 박용래의 시가 자연현상의 오묘한 순한 질서에 섬세한 반응을 보이고 있다는 점을 말해주는 것이며 또한 그의 시가 전원시학에 근거하고 있음을 입증해 주는 것이기도 하다.

5

지금까지 살펴본 것처럼 박용래의 시는 전원 상징의 향토적 리리시즘과 애상과 달관의 휴머니즘을 바탕으로 여성편향성의 소멸의 미학, 회상의 시학을 형성하고 있다. 특히 그의 시는 낙하의 상상력과 과거적 상상력, 그리고 식물적 상상력을 근간으로 이루어지며, 또한 압축된 시형의 몽타주 수법과 시각운의 활용으로 섬세한 형태미를 구축하고 있다. 이러한 몇 가지 점에서 박용래의 시는 근년에 유행하는 난해시류와는 달리 폭넓은 공감대의 형성에 성공하고 있는 것이다. 과도한 메타포와 상징으로 짜인 현대시의 난해성에 식상한 많은 독자들에게 그의 시는 안온한 해방감과 향수의 애잔함을 통해 감동을 불러일으키고 있기 때문이다.

그럼에도 불구하고 그의 시는 몇 가지의 문제점을 내포하고 있는 것도 사실이다. 무엇보다도 먼저 그의 시는 유사한 이미지의 시어들이 여러 시편에서 반복되는 단점을 지니고 있다. 예를 들면 "기러기떼 보아라/아 어느 강마을/잔광부신 그곳에/떨어지는가"(「막버스」)의 매혹적이고 선명한 잔광의 이미지가 "이 눈부신 마을이 있다"(「울타리 밖」)에 중복되어 나타나므로 오히려 빛을 잃는 것 등이 그것이다. 그의 많은 시가 개성을 잃고 비슷비슷한 인상을 주는 것도 바로 이런 이유에서 비롯된다.

두 번째는 감상의 범람을 들 수 있다. 천부적인 애수의 시인으로서 그의 허적과 고독의 깊이가 흔히 나타나는 눈물과 슬픔 때문에 정결한 모습을 잃는 경우가 많다. 그의 시 형태에서 볼 수 있는 예리한 지적 절제가 그의 애상의 정서에도 가해져야만 정서로 충만한 그의 시에 정신의 단단함이 자리 잡을 수 있기 때문이다.

세 번째는 그의 시에 생동성이 결여되고 탄력이 부족한 점을 지적할 수 있다. 아무리 그의 시가 소멸의 시학, 향수와 애수의 회상미학을 추구한다 하더라도 그의 시가 스스로의 소재주의에 자폐되어서는 안될 것이다. 소재의 적절한 배치에서 오는 정서적 매혹보다는 그러한 소재들이 정신과의 충돌을 통해 시적 탄력과 생동력을 획득해야 할 것이다. 진정한 의미의 정서, 정신의 충돌과 화해, 그리고 과감한 시적 전신과 극적 변모를 통한 시적 승화(sublimation)가 있어야 할 것이다. 고전과의 접맥 혹은 종교적인 세계에의 몰두도 이러한 변모의 한 지평을 열 수 있을 것이다. 이러한 보다 과감한 변신의 노력만이 그를 감수성만으로 시를 쓰는 시인이라는 인상으로부터 벗어나게 할 수 있을 것이며, 그가 보다 완벽한 시인이기를 소망하는 우리 모두의 바램에 응답하는 길이 될 것이다.

(1980년)

10. 자유로의 귀환/황동규

황동규의 연작시 「풍장」은 고단한 일상의 권태와 물질의 질곡으로부터 벗어나 정신의 투명함과 그 자유로움에 도달하고자 하는 인간적 충동과 염원이 담겨 있다는 점에서 관심을 끈다.

특히 「풍장·1」은 그의 이러한 완벽한 자유에로의 귀환의지와 투신에의 갈망이 상징적인 표현 가운데 선명하게 요약돼 있어 흥미를 유발시킨다.

　　　　내 세상 뜨면 풍장시켜다오
　　　　섭섭하지 않게
　　　　옷은 입은 채로 전자시계는 가는 채로
　　　　손목에 달아 놓고
　　　　아주 춥지는 않게
　　　　가죽가방에 넣어 전세 택시에 싣고
　　　　군산(群山)에 가서
　　　　검색이 심하면
　　　　줄포(茁浦)쯤에 가서
　　　　통통배에 옮겨 실어다오

　　　　가방 속에서 다리 오그리고

그러나 편안히 누워 있다가
선유도 지나 무인도 지나 통통 소리 지나
배가 육지에 허리 대는 기척에
잠시 정신을 잃고
가방 벗기우고
무인도의 늦가을 차가운 햇빛 속에
구두와 양말도 벗기우고
손목시계 부서질 때
남몰래 시간을 떨어트리고
바람 속에 익는 붉은 열매에서 툭툭 튕기는 씨들을
무연히 안 보이듯 바라보며
살을 말리게 해다오
어금니에 박혀 녹스는 백금(白金) 조각도
바람 속에 빛나게 해다오

바람 이불처럼 덮고
화장(化粧)도 해탈(解脫)도 없이
이불 여미 듯 바람을 여미고
마지막으로 몸의 피가 다 마를 때까지
바람과 놀게 해다오.

— 「풍장(風葬)」 전문

　　모두 세 연으로 구성된 이 「풍장·1」은 시간적인 점층을 기본 구조로 하여
전개된다. 대략 1연은 현실로부터의 탈출, 2연은 해방의 과정, 3연은 자유로
의 귀환이라는 내용을 핵심으로 한다.

　　먼저 제1연은 모든 복잡한 죽음의 과정, 그 까다로운 장례의 절차로부터
벗어나는 주검의 가장 자연스러운 모습을 상상하는 데서 시작된다. 시인은
첫 행 '내 세상 뜨면 풍장시켜다오'라는 요약된 진술을 통해 '바람'이 상징하
는 자유로움과 자연스러움을 '죽음'의 그것과 병치시키고 있다. 실상 죽음이

가장 자연스러운 상태, 즉 영원한 무(無), 혹은 본질로의 귀환이라면 거기엔 바람의 장송이 가장 자연스럽게 조화될 수 있을 것이기 때문이다. "옷은 입은 채로 전자시계는 가는 채로/손목에 매어달고"라는 다음 구절이 이러한 해석을 뒷받침해 준다. '입은 채로'·'가는 채로'와 같이 생시의 모습 그대로 자연스럽던 현실세계로부터의 격리를 소망하는 것이다. 그러나 현실의 구속은 그러한 죽음의 자유스러운 절차마저도 자유롭게 하지 않는다. "가죽가방에 넣어 전세택시에 신고/군산에 가서/검색이 심하면/줄포쯤에 가서/통통배에 실어다오"라는 구절 속에는 죽어서 마저도 완전하게 자유롭지 못하게 하는 현실적 테두리의 완강한 구속력에 대한 풍자가 담겨 있다. 특히 '가방'과 '전세택시'라는 시어 속에는 일상의 피로한 경험의 무게와 함께 한계 지워진 공간을 갇혀서 살아갈 수밖에 없는 답답함이 상징화되어 있다. 따라서 '통통배에 옮겨 실어다오'라는 구절에 의해 바다로의 탈출을 시도하게 되는 것이다.

제2연에서는 바다로 시적 배경이 옮겨진다. '육지→바다'라는 시적 배경의 전이 속에는 현실로부터의 탈출과 벗어남이라는 의미가 내포되어 있다. 바다는 무한한 자유의 표상이며 동경의 장소인 것이다. 실상 그의 대표적인 연작시의 하나인 「기항지」를 비롯하여 「겨울바다」·「겨울 항구에서」 등의 많은 시편들이 「바다」와 연결되어 있음은 바로 그의 시 정신의 한 모서리가 자유에 대한 동경과 갈망에 기초를 두고 있음을 말해준다. 그러나 이 시에서 바다는 자유를 향한 탈출의 과정일 뿐 영원한 해방의 장소는 아니다. 여기에서 바다는 「무인도」라는 또 다른 상상의 장소로 연결되는 과도적 성격을 띤 장소인 것이다.

> 선유도 지나 무인도 지나 통통소리 지나
> 무인도의 늦가을 차가운 햇빛 속에
> 구두와 양말도 벗기우고

위의 구절에서처럼 바다의 끝, 무인도에 도달하여 마침내 진정한 해방의 자유로움을 얻게 되는 것이다. 이 무인도에서 비로소 "가방 벗기우고 옷 벗기우고/손목시계 부서질 때"와 같이 속세의 먼지, 현실의 질곡으로부터 완전한 해방을 맛볼 수 있게 된 것이다. 이 점에서 바다는 현실과 이상세계를 격리해 주는 분리의 공간이며 동시에 초극의 경과적 장소인 것이다. 다시 말하면 바다는 현실(육지)을 벗어나는 떠남의 장소인 동시에 이상세계(무인도)로 도달케 하는 만남의 공간으로서의 중간세계적 의미를 지닌다는 점이다. 따라서 바다 너머의 무인도는 상상의 유토피아 그 이데아의 낙원인 것이다. 따라서 "구두와 양말을 벗기우고/손목시계 부서질 때"라는 구절은 자유자재로움에 대한 무한 동경을 반영한 것이며, 모든 것을 벗긴 알몸의 상태가 가장 편한 해방과 자유를 성취한 것이라는 깨달음을 드러낸 것이 된다. 무인도의 늦가을 차가운 햇빛 속에 알몸으로 누워, 바람으로 살을 말리게 해달라는 풍장에의 염원은 기실 어지러운 현실사회로부터 해방되고자 하는 열린 세계에 대한 향성을 드러낸 것이며 동시에 물질의 무게, 육신의 구속을 거슬러 올라 정신의 투명함과 그 자유를 성취하고자 하는 갈망을 드러낸 것이다. "옷을 벗김→햇빛 속에 말림→바람 속에 빛남"으로 연결되는 중심 이미지의 전환 속에는 정신의 유연성과 투명함, 그리고 영혼의 가벼움과 그 자유에 대한 구원한 갈망과 동경이 담겨 있는 것이다. 특히 '햇빛'과 '바람'은 이러한 물질로부터의 벗어남 혹은 가벼워진 정신의 자유로움을 표상하는 핵심적인 이미지가 된다.

　셋째 연은 마침내 자유로움을 성취하는 모습을 재확인하고 있다.

> 바람 이불처럼 덮고
> 화장(化粧)도 해탈(解脫)도 없이
> 이불 여미듯 바람을 여미고
> 마지막으로 몸의 피가 다 마를 때까지
> 바람과 놀게 해다오.

이러한 셋째 연의 시적 진술은 실상 첫째 연 첫 행 '내 세상 뜨면 풍장시켜 다오'를 설명한 것에 지나지 않는다. '바람'의 이미지가 두드러지게 작용하고 있기 때문이다. "화장도 해탈도 없이/마지막으로 몸의 피가 다 마를 때까지" 라는 구절은 바람 속에 풍화되어 가는 육신의 모습을 묘사한 것일 뿐만 아니라, 진정한 자유는 죽음마저도 초월하여 해탈조차 없는 완전무결한 격리와 소멸에 있음을 말하고자 하는 것이다. '바람'은 물질로부터의 해방을 성취하게 하는 촉매인 동시에 시간으로부터 탈출할 수 있게 하는 자유의 표상인 것이다. 이 점에서 3연은 영원한 자유에로의 귀환이라는 주제를 효과적으로 요약해 준 것이 된다.

결국 「풍장·1」은 '바람'과 '죽음'의 이미지를 결합하여 일상의 고달픔과 물질로부터의 질곡을 벗어나서 정신의 가벼움과 투명함을 성취하는 동시에 영원한 이데아의 세계 '무인도'에 도달하여 무한한 자연에로 귀환하려는 의지가 아름답게 그려져 있는 작품인 것이다. 이러한 자유에로의 귀환의지와 정신의 가벼움에 대한 동경은 「풍장·2」에도 잘 나타나 있다.

아 색깔들의 장미비!
바람 속에 판자 휘듯
목이 뒤틀려 퀭하니 눈뜨고 바라보는
저 옷벗은 색깔들
흙과 담싼 모래 그 너머
바다빛 바다!
그 위에 떠 다니는 가을 햇빛의 알맹이들!

소주가 소주에 취해 술의 숨길 되듯
바싹 마른 몸이 마름에 취해 색깔의 바람 속에 둥실 떠……

이 짤막한 시에서도 '바다', '햇빛' 그리고 '바람'의 세 가지가 중심 이미지를 형성하고 있다. "목이 뒤틀려 퀭하니 바라보는/저 옷벗은 색깔들", "흙과 담싼 모래"와 같은 구절은 물질의 구속을 의미한다. 이에 비해 "바다·가을 햇빛·바람" 등은 정신의 투명함과 가벼움 그리고 그 자유로운 영혼의 모습을 상징하는 것이다. 여기서도 "바싹 마른 몸이 마름에 취해/바람 속에 둥실 떠……"와 같이 '마음'과 '바람'이 결합되어 견고에의 의지와 함께 이를 넘어선 자유에의 갈망을 노래하게 된다. 특히 '가을 햇빛의 알맹이들'과 '바람 속에 둥실 떠'라는 두 핵심 이미지의 결합은 자유로운 정신에 대한 갈망과 함께 견고하면서도 투명한 영혼에 대한 동경을 표상한 것이 된다.

「풍장·3」에서도 투명한 영혼과 자유로운 정신에 대한 동경과 갈망이 나타난다. 이 시는 대략 세 가지 작용의 표출로 나눌 수 있다. 첫 번째는 '벗기움'이다. 이것은 "버림·벗음·헐리움" 등의 다양한 이미지로 구체화되어 나타난다. 두 번째는 '말리움'이다. 이것은 "마름·빠져나옴" 등의 이미지로 나타난다. 세 번째는 '빛남'인데, 여기에는 "타오름·달아오름·뜨거움·태움" 등의 여러 변화 과정을 보인다. 이렇게 볼 때 '벗기움', '말리움' 그리고 '빛남' 등의 시적 작용은 대체로 물질의 제거작용 내지는 무게의 덜어냄, 혹은 물질의 정신화라는 공통점을 지닌다. 바로 이러한 물질의 무게를 덜어내려는 노력은 바로 정신의 투명화를 성취하려는 몸부림이며 동시에 자유에의 향성이며 의지인 것이다.

「풍장·4」에서 "난간 위에 목숨/내려놓고"라는 구절이나 '이번엔 달을 내려놓고'라는 구절은 이러한 물질초극 의지가 마침내 성취되게 되는 놀라운 정신의 유연성 내지는 자유의 초탈한 경지인 것이다. 이렇게 볼 때 황동규의 「풍장」은 자유로의 동경과 귀환의지를 잘 형상화한 작품으로 판단된다.

(1983년)

11. 사랑과 평화의 시/김후란

이 글은 김후란 시에 관한 논의에 있어 한 예비 각서에 지나지 않는다. 따라서 근작 시집 『눈의 나라 시민이 되어』(서문당, 1982)에 수록된 몇 편의 시를 중심으로 그의 시의 지향점을 간략히 살펴보기로 한다.

먼저 시 「어디서 어디까지」에는 그의 시의 출발점이 드러나 있다.

어디서 어디까지
어디서 어디까지나
나의 길일까

바람도 없는데
흔들리는 흔들림
고요함이여
굽이지는 생의 물결을
지나보내고

고요함 속에 누워

아직도 흔들리는
속의 그림자

이 시의 모티브는 자아에의 관심 혹은 내성적 인생의 투시에서 비롯된다. 그것은 생의 근원에 대한 내밀한 응시이며 동시에 존재의 깊이를 향한 자맥질의 성격을 지니기 때문이다. 여기에서 생의 근원적 모습은 '고요함'과 '흔들림'의 대응적 심상으로 파악돼 있다. "바람도 없는데/흔들리는 흔들림/고요함이여/굽이치는 생의 물결을/지나보내고"와 같이 '흔들림'과 '고요함'이 지속과 변화를 되풀이하는 '생의 물결'로 받아들여지는 것이다. 이러한 흔들림과 고요함 사이의 진동 속에서 생의 다양한 의미와 가치가 스스로 드러나게 되며, 이것들의 가락 있는 언어로의 드러냄이 바로 시가 되는 것이다. 고요함 속에 흔들림을 감지하고 흔들림 속에서 고요함을 갈망하는 시선 속에는 바로 상승과 하강, 약동과 정지, 생성과 소멸로 요약할 수 있는 생의 본원적 모습에 대한 투시가 담겨져 있다. 또한 "고요함 속에 누워/아직도 흔들리는/속의 그림자"라는 구절 속에는 고요함과 흔들림의 두 가지 축 사이에서 방황하며 살아갈 수밖에 없는 실존의 갈등과 고뇌가 들어있다. 그것을 우리는 이성과 감성, 영혼과 육체, 그리고 현실과 이상의 부딪힘에서 오는 간단 없는 생의 흔들림 또는 영혼의 흐느낌이라 불러 볼 수도 있을 것이다. 흔들림의 연속 속에서 고요함을 찾는 인생으로서, 끊임없이 '나란 무엇'이며 또한 '나의 길은 어떠한 것'인가에 대한 지속적인 질문의 제기와 그에 대한 내밀한 응답이 이 시의 핵심이 된다. 이러한 자기 응시와 생의 본원성에 대한 내성적 탐구의 시선은 생의 길에 대한 하나의 확신에 도달하게 된다.

나는 외람스럽게도 예수의 그윽한 눈을 사랑한다. 신념이 있고 인간을 볼 수 있는 이, 그런 이만이 가진 속깊은 눈을 사랑한다.

그 눈앞에 내 어둠을 죽이고 싶다.

　　가장 아름다운 건 슬픔을 누르고 미소(微笑)짓는 것, 미소 너머로
세상을 보는 것, 오 그런 이만이 가진 뜨거운 눈물을 사랑한다.

　　그 눈물로 씻기우고 싶다.

- 「그 눈앞에」에서

　이 시에서 '예수'는 진·선·미의 표상이다. 아니 단순한 표상이라기보다는
신념 있는 인간 혹은 역사의식을 지닌 탁월한 예언자적 지성, 그리고 인간적
진실과 따뜻함을 간직한, 깊이 있는 인간의 대명사이다. 동시에 예수는 인간
이 도달하기를 소망하는 바람직한 인간 또는 완전한 인간으로서의 상징적 의
미를 지닌다. 따라서 "예수의 그윽한 눈을 사랑한다/그런 이만이 가진 속깊은
눈을 사랑한다"라는 구절 속에는 신념 있는 삶, 진실한 삶, 그리고 깊이 있는
삶에 대한 시인 자신의 동경과 갈망이 담겨 있는 것으로 보인다. 또한 '그 눈
앞에 내 어둠을 죽이고 싶다'와 같이 그러한 이상적인 삶, 완전한 삶, 절대적
삶에 대한 지향을 통해 현실의 어둠으로부터 자기구원을 갈망하게 되는 것이
다. 그러나 우리에게 감동을 주는 것은 완전한 삶, 이상적인 삶에 대한 동경과
갈망 그 자체에 있지 않다. 그것은 오히려 인간의 생생한 삶, 혹은 구체적 진
실에 맞닿아 있을 때 더욱 절실한 것이 된다. 이 시가 주는 감동은 바로 여기
에 있다. 예수가 우리에게 보다 큰 감동으로 부딪혀 오는 것은 바로 그가 인간
적 진실의 뜨거운 눈물을 간직하고 있기 때문이리라는 소중한 깨달음이 이
시에 제시돼 있다. 예수는 "슬픔을 누르고 미소짓는/미소 너머로 세상을 보는
/뜨거운 눈물"로 형상화된 것이다. 삶의 진정한 가치와 그 아름다움은 절망을
넘어서 희망을 간직하게 될 때, 고통을 넘어서서 환희에 도달하게 될 때, 그
뜨거운 깨달음과 극복의 치열한 고통 속에서 더욱 빛을 발하는 것이다. 따라

서 '그 눈물로 씻기우고 싶다'라는 구절을 통해서 노력하는 삶, 참회하는 삶의 소중함과 그 아름다움을 노래하게 되는 것이다. 특히 이 마지막 구절 속에는 정죄의식 혹은 재생의 모티브가 발견된다는 데서 관심을 끈다. 뜨거운 진실에의 갈망과 그 정죄의 눈물 속에서 새로운 생명 의지와 부활에의 소망을 노래함으로써 현실의 어둠으로부터 자기 구원을 성취하고자 하는 것이다.

이렇게 볼 때 이 두 편의 시는 김후란의 시가 기본적인 면에서 자신의 삶에 대한 깊이 있는 응시와 탐구에서 출발하고 있다는 점을 제시해 준다. 내밀한 자기성찰과 진지한 깨달음의 자세를 통해서 인간 이해에 도달하고자 하는 열망이 담겨 있는 것이다.

②

다음에는 밖으로의 관심을 들 수 있다. 그렇다고 해서 그것이 흔히 말하는 민중이나 현실 또는 역사와 같이 거창한 것들은 아니다. 오히려 그것은 나와 다른 사람과의 관계, 즉 사랑의 문제로 집약되어 있다. 이 점에서 김후란의 대타적 관심은 다분히 상대성 원리의 범주에 놓이는 것으로 보인다. 그것은 분열과 갈등의 투쟁적 관념이 아니라 화해와 용서의 평화적 개념에 가까우며, 차라리 개인적 차원에서의 소박한 평화주의라고 부를 수도 있을 것이다. 또한 앞에서 논의한 내성적 자기성찰이 구심력의 작용이라면, 이것은 원심력의 작용이라 볼 수 있으며, 이 점에서 이 두 가지 힘은 김후란 시 정신의 상대 축이 되는 것으로 여겨진다.

> 발광체(發光體)인 너
> 내 마음의 그늘을
> 지워주는 너

흐르면서 맑아지는 시냇물이다
씻기고 씻기운 결고운 옥돌이다

물은 물과 더불어 온전한 물이 되고
돌은 물살에 밀려 야무지게 빛나는 돌이 되듯

우리들은 부딪혀
불이 되는 부싯돌

　　　　　　　　　　　　　　　　　　　　　　　— 「사우가(思友歌)」

　이 시는 물론 친구와의 우정 즉 동성애를 노래한다. 나와 친구와의 관계는
발광체와 그 그늘로 묘사돼 있다. 이것은 우정이 빛과 그림자처럼 상보적인
위치에 놓임을 의미하지만, '물은 물과 더불어 온전한 물이 되고'처럼 우정에
의해서 인간이 완성된다는 점을 보다 강하게 주장하는데 더 깊은 뜻이 있다.
이것은 비단 우정뿐만 아니라 모든 인간관계로 확대될 수 있다는 점에서 존
재의 상대성 원리를 제시한 것이 된다.

　이 시에서 더욱 관심을 끄는 것은 물과 불의 대립적 상징이다. 물은 물론
여성 혹은 모성의 세계를 표상한다. 물은 그것이 지닌 유동성·부드러움·결합
력·변화력·하강성·자정성 등으로 인해 생명을 탄생시키고, 유지시켜 주며, 윤
택하게 해주는 근원적 힘으로서의 표상성을 지닌다. '흐르면서 맑아지는 시
냇물'로서의 물은 바로 인간의 생과 삶에 있어서 가장 중요한 원천이다. 우정
은 바로 이 삶을 지탱해 주고 삶을 삶답게 고양시켜 주는 '물'과 같은 역할을
한다는 점에서 의미가 있는 것이다. 특히 여성·모성이 암시하는 따뜻함과 부
드러움, 그리고 포용의 힘이 '물'로서의 우정에 내포돼 있다는 점에서 유추의
신선함이 드러난다. 한편 '돌'과 '불'의 상징성도 주목된다. 물에 '씻기고 씻기
운 결고운 옥돌'은 우정에 의해 완성돼 가고 힘을 획득해 가는 인간의 모습인
것이다. 따라서 '돌은 물살에 밀려 야무지게 빛나는 돌이 되듯'이라는 구절 속

에는 인류애의 원형으로서의 우정의 중요성과 그 빛나는 가치에 대한 확신이 담겨지게 된다. 그러면서도 '돌'은 그냥 돌이 아니라, "우리들은 부딪혀/불이 되는 부싯돌"처럼 생명의 불꽃으로 상승하는 돌이라는 데서 더욱 의미를 지니게 된다. 견고한 광물성의 돌이 불꽃을 일으키는 '부싯돌'이 됨으로써 인류의 인간다운 삶을 점화할 수 있게 하는 원동력이 되는 것이다. '불'은 상승력, 해체 및 응집력, 변화력 등의 남성적 속성으로 인해 물의 여성적 세계와 더불어 인간의 생명과 생활에 있어 필수적·상보적 위치를 지닌다. 우정은 바로 인간의 생활에 있어서 물과 불의 상징 의미를 포괄한다. 우정은 '물'과 '돌'처럼 불가분리의 관계를 지니지만, '물'과 '불'처럼 대립적이면서도 상호 완성의 필수적 근원적 관계를 내포하고 있는 것이다. 물과 불처럼 우정은 삶을 삶답게 이끌어 주고, 힘을 주며, 완성시켜 주는 근원적 사랑의 형태로 존재한다. 이 점에서 이 시는 우정을 탁월하게 형상화한 수작의 하나로 평가될 수 있다.

우정의 발전적 형태로서 이성 간의 사랑도 김후란의 중요한 관심사가 된다. 여기서의 이성애는 보다 성숙한 부부애로서의 모습으로 나타난다.

> 그 많은
> 모래알 중에
> 너와 나 이웃한
> 모래알로 만나
> 조그맣게 숨쉬는
> 모래알 부부로 만나
> 등 비비며 등 비비며
> 정답게 가고 있으니
> 바람도 비켜가는
> 은빛 아침
>
> ─「모래알로 만나」

이 시에는 따뜻한 부부애가 탐미적으로 묘사돼 있다. "너와 나 이웃한/모래
알로 만나/모래알 부부로 만나"와 같이 부부애는 근원적으로 타인끼리의 만
남이며, 이 점에서 우정과 같이 상대성 원리를 지닌다. 부부는 한 생애를 "등
비비며 등 비비며/정답게 가고 있으니"처럼 가장 가까운 친구 혹은 생의 동반
자로 살아가는 것이다. 따라서 부부관계는 서로에 의해서 자기가 발견되고,
또 힘을 얻으며, 마침내 완성되는 인간적 사랑의 한 정점으로 이해된다. 실상
시집 『눈의 나라 시민이 되어』에는 「둘이서 하나이 되어」·「기쁜 아침」·「우
리들이」 등 부부애 혹은 이성 간의 사랑을 노래한 시편이 많이 수록돼 있다.
그것은 뜨겁게 열하는 것이기보다 은은히 미소짓는 내밀한 사랑의 노래로 표
현돼 있다는 특징을 지닌다.

이런 점에서 볼 때 사랑은 김후란 시에서 가장 중요한 테마가 됨을 알 수
있다. '나'에 대한 관심이 내성에의 깨달음과 자기 극복에 있었다면 '밖'에 대
한 관심은 사랑에의 발견과 그 실천에 놓여 있는 것이다. 인간완성에 있어서
나 현존재적 삶의 길에 있어서나 자신에 대한 깊이 있는 내성의 자세와 함께
이웃에 대한 사랑은 필수 불가결한 것이 아닐 수 없다는 깨달음을 드러내고
있는 것이다. 내성의 길과 사랑의 길은 김후란 시 정신에 있어 구심력과 원심
력으로 작용하는 상대적 가치 축이 되는 것으로 판단된다.

3

다음에는 본원에의 향수와 함께 미래지향의 정신이 나타남을 볼 수 있다.
본원에의 향수란 옛것에 대한 그리움 또는 뿌리에 대한 애정을 의미한다. 미
래지향이란 새로운 것에 대한 동경과 기대를 의미한다.

덕수궁(德壽宮) 석조전(石造殿) 아래

향(香)나무 한 그루
혼연히 서있는
동양(東洋)의 예지(叡智)를 보다

삼백년 나이테를
안으로 감추오고
비바람 찬 세월에
결이 엉긴 살갗이며
죽어서나 남길 향(香)
가슴깊이
묻어 두고,

오늘도 비오는 고궁(古宮)에
말없이 뿌리를
적시고 있다.

─「향(香)나무 한그루」

　이 시에는 고전적인 정신의 뿌리에 대한 아련한 향수와 함께 애수가 깃들여 있다. 또한 우아하면서도 기품있는 정서가 정제된 시어와 형태 속에 잘 다듬어져 있다. "삼백년 나이테를/안으로 감추오고/죽어서나 남길 향/가슴깊이/묻어 두고"라는 구절 속에는 우리 것, 옛 것, 내 것에 대한 기품 있는 애정이 스며들어 있는 것으로 보여진다. 이러한 고전 정서에 바탕을 둔 뿌리의식 또는 본원에의 향수는 어느 면 역사의식으로 연결되는 것으로 생각된다. 「우리말 우리글」·「우리 글 한글」·「곡옥」·「소나무야 소나무야」·「농부」 등의 시편에는 주체의식에 뿌리를 둔 역사의식이 들어있는 것으로 판단되기 때문이다. 이것은 어떤 관념적인 주장보다는, 「무우국을 들며」·「꾸지람을 듣고 싶다」 등의 시에서처럼 보다 생명 감각이 구체적으로 묻어나는, 속 깊은 역사의식에 근거하는 것으로 보인다는 점에서 은은한 감동마저 불러일으킨다. 이 점

에서도 내성적이면서 밀도 있는 김후란 특유의 시 정신과 어법이 드러나고
있는 것으로 보인다.

한편 그의 미래지향의 정신은 '아가'의 표상으로 나타나며, 그것은 평화에
의 길로 연결된다.

① 창가에 난등(蘭燈)밝힌
새날이다.

하늘 가득 번지는
연보랏빛 미소(微笑)다.

꽃씨 터지듯
풀물 묻어나듯

선잠 깬
우리 아기

옥돌 물 퉁기는
울음소리

② 조그만 아이가
조그만 집에서
조그만 평화를 안고
조그맣게 잠이 들었네

캄캄한 어둠을
달빛이 밀어내고
햇살이 밀어내고

아이는 팔을 들어
세상을 가득 잡았네
조그만 입으로 하품을 하면서

시 ①의 「아기탄생」, ②는 「평화」라는 작품으로서 미래지향과 평화에의 지향을 잘 보여준다. ①에서 '아기의 탄생'은 새날의 열림이며 동시에 새로운 미래에 대한 동경과 희망을 간직하게 하는 꿈의 표상이다. ②에서는 '아이'의 세계가 근원적으로 평화에의 길로 열려 있음을 반영하고 있다. 실상 아가의 세계는 인간이 마지막까지 수호해야 할 가장 순수하고 아름다운 소망의 영역이며 평화의 성지가 아닐 수 없다. 아가의 순수함과 평화는 인류의 타락과 현실의 부패를 방지하고, 인간성을 지키게 해줄 시원적 힘의 표상으로 작용하는 것이다.

이 점에서 '아가' 표상은 김후란의 미래지향의 시 정신과 함께 평화 지향의 시 정신을 반영하고 있는 것으로 보인다. '아가'가 표상하는 미래에 대한 믿음과 소망을 간직하고, 그 평화에의 길로 나아가려는 자세야말로 이 시대에 참답게 필요로 하는 정신적 지향이 아닐 수 없다. 온갖 욕망의 기름기로 더러워지고 격앙된 주장의 고함소리만 범람하는 이 시대가 아가의 탄생을 아름답게 노래하고 그 조그만 평화를 예찬하는 은은한 목소리는 내밀한 감동의 여운을 더해 줄 수 있을 것이 확실하기 때문이다.

4

마지막으로 다음 시 「눈의 나라」에는 김후란 시의 전반적인 특징이 잘 나타나 있는 것으로 보인다.

겨울이면 나는 눈의 나라 시민이 된다.
온 세상 눈이 다 이 고장으로 몰린다.
고요하라 고요하라
희디흰 눈처럼
차고도 훈훈한 눈처럼
고요하라는 계율에 순종한다
사랑을 하는 이들은
안개의 푸른 발
이사도라 단칸의 맨발이 되어
부딪히는 불꽃이 되기도 한다
겨울이면 나는 눈의 나라 시민이 되어
유순하게 날개를 접는다
그러나 이따금 불꽃이 되고
허공에서 눈물이
되려 할 때가 있다
슬픔이 담긴 눈송이들끼리.

　　　　　　　　　　　　　　　　　　　　－「눈의 나라」

　이 시에서는 먼저 '눈'과 '불꽃', 그리고 '눈물'의 세 이미저리가 핵심으로 나
타난다. 먼저 '눈'은 순결한 평화의 상징으로서 중요성을 지닌다. "고요하라
고요하라/희디 흰 눈처럼"이라는 구절 속에는 고요함으로서의 평화에 대한
순결한 의지와 소망이 담겨 있는 것으로 보인다. 마치 '차고도 훈훈한 눈처럼'
평화는 이율배반적인 의미를 내포하지만, 바로 그 점에서 더욱 소중하게 받
아들여질 수 있는 것이다. 아울러 '불꽃'은 사랑과 환희의 표상이다. '부딪히
는 불꽃'으로서 사랑은 삶의 가장 중요한 힘이며, 가치인 것이다. 그러나 '불
꽃'으로서의 사랑은 동시에 허무와 비애로서의 '눈물'을 지닐 수밖에 없다. 불
꽃으로서의 사랑과 눈물로서의 허무는 삶의 본질적인 두 양면이기 때문이다.
사랑과 환희로서의 생은 깊은 허무와 비애로서의 그것과 표리의 관계에서 삶

을 보다 완성된 것으로 이끌어 올리게 되는 것이다. '슬픔이 담긴 눈송이들끼리'·'이따금 불꽃이 되고'·'허공에서 눈물이 되려' 한다는 구절 속에는 단독자로서 생을 살아갈 수밖에 없는 근원적 비애가 첨예하게 드러나 있다. 이 점에서 '평화의 길', '사랑의 길'의 중요성이 더욱 강조되게 된다. 이 시가 궁극적으로 말하려는 것은 허무나 비애 그 자체가 아니라, 그러한 것들의 초월과 극복에 있는 것으로 여겨진다. 이 초극의 방법이 바로 '고요하라'하는 평화에의 길이며 '훈훈한 불꽃'으로서의 사랑의 길인 것이다.

이렇게 볼 때 김후란의 시가 지향하는 것은 '사랑의 길', '평화의 정신'이며, 이것은 그대로 그의 삶이 지향하는 바와 일치되는 것으로 여겨진다. 사랑과 평화에의 지향은 모든 시가 궁극적으로 추구하는 길이며 동시에 생의 길인 것이기 때문이다. 그러므로 김후란의 시는 궁극적으로 내면적인 면에서 깨달음과 반성을 통한 자기 발견과 구원의 과정으로 인식된다. 또한 외향적인 면에서는 사랑의 실천과 평화에의 지향에 의미가 놓인다. 그의 시는 투쟁·분열·흥분 등의 행동적·비판적 감정보다는 눈물·사랑·진실 등의 내향적·옹호적 감정에 주로 의지하고 있다. 그의 시는 민중·현실·자유를 소리 높여 외치는 것이 아니라, 사랑·평화·진실을 뜨겁게 간직하고 소박하게 노래하려는 참된 시의 자세를 보여주는 것이다. 이 점에서 김후란의 시는 고함소리 드높은 시대에는 별반 설득력을 지닐 수 없을 것이 분명하다.

그러나 내밀한 진실에 귀 기울일 줄 아는 진지한 독자에게는 깊고 은은한 감동을 심어 줄 수 있을 것이 또한 확실하다.

(1984)

12. 가을정신의 지향/정진규

① 부정적 현실인식과 산문시

정진규의 제5시집 『비어있음의 충만을 위하여』의 밑바탕이 되는 것은 슬픔과 비애의 정조이다. 이러한 비애의 정서는 실상 그의 대표시집 『들판의 비인 집이로다』와 『매달려 있음의 세상』을 관류하고 있는 것으로서 그의 비관적 현실인식에 근원을 두고 있다. '들판', '비인 집'이 상징하는 황량한 상황인식과 '매달려 있음'이 의미하는 불안한 실존의식은 그대로 '비어있음'의 세계로 연결되는 것이다. 물론 이 '비어있음'은 '충만을 위하여'라는 역설에 의한 변증법적 지양을 예비한다는 점에서 앞의 것들과 다른 면모를 예감할 수 있게 한다. 그러나 현실을 바라보는 시선의 어두운 색조와 무거운 그림자가 아직도 가시지 않고 있다는 점에서 정진규의 짙은 페시미즘을 읽을 수 있다.

① 언제나 어느 한 쪽이 허물어져 있는 모습들이 내 편이 되어 살아왔다. 이를테면 한 송이 꽃이라 할지라도 이미 이울고 있는 모습으로, 한 그루 나무라 할지라도 어느 한 가지가 꺾이어 있는 모습으로, 길가에 궁그는 돌멩이라 할지라도 조금은 못생긴 모습으로, 내가 이른 아침마다 걸치고 나서는 옷가지라 할지라도 비록 새로 맞춰입

은 옷이라 할지라도 소매 한 쪽이 도리없이 짧은 모습으로, 나를 담
아 주었다. ……(중략)……이제 와서 온전한 사람들 당당한 사람들
그런 사람들 앞에 서면 나는 주눅이 들고 말 것만 같다.

─「주눅들기」에서

② 지금 이곳 세상은 또다시 독감(毒感)입니다. 곳곳에 창궐(猖獗)하는
독감(毒感)입니다.
당신이 걱정하시던 자유(自由)를 민주(民主)를 아직도 잃고 있는 세
상의 이마는
지금 뜨겁고 뜨겁습니다……(중략)……
실로 어두운 시대에 실로 거짓된 시대에 실로 때묻은 남루(襤褸)의
시대에 홀로 외로운 등불하나 밝혀 들고 밤을 가고 있는 이, 깨끗한
손을 지니신 분, 당신은 살아계십니다.

─「지금 세상의 이마는 뜨겁고 뜨겁습니다」에서

시 ①에는 거대한 기계문명과 상업주의 및 권위주의가 난무하는 현대의 어
두운 뒷골목을 살아가는 현대인들의 초라하고 왜소한 실존이 묘사돼 있다.
'당당하고 온전한 사람들' 앞에서 '주눅 들어' 살고있는 대다수의 현대인들의
휴머니즘 상실의 비애가 짙게 깔린 것이다. 시 ②에서는 아직도 현실이 독감
중 또는 열병 중이라는 은유적 표현을 통해 부정적 현실인식을 드러낸다. 그
것은 자유와 민주를 갈망하는 이념과 꼭 그렇지만은 않은 현실과의 갈등에서
비롯되는 독감이며 열병이다. 따라서 '어두운 시대'·'거짓된 시대'·'남루의 시
대' 혹은 '밤'으로 현실을 파악하게 되고, 이 점에서 '등불'·'깨끗한 손'으로서
은사 조지훈에 대한 그리움이 애절하게 되살아나는 것이다. 실상 「잡기에 대
하여」·「나의 병정들」·「슬픈 휘파람」·「우리의 사랑이 저물 때」 등 많은 시편
에는 살아가는 일의 어려움과 어쩔 수 없는 인간의 굴레, 그리고 그에 대한 서
글픈 탄식과 자기변명이 표출돼 있다. "더러워라, 아부의 명수, 도사가 되어
있지 않는가, 아, 그렇습니다./이제는 먹여 살릴 처자식 탓이란 서글픈 핑계도

하지 않겠습니다"(「나의 병정들」에서)와 같이 삶의 어려움에 대한 깊은 탄식을 토로하고 있는 것이다. 또한 「그대들의 집을 지키리라」·「입성 빨아 입고 기다리는 사람들」에서는 "수유리 숲속에라도 가서 보시게/마산 앞바다에라도 가서 보시게/진달래 개나리로 수런수런 피어계시데/민주, 민주, 의논하고 계시데/닫아 걸며 돌아앉던 나의 은둔을/나의 비겁을/빗장이 스스로 거부해 주시었네" 등과 같이 자유·민주·진리에 대한 실천의지의 부족함에 대한 자책과 부끄러움을 드러내는 것이다.

이렇게 볼 때 시 ①과 시 ②는 그 정서가 '들판의 비인 집이로다'나 '매달려 있음의 세상'의 세계와 깊이 연관되어 있으면서도 또한 그것대로 중요한 면모를 보여준다는 점에서 관심을 끈다. 그것은 낭만적·개인적 서정의 비애가 현실적·사회적 관심사에 대한 탄식과 비애로 옮겨져 가고 있다는 점이다. 다분히 개인적 고독과 허무라는 감상주의적 요소에 침윤됐던 서정적 비애가 삶의 어려움과 현실의 굴레를 자각하는 데서 비롯한 이웃과의 연대감 혹은 공동체의식의 비애로 상승된 것이다. 이 점에서 산문체 시 형식을 택한 것은 적절한 시도인 것으로 판단된다. 산문시는 하고 싶은 말을 직접적으로 표현할 수 있는 개방적인 산문성을 지니면서도 동시에 운율감각과 상징성 및 은유구조의 함축성을 내포함으로써 시성(Poésic)을 잃지 않는 장르적 이점을 지니기 때문이다. 바로 이 점에서 시집 『비어있음의 충만을 위하여』에 짙게 깔린 현실의 비애와 사회적 탄식이 산문시 형식을 취하게 된 중요한 이유가 드러나는 것이다. 이 같은 그의 산문시 채택은 불신과 단절의 높은 벽을 쌓고 살아가는 현대인의 폐쇄성을 허물고 개방하기 위한 그 나름의 '열린시'를 지향하는 시의식을 반영한다는 점에서 의미를 지닌다. '나'에 대한 관심이 '우리'에 대한 관심으로 이행될 때 운문양식과 산문양식이 혼효하게 되며 결국 산문시에 대한 강한 향성을 지닐 수밖에 없기 때문이다.

② 긍정과 사랑의 따뜻함

시집『비어있음의 충만을 위하여』에는 어쩔 수 없는 것으로서의 현실, 불쌍한 것으로서의 인생에 대한 긍정과 사랑의 정신이 짙게 깔려있음을 볼 수 있다. '비어있음'으로서의 삶, 내 몫으로서의 목숨에 대한 소중한 인식이 싹트고 있는 것이다.

> 우리 내외(內外)의 쓰레기통은 언제나 비어 있습니다. 버릴 것이 없사오며 없사온 까닭인즉 저들의 쓰레기통을 채워주고 다시 채워주어도 모자라는 탓이오며 용서를 바라옵기는 가득히 비어있는 충만을 또한 사랑할 줄 알기 때문입니다.
> — 「우리집 쓰레기통은 네개」에서

이 시에서 탄식이나 비애의 정조를 찾기는 그리 쉽지 않다. 탄식이나 비애는 무언가 얻으려 급급하고, 잃지 않으려 몸부림치는 데서 유발되는 부정적 정서이기 때문이다. 여기에서는 '비어있음'을 굳이 채우려 발버둥 치거나, 잃지 않으려 조바심치지도 않는 담담함이 잘 드러나 있다. '비어있음'을 그 자세로서 긍정하고 생의 본질적 모습으로 받아들이려 하는 운명애의 자세가 자리잡고 있는 것이다. '비어있음'을 긍정하고 오히려 '가득히 비어있는 충만을 사랑하는' 마음가짐 속에는 이미 비애와 탄식을 극복한 마음의 평화와 안식이 깃들어 있기 때문이다. 따라서 이 시집에는 이러한 '비어있음'의 충만과 평화에 도달하기 위한 여러 가지 안간힘이 펼쳐져 있다. 「한곳에 머물기」에서는 방황으로부터 돌아온 마음의 평화가, 「그림 지우기」에는 끊임없이 욕망을 헐어내고 자제하려는 노력이, 「깨끗해지기」에서는 서둘기 않고 기언이 설기에 순응하려는 깨달음이, 「예외」에서는 구속으로부터의 벗어남과 자유에 대한 향성이, 「비어있음에 대하여」에는 보이지 않는 것들 속에서의 참된 진실을 발견하려는 끈질긴 노력이 전개된다. 이렇게 볼 때 정진규의 시적 인식의 출발은 항상 이원적 세계관의 대립으로부터 이루어지는 갈등과 화해의 긴장에 놓인 것으로 보인다. 「매듭」은 '매듭 엮기'와 '매듭 풀기'의 대응을 통해 삶의 숨겨진 진실을 깨닫게 되는 과정을 선명히 제시해 준다. "그는 묶고 있는 게 아니었습니다. 풀어내고 있는 거였습니다./보이지 않는 길을, 길이란 길들을 모두 불러 모아 이리 엮고 저리 엮다 보면 하나의 길이 보이는 거였습니다. 한 채의 집이 마침내 지어지는 거였습니다"라는 구절 속에서 현상에 얽매여 살아가며 본질을 꿰뚫어 보지 못하는 인간에 대한 안타까움과 참된 자유는 오히려 구속 속에 있을 수 있다는 깨달음을 드러내 준다. 다시 말해 정진규는 오랫동안 고집스럽게 '이쪽' 아니면 '저쪽', '잃음' 아니면 '얻음', '빼앗김' 아니면 '빼앗음'이라는 이원적 가치론에 지나칠 정도로 매달려 있었던 듯하다. 이럴 때 실상 자유로움이란 존재할 수 없으며 다만 항상 상대적인 가치의 방황과 갈등을 겪을 수밖에 없었던 것이다. 바로 이 점에서 '있음'도 '없음'도 아닌 '비어있음의 충만'을 발견하게 된 것은 비로소 그의 정신이 자유로움과 영혼의 평안함을 터득하기 시작한 것에 연유하는 것으로 보인다.

이러한 '비어있음'의 충만함은 새로운 생명 혹은 생성의 불꽃에 대한 향성으로 그 구체성을 획득하기 시작한다.

① 우리집 난분(蘭盆)이 어렵게 버틴 그 한 그루가 도톰하게 살이 오른 향기의 꽃 한송이를 마침내 피워내었다는 소식, 밝은 목청의 전갈, 바깥 세상을 걸어다니는 나의 때묻은 발을 하루종일 끌어당기는 제 곁으로 오세요, 오세요. 힘으로서 힘으로서 그렇게 있었읍니다.
　　　　　　　　　　　　　　　　　　　　　　　　　　－「힘」 전문

② 불빛, 갈길 터주는 길 밝혀주는 불빛, 나의 불빛을 따라서 한마리의 모래무지가 벗어나고 있다. 모두 물가에 나와서 불을 밝히는 뜻을 알겠다 놓아주는 것은 모래무지가 아니다 한 마리 모래무지는 바

로 당신이다.

─「방생(放生)」전문

시 ①은 난초의 개화, 피어오른 한 송이 난초꽃에서 삶의 용기와 지혜를 발
견한다는 깨달음이 드러나 있다. 여기에서 난초꽃은 이미 물질이 아니다. 그
것은 이미 정신화된 꽃으로 존재하기 때문에 속세의 홍진에 더럽혀진 우리의
심신을 씻어 줄 수 있는 것이다.

따라서 현실의 거칠고 혼탁한 삶에 용기와 신념을 불어넣어 주는 정신의
'힘'으로 작용하게 된다. 시 ②도 정신의 빛으로서 자비와 사랑을 노래하고 있
다. 인간의 더러운 물질적 욕망으로부터 놓여나는 한 마리 모래무지의 모습
은 누구나 '물질'로 평가돼야만 하는 인간의 슬픈 운명을 반영한 것인 동시에
자비와 사랑만이 인간의 구원의 빛이 될 수 있다는 소중한 깨달음을 드러낸
것이다. 이 점에서 새로운 생명, 정신의 살아있는 불꽃과 사랑의 촉수에 대한
향성이 인간의 혼탁한 삶을 정화시켜 주는 소금이며 빛으로서의 의미를 지니
게 되는 것이다. 이렇게 볼 때 주어진 몫의 삶에 대한 긍정과 아울러 삶의 근
원적 동일성에 대한 이해와 사랑이 중요한 내용이 됨을 알 수 있다.

③ 정신의 투명화 또는 가을 정신

이러한 '비어있음'에 대한 긍정과 그 '충만함'에 대한 사랑은 순결한 정신에
대한 지향 즉 '가을정신(l'esprit d'automne)'에 이르게 된다.

<blockquote>
……신록 오랜만에 만나 뵈는 순결의 신비, 흰 장미 꽃이 뿜는 하늘
아래 제 가슴 속에 꽃피어 있는 까닭입니다. 오늘은 어디에 있거나 나
순결할 수 있습니다 씻고 또 씻는 목욕 일생(一生) 끝낼 수 있습니다.
여러분, 이토록 밝고 밝은 날이 어찌 제게 허락되었나요 그 은혜에 대
</blockquote>

하여 저는 어떤 답변을 드릴 수 있나요 다만 마음이 마음을 비워내는
처절한 싸움과 싸움에 저는 지치지 않아요 어쩌다 한번씩 오시는 이
런 만남 이런 기쁨, 기쁨으로 저는 살아요 저는 오래오래 누릴 수 있는
자가 못됩니다 흑심은 절대로 절대로 있을 수 없습니다 금물(禁物)입
니다 감사하고 감사한다.
—「어쩌다 한번씩 오시는」에서

시에는 욕심을 덜어내려는 노력의 소중함과 그 이후의 정신의 평화를 소망하는 간
절한 염원이 깃들어 있다. 물질의 욕망, 삶의 무게에서 벗어나 정신의 맑고 투명함을
지향하는 갈망이 담겨 있는 것이다.

> 나 알몸으로 서리라
> 살을 보이리라
> 속살마저 보이리라
> 살이란 살들을
> 모두 버리리라, 버리리라
> 바다는 파도는
> 영혼만 남겨서 뼈로 추려서
> 그대 곁에 날 데려가리라
> 그대 영혼의 별밭에 날 데려가리라
—「살을 버리리라」에서

굳이 베르그송을 빌지 않더라도 정신적인 삶은 물질을 거슬러 올라가려는
노력이며 투명한 정신의 이데아를 추구하는 일이다. 「살을 버리리라」라는 단
호한 결의 속에는 정신의 투명함과 가벼움 속에서 자유와 평화를 얻으려는
기대와 동경이 내포된 것이다. 그러기 위해서 그는 언제나 떠나지 않을 수 없
었다.

늘 떠났다 떠나고 있었다
여러개의 강(江)을 건너왔으며
여러 번의 열차(列車) 바꿔타기
타향 떠돌기
남루가 편해질 대로 편해진 사람

—「자백(自白)」에서

　　지난 여름은 내내 서울서 부산으로 가는 차중(車中)에 있었읍니다……(중략)……차창밖으로 내내 비만 오고 있었읍니다.

—「지난 여름」에서

　　여름 내내 상한 불빛 하나 들고 비에 젖던, 목선(木船) 하나로 비에 젖어있던 봉두난발의 저녁 나루터, 내가 마시던 뜨거운 술국, 내가 부르던 유행가 한 가락, (아, 나의 떠돌이 나의 사십년(四十年) 여기 와 잠시 머물다)

—「가을집」에서

　　인용시들의 특징은 늘 '떠남'으로 그동안의 삶을 묘사하고 있는 점과, '여름' 혹은 '비'로 그 시절을 표상하고 있는 점이다. 먹고 살기 위하여, 자리 잡기 위하여 부단히 떠돌던 지난 40년의 생애가 어둡고 무겁게 그려져 있다. '떠남'과 '돌아옴', '비움'과 '채움'으로 이어진 일상사가 물질의 무게를 덜어내고 '영혼의 별밭'에 이르려고 하는 끈질긴 노력을 보여준 것이다. 그리하여 마침내 「가을집」에 이르고 「가을정신」을 형상화함으로써 정신의 투명화에 한 걸음 다가가게 된다.

　　비 갠 산
　　모든 길이란 길들 안개 걷히고
　　밝디 밝게 트이는 가을
　　……(중략)……

이 가을에
보이지 않던 것들이
제게는 다 보이오며
들리지 않던 것들도 환히 들려요
......(중략)......
그대 서둘러 돌아와줘요
여름내
당신께오서 비워두셨던
한 채의 집
방방이 찾아다니며 나는
군불을 지펴요
어려운 시대의
실로 어려운 불꽃 하나 달고
반짝이는
오, 빈자(貧者)의 일등(一燈)
등불도 하나씩 달아두어요

― 「가을정신(精神)」에서

  이 시의 특징은 '돌아옴'에 있으며, '밝게 트임'과 '불꽃', '등불'의 이미저리로 가득 차 있다는 점이다. 지난 '여름'과 '비'가 개이고 '가을'과 '빛'이 찾아오기 시작한 것이며, '떠남'에서 '돌아옴'으로 변화한 것이다. 격정과 방황의 젊은 날로서의 '여름'이 가고 정신의 자유와 안정을 얻기 시작한 '가을'로 접어든 것이다. 이 가을의 빛은 여름의 무거운 방황과 인고가 있었기 때문에 더욱 밝을 수 있으며 오래도록 빛날 수 있음이 분명하다. 바로 이 점에서 『비어 있음의 충만을 위하여』는 오랜 방황 끝에 돌아오는 내성의 깊이와 여유를 회복시켜 준다는 점에서 인생을 바라보는 시선과 자세의 그윽한 자리 잡힘을 읽을 수 있게 한다. 세계와 스스로의 인생을 보는 눈이 비로소 트여 참된 가치관을 정립하게 되는 것이다. 이 점에서 이 시집은 기왕의 시집들에서 볼 수 없었던 포근함과 따뜻함을 감지할 수 있게 하는 것이다.

④ 시법, 긴장의 미학

무엇보다도 시집 『비어 있음의 충만을 위하여』에는 자신의 시작에 대한 확고한 신념과 함께 시법이 피력돼 있다는 점에서 관심을 끈다. 이것은 아마도 스스로의 인생관이 점차 정립돼 가면서 깨닫게 된 삶의 근거로서의 시의 소중함을 다시금 확인하고자 하기 때문인 것으로 보인다.

> 문득 찾아왔던 말씀 하나
> 그 순수의 전량(全量)을 잃고
> 구름에게 가서도 물어 봅니다.
> ⋯⋯(중략)⋯⋯
> 찾아달라고
> 합장(合掌) 삼천배(三千拜) 거듭합니다
> 전생애(全生涯) 모두 다 바칠 수도 있읍니다
> 오, 나의 소금 나의 말씀
> ⋯⋯(중략)⋯⋯
> 구원으로 오시는
> 당신의 깊이로 오시는
> ⋯⋯(중략)⋯⋯
> 그들의 말씀을 위하여
> 말씀의 살을 위하여 뼈대를 위하여
> 전생애(全生涯) 모두 다 바칠 수도 있읍니다
>
> ─「말씀」에서

이 시에서 시작은 생의 구원이며 빛과 소금으로 시인에게 받아들여지고 있다. 따라서 '말씀'·'말씀의 살'·'말씀의 뼈대'를 짓는 일인 시작에 전생애를 바치겠다는 굳은 결의와 각오가 드러나게 되는 것이다. 인생의 영원한 갈증으로서의 시에 대한 갈구는 "우리들의 갈증은 또 다시 시작 되더라 이것이 시다"(「갈증」에서)라는 구절로 분명히 드러나게 된다. 어차피 시는 시인 자신의 존재의 근거이며, '말씀'의 살이며 뼈대로서 정신적 구원의 표상인 것이다.

「시법」이라는 시에는 자신의 시작의 방법과 기술이 일목요연하게 드러나 있다.

①내 스스로 말씀을 만들 수 없을 때
　모두가 스스로 말씀을 만들 수 없을 땐
　다른 이들이 만드신 말씀의 집
　말씀의 옛집에라도 열심히 드나드세요

②내 힘으로 아니 되면 때로 한잔의 술을
　한 잔의 필요한 거짓을 우리들의 연애를
　소리쳐 부르기라도 하세요

③감상주의가
　때로 위대한 지성의 다리가 될 수도 있다고
　……(중략)……
　감상주의는 한 편의 시가 태어날 때마다
　근친상간(近親相姦)을 일삼는
　뜨거운 죄, 죄라는 사실에 대하여
　나는 대체로 긍정적입니다.

④오, 오늘도 나는 쓰린 소금밭
　말씀의 밭으로 가고 있읍니다

⑤여러분
　우리는 언제나 요염해 있어야 합니다

……(중략)……
가장 정결한 물빛으로 찰랑대고 있어야 합니다.

　먼저 ①에는 시작이 동서고금의 시인들의 시를 읽는 것에서 비롯됨을 지적하고 있다. 어느 면 시작에 있어서 다독의 필요성을 강조한 것이다. ②에는 시인 자신의 실제적인 체험이 많이 필요함이 강조돼 있다. 방황과 고뇌와 격정과 때론 충동이 생생하게 용해돼야 한다는 점을 피력하고 있다. ③에는 감상주의에 대한 긍정과 반역을 논하고 있다. 끝까지 배제해야 하면서도 없어서는 안 될 감상과 서정이 시에서 필요악임을 간파한 것이 된다. ④는 시를 생각하고 쓰는 일이 고통과 인내를 수반하면서도 자신의 삶에 필수불가결한 요소임을 밝히고 있다. 시인은 시대적 고통의 감내자이면서도 인간정신의 파수꾼으로서, 또한 진실의 기록자로서 존재해야 한다는 사명감이 새겨져 있는 것이다. ⑤는 자신의 시작의 포인트가 "요염해 있어야/정결한 물빛으로 찰랑대고 있어야"처럼 극단적 이미지의 대응으로 인한 긴장의 유발에 놓여 있음을 제시한 것이 된다. 바람직한 시법의 핵심이 '긴장의 미학'을 바탕으로 해야 한다는 점을 강조한 것으로 볼 수 있다. 이렇게 볼 때 이「시법」은 정진규의 시 방법과 시의식에 따르는 시적 비결과 그 미학을 분명히 밝혀 놓은 것으로 해석된다.

　이 시집에 이르러 정진규는 인생관의 조용한 자리 잡힘을 보여 준 것과 함께 비로소 시인으로서의 자세와 시법에 대한 중간점검을 시도한 것으로 평가되는 것이다.

⑤ 선의지와 리듬감각

　어쩌면 정진규의 시 세계는 이 시집 『비어 있음의 충만을 위하여』가 하나의 중요한 전환점이 될지도 모른다. 이것은 시에서뿐만 아니라 인생에서도 마찬가지이다. 이 시집에 이르러 정진규의 인생과 시는 분명히 내성의 시대로 접어들고 있기 때문이다. '들판의 비인집'에서 돌아와 '매달려 있음의 세상'에서 내려와 차츰 대지에, 인생에, 현실에, 사회에 뿌리를 내리면서 스스로의 인생과 시에 대한 자신감을 얻어가고 있는 것이다. '떠남'에서 '돌아옴'의 참뜻을 이해하게 됐으며, 마침내 '비어있음'을 속에서 '충만함'의 진리를 발견하게 된 것이다. 특히 산문시의 유장한 가락과 여유있는 호흡을 통해서 휴머니즘의 따뜻함과 인간애의 부드러움을 성취하게 된 점은 주목할 만하다. 그러나 중요한 것은 그 어느 경우라도 시성이 우선하는 산문시가 돼야 한다는 점이다. 열린의식, 공동체의식으로서의 사회·역사 의식이라도 근원적 서정에 바탕을 둔 아름다운 시성을 결여하고서는 미적 구조의 견고성을 상실하기 때문이다. 이 점에서 정진규 시인은 어느 한 방향만을 고집해서는 안 된다. 소재와 제재 및 주제 그리고 형식에 있어서도 자유로운 몰두와 함께 또한 자유로운 해체가 뒤따라야 한다. 특히 산문성과 시성의 자유자재로운 전환과 교차를 통해서 시 정신의 자유로움과 의식의 유연성(flexibility)을 회복해 나아가야 하는 것이다. 다시 말해 조화와 균형의 미적 긴장을 지속적으로 유지해야 한다는 점이다. 시의 제재를 현실과 역사 및 고전으로 확대하는 동시에 비애와 한 등의 서정을 심화하는 데서 그 균형과 긴장의 미학을 형성하게 되는 것으로 판단되기 때문이다. 한 시에서 산문과 운문을 다양하게 교차시켜 그 긴장과 이완의 효과를 시도하는 것도 유익한 일일 수 있을 것이다(이 점에서 시극은 한 열쇠를 줄 수 있을 것이지만 이에 관한 언급은 다음 기회로 유보하기로 한다).

확실히『들판에 비인 집이로다』와『매달려 있음의 세상』을 지배하던 탄식과 비애의 정서가『비어 있음의 충만을 위하여』에 이르러서는 맑고 투명한 시심으로 고양되고 있다. 그러면서도 이들 시집에는 천부적인 선의지와 휴머니즘의 시 정신이 관류하고 있어서 시 정신의 지속적인 순일성을 읽을 수 있다. 그러나 이러한 선의지와 휴머니즘을 단순한 산문으로 부연 설명해서는 감동을 얻기 어렵다. 귀중한 주제일수록 단단하게 갈고 닦아야만 한다. 천부적인 선의지와 유장한 리듬 감각을 시의 본성인 절제와 극기로서 형상화할 때, 정진규의 시가 더욱 튼튼히 이 땅의 시사에 뿌리를 내려갈 수 있을 것이기 때문이다.

(1983년)

13. 유년 체험과 과거적 상상력 /김원호

① 가족주의의 문제점

김원호의 시는 가족(친척)들이 청자(addressee) 내지 객체(objét)로 나타난다는 점에 특징이 있다. 시 「달밤」에서 '누님'은 청자로 '당숙'과 '당숙모'는 사건의 객체로써 나타난다. 또한 '나'는 화자(addresser)로서 시적 사건을 이끌어 가고 감정을 표시하는 나레이터의 역할을 수행한다. "누님, 생각나시는지요. 당숙이 끌려가던 그 밤이 생각나시는지요. 당숙모는 치마가 흘러내리는 것도 모르고 엎드려지며 동구 밖으로 쫓아가고, 호기심으로 저도 논틀밭틀을 건너 따라갔습니다…"라는 예시에서 보이듯이 '누님·당숙·당숙모·나'의 관계 설정은 극적 구조(dramatic plot)를 지닌다. '누님'은 관객에, '당숙·당숙모'는 행위자에, 그리고 '나'는 해설자에 속하기 때문이다. 따라서 그의 시가 산문시로 쓰이고 시 속에 내용(message)을 간직할 수 있게 되는 것이다.

김원호 시에 등장하는 가족들은 '누님·고모·어머니·할머니' 등 여자와 아버지·할아버지·증조할아버지·당숙' 등 남자로 성에 있어 비슷한 분포를 이룬다. 그러나 한편 아내·장모 등 처가계의 가솔이 거의 등장하지 않고 친가계가 주로 나타나고 있는 것은 중요한 시사를 준다. 왜냐하면 애인·아내가 상징하는 것은 이성적 애정, 즉 연애감정에 의한 연시 성격을 내포함에 비해, 친가계가 의미하는 것은 역사적 삶으로서의 생활시 성격을 강하게 드러내기 때문이다. 실제로 그의 『시간의 바다』(1968년), 『불의 이야기』(1970년) 등 초기 시집에 보이던 아내 상징의 서정적 연애감정이 근년의 시편에서는 가족·친척들에 대한 보편적 관심의 차원으로 변모해 있다. 이 점은 그의 관심이 너와 나만의 주관적 순수서정에서 나와 너만이 아닌 가족과 친척 및 조상들과의 만남에 의한 객관적 정감의 세계로 확대되어 있음을 의미한다. 다시 말해 주관적 개인에서 관계적 개인 내지 역사적 개인으로 상승되어 있는 것이다. 따라서 그의 시에 등장하는 가족들은 대부분 수난과 한으로 상처받은 역사적 상징으로서 존재의미를 지닌다. 예외적 개인(exceptional individuality)이 보편적 개인(universal individuality)으로 전이됨으로 개인적 감정의 공적 보편화(public generalization)를 성취하는 것이다. 이 점에서 남자는 역사의 수난자 혹은 시대적 개인의 전형으로 나타나며, 여자는 역사 혹은 남자에 의해 상처받은 운명적 개인으로 전형화된다.

① 누님 생각나시는지요, 천장에서 마루 밑에서 숨어 살던 수염이 참
   대처럼 자란 당숙(堂叔) 말입니다. 붉은 완장을 찬 빨갱이 놈들이
   하루에도 몇 차례씩 찾아와……(방점은 필자)

   ─「달밤」에서

② 추월색(秋月色) 읽기를 좋아하셨다는
   한번도 뵌 적이 없는 증조할아버지를 생각한다.

   ─「감나무 밑에서」에서

③ 금광(金鑛)을 하다 말하 후
   기생첩 데리고
   만주로 가서 소식 끊겼다는 할아버지

   ─「오입(誤入)」에서

구한말(舊韓末) 군대해산 때
군복(軍服) 입은 채 의병(義兵)이 되어
홍주산성(洪州山城) 싸움에서 한 달을 버티다
연해주로 만주로 떠돌아 다녔다는 할아버지
                    —「삼국지(三國志)를 읽으며」에서

④ 의용군 징집을 피해
   벽장 속에 숨은 아버지를 지키며
                        —「감나무 밑에서」에서

⑤ 4·19 때 경무대 앞에서
   도망가던 부끄러운 나를
   진땀을 흘리며 꿈속에서 보았네
                        —「행복한 잠」에서

시 ①은 6·25의 비극적 체험이 모티베이션이 된다. 역사의 수레바퀴에 깔려 희생된 당숙과 상처받은 당숙모, 그리고 심리적 상흔을 지닌 화자가 등장한다. 여기서 남자인 '당숙'은 역사적 수난의 객관적 상관물이며, '당숙모'는 '당숙'의 수난에 따른 운명적 한의 주인공이 된다. 이러한 남녀의 차이는 따라서 보수주의적인 가부장제 의식과 연결되게 된다. 시 ②에서 '증조할아버지', ③에서 '할아버지', ④에서 '아버지', 그리고 ⑤에서 '나'로 연결되는 가족주의는 시대적 배경과 일치되어 나타난다. 시 ②에서 '추월색'과 '증조할아버지'의 관계 설정은 한말의 시대적 분위기를 암시한다. ③의 경우에는 '할아버지'에 대한 모순적 진술(금광·기생첩·의병)을 통해서 개화기 시대정신의 양면성을 단적으로 드러내 준다. ④의 경우도 '당숙'과 동시대적 체험을 겪은 '아버지'를 설정하여 6·25의 비극성을 강조한다. 또한 시 ⑤에서는 4·19 체험이 시의 전면에 자리 잡고 있다. 이렇게 볼 때 남자는 역사의 주체 혹은 객체로서 설정되어 나의 발상과 전개 및 결구에 이르는 객관적 상관물이 된다.

된시앗보고 머리 싸매고 누워
햇볕에 절은 진간장처럼
독하게 이를 갈던 큰 고모가 생각난다.
그 옆에 가리마 타고 얌전히 앉은 건
아이낳이 한번 해 보지 못하고
나이 삼십에 가슴 앓다 죽은 작은 고모

―「세월(歲月)」에서

그 후 당숙모(堂叔母)는 염주알을 굴리며 이십 여 년이나 더 사시
다 돌아가시고

―「달밤」에서

비 오는 날이면
유성기(留聲器)를 틀어 놓고
할머니는 매화타령(梅花打令)을 들으셨다.
사내들은 모두 오입장이지
한숨을 쉬며 뇌까리셨다.

―「오입(誤入)」에서

예시에서 보듯이 여인들은 모두 상처받은 모습으로 나타난다. 특히 역사적
비극의 주변에서 남자들에 의해 상처받은 운명적 한의 주체로 표상된다. "군
복 입은 채 의병이 되어/연해주로 만주로 떠돌아 다녔다는 할아버지/할머니
는 풍편의 소식을 듣고/아라사 가까울 함경도로 팥죽장사를 다니셨다는데"
(「삼국지를 읽으며」에서)라는 구절은 여필종부의 운명적 삶을 살아가는 전
통적 여인상을 단적으로 보여준다. 이런 점에서 김원호의 시는 다분히 보수
주의적 인생관을 가진 것으로 여겨진다. 이 고구적 인생관 속에는 따뜻한 인
간애가 자리 잡고 있으며, 이 점에서 김원호의 가족주의는 역사의식으로의
확대 가능성을 지닌다. 그러나 이것이 진정한 의미의 역사의식이 되기에 부

족한 것은 1인칭 화자를 통해 이야기를 끌어가므로 해서 시인의 의식 속으로 잠재화 혹은 추상화해 버리기 때문이다. 이 점에서 그의 시가 보편적인 힘으로서의 역사의식을 획득하지 못하고 서정적 개인화로 떨어져 설득력이 약화되는 것이다. 화자 내지 시점의 다양화를 통해 이러한 역사 감각이 단순히 소재나 배경으로서의 단순한 역사 취미가 아닌, 역사를 꿰뚫어 보고 현실을 날카롭게 직시하며 미래를 투시해 낼 수 있는 진정한 역사의식(consciousness of history)으로 고양되어야 할 것이다. 현대시의 지나친 개인화 내지 편벽화에서 한 걸음 더 나아가 역사의식에 바탕을 둔 전통적 가족질서와 서정의 탄력 있는 결합을 통해 시적 넓이와 깊이를 더해 갈 수 있어야 한다. 전통적 가족주의의 소중한 회복은 바로 역사 속의 개인의 중요성을 확인하는 것이 되기 때문이다.

② 유년 체험과 순수의식

김원호 시의 또 다른 특징은 그의 시가 유년 체험을 바탕으로 동화적 순수함 또는 휴머니즘적 동경을 보여준다는 점에 있다. 그의 가족주의가 강조하는 질서와 전통의 소중함에 대한 인식과 함께 유년 체험의 순수의식은 아름다운 서정이 시의 본도임을 확인해 줌으로써 시적 친근감을 유발하는 동인이 된다.

그의 시에 등장하는 유년 체험은 일상적 소재와 결합되어 나타난다. "달밤·시냇가·논틀밭틀·감나무·마당·조약돌·멍석·오솔길" 등의 전원적 소재와 함께 "숨바꼭질·기둥시계 소리·유성기·사진첩·짝사랑·자장가·옥양목 두루마기·훔친 새알·연·제삿날" 등과 같은 손때 묻은 추억이 용해되어 아름다운 회상의 미학을 형성하는 것이다. 특히 "한식·격자창·산소·제사" 등 토속적 정감이 "교회·유성기·비행기" 등의 외래적 뉘앙스와 갈등을 일으키지 않는 것은 김원호의 시 의식이 화해와 긍정의 세계관에 자리 잡고 있기 때문임을 말해준다. 따라서 그의 시는 착한 것·약한 것·쓸쓸한 것·외로운 것·흘러간 것·잃어버린 것 등 과거적·낙하적 상상력에 바탕을 두게 된다. "쓸쓸히 웃던 고모 모습이 떠오른다."(「세월」에서), "이십 년 전 처음 찾아뵌/이조의 마지막 선비/조지훈 선생을 생각한다."(「만남」에서), "시끄러운 젊은이들 틈에 끼어 누군가를 기다리는 태을다방에 어울리지 않는 쓸쓸한 노인을 보네."「태을다방」에서) 등의 구절들은 이러한 과거적 상상력의 모습을 단적으로 보여준다.

이 점에서 김원호의 현실인식의 태도와 그 문제점이 선명히 드러난다.

오늘도 어지러운 신문을 들치다
머리맡의 삼국지(三國志)를 집어든다

'난세(亂世)엔 삼국지(三國志)를 읽어라'
할아버지의 말씀이 생각난다

― 「삼국지를 읽으며」에서

감나무 밑에
병아리처럼 숨어
작은 가슴을 할딱이며
날개 뜯어버린 잠자리를
몰래 훔친 새알을 생각하고
하늘을 향해 잘못을 빌고 또 빌었다.

그 후 나이 들어
무엇이 나를 흔들리게 하였나
독한 술을 마시고
여자를 울리고
탁한 눈망울을 굴려 세상을 바라보고

― 「감나무 밑에서」에서

김원호에 있어 현실은 어두운 것, 어지러운 것, 못마땅한 것 등 부정적인 것으로 나타난다. 현실은 어딘지 어울리지 않는 것으로서 시인 자신에게 위화적 갈등을 불러일으키는 장소인 것이다. 그러므로 더욱 과거지향의 편향성을 지닐 수밖에 없으며, 이런 점에서 현실패배 내지 복고취미라는 비판을 감내할 수밖에 없을 것이다.

> 행복한 잠을 자고 싶네
> 유년시절의 자장가를 들으면서
> 따스한 어머니의 자궁(子宮) 속에서
> 깨지 않는 영원한 꿈을 꾸고 싶네
> — 「행복한 잠」에서

> 전쟁은 아직도 제 안에 계속되고 있습니다. 그러나 자식들에게 달밤은 아름다운 밤이기를, 영원히 정다운 얘기로 꾸며지기를 간절히 바랍니다. 누님.
> — 「달밤」에서

그러나 그의 시는 현실 패배 내지 도피라는 비난을 퍼붓기에는 온당하지 않을 정도로 순결한 꿈과 동경을 노래하고 있다. 오히려 순수의 무한한 아름다움을 간직하고 있는 것이다.

'어머니의 자궁'이라는 모성회귀와 "자식들에게는 아름다운 달밤을"이라는 미래에 대한 소망을 잃지 않음으로써 삶에 대한 용기와 신념을 얻는 것이다. 실상 그리운 곳·따뜻한 곳·영원한 곳으로서 어머니와 동심은 순수의 힘과 활력을 제공하는 생의 원천이 되기 때문이다. 또한 이러한 순수한 것에 대한 동경과 갈망은 '시를 쓰는 행위'로 변용되어 나타난다.

> 일어서는 나무가 되기 위해 시(詩)를 썼다.

시(詩)는 햇빛이 되어 비추기를 간절히 바랐다.
한 편의 시(詩)를 위해 밤을 새우며
그래도
혼자 가슴 설레는 행복감에 잠긴다.

　　　　　　　　　　　　　　　— 「오입(誤入)」에서

　　여기에서 시를 쓰는 행위는 현실적 삶의 어려움과 괴로움을 극복하려는 안
간힘으로 나타난다. 일종의 자기 구원의 의미를 지닌다는 점에서 우리는 윤
동주의 삶과 시를 떠올릴 수 있다. 실상 김원호의 많은 시편에서 드러나는 자
기고백적인 부끄러움과 결벽증, 그리고 현실에 대한 부적응성과 모성회귀적
서정의 부드러운 선성은 윤동주의 그것과 별 차이가 없음을 알 수 있다. 식민
지하에서 시를 통한 자기고백과 성찰이 윤동주의 실존적 삶을 지탱한 힘이
되었듯이, 상처 많은 역사와 혼탁한 현실의 어려움을 살아가는 김원호에게도
시를 쓰는 행위와 그를 통한 자기성찰은 현실극복의 힘을 제공해 주는 것이
다. 이런 점에서 이러한 과거적 상상력이 단순한 회상의 미학이나 복고취미
로 떨어지지 않기 위해서는 한정된 인간사에 국한되지 말고 무한한 자연사로
의 시야 확대를 모색해야 할 것이다. 인간사에 관한 지나친 회상적 몰두는 자
칫 유형화된 역사인식과 감상주의로 전락할 염려가 있기 때문이다. 인간사에
자연사에 관한 화웅과 갈등에 대한 서정적이면서도 지적인 투시를 통해 시인
은 비로소 시적 넓이와 깊이를 획득할 수 있는 것이다.

③ 김원호, 그 미래완료의 장

　　무엇보다도 김원호 시의 매력은 친근한 소재와 평이한 어법, 그리고 행간
사이에 자리 잡고 있는 담담한 여유와 눈길의 따뜻함에 있다. 애써 부정하고
절규하는 작위적 제스처를 취하거나 난해한 실험과 모색으로 독자를 당황하

게 만들지도 않는다. 상처받은 역사, 괴로운 지난날들의 아픔을 어루만지며 오히려 그것들이 아름다운 것, 그리운 것으로 살아남아 현실을 살아가는 힘이 되기를 소망한다. 또한 어지러운 곳으로서의 현실이지만 미래에의 꿈을 간직함으로써 삶의 어려움을 극복하려 노력하는 것이다. 이런 점에서 그의 시에서 주류를 이루는 과거적 상상력이 현실에 대한 관심과 미래에 대한 소망으로 더욱 확대되어 팽팽한 시적 긴장 관계를 성취해야 할 필요성이 놓인다. 그의 천부적인 서정과 휴머니즘이 좀 더 현실감각과 미래의식으로 고양되는 데서 그의 시가 더욱 설득력을 획득할 수 있기 때문이다. 이런 점에서 무엇보다 그의 지나친 가족주의는 지양될 필요가 있다. 할아버지·증조할아버지·할머니 등 시적 주체의 가족화는 몰개성의 편협성을 초래할 우려가 있기 때문이다. 이웃과 사회와의 대응 관계에서 가족주의가 보편적 설득력을 지닐 수 있게 됨은 물론이다. 그러나 시가 가족화하는 것과 더불어 인물이 전형화되는 점도 경계해야 한다.

또한 인물이 전형화 됨에 따라 역사적 사건도 지나치게 단순화되어 공감을 감소시키는 요인이 된다. 그의 시에 등장하는 "의병·6·25·4·19·월남전쟁" 등 무수한 역사적 소재들이 단순히 배경으로 처리됨으로써 진정한 역사의식으로 고양되는 데까지 못 미치고 있는 것이다. 이 점에서 시적 주체 내지 인물의 보편화와 함께 역사적 사건을 특수화하고 개별화하는 문제가 진지하게 고려되어야 한다.

아울러 시점 내지 화자의 인칭 문제도 지적할 수 있다. 화자와 시점이 1인칭 '나'로 주관화되고 고정화되어 시적 사건의 전개와 해석의 확대 가능성을 저해하는 것이다. 시점의 고정화와 주관화는 관심의 축소와 편견을 초래하는 동시에 심리적 반감을 유발하는 원인이 될 수 있다는 점에서 시정될 필요가 있다. 가뜩이나 가족사 중심으로 시 세계가 한정된 경향이 있는 데다 시점이 1인칭으로 고정됨으로써 시적 인식의 확대와 심화에 부정적 영향을 미치는 것이다.

　김원호는 확실히 전통적인 시 정신과 질서의식에 깊이 침윤된 시인이다. 실상 그의 시가 성취해낸 가족적 질서와 과거적 상상력, 그리고 서정의 아름다움과 따뜻함은 근년의 시단에서 독자적인 위치를 지니기에 부족하지 않다. 그럼에도 그의 시는 시적 관심의 지나친 제한성으로 인해 그의 시가 지닌 매력과 장점을 충분히 인정받지 못하고 있다. 훌륭한 시인은 전통적인 시 방법과 정신의 질서를 지키면서도 끊임없이 자기를 파괴하고 변모하여 사상과 정서의 확대와 심화에 힘을 기울여야 한다. 아직 김원호는 안주할 시기가 아니다. 좀 더 갈등하고 분투하여 시 정신과 기법을 확대하여 나가야 한다. 바로 지금 이 시점이 그의 새로운 비약과 변모가 이루어져야 하는 운명의 지점인 것이다.

(1983년)

14. 비관적 세계인식과 휴머니즘/이탄

　이탄의 최근작 「뒷걸음질」 등은 씨가 「바람불다」 이래 지속적으로 추구해
오던 존재와 서정의 상호침투와 그 역학관계의 문제들을 천착하는 데 보다
성숙된 진전을 보여주고 있다는 데서 관심을 끈다. 특히 이 시편들은 점차 인
간상실의 시대로 치닫고 있는 현대적 삶에 비판적 성찰을 제기하는 것과 아
울러 사랑의 정신에 바탕을 둔 휴머니즘의 소중함을 새삼 일깨워 준 데서 의
미를 지니는 것으로 판단된다.

　　밤마다 별 하나가 별 하나를 사랑한다.
　　들풀 하나가 곁에 있는 들풀하고 어깨를 부비고 속삭인다.
　　낮달이 눈부신 태양을 먼발치에서 가슴죄며 보다가 밤을 맞는다
　　슬픈 새들이 산에 와서 울면 바위도, 눈물 짓는다.
　　열매는 떨어져 먹이가 되고 열매는 떨어져 싹이 된다.
　　한 줌 흙에서도 꽃이 피는데

　　아, 요즘 사람들은 뒷걸음질 치다가 부딪히거나 달려가다 엎어지
　기를 잘하는구나.

　　사랑이여 부싯돌처럼 반짝이고 타지 않는 사랑이여

우리를 제대로 걷게 하고 보이지 않는 것도 보이게 하여라.

　　　　　　　　　　　　　　　　　—「뒷걸음질」

　이 시는 삶의 자세에 대한 온건하면서도 정확한 통찰을 제시하고 있다는 점에서 의미를 지닌다. 이 시에서 세계를 바라보는 시선은 근원적인 면에서 비극적인 것 또는 비관적인 것으로서 특징 지울 수 있다. "가슴죄며 보다가 밤을 맞는다/슬픈 새들이 산에 와서 울면 바위도 눈물 짓는다"라는 구절처럼 세계인식의 태도가 비극적인 그것과 맞닿아 있는 것이다. 그러나 이 시는 비관적인 세계인식을 드러내고자 하는 데 목적이 있지는 않은 것으로 보인다. 그것은 오히려 비관적 인식을 넘어서서 소박한 삶, 잊혀진 삶, 약한 삶의 양식에 대한 따뜻한 긍정과 옹호를 말하고자 하는 데 주안점이 놓인다. "밤마다 별하나가 별하나를 사랑한다/들풀 하나가 곁에 있는 들풀하고 어깨를 부비고 속삭인다"라는 구절 속에서 '별하나', '들풀 하나'로 표상되는 서민적인 삶 또는 외로운 삶에 대한 따뜻한 긍정과 함께 애정의 눈길이 담겨 있는 것으로 해석되기 때문이다. 또한 "낮달이 눈부신 태양을 먼발치에서/가슴죄며 보다가"에서 처럼 잊혀져 있는 것의 외로움과 안타까움을 투시한다는 점에서 짙은 페이소스를 담고 있는 것이다. 그러면서도 "열매는 떨어져 먹이가 되고/열매는 떨어져 싹이 된다/한줌 흙에서도 꽃이 피는데"에서 보듯이 '떨어짐'과 '싹이됨'의 대응, '흙'과 '꽃'의 조응을 통해서 존재의 순환 원리를 긍정적인 각도에서 파악하게 된다. 따라서 이러한 비관적 세계인식의 기본시각에도 불구하고 세계와 일정한 거리를 유지할 수 있는 것 또한 견고한 생의 관점을 마련할 수 있게 되는 것이다 "아, 요즘 사람들은 뒷걸음질 치다가 부딪히거나 달려가다 없어지기를 잘 하는구나"라는 구절 속에는 무수한 흔들림 끝에 얻게 된 정확한 자기 위치의 깨달음과 그에 대한 조심스러운 확신이 내포된 것으로 이해된다. 이러한 견고한 시선과 확신이야말로 시인 자신의 오랜 '뒷걸음질 치기'와 '달려가다 엎어지기'라는 시행착오의 체험 뒤에 비로소 획득하게 된 소중한 생의 자세가 아닐 수 없다. 바로 이 점에서 다소의 호들갑과 과장끼가 섞여 있던 씨의 종래의 시들에서 이 작품이 보다 성숙된 시 정신을 획득하고 있는 것으로 판단되는 소이가 있다. 실상 이즈음에 이르러서는 사랑조차도 "사랑이여 부싯돌처럼 반짝이고 타지 않는 영혼 같은 사랑이여"처럼 차분하게 가라앉고 성숙된 모습으로 심화돼 있는 것이다. 더욱이 이러한 성숙되고 심화된 사랑으로 하여금 "우리를 제대로 걷게 하고/보이지 않는 것도 보이게 하여라"라고 하는 올바른 삶, 신념 있는 삶에 대한 갈망과 지향을 펼칠 수 있게 만들어 주게 되는 것이다. 이렇게 볼 때 이 시 「뒷걸음질」은 비관적 세계인식을 바탕으로 하면서 사물의 존재성을 섬세하게 투시하는 가운데 정확히 자기 위치를 파악하고 이러한 것들을 과장하지 않고 차분히 또한 견고하게 형상화하려 노력했다는 점에서 주목에 값하는 것으로 이해된다. 이러한 성숙된 자기 인식의 태도와 견실한 세계이해의 태도는 갖가지 자기주장과 변명, 그리고 구호가 범람하는 이즈음의 현대시에 하나의 은밀한 내성을 요구하는 것으로 판단되기 때문이다.

이러한 생애에 대한 비관적 인식과 이것을 넘어선 성숙한 외로움 그리고 궁극적인 의미에서 생의 긍정과 옹호의 시선은 다른 작품에서도 지속적으로 나타난다.

① 담배 한 대를 피우면서
　　그저 담배 한 대 태우는 동안만큼 사는 것이라는 생각을 한다.

　　그러나 사랑은 여전히 지구를 돌리고

　　만남은 대지를 푸르게 한다
　　다만 가슴 빈자리는 빈자리로
　　사는 시간을 따라간다

담배 한 대만큼 사는 것인데……

—「담배 한 대」에서

② 지는 해를 볼적마다
　마음이 편치 않다.

　정말이지 내 마음 같아서는
　그러면 잡은 손이
　놓기가 무섭게 식거나 구겨지는 것을
　어디 한두번 보았나
　그런 일에도 익숙해졌거늘

　지는 해는 여전히
　편치 않은 마음을 남기고 진다.

—「저녁」에서

③ 만물을 창조하고 하늘에 계신 하나님
　하늘에만 계시지 말고 이따금 내려와 피부로 느껴도 보세요
　어쩌자고 만물을 창조하셨나요
　많다고 좋은가요 창조할 것만 하시잖구
　……(중략)……
　노여움 푸시고 오셔서
　나무가 나무처럼
　새들이 새처럼
　동산에 있게 하십시오
　하느님 너무 오랫동안 하늘에만 계시지 말고 밤마다 별빛처럼
　사랑을 뿌리며 오세요

—「편지」에서

　　인용한 세 편의 시에 공통되는 것은 비관적 세계인식과 함께 생에 대한 궁극적인 긍정의 자세이다. 먼저 ①에는 인생의 무상함을 인식하는 지점에서 깨닫게 되는 사랑의 소중함을 일깨워 준다. '담배 한 대 만큼 사는 것'으로서

의 짧은 인생인데도 헐뜯고 싸우며 살아가는 우리의 모습을 되돌이켜 보게 하는 것이다. 이 점에서 사랑의 마음, 용서하고 화해하는 마음의 소중함을 조심스레 일깨워 준다는데 의미가 놓인다. ②에서도 세상살이의 고달픔을 말하는 가운데 참된 인간애의 소중함을 강조하고 있다. "잡은 손이/놓기가 무섭게 식거나 구겨지는 것을/어디 한 두번 보았나"라는 구절 속에는 염량세태의 비정한 현대를 살아가는 데 대한 뼈아픈 탄식이 깃들어 있다. '지는 해'의 모습과 같은 인간의 실존이 보다 깊은 신뢰와 견고한 사랑에 뿌리내리지 못하는 데 대한 안타까움을 드러낸 것이다. ③에서도 마찬가지이다. "하느님 너무 오랫동안 하늘에만 계시지 말고 밤마다 별빛처럼/사랑을 뿌리며 오세요"라는 결구를 통해 날이 갈수록 비정화해가는 현대적 삶에 있어서 사랑의 소중함을 강조하는 것이다. "나무가 나무처럼/새들이 새처럼"이라는 구절 속에는 사람다운 사람, 삶다운 삶을 갈망하는 휴머니즘의 안간힘이 게재해 있는 것이다. 실상 비관적 세계인식을 넘어서서 도달하게 되는 생의 긍정과 그에 대한 애정의 시선은 이미 그것 자체가 인간애의 소중한 반영이며, 동시에 휴머니즘 구현의 안간힘이 아닐 수 없기 때문이다. 이들 시편 이외에도 「종이학」, 「눈물 감추기」, 「친구의 사무실을 찾아가 는 길에」, 「우리 선생님은 큰 새랍니다」 등 대부분의 시편을 관류하는 시 정신은 바로 이러한 비관적 세계인식과 이를 넘어서서 생을 긍정적으로 바라보려는 휴머니즘에의 갈망과 지향인 것이다. 그것은 근원적인 면에서 약한 것, 외로운 것, 슬픈 것, 착한 것으로서의 생에 관한 긍정과 애정에 연결돼 있다는 점에서 이즈음과 같은 인간상실·인간소외의 시대에 은은한 감동을 지속해 갈 것으로 보인다. 실상 시가 감당해 갈 수 있는 것은 이러한 휴머니즘의 지향과 갈망 그 이하의 것도 또 그 이상의 것도 아닌, 인간성 탐구의 노력 그 자체에 있다는 점을 일깨워주기 때문이다.

15. 비극적 삶의 비장한 아름다움/박제천

박제천의 최근 시편들은 그의 시가 추구하던 한국인의 전통적인 삶의 양식과 그 의미를 지속적으로 확대·심화하고 있다는 점에서 특이할 만 하다. 박제천은 시대와 삶에 좌절하며 죽어 간 세 인물을 「한정록」·「화담」·「통곡헌」 등의 시편으로, 또한 우리 주변에서 이미 사라져 가고 있는 손때 묻은 풍물을 「장승 앞에서」·「당사주책의 가을」·「탈을 만들며」·「손금을 들여다보며」·「소지를 올린다」 등의 시로 노래하고 있다.

> 밤이면 깊이 감추어 둔 탈을 꺼내어 손질한다
> 노여움의 탈, 서글픔의 탈
> 수모와 아첨의 탈을 더운 눈물로 씻어낸다
> 날이 밝으면 다시 쓰고 나가야 할 탈을 고른다
> 어쩌다 마땅한 탈을 고르지 못할 때는
> 황급히 거울을 보며 새로운 탈을 만들어야 한다
> 저 표정이 없는 인파 위에
> 눈이며 코, 귀를 그려 넣어야 한다
> 웃음을 덕지덕지 발라야 한다
> 보아라, 저 거울 속의 얼굴, 거울 속의 탈이 누구의 것인가
> ─「탈을 만들며」에서

'탈(가면)'은 '봉산탈춤' 등 우리의 전통적인 민속극에서 흔히 사용되던 연극적 소도구이다. '탈'은 극 중 인물을 전형화시킴으로써 현실의 비리나 사회적 모순을 날카롭게 풍자하는 효과적 수단으로 사용돼 왔던 것이다. 따라서 고전에서 '탈'은 신분의 한계와 풍속의 굴레를 뛰어넘어 민중의 울분과 한을 카타르시스 시켜주는 기능을 수행하는 희극적 드라마트루기였던 것이다. 그러나 이 시에는 여러 가지 종류의 '탈'을 쓰고 살아갈 수밖에 없는 현대인의 실존적 비극성을 형상화하고 있다. "노여움의 탈·서글픔의 탈·수모와 아첨의 탈" 등 수많은 위선과 가식의 탈을 쓰고 살아가는 현대적 삶의 다면성이 페이서스로 처리돼 있는 것이다. 특히 "밤이면 깊이 감추어 둔 탈을 꺼내어 손질한다/날이 밝으면 다시 쓰고 나가야 할 탈을 고른다/새로운 탈을 만들어야 한다"라는 구절 속에는 진실과 거짓, 은혜와 원수, 선업과 악업 사이를 오가며 방황하는 현대의 야누스적 초상이 예리하게 풍자돼 있는 것으로 보인다. 이렇게 볼 때 시인이 말하고자 하는 것은 자명해진다. 그것은 고전적 소재나 테마 그 자체가 결코 시의 목표가 아니라는 점이다. 오히려 사라져가는 풍물들 속에 감춰져 있는 삶의 원리나 진실을 현재의 삶으로 끌어당겨 역사적 존재임과 동시에 현실적 존재인 인간과 삶의 본질을 드러내 보이고자 하는 것이다. 실상 함께 수록된 모든 시들이 역사적 인물과 고전적 풍물의 현재적 변용을 통해서 삶의 현상과 본질에 대한 총체적 해석을 시도하고 있는 것으로 보인다.

　장승 앞에서는 나와 너, 남과 여, 하늘과 땅, 이승과 저승으로 나누어져 있는 세계의 이원적 원리가 제시되는 것과 함께 끝없는 기다림의 연속으로서의 인생의 모습이 투영돼 있다.

　　물오리나무 한 그루가 장승될 날을 기다리고 있다
　　장승이 된 물오리나무 한 그루가 입을 벌리고 서있다.

말이 되어 나오지 못한 소리, 소리가 되어 나오지 못한 말이 보이도
록 입을 벌리고 서있다.
　이승 3만 리 저승 5만 리의 이정표를 큼직하게 써붙이고
　사내 둘 계집 둘이 각각 하늘과 땅을 대표해 서있다.
　사람을 대표해서 나도 그 옆에 한참을 서있어 보았다
　무언가 기다리는 일밖에 몫이 없었다.

—「장승 앞에서」

　「당사주책의 가을」에는 "나무 목자로 그려진 내 얼굴의 일생도/당사주책
갈피 사이에서 한장 낙엽으로 떨어져 내리는/10년 전의 오늘"과 같이 운명론
적 생의 인식이 반영돼 있다. 「손금을 들여다보며」에도 "거북이의 등에 감추
어진 나의 한 삶을 들여다본다/이 수많은 금들 사이에 내 운명의 곡예만 마른
그림자로 남는다"라는 구절에서 보듯이 얽히고설킴으로서의 인생, 아슬아슬
한 곡예로서의 인생에 대한 깨달음이 드러나 있다. 「소지를 올린다」에는 소
지행위를 통해 어지러운 삶, 험난한 현실을 보다 깨끗하게 살아가고 싶다는
간절한 희망을 표출하고 있다.

　한해 한 번쯤 생각나면 소지를 올린다
　진부정 마른부정 다 젖히고자 하늘에 소지를 올린다
　늘 마음만이라도 깨끗하여지이다
　똥더미 위를 굴러다니며 오줌내에 지려진
　몸뚱어리라도 속만은 깨끗하여지이다
　한 마흔 해쯤 이어 온 명줄 얼마가 보태어질지 모르더라도
　피와 말로 하여 더이상 죄에 더럽혀지지 말아지이다
　내 몫만이 아니라 새끼며 계집몫까지 소지를 올린다
　스스로 허리에 남술을 휘감고 한 5조쯤 깨끗해지면
　그렇게 또 한 해를 편하게 보낸다

—「소지를 올린다」

원래 소지행위는 토속적인 민간 신앙의 일종으로 신령님께 한 해의 벽사진경을 비는 뜻으로 희고 얇은 한지를 태우는 일종의 주술적 기도로 전해 내려온 것이다. 이 시에서는 이러한 관습상징을 바탕으로 소지행위를 통해 마음속에서 '무(無)의 통과 과정'을 체험하는 경건한 신성 지향의 갈망이 내포돼있다. 세속적 삶의 온갖 오탁이 '소지를 올리는 행위에 의해 청정하게 씻겨짐으로써 깨끗한 정신, 맑은 영혼에 도달하고자 하는 것이다. 소지행위를 통해 '소멸과 재생'의 모티프가 이루어지고 이 과정 속에서 삶에 대한 새로운 결의와 의욕을 성취하는 것이다.

한편 「통곡헌」과 같은 인물에 대한 시편에서는 그들 역사 속에 소멸해간 비극적 인물들을 통해서 삶의 본질적 의미와 그것의 현재적 삶과의 긴장력을 탐구하고 있다.

박제천의 시에 등장하는 역사적 인물들은 대부분 큰 뜻을 품거나 기개 있는 인물이면서도 당대에 뜻을 이루지 못한 사람인 경우가 많다. 즉 척박한 시대에 한을 품고 죽어 간 비극적 인물들이 주류를 이룬다.

> 사는 일에 다 때가 있어 어쩔 길 없으니 슬퍼라
> 흰실은 색색으로 물들여지기도 하지만 절로 때를 타니 슬퍼라
> 길을 가다 보면 갈림길이 나와 막막하니 슬퍼라
> 때로는 길이 막혀 갈 수 없으니 슬퍼라
> 오직 슬픔에 뜻을 붙이고 사니 슬퍼라
> 사람들이 슬픔을 싫어하니 슬퍼라
> 슬픔만이 나의 것이니 슬퍼라
> 그러나 이제 누가 새삼 이미 그의 것인 슬픔을 슬퍼하랴
>
> ─「통곡헌(慟哭軒)」

이 시에서도 이루지 못한 자로서의 회안을 통해 비극적 세계인식을 표출하고 있다. 그러면서도 "어쩔 길 없으니·갈림길이 나와 막막하니·길이 막혀 갈

수 없으니·슬픔에 뜻을 붙이고 사니·슬픔만이 나의 것이니” 등과 같이 비극적인 삶의 본질에 대한 깊은 탄식을 드러내게 된다. ‘갈림길·막힌 길’의 연속으로서의 인생은 그것 자체가 비극적인 것이 아닐 수 없다. ‘슬퍼라’는 반복적인 종지법 속에는 비극으로서의 삶에 대한 뿌리 깊은 탄식과 함께 그에 대한 초극 의지가 잠재해 있는 것으로 보인다. 그러므로 “그러나 이제 누가 새삼 이미 그의 것인 슬픔을 슬퍼하랴”라는 역설적인 설의법을 이끌어내게 된다. 슬픔을 이미 자기 것으로 긍정하고 그것을 운명적인 것으로 받아들이게 될 때 슬픔은 이미 비극적인 것이 아니다. 오히려 이러한 슬픔으로서의 인생은 비장한 아름다움으로 이끌어 올려지게 되며, 성공한 사람들의 화려한 생애보다도 더 경건한 것으로서 의미를 지니게 된다. 비록 당대에 뜻을 이루지 못하였고 세속적인 부귀영화를 누리지 못하였다 하더라도, 이들이 남긴 ‘사람다운 삶’의 의지 혹은 비극적인 초극의 몸부림은 올바른 삶의 길이 어떠한 것이며 또 어떠해야 하는가를 일깨워 주는 소중한 교훈이 되기 때문이다. 허균을 모티프로 한 「한정록」이나 서화담을 노래한 「화담」 등의 시도 이루지 못한 자들의 한 또는 비극적인 생애를 통해 삶의 본질적 모습을 드러내려 시도하고 있는 것이다.

이렇게 볼 때 박제천의 시편들은 대체로 잊혀져 가는 전통적 풍물과 뜻을 이루지 못한 비극적 인물들을 통해서 ‘의문으로서의 삶·운명으로서의 삶·그리움으로서의 삶·의지로서의 삶·소망으로서의 삶’ 등과 같이 인생의 현상과 본질에 대한 다양하면서도 지속적인 성찰을 보여주고 있는 것으로 받아들여진다. 다시 말해 이들을 통해 인생을 총체적으로 해석하고 투시하려는 노력을 보여주고 있다는 것이다.

그의 세계 밀이미고 하는 것은 피기피 풍물이니 인믈 그지제기 이니다. 소히려 그의 시는 그러한 것들이 인간적 삶의 본질과 어떻게 맞닿아 있으며, 또한 우리의 현재적 삶 또는 ‘나’의 실존적 삶과 부딪혀 어떠한 긴장력을 발휘하고 있으며, 아울러 근원적 의미에서 어떠한 의미와 가치를 획득해 갈 수 있을 것인가를 보여주려 시도하는 것이다.

　박제천의 시가 이념시나 난해시가 범람하는 이 시대에 소중하게 생각되는 것도 결국은 그의 시가 과거적 삶의 양식을 현재적인 것으로 파악하고 이를 미래의 장에서 극복하고자 하는 총체적인 생의 해석과 발견의 노력을 지속적으로 천착하여 제시해 주고 있기 때문인 것으로 판단된다.

(1983년)

16. 무의식 속의 혼돈과 시적 질서/이승훈

    하나의 대상이 객관적으로 존재할 때와 그것이 시 작품 내로 흡수되어 나타날 때는 전혀 다른 모습을 띠게 된다. 시인의 의식작용을 거치는 과정에서 이미 그 대상은 변형 가공 재생되기 때문이다. 그러나 만약 시인이 의식작용을 중지하고 완전 무의식의 상태에서 대상을 대한다면 어떻게 양상이 달라질 것인가. 우선 대상은 객관물 자체로 분리되어 떨어져 나가고 이미 그 객관적인 대상물은 시인에게나 작품 내에서나 큰 의미를 가질 수가 없게 될 것이다. 의식되지 않는 한 그 대상물은 가치를 가질 수가 없기 때문이다. 그렇다면 무의식의 작품 속에 들어 있는 것은 무엇인가. 무의식에 관한 한 편의 시에서 우리가 바라볼 수 있는 것은 과연 무엇일까. 가치의 총체적인 판단기준이 향하는 방향은 아무래도 언어의 분석 쪽으로 기울게 될 것이다. 왜냐하면 대상을 허용하지 않음으로써 남아있는 것은 언어 그 자체뿐이기 때문이다. 따라서 우리가 바랄 수 있는 것은 언어의 아름다움과 언어가 주는 기쁨뿐이다. 그러한 무의식의 시에서 질서를 찾아낸다는 것은 불가능한 일이다.

    일인 기으고 길이의 표편으 시인 저 신의 메게리거 일러친다. 친 편이 기끄이 내부적으로 지니는 질서는 필수불가결한 것이다. 작품과 시인의 의식세계는 결코 분리될 수가 없기 때문에, 비록 질서의 외형이 다양하게 드러나긴 해도,

질서의 완전한 무시는 있을 수 없는 일이다. 이러한 질서의 보다 필연적인 요구는 시가 시인의 정신세계를 반영한다고 하는 데서 기인한다. 그리고 그 정신세계는 우주질서의 한 속성을 이루는 것이기에, 또한 보다 큰 질서개념에 기반을 두고 점차적으로 형성된 것이기에 더욱 그렇다.

이승훈의 시가 보여주는 무의식은 의식세계에서 그 첫 단계가 시작된다. 현실의 어려움을 절망과 좌절로 받아들여 그것에 대한 처절하리만큼의 절규를 토해낸다. 그러나 결코 그 현실을 극복하려 하지 않고 스스로 자신의 내부로 자맥질해 들어가 일종의 도피 형식을 취하게 된다. 그리하여 그가 찾아낸 안식처는 바다였다. 그러나 결코 그 바다는 안전한 곳, 영원한 곳이 아닌 또 다른 고난의 장소임을 깨닫게 된다. 결국 그는 환상적 공간과 시간의 정지 속에서 헤매는 방랑자가 되고 마는 것이다. 시집 『환상의 다리』(1976)의 대부분의 시는 이러한 환상 속의 언어를 보여주는 데 쓰이고 있다.

이 환상세계에서는 처음의 어둠과 고난을 의식할 수 없고 삶의 가치를 느낄 수도 없고 다만 언어의 껍질들만이 남아 그것이 시의 외형을 이루게 된다. 시는 자연히 주술적이고 산문화되며 시어의 분산을 초래하게 되고 무의식은 곧 무질서를 낳고 만다. 비록 아무런 가치도 바랄 수 없는 무의식의 세계였다고 할지라도, 질서를 잃은 상태에서 어떻게 시가 존재할 수 있단 말인가.

① 밤과 꿈

현실의 자세한 정황을 알 수는 없으나, 이승훈이 보여주는 현실에 대한 태도는 상당히 부정적이다. 어쩌면 그것은 현실이 아닌 시인 자신의 개인 문제일 수도 있고 70년대 한국의 모든 어둠이 만들어 낸 문제일 수도 있다. 여기서 필자는 이 모든 것을 합쳐서 시인의 현실이라고 부르려고 한다. 왜냐하면 시인이 가지는 절망의 태도는 내적이든 외적이든 필연적으로 현실과의 연관성을 가지고 있기 때문이다. 그런데 그는 그러한 현실을 시 작품 자체 내에서는 별반 드러냄이 없이, 다만 부정적인 반응으로 '어둠·밤' 혹은 '흐림' 등의 시어를 사용하고 있을 뿐이다. 절망의 어쩔 수 없는 접근을 그는 온몸으로 받아들여 하나의 숙명이라고 생각하는 모양이다.

> 절망으로의 도피(逃避)라고 부를 수 있는 소극적(消極的) 절망(絶望)에서 초월(超越) 또는 비약(飛躍)이라고 부를 수 있는 적극적(積極的) 절망(絶望)으로의 이행(移行)—거기에 모든 존재의 존재다움이 은밀히 도사려 있다면, 우리는 이러한 절망(絶望)의 변증법적(辨證法的) 구조(構造)로부터 벗어나서는 결코 절망을 바르게 이해(理解)했다고는 할 수 없는 것이 아닌가. 말하자면 절망(絶望)의 기호를 읽는 것 그 내면성과 확신은 그렇기 때문에 부정(否定)의 원리(原理), 즉 권태의 힘에 더욱 밀착해야 된다는 역설(逆說)을 낳는다. 그리고 이 역설을 증명(證明)하는 것이 시작(詩作)이요. 증명은 벌써 초월을 의미한다.
>
> — 이승훈, 「절망(絶望)의 테마분석(分析)을 위한 시도(試圖)」
> (『춘천교대 논문집』 제14집, 1974, 143쪽.)

절망을 시작의 출발점으로 생각하는 그의 논리가 타당성을 지니는가 하는 것을 가늠해 볼 필요는 없다. 다만 그는 그렇게 절망으로 시작하여, 그 절망의 개념을 정신의 밑바탕에 깔아놓고 그 위에서 언어의 형상화를 꾀하려고 노력하였다. 절망의 시선으로 바라보는 대상은 당연히 어둠의 색을 띠게 되고, 이 어둠은 다시 '밤'과 연결된다. 즉 절망의 사상은 그의 시에 '밤'이라는 시어로 상징화되고 있는 것이다.

> 내 눈에 뛰어드는
> 빗발도 흰 피도
> 지금은 얻어맞고 끊임없이
> 쓰러지는 밤이다
>
> — 「감옥 4」에서

'밤'을 중심으로 하는 어둠의 이미지들은 몇 가지로 변형되어 나타나기도 하는데 그중 뚜렷한 것은 '검은 색' 혹은 '흐린' 상태의 묘사이다. 결국 같은 의미를 가지는 여러 이미지들의 분산은 혼란보다는 다양화하는 입장에서 분석돼야 할 필요성이 있다.

> 꺼먼 겨울 나무 사이로 창들이 보인다
> 왼쪽으로, 울고 있는 여자가 어둠을 흘러가게 한다 (방점 필자)
> ─「일반적(一般的)인 내부(內部)」에서

> 사랑은 흐리기만 하고
> 무너지는 가슴도 짐승도
> 이렇게 이렇게 흐리기만 하고(방점필자)
> ─「뜨내기」에서

삶에 대한 그의 자세가 이처럼 부정적이기에, 현실은 그에게 '들어설 자리'(「악몽」에서)를 빼앗아버리고 '끝끝내 쫓기는 애모의 밤'(「감옥 8」에서)으로 그를 몰아낸다. 결국 현실과의 심한 분리감에서 그는 고독하여질 수밖에 없고 그로 인해 소외감 혹은 격리감을 느끼지 않을 수 없게 된다. 이러한 현실적인 삶과의 격리는 추상적인 관념으로서만 그런 게 아니라, 실제적인 면에까지 그 영향이 미치는 듯하다. 삶을 부정하기에 절망이 다가온 것인지 아니면 절망함으로써 부정의 습성을 가지게 되었는지, 이들의 관계가 명확하지는 않지만, 전체적으로 보아 시인의 숙명으로 설정된 절망이 그에겐 더 큰 작용인이 되고 있음에 틀림없다. 이 절망의 강도가 너무 크기 때문에 그로 인한 분리감은 세상에 대해 조소까지 띠게 된다.

> 바람 속에 두고 온 술잔이
> 툭 하고 떨어지는 여기는
> 어쩌면 너무나 아슬한 서울,

무서운 돌계단을 내려가면서
나는 안경에 묻은 어둠을 턴다.

—「크림」에서

　"술잔이/툭 하고 떨어지는" 현실에서 그는 거리감을 느끼며 '안경에 묻은 어둠'을 털어내고 있는 것이다. 자연히 그는 '어떠한 삶도 용서될 수 없고 용서될 수 없다면 휘청대는 두 다리로 나는 놀라며 봄밤의 하늘에 공포를 그리는 것인가'(「봄밤」에서)하고 자신에게 묻게 된다. 그러나 그에겐 어떠한 답도 주어지지 않는다. 왜냐하면 그는 현실도 자기 자신도 확신할 수가 없기 때문이다. 현실과의 분리감에서 오는 정신적 갈등을 다음의 시에서 살펴보자.

　　창문을 여니 새벽 세 시다. 거리에는 비가 오고 있다. 내 손이 비에 젖는다. 내 얼굴이 돈이 되어 뒹군다.……(중략)……이 새벽 검은 흉터, 나는 해변에 갈 수 없다. 해변에 갈 수 있다. 갈 수 없다.

—「새벽 세 시」에서

　'해변에 갈 수 있는' 것인지 '갈 수 없는' 것인지, 그 의미 이전에 스스로의 혼란을 가져와 정신적인 안정이 없음을 말해주고 있다. 절망과 불안정의 상태에서 시인이 취하게 되는 자세는 어떠한 것인가. 절망이 비록 강하다 하여도 그것에 한 줄기 빛이라도 뿌려질 여지가 있다면 그 절망은 이미 절망이 아닌, 새로운 건설적 측면의 근간이 될 수 있겠지만, 시인에게 주어진 절망이 마치 숙명과도 같고 거기에서 나타나는 절망의 육성은 마음의 모든 균형을 빼앗아버리기에, 그에게 다가온, 다시 말해 그가 취할 수 있는 행동의 방향은 일종의 도피였다. 즉 '잠'에 묻힌 어둠 속으로 더욱 깊이 스며들어 드디어는 모든 실상들을 버리고 '꿈' 상태로 묻혀버리는 것이다. 이러한 도피와 '꿈'의 논리적 귀결로 그는 시간을 거부한 채 마지막 남은 의식의 약한 그림자를 붙잡고 절규하게 되는 것이다.

시방 절망으로 아로새긴
어둠보다 더욱 커다란 어둠이
태어나는 시간 보며
나는 끝끝내 잠들고 싶어라

——「사랑」에서

'잠'은 쉽게 '꿈'으로 묻히게 되는 동인이 된다.

사라지는 마음 뒤에는
번쩍이는 칼 기나긴 인내가
그리움을 자르고 푸르던 꿈
질주하는 곳곳에 살아 그것은
너를 부른다

——「새벽」에서

그래서 그는 '꿈'으로의 도피를 완벽하게 추구하려고 노력한다. 다시 말해 의식은 점차 약화되고, 의식의 내면에 자리한 '그리움'을 찾게 되면서 하나의 지향점을 가지게 된다. "도주의 형태만이 완벽하다. 완벽한 것만이 도주한다. 도주가 아니라 발악이다"(「도주의 풍경」에서)라고 도피의 성질을 설명하면서, 그 구체적인 도피처로, 즉 완전한 그리움의 귀착점으로 '바다'를 찾는다. 다시 말해 '바다'의 이미지는 그의 시 세계의 중요한 모티프를 이루며 어쩌면 발상의 근원을 형성하는 것인지도 모른다.

찾아가야지 이지러진 가슴 버리고
집도 버리고, 허나 버림이 진정
찾음이 되어 올 때
따스운 가슴 그리워, 물빛
배를 만들어야지 (방점 필자)

——「제야(除夜)」에서

‘그리워’ 찾게 되는 바다의 모습은 뚜렷한 하나의 정점을 이루며 시작의 기반을 보여주는 요소임에 틀림없다. 그렇다면 이 ‘바다’에서 시인은 무엇을 찾았던가. 또 이 바다는 어떤 질서의 양상을 가지고 있는가.

② 그리움의 바다

그가 취하는 도피의 행위는 낭만적 탈출(romantc escape)과 한 편에서는 동질성을, 다른 한편에서는 이질성을 보이고 있다. 현실의 여러 문제점에 대한 적극적인 응전력을 취하기에 앞서 이상적으로 가설된 피안의 세계를 향하여 스스로 몰입한다는 점에서 양자는 같다고 할 수 있다. 그러나 그 결과는 너무나 다른 모습을 보여주고 있는데, 이 점이 바로 이승훈이 ‘바다’에 대해 가지는 모호한 개념의 한 특징을 이루고 있다. 그가 설정한 바다는 하나의 나라를 이룬다. 바다가 이루는 하나의 우주—하나의 세계—가 꿈 속에서 그리워하던 때와 실제 그가 착륙하여 확인한 바의 우주와는 다르다는 것을 그는 스스로 깨닫게 된다. 최근의 작품에서 ‘나라’라는 시어는 전혀 다른 의미로 쓰이고 있지만, 바다와 연관된 처음의 세계는 본래의 속성을 추상성에서 찾으려고 했기 때문인지, 결코 그 ‘바다’에서 시인 자신이 완전히 만족했음을 보여주지 않는다. 한 예를 들어보자.

> 내 갇히인 날부터
> 세상에는 싸늘한 겨울비 내리고
> 사랑도 빠져 죽은 바다
> 그 억센 바다만
> 남은 울음 울더라
>
> —「감옥 9」에서

'사랑도 빠져 죽은 바다'에 있는 것은 '싸늘한 겨울비'와 '울음' 뿐이다. 그러나 그 바다에는 온 세상의 뼈아픔이 녹아 있는 것일 수도 있고 가슴 속에 들어 있는 "어린 시절의 바다"(「다시 가슴」에서)일 수도 있다. 그만큼 그의 바다에 대한 집착은 강하다. 처음 그가 바다의 이미지를 설정했을 때 그가 믿었던 바다는, 그러나 결코 그렇게 우울한 대상이 아니었다. 그리움의 모든 객관물이 녹아 있는, 다시 말해 현실적 고난과 저항과 스스로 몇 줌의 체온을 촛불에 비치던 곳이었다.

> 저렇게 현란한 바다에 당도한다
> 희디흰 풀잎이 태어나고 거기선
> 짐승과 아이들도 태어난다
>
> 촛불들이 기일게 구비치고
> 나부(裸婦)들이 허리를 구부리고 한없이
> 죽은 이들의 집을 빠져나간다
> 마침내 뼈만 남은 그리움이 날아
> 오르는 바다
>
> ─「내부」에서

모든 것이 정화되어 오직 '그리움'으로만 이루어진 '바다'는 실제로 그의 바다에 대한 개념이 모호한 것과 마찬가지로, 그의 피부에 닿아 느껴지게 되었을 때는 더욱 모호해지기 시작하면서 이상적으로 생각했던 것보다 훨씬 더 큰 아픔을 주게 되었던 것이다. "주리 틀리다 쓰러진 두 다리가/떠있는 하이얀 바다"(「망나니의 봄 3」에서)로 보이기도 하고, 심지어는 "내가 잠들고 헤어진 바다/보이지 않는 바다/한 장의 바다"(「철야하는 해안」에서)에서 "하루종일 개울음 소리"(「감옥1」에서)만을 듣기도 한다. '바다'는 보다 큰 우물 속에 묻혀 심한 고통만을 줄뿐 시인의 영혼에 어떤 형태로든 안식처가 될 수 없게 되었다. 결국 그가 취할 수 있는 길은 자기 자신 속으로의 또 다른 도피였다. 자꾸만 자신과의 투쟁 농도가 짙어질수록 그의 의식은 제거되고, 점차 무의식을 따르게 된다. 이렇게 무의식으로의 이행은 필연적인 시작 과정의 한 결과라고 판단할 수 있다. 그러나 꼭 그럴 수밖에 없었던가, 무의식으로의 이행은 어느 정도 보편성을 지닌 것인가.

무의식에 대한 분석으로 들어가기 전에, 그가 보여주는 절망과 절규의 모습을 살펴보자. 왜냐하면, 스스로의 연민을 가질 수 있다는 것은 아직 그가 의식 상태에서 시작하고 있다는 증거가 될 것이고, 이 의식의 마지막 몸짓은 그의 영혼과의 자기 투쟁이 얼마나 처절한가를 잘 보여주고 있기 때문이다. 우선 그의 혼란한 영혼은 대상의 이질공감형성에서 찾을 수 있다. 즉 시어의 선택에 있어 쉽게 악마성을 가지도록 의도적인 노력을 하고 있는 것을 볼 수 있다.

> 마침내 내 팔이
> 껴안은 건 뱀이었다. (방점필자)
>
> —「뱀」에서

> 밤마다 욕망의 지렁이가 울고
> 내가 뛰어간다 (방점필자)
>
> —「春川 1」에서

그의 자기연민은 '뱀'이나 '지렁이'라는 객관물과의 간단한 동일화에 그치지 않고, 점차 그 강도를 더하여 나중에는 자학적인 모습까지를 보여준다. 의식의 마지막 단계임을 스스로 알고 있기 때문일까 아니면 어떤 생각으로도 비인 세계—'나라'—를 채울 수 없기 때문일까. 그의 자학적인 표현은 상황 속의 자신의 공허와 실제적인 육체의 분열로 대개 나타나고 있다. 상황 속에 놓인 거의 무의미한—오직 상황만 남은—공간 속에 놓인 자기 자신을 들여다보는 것만큼 처절한 일은 없을 것이다.

> 흐린 바람 속에 내 손이
> 쥔 것은 시간의 포말,
> 울고 있는 퍼어런 빵
>
> ── 「감옥 6」에서

육체의 자학에서 이러한 해체작용은 더욱 심해진다.

> 육체에서 떨어져 나간 두 팔이
> 휘날리고 있었다 스카프를 하고 너는 별과 뱀의
> 들판을 걸어가고 있었다 내부는 불안하게 터지고 있었다
> 가느다란 전신주에 바람들이 매달리고 있었다
> 바람들의 후미에 나는 휘어져 있었다
>
> ── 「흑색(黑色)의 이름」에서

육체의 해체는 곧 죽음의 이미지들을 끌어내게 되는데, 그래서일까 그는 "이제 나는 영원한 재, 물의 무덤, 아무도 살지 않는 항구다"(「1974년 가을」에서)라고 최종 선언을 한다. "팔을 먹은 시간은 팔 대신 피를 토해"(「시간이 내 팔을」에서) 놓고 이제 그는 "죽여야 할 놈은 바로 나 아아 시체여 시체여"(「A 와 나」에서)하며 마지막 의식의 울음을 토하고 가라앉는다.

그의 의식과 무의식의 분리는 바로 이 지점에서 이루어진다. 그가 의식의 세계에서 느낄 수 있었던 것은 오직 절망과 좌절이었고, 정신과 육체 모두의 해체에서 결국 찾은 것은 무의식의 세계인 것으로 볼 수 있다. 무의식 속으로의 이주가 비록 그에게는 필연적인 것이었다 해도, 객관적인 입장에서 그것을 무의식적으로 판단할 수는 없다. 더구나 그의 무의식이 의식을 염두에 두었다고 확신할 수 있기 때문에 의식적 판단의 기준은 어쩔 수 없는 일이다.

③ 시간과 공간의 해체

의식세계를 떠난다 함은 대상의 현시성을 떠난다는 의미일 것이다. 의식의 시각으로 보는 대상의 표면은 필연적으로 그 속성의 외형적인 면을 먼저 포착하게 되고, 그럼으로써 점차 외형과 내존적인 힘의 연관 관계를 파악하려 하게 될 것이기 때문이다.

말하자면 무의식의 세계에서는 사물의 외형을 생각할 수 없다는 이야기이다. 형상의 껍질을 무시한 채, 그 껍질 속에 가려진 불변의 작용인을 찾아보려는 노력일 것이다. 의식의 힘으로 도달할 수 없는 영역이 무의식 속에는 있다는 전제조건하에서 이러한 노력은 가능할 수 있고, 그러기 위하여 우리는 다시 무의식의 절대적인 고정성과 형상능력을 가정하여야 한다. 비록 의식을 떠난다고 해도 무의식이 의식의 미완 부분을 보충할 수 있는지는 의문이기 때문이다. 그러나 실상 무의식의 영역은 심리학의 깊이로 많이 밝혀졌고, 밝혀진 바의 것이 사실이라면 결코 무의식이 혼돈된 상태를 의미함이 아님을 알 수 있다. 즉 의식의 세계가 세운 질서와는 상당한 거리감이 있긴 하여도 무의식의 세계에도 역시 뚜렷한 질서가 있다는 사실은 확실히 하여야겠다. 더구나 의식적인 판단은 가변적일 수 있으나, 무의식적인 판단은 보다 큰 보편성을 가지고 있으며 어떤 보상적인 힘을 발휘한다. 정상적인 조건하에서 의식은 어떤 상황을 외부적인 현실에 적응시키려는 개별적인 반응으로써 대응하는 반면, 무의식은 인간경험에서 오는 공통적이고 전형적인 반응을 나타낸다. 이 무의식적인 반응은 인간의 내면생활의 필요성과 그 법칙에 일치되는 것이다. 무의식은 이렇게 개인으로 하여금 심리의 총체와 일치되는 태도를 취할 수 있게 한다(야코비, 『칼 융의 심리학』, 성무각, 1980 참고).

그러나 의식적인 무의식세계의 조망은 오류를 가져오기 쉽다. 무의식의 폭은 의식으로 탐험할 수 없는 넓은 영역을 차지하고 있으며 비록 의식에 의한 대상의 발현이

있다 하여도 그것의 확실성을 신뢰할 수가 없기 때문이다. 평범한 무의미의 행위가
아니라 무수한 지적 작용에 의하여 이루어지는 문학 작품에 있어서는 특히 이러한 오
류가 따르기 쉽다.

이승훈의 작품이 보여주는 무의식의 양상은 그 내부구조의 폐기, 대상과의
분리, 현존의 외적 질서의 파기 등으로부터 이루어진다. 의식적인 대상침투의
한계와 자기 자신과의 싸움에서의 패배가 무의식으로의 전이의 원인이 된 듯
하다. 그러나 그런 것도 실상 충분한 이유가 될 수는 없다. 아무리 그가 무의식
에 파묻혔다 하여도 남아있는 언어의 덩어리를 버릴 수는 없기 때문이다.

언어의 껍질 속에 숨어있는 무수한 것들을 모두 캐어낼 수는 없지만, 그 언
어가 의미를 상실하기 전까지는 우리는 그것을 의식이라고 판단하여야 한다.
그러기에 시작의 결과 생겨난 하나의 작품이 무의식을 다루고 있다 하여도,
그 시작 과정까지 무의식일 수는 없다. 이승훈이 보여주는 판단력의 상실과
이미지의 혼란, 그리고 그에 따르는 여러 문제점은 바로 이 관점에서 검토돼
야 한다.

그는 무의식의 한 증표로써 모든 대상의 해체, 즉 공간 속에서 시간과 함께
변하여 가는 모든 존재의 해체작용을 꾀한다. 다음 그의 말에서 '환상'에 대한
견해를 들어보자.

> 언제나 그렇듯이 나로 하여금 시를 쓰게 하는 것은 어떤 뚜렷한 관
> 념이나 대상이 아니다. 흔히 말하는 소재의 존재 여부는 내게 그다지
> 중요하지 않다. 그런 면에서 어쩌면 나는 순수한 내적 존재라고나 할
> 환상, 리듬, 혹은 무드 때문에 시를 쓴다고나 할 수 있다. 일체의 대상
> 들과 무관한 상태에서 시를 쓴다는 것은, 한편 시의 대상을 언어에 둔
> 다는 말일 수도 있다.
>
> ― 이승훈, 「비대상(非對象)」
> (『문학사상』, 1976, 240쪽)

이러한 환상의 예를 다음 시에서 살펴보자.

그녀의 입에 시간을 집어 넣는다

그녀는 미치기 시작한다
그녀의 커다란 입은 이제
그녀의 커다란 눈으로 변한다
그녀는 춤추기 시작한다.

—「아름다운 시체」에서

　여기에서 '그녀'라는 하나의 대상은 실제로 대상이 아니다. 그것은 의미를 가지지 않는 대상이기 때문이다. '시간'의 개념도 모호하다. 다만 어떤 불안의 분위기와 갑갑한 압박감의 징조만이 어렴풋이 비추어 보이고 있다. 시인은 여기에서 무엇을 우리에게 전하려고 하는 것일까. 언어의 덩어리—가공되지 않아 소화시킬 수 없는—만을 우리에게 제공하고 있는 것일까. 이러한 언어의 환상은 실제 표면화된 혼돈뿐 아니라 내부에까지 그 모습을 왜곡시키고 있다.

　첫 번째, 시간의 해체를 들 수 있다.

　　나는 피 흐르는 시계를 들고 가을 햇볕 속을 달리기 시작했다. 비오는 거리에는 가등(街燈)이 바람 속에 쓰러지는 밤이었다. 밤새도록 해는 떠 있지 않았다.

—「어떤 밤」에서

　'해'와 '밤'의 교차가 자아내는 대조효과는 의도적인 듯이 보이고 그 이면에 잇닿는 시인 자신의 의식의 표정을 보여 준다. 이 해와 밤의 무질서는 단순한 무질서 이외의 다른 어떤 의미로도 볼 수 없다. 왜냐하면 무의식이라는 전제하에서는 그것이 어떤 상황도 어떤 의미도 아닐 것이기 때문이다. 두 번째로 공간의 해체를 찾아볼 수 있다.

견딜 수 없는 나는 이윽고 공간에 술을 붓는다. (술이 부어지는 소리) 비로소 공간이 타오르기 시작한다. 아아 공간의 절정(絶頂), 공간은 푸르다, 그것은 형태가 없는 몽상(夢想)의 계단, 계단이 흘리는 시(詩)다.

—「오전 열 시」에서

'공간에 술을' 부으니 '타오르기 시작한다'는 사실과 공간이 '형태가 없는 몽상의 계단'으로 된다는 사실 사이에는 언어의 맥락만이 남아있을 뿐, 아무런 의미의 관련은 없다. 타올라 무로 변하는 공간은 다만 추상적인 뜻으로만 그런 것이 아니라 물리적인 면에서도 그렇다. 시형의 산문화, 시어의 무절제한 확산이 가져오는 시 기능의 약화가 그 증거이다.

세 번째의 해체는 존재 자체에서 행하여진다.

손가락으로 귀를 막고 자 그럼 안녕! 나는 폭발했다. 나는 이제부터 존재하지 않는다. 현존하지 않는 나는 그러므로 존재한다. 존재하지 않는 것만이 존재하기 때문이다.

—「미소」에서

자신의 '폭발'과 함께 그의 모든 존재는 사라진다. 그러나 그가 여전히 존재함을 깨닫기 위해선 인식을 가져야 한다. 즉 '존재하지 않는 것만이 존재'한다는 것을 알기 위하여 그는 존재의 범주로 귀환하여야 하며, 그 점에서 존재의 절대적 인식은 객관적일 수밖에 없다. 존재의 이러한 해체작용은 모든 의식세계 및 무의식세계를 점유하고 있으면서, 시의 무의미함과 건조함을 낳는 결과를 가져오고 말았다.

모든 것이 정신 내부에서만 해체되는 것으로 그치지 않고 시의 외형에까지 영향을 미쳐 시의 산문화, 시어의 경직화, 구조의 무시 등을 가져왔다. 이렇게 되다 보니 언어 자체의 분산까지를 초래하여 무의식 속의 혼돈에서 그야말로

시인은 "뜯기우면서 관념의 암실에서 수없이 적들에 의하여 피살"(「적」에서)
되고 있는지도 모를 일이다.

> 갈곳이 없는 시간이며 모조리 가버린 시간, 일발(一發)의 총성(銃
> 聲)이 들린다. 나는 해체(解體)된다.
>
> ― 철야「沈夜」에서

> '네가 방황죄를 저지른 시인 이승훈이냐' '구름은 푸르다' '어른인
> 너는 왜 거리에서 부단히 방황했느냐' '그렇다' '돈이냐' '기러기와 거
> 위'
>
> ―「방황죄(彷徨罪)」에서

위의 시편에서 앞의 것은 시인 자신과 주변의 모든 존재의 해체를, 뒤의 것
은 시형의 해체를 잘 보여주고 있다. 시의 해체는 시집 『환상의 다리』 중의 「
모발의 전개」·「지옥의 올훼」·「피에타」 등의 시편들에서 특히 심각하게 나타
난다.

그러나 어떻게 생각하면 이러한 무의식의 세계를 다루는 것이 시의 영역을
크게 넓혀 주는 데 공헌을 하고 있는 것인지도 모를 일이다. 왜냐하면 무의식
속의 발현 가능한 존재들이 한편 더욱 진실한 것일지도 모르기 때문이다.

4 하나님의 나라

시가 질서를 필요로 하는 이유는 시의 형성이 하나의 우주관에서부터 시작
되어야 하기 때문이라고 앞서 말했다. 이승훈의 시잡이 기본으로 삼는 무의
식의 세계는 바로 이 질서의 문제에 의하여 재검토되어야 하며 그러기에 그
시작세계 내부의 모순과 단점을 지적해 둘 필요가 있을 것 같다. 시인 자신도

무의식의 허망함을 느낀 것 같다.

> 모든 객관적 대상과 헤어진 다음, 나는 나를 대상으로 노래했다. 자
> 의식의 공간을 노래했던 것이다⋯⋯나는 그것을 실존의 투사(投射)라
> 고 불렀다⋯⋯그러나 문제는 이러한 공간, 현기증 나는 세계에서 이
> 루어졌던 하나의 초월이 지나치게 허망했다는 사실에 있었다. 그것은
> 끝끝내 이룰 수 없는 어떤 열망을 모티프로 하지만, 그러한 열망은 이
> 따금 지나치게 자의적(恣意的)인 환상과 결합되었다. 초월은 환상의
> 자의성 앞에서 하나의 딜레머를 앓기 시작했었다.
>
> — 이승훈, 「딜레머」
>
> (『문학사상(文學思想)』, 1977.9, 200~201쪽)

자기 스스로 한계를 느낀 것은 단순한 무의식 때문이 아니라 무의식이 환
상(fancy)으로 둔갑을 한다는 데 있다는 이야기이다.

아무튼 그는 그 후의 시작에서 스스로 방향을 바꾸기 시작한 듯하고, 그 방
향은 좀 더 의식세계로 접근하려는 방향이었다. 「피에타」 시편에서 그런 전
조가 보인다.

> 한사코 이 밤을 완성지 못하고
> 어디론가 떠나는 나
> 아무렇게나 빛나는 달
> ⋯⋯(중략)⋯⋯
> 하염없이 빛나는 하염없음
> 아무래도 잘못된 모양이야
>
> —「피에타 II」에서

새로운 방향의 모색과 그 세계가 아직은 불확실하지만 보다 맑은 눈으로 건
전하게 대상을 파악하려는 시 세계를 보여주고 있음이 확실하다. '하늘' 혹은

'하느님 나라'로 축약되어 상징화되는 이 방향의 새로운 전개는 이제 어떤 모습을 띠게 될 것인가. 시작의 아픈 고통이 이젠 어느 '하늘' 밑에 놓이게 될 것인가.

　　　보이지 않는 빵과 흙으로
　　　이제 나는 바위 같은 사랑을 빚을 것인가
　　　총알이 뚫고 간 하늘을 기울 것인가
　　　끝끝내 시들지 않는 피를 빚을 것인가

　　　하느님 나라
　　　하느님 나라에서

―「의식(儀式) 2」에서
(『세계의 문학』, 1979 겨울)

　아직은 이러한 의식세계로의 변화가 과도기적인 냄새가 나는 것이 사실이지만, 보다 큰 질서에서 시 내부의 작은 질서까지 모두 하나로 수렴될 수 있는 가능성을 보여주기에 충분하다. 무의식의 혼돈을 뚫고 나온 그이기에 더욱 의식적 형상력의 힘은 강할지도 모른다.

(1980년)

17. 혼의 울음/김초혜

김초혜의 연작시 「무당·1~5」는 운명과 한, 그리고 허무의 문제를 집중적으로 추구하고 있어서 관심을 끈다.

먼저 「무당·1」에는 고통으로서의 삶, 허무로서의 인생에 대한 부정적 세계관이 표출되어 있다.

나는 여수(女囚)로 죽었습니다
죽어서 살았습니다
증언이 타는
생생한 이마에
부풀은 자국은 징역입니다
사는 표식입니다
부호(符號)로 만든 바람입니다
복통도 없고 소용(所用)도 없고
질문도 없고 언어(言語)도 없고
관객도 없고 주체(主題)도
출발도 없고 도착도 없고
움직임도 없고 핵(核)도 없고
나의 것도 너의 것도
괴로움도 즐거움도

똑같이 고통의 근원임을 알고 난 뒤

—「무당·1」

'여수로 죽고 죽어서 사는' 무당의 생애는 징역으로서의 삶, 바로 그것이 '사는 표식'이라는 운명론적 인생관에 바탕을 둔 것이다. 따라서 "소용도 없고/언어도 없고/주체도 없고/……없고/……없고"와 같은 허무와 부정으로 연결되어 '없음'으로서의 인생의 모습을 제시하게 된다. 이러한 '없음'의 세계인식은 마침내 "나의 것도 너의 것도/괴로움도 즐거움도/똑같이 고통의 근원임을 알고 난 뒤"라는 구절처럼 본질의 초극을 갈망하게 된다.

　모든 삼라만상의 현상학적 움직임은 기실 끊임없이 생성과 소멸을 되풀이하지만, 그 본질은 영원히 하나로서 귀일되는 것이라는 깨달음이 내포된 것이다. 모든 것이 없는 것이고, 모든 대립되는 가치 또한 길게 볼 때 '하나'의 근원에 회귀 된다는 것을 '알고 난 뒤' 비로소 '죽어도 살 수 있는' 역설의 진리가 성립될 수 있는 것이다. 이렇게 볼 때 「무당·1」은 '없음'으로서의 세계를 살아갈 수밖에 없는, 육신의 존재로서의 인생의 운명적 모순과 비극성을 묘파해 주고 있다.

　「무당·2」는 살풀이춤을 소재로 하여 허무와 한으로서의 인생을 묘사한다. "치마폭에 운명을 몰아 춤을 춥니다/가슴 속에 젖은 실꾸리를 풀어내어/불붙이어 허공에 짓는 집입니다"라는 구절 속에는 운명적 존재로서의 인간과 허무의 존재로서의 인생에 대한 투시가 압축돼 있다. 특히 "가슴 속에 젖은 실꾸리를 풀어내어/불붙이어"라는 구절에 드러나는 물과 불의 대립적 이미지는 허무와 정염, 감정과 이성, 육체와 영혼의 이원적 갈등 속에 삶의 진실이 드러날 수 있음을 요약적으로 제시해 준 것이 된다.

　실상 이러한 무당의 격정적인 살풀이춤의 동작 속에는 죽음과 삶, 사랑과 증오, 육신과 정신, 그리고 성과 속의 몸부림이 함께 담겨 있다. 또한 "허공에 짓는 집입니다"와 "타인의 한을 소작 하는 바람입니다"라는 두 핵심 구절은 허무와 한으로서의 육신의 본질을 선명히 꿰뚫은 것이 된다. 이렇게 볼 때 살풀이의 격렬한 춤은 허무와 한을 극복하기 위한 혼신의 몸부림이며, 동시에 본질로 다가가려는 혼의 떨림이며 전율인 것이다. 무당은 우리 모두의 또 다른 자화상이며 대리자인 것이다.

「무당·3」 역시 한과 허무를 노래하고 있다. 그러나 여기에서는 사랑을 테마로 한 점이 특이하다. "머리맡을 도는/불칼을 휘날려/굴형에 갇힌/사랑을 풀어낸다/내색도 못하고/혼자서만 사랑한/꽃빛 사주"에서 볼 때 그의 사랑은 역시 운명적인 것이며, '굴형에'·'혼자서만'처럼 어둡고 비관적인 색채로 물들어 있다. 특히 "상여로 나가는/살도 녹이는/그런 피가 되어서"라는 구절은 좌절한 사랑, 마침내 죽음에 이르는 한의 사랑을 노래한다. 그러면서도 "비로소 달여 태운/재가 되어서"와 같이 '피'와 '재'의 대응을 통해 정염과 허무, 정감과 이성의 갈등과 화해라는 사랑의 이원성을 적절히 드러내 주고 있다. 또한 "바람에 날려/가겠다 하면/잊어도 다는/못잊을 그대여"에서는 허무를 뛰어넘는 영원한 사랑에 대한 믿음과 소망을 간직하고 있음도 볼 수 있다.

그런데 주목할 만한 사실은 이 시에서도 중심 이미지가 물과 불로 이루어져 있다는 점이다. 물과 불은 차가움과 뜨거움의 대립적 속성으로 인해 이성과 감성, 정신과 물질, 하강과 상승의 표상성을 지닌다. 또한 물과 불은 그 해체력과 생성력으로 인해 만남과 떠남, 죽음과 삶 등, 소멸과 생성의 함축성을 지니기도 한다. 이렇게 볼 때 이러한 물과 불의 대립과 화해적 이미지 구조는 삶의 이중성에 대한 투시와 천착에 김초혜의 시 정신이 가로놓여져 있음을 뜻하는 것으로 보인다.

「무당·4」에서도 물과 불(물과 피)의 대립적 이미지가 나타난다. 그러나 여기서 그는 "물도 아니고 피도 아닌게 되어/세상에 서면/늘상/되풀이로의 시작이다"라는 구절에서 보듯이 또 하나의 인식을 제시한다. 그것은 '되풀이로의 시작'이라는 끊임없는 소멸과 생성의 반복 속에 삶이 놓여 있음을 의미하는 것이 된다. 실상 현상으로서의 인생은 끊임없는 만남과 떠남, 있음과 없음, 생성과 소멸의 되풀이 속에서 전개되는 것이며 본질로서의 인생 역시 나고 죽음의 끝없는 되풀이 속에서 참뜻을 지닐 수 있을 것이기 때문이다.

「무당·5」에서는 먼저 1연에서 '꽃빛→불→병(病)'으로의 전이가 이루어진다. "온몸이 모두 꽃빛으로/몇 천의 불이 켜지더니/그 몇 천의 자리에서/그 수효만큼이나/병이 자라납니다"라는 구절 속에는 육신과 영혼이 결코 다른 것이 아님을 말해준다. 육신의 지배자로서의 정신은 육신의 집 속에서 안주하지만 그 육신에 의해 오히려 지배당하기도 하는 상관관계를 지니는 것이다. 제2연에서는 '소멸→부재→허탈(무질서)'의 전이 과정을 겪는다. 병은 마침내 멸망을 낳고 무의 존재로 이행되는 것이다. 여기에서 가늠할 수 없는 실존으로서의 흔들림, 즉 허탈과 절망을 체득하게 된다. "춤이 될 수도 없는/무너진 춤 속에서/고삐 논 중심은/뿌리가 흔들려/실성의 여자가 되라고 합니다"라는 제3연이 바로 그것이다. 인생이 덧없는 것이며 한스러운 것이라 해서 또 그것을 깨닫는다 해서 도대체 무슨 의미가 있을 것인가. 「무당·5」는 바로 이러한 존재와 무, 생의 의미와 무의미의 문제를 포괄적으로 암시하고 있는 것으로 이해된다.

이렇게 볼 때 연작시 「무당」은 무당을 제재로 해서 숙명적 존재로서의 인간, 비극적인 한의 주체로서의 인생에 대한 예리한 투시를 보여 준 작품이다. 특히 물과 불의 대립적인 이미지를 중심으로 살과 피, 바람과 재 등의 보조 심상을 효과적으로 결합한 것은 무당의 비극적 운명과 한, 그리고 그 허무를 드러내는데 적절했던 것으로 판단된다. 다만 고유어로서도 충분히 주제의 심화와 심미적 긴장을 획득할 수 있었을 것이며, 또 그것이 더 설득력을 획득할 수 있을 것임에도 불구하고 생경한 한자 관념어가 많이 사용된 것은 적절치 못한 것으로 받아들여진다. 관념적인 한자에 의한 주관적 해석보다는 오히려 무당을 둘러싼 무속적 소도구를 활용하여 손때 묻은 한과 운명론, 그리고 삶을 묘사하는 데서 더욱 시적 감동을 불러일으킬 것으로 판단되기 때문이다.

(1983년)

18. 휴머니즘과 리리시즘의 친화력 / 손기섭

1

손기섭의 시집 『현신』을 관류하는 시 정신은 휴머니즘과 리리시즘으로 요약된다. 『현신』은 소멸과 생성의 양면성을 지닌 생에 관한 깊은 응시와 애정을 보여주는 동시에, 삶에 신선한 감동과 깨달음을 주는 원천으로서의 순수 서정을 형상화하고 있기 때문이다.

> 임종(臨終)의 길을 가며
> 비로소 아는
> 존재(存在)의 의미(意味)
>
> 아 누가
> 지금 저 화병(花甁)의 꽃처럼
> 꺾고 있을까
> 나를
>
> ─「화병의 꽃」에서

이 시의 모티베이션은 소멸하는 것으로서의 존재에 대한 의미를 추구하는 데 집중되고 있다. 그러나 소멸은 소멸 자체로 완결되는 것이 아니라 생성의 전제 원리로 제시되는데 그 특징이 있다. "무수한 별들이 다투어 반짝이는/허공에 없는듯이 찍혀 있는/나의 별/혹 불면 꺼져버릴/갸냘픈 목숨으로 버티지만/나의 종지부여/이 세상 어딘가에/첫울음 터지는 시각/하얀 종이 위의/그 점을 지워본다"(「종지부」에서)라는 구절은 이러한 소멸과 생성의 유기적 관계를 드러내 준다. "꽃은 피어있을 때보다/지고 나서/더 잘 보인다//가고 나서/비로소 더워오는/당신의 체온"(「빈컵」에서)이나 "아플수록/더욱 빛나는/상처의 향연"(「단풍」에서) 등 여러 시편을 통해 시집 『헌신』은 '잃어버린 것'·'착한 것'·'약한 것'에 대한 깊은 응시와 애정을 보여줌으로써 시인의 뿌리 깊은 휴머니즘을 형상화하고 있는 것이다. 특히 빛과 어둠으로 표상되는 삶과 죽음의 대응 속에는 죽음의 세계로 인해 더욱 선명해지고 강렬해지는 생의 팽팽한 긴장과 의지가 "아이는/갑자기 덮쳐 온/어둠을 찢으려고 운다"(「첫울음」에서)처럼 번쩍이고 있다는 점에서 시집 『헌신』의 휴머니즘은 확인된다.

2

생의 원리를 탐구하는 시집 『헌신』의 시선은 삶의 심저에 자리 잡고 있는 뿌리 깊은 외로움과 만나게 된다.

> 잎 떨어진 가지 위에
> 새 한 마리 눈을 맞으며
> 떨고 있다
> 나도 두 어깨에 눈을 받으며
> 나무로 선다.
> ……(중략)……
> 그 가지에 남은
> 빈자리
> 어느덧 그 자리에 휘도록 쌓이는
> 하얀 눈
>
> ― 「빈자리」에서

'빈자리'로 표상되는 삶의 허적은 "지금은 차례로 다가서는/내 몸과 마음의 빈자리"(「빈자리」에서)처럼 존재의 근원적 허무를 발견하게 된다. "항시 떨기만 하다//이내 잔상마저 사라질"(「촛불」에서) 인간실존의 허무함을 투명하게 꿰뚫어 보고 있는 것이다. 그러나 시집 『현신』은 허무를 발견하는 지점에서 시선을 자연 속으로 이행시켜 대지적 질서 속에서 순수서정을 탐구함으로써 허무를 극복하고자 한다. 『현신』을 구성하고 있는 대부분의 시들이 "단풍·갈대·밤안개·까치집·종소리·낙엽·호수·귀뚜라미" 등과 같이 서정적인 소재를 모티브로 하고 있다는 점은 이 시인이 천부적인 리리시스트여서이기보다는 존재의 뿌리 깊은 허무가 대자연의 거대한 질서와 그 아름다움 속에서 순수서정과 등가를 이룸으로써 초극될 수 있다는 신념을 보여주는 것으로 해석되기 때문이다. "내 마음/하얀 눈밭에 조용히/순백의 자국을 새겨 가듯/무엇인가 남기고 싶다/아무리 기약없고, 덧없는/이 길일지라도"(「발자국」에서)라는 구절은 인간존재의 근원으로서의 허무가 순수서정으로 고양되고 극복되는 모습을 잘 보여준다.

3

이러한 대자연의 순수서정을 통한 허무의 극복은 시적 대상으로서의 사물에 대한 정확한 해석력과 통찰력에 그 근거를 두고 있다.

> 지금 이 시각
> 누구에게서 온 전화일까
> 불면의 동공을 밟고오는 저 소리는
> ──「귀뚜라미」에서

> 못다 울고간
> 넋인가

참을 수 없는 것이
돌이 되어
사방으로 빗발친다

                                —「종소리」에서

바람이 분다
포옹하고 싶다
하나이게

                                —「갈증」에서

쳐다 보는 이조차 없는 밤하늘에
잊은 듯 우뚝 서서
있다는 것만으로
스스로를 달래는
부동의 몸부림이다

                                —「굴뚝」에서

　　이 시들의 특징은 사물을 관념으로 해석하여 삶 속으로 이끌어 들임으로써
다시 삶의 의미를 조명해 내는 데 있다. 사물을 꿰뚫어서 인간적 의미를 찾아내
는 직관의 투철함이 번뜩이는 이 시들은 사물과 인간의 친화력을 통하여 인간
의 고독과 허무를 자연의 법칙으로 치환시키는 데 성공하고 있는 것이다. 따라
서 『현신』의 서정은 현실로부터의 도피가 아니라 삶의 외로움과 그 허무가 자
연의 질서와 만나는 지점에서 필연적으로 생성되는 목숨의 법칙인 것이다.

　　4

　　그러므로 시집 『현신』의 세계는 궁극적으로 운명적인 것을 긍정하고 사랑
하는 삶의 순응력과 운명애(amour fati)에 바탕을 두고 있다. 이러한 삶의 법
칙에 대한 순응은 "아 수박 한덩이로도/화안하게 열리는/우리들의 우주(「수

박」에서)와 같이 작은 일상의 기쁨에 만족하는 소시민적 행복의 추구와 함께 "어린 사발들/채우는 것만이/주름을 꽃피우는 보람이더니/의학박사 아들에게도/배아프다면/소금과 물을 담아 오신다"(「어머니」에서)와 같이 동화적인 순수한 사랑에 대한 깨달음과 확인에서 비롯되는 것으로 믿어진다. 현실을 차분히 살아가며 "잠못 이루는 이 새벽에사/알듯 말듯한/나의 손금"(「손금」에서)을 바라보는 운명애의 시선은 "허공에 매달리는 집념/조용한/기다림으로만 산다"(「거미」에서)와 같이 삶의 의지에 바탕을 둔 것이며, 이러한 삶의 의지는 "부끄러울 것 없어요/그 자릴 박차요/서로의 가진 것만으로/이보란듯 가세요"(「겨울 은행나무」에서)와 같은 긍정적인 삶의 자세 속에서 신념 있는 삶의 당당함을 획득하게 되는 것이다.

5

그럼에도 불구하고 『헌신』은 몇 가지 간과할 수 없는 약점을 지니고 있다. 무엇보다도 「책장을 넘기면서」·「캘린더」·「확인」 등 여러 편의 시에서 볼 수 있는 시적 구조의 허술함이 그것이다. 많은 얘기를 쓰면 쓸수록, 친절하면 할수록 구조의 통일성이 와해되어 '시 아닌 시'로 떨어질 우려가 많다는 점에서 좀 더 냉혹한 '배제의 미'를 추구해야 할 것이다. 또한 지나치게 감수성을 미시적으로 응집시켜 상황에 대한 응전력을 상실함으로써 정신의 탄력과 시적 긴장을 감쇄시킨다는 점에서 감수성과 상상력의 극대화를 시도해야 할 것이다.

손 시인에게 있어 천부적인 사물에 대한 투철한 통찰력과 섬세한 서정, 그리고 생에 대한 깊은 애정과 휴머니즘이 생생한 삶의 현장에서 보다 적극적인 풍자와 비판정신을 획득해 갈 때 그의 시의 새로운 지평이 열릴 수 있음은 물론이다.

(1978년)

제5부
분석과 감상의 실제

1. 한용운──「님의 침묵」

님은갓슴니다 아아 사랑하는나의님은 갓슴니다

푸른산빗을깨치고 단풍나무숩을향하야난 적은길을 거러서 참어 썰치고 갓슴니다

황금(黃金)의꼿가티 굿고빗나는 옛맹서(盟誓)는 차듸찬띠끌이되 야서 한숨의미풍(微風)에 나러갓슴니다

날카로운 첫「키스」의추억(追憶)은 나의운명(運命)의지침(指針)을 돌너노코 뒤ㅅ거름처서 사러젓슴니다

나는 향긔로은 님의말소리에 귀먹고 꼿다은 님의얼골에 눈머럿슴 니다 사랑도 사람의일이라 맛날째에 미리 써날것을 염녀하고경계하 지 아니한것은아니지만 리별은 뜻밧긔일이되고 놀난가슴은 새로은 슯음에터짐니다

그러나 리별을 쓸데업는 눈물의 원천(源泉)을만들고 마는것은 스 스로 사랑을 깨치는것인줄 아는까닭에 것잡을수업는 슯음의힘을 옴 겨서 새희망(希望)의 정수박이에 드러부엇슴니다

우리는 맛날째에 써날것을 염녀하는것과가티 써날째에 다시맛날 것을밋슴니다

아아 님은갓지마는 나는 님을보내지 아니하얏슴니다

제곡조를못이기는 사랑의노래는 님의침묵(沈默)을 휩싸고돔니다

만해의 시집 『님의 침묵』은 소멸하는 데서 출발한다. 시집 『님의 침묵』 88편 중의 첫 시인 「님의 침묵」은 님이 떠나갔음, 즉 이별을 자각하고 확인하는 구절로부터 시작된다. "참어썰치고 갓슴니다/한숨의미풍에 나러갓슴니다/나의운명의지침을 돌너노코 뒤ㅅ거름처서 사라젓슴니다"와 같이 점층적인 반복을 통해 이별의 상황을 거듭 강조한다. 이 점에서 님과의 이별(소멸)이 「님의 침묵」의 발상법을 이루고 있으며, 아울러 '님'은 상상력의 구심점이 됨을 알 수 있다. 님이 떠나게 된 원인과 이유가 전혀 외연되어 있지 않고 떠나버린 다음의 결과만이 드러나 있다. 모든 사연을 거두절미하고 본론으로 직필한 것이다.(이 점에서 만해의 시 정신이 특징적으로 드러나며 소월과 대조된다. 소월이 「진달래꽃」에서 '나 보기가 역겨워 가실 때에는'처럼 이별의 원인이 님에게 있다는 사실을 굳이 밝히는 것은 시가 배제의 원리에 기초한다는 점에서 볼 때 단점으로 지적될 수 있다) 현실적 상황에 대한 냉철한 자각과 자아에 대한 명징한 인식만이 있을 뿐이다.

그러면 이 작품의 전체적인 구성을 통해 이별의 의미를 찾아보기로 하자. 이 작품은 10행 4연으로 구분할 수 있다. 이것은 내용 면에서 2연(1~6, 7~10)으로 구분할 수도 있으며, 형식적인 면에서 3연(1~6, 7~8, 9~10)으로 나눌 수도 있다. 그러나 위 두 가지 사실을 고려해서 4연으로 나누는 것이 가장 합리적인 것으로 생각된다. 김태옥의 「현대시의 언어기호적 고찰」(『어학연구』16권 1호, 1980. 6)도 같은 견해이다.

첫째 연은 님이 떠나간 사실에 대한 명확한 인식을 표출한다. ①행에서의 '사랑하는'은 님에 대한 사랑을 새삼스럽게 고백하는 의미를 지닌다. ②행에서는 '참어'가 애매모호성(ambiguity)을 유발한다. 즉 '참다'의 부사형인가, 아니면 '차마'라는 부사인가 하는 것이 문제가 된다. 그러나 여기서는 어렵게 이별하는 모습을 형상화한 점과 '차마'가 부정형을 수반해야 한다는 점에서 '참다'와 '차마'가 의미교착을 통해 오히려 안타까움과 애틋함을 강화하게 되는 것도 사실이다. ③행에서는 '황금꽂의'과 '차듸찬씩끌'의 대조를 통해 무상감을 표출하며 ④행은 '날카로운 첫키쓰', '운명의 지침'이라는 광물적 이미지가 사랑의 운명성과 운명의 냉혹함을 극명하게 인식하게 하는 계기가 된다.

연	행	주체	술어	시제	핵심	문체인상
기	1	님	갓슴니다	과거	이별의 자각 이별의 자각	사실적
	2	(님)	썰치고 갓슴니다	과거		회상적
	3	(님과의)맹세	나러갓슴니다	과거		회상적
	4	(님과의)추억	사러젓슴니다	과거		회상적
승	5	나	눈머럿슴니다	(과거)현재	현실인식	감정적
	6	(나의)가슴은	슯음에 터짐니다	현재		감정적
전	7	(나는)	드러부엇슴니다	현재(과거)	슬픔-회망 떠남-만남	회망적
	8	우리	밋슴니다	현재		신념적
결	9	(님)나	아니하얏슴니다	과거(현재)	신념 사랑-침묵	의지적
	10	(사랑의)노래	휩싸고돔니다	현재		인상적

둘째 연은 님이 떠나감으로 해서 비로소 님이 내게서 차지하고 있던 엄청난 비중을 자각하며 "귀먹고 솟다은 님의얼골에 눈머럿슴니다"의 비통한 현실 속에서 "사랑도 사람의 일이라"와 같이 사랑의 새로운 의미를 깨닫게 된다. 즉 관념적 사랑이 현실로 분명하게 다가온 것이다. 셋째 연은 '그러나'에서 시상의 급전이 이루어진다. 냉혹한 현실에 대한 자각과 사랑에 대한 새로운 인식이 걷잡게 지절에서 벗어난 것은 스스로 요구하게 되는 것이다. 따라서 '눈물의 원천을 만들고 마는것은 스스로 사랑을깨치는것인줄 아는까닭에'라는 사랑의 형이상학적 깨달음을 얻게 되고 마침내 '슯음의힘을 옴겨서 새

희망의 정수박이에 드러부엇습니다'와 같이 희망의 숭고한 신념화에 도달하게 된다. 여덟째 행에서는 불교적 윤회설을 이끌어 들여 희망이 만남에 대한 갈망과 동경, 그리고 확신에 근거하고 있음을 보여준다. 마지막 결연에서는 이별이 영원한 헤어짐이 아니요. 만남의 단서이며 예비임을 확신하며, 도달할 길 없는 님에의 가없는 사랑을 호소한다. "제곡조를못이기는 사랑의 노래"는 세속적 사랑 속에서 자기완성을 갈망하는 번민과 갈등을 표출한 것이다. 특히 '아아'라는 낙구는 사랑의 본질적 의미에 대한 깨달음을 이루는 순간에 무의식적으로 발해지는 감탄사이며, 동시에 시상을 완결로 이르게 하는 단서가 되고, "님의 침묵을 휩싸고 돔니다"라는 구절은 사랑의 감정이 이미 종교적인 차원으로 승화(sublimation)를 성취하고 있음을 말해준다.

이렇게 볼 때「님의 침묵」에서 '침묵'은 보다 적극적 의미를 지닌 역설적 의미의 침묵인 것으로 해석된다. "유아의 일묵은 만뢰와 같다. 침묵이 모든 행동이나 언어 표현의 원천이며, 깨달음의 경지 자체의 나타남인 것이다"라는 진술은 침묵이 정지적 침묵이 아니라 적극적 의미를 내포한 능동적 침묵임을 말해 준다.(석전서마,『반약·유마경의 지혜』, 현암사, 1970, 303~304쪽) 이별을 통해 만남을 이루는 소멸과 생성의 변증법적 원리에 바탕을 둔 것이며, 또한 세속적 사랑의 종교적 승화에 대한 이념적 동경을 노래한 것으로 볼 수 있다. 그러므로「님의 침묵」에서 이별이라는 소멸의 발상법 설정은 존재의 무화적 충격을 통해 재생과 생성을 이룩하려는 의도적인「무의 통과 과정」(J.P.Sartre, Etre et Neant: 양원달 역,『존재와 무』, 을유문화사, 1971, 88쪽)인 것으로 보인다. 따라서 그것은 타율적인 것이 아니라 자율적인 원리를 지니게 되어, 자율적인 소멸은 그것이 방법적인 것이기 때문에 당연히 자율적인 생성으로 회귀하게 된다는 이별의 변증법적 원리가 내포되어 있는 것이다. 이러한 이별의 방법적 의미와 자율적 원리는 다음의 시편들에서 확실히 드러난다.

① 리별은 미(美)의 창조(創造)임니다

……(중략)……

님이어 리별이 아니면 나는 눈물에서죽엇다가 우슴에서 다시 사러
날수가 업슴니다 오오 리별이어

— 「리별은미(美)의창조(創造)」에서

② 이세상에는 진정한 사랑의리별은 잇슬 수가 업는것이다

죽엄으로 사랑을바수는 님과님에게야 무슨리별이 잇스랴

리별의 눈물은 물거품의 쏫이오 도금(鍍金)한금(金)방울이다

……(중략)……

사랑의 리별은 리별의 반면(反面)에 반듯이 리별하는사랑보다 더
큰사랑이 잇는것이다

……(중략)……

아니다아니다 '참'보다도참인 님의사랑엔 죽엄보다도 리별이 훨씬
위대(偉大)하다.

……(중략)……

그럼으로 사랑은 참어죽지못하고 참어리별하는 사랑보다 더른사
랑은 업는 것이다

……(중략)……

진정한사랑은 애인(愛人)의 포옹(抱擁)만 사랑할뿐 아니라 애인(愛
人)의리별도 사랑하는 것이다

……(중략)……

아아 리별의눈물은 진(眞)이오 선(善)이오 미(美)다

아아 리별의눈물은 석가(釋迦)요 모세요 짠다크다

— 「리별」에서

①의 시는 이별이 무의 통과를 통해 만남을 성취하는 전제 원리가 된다는
사실을 제시한다. '눈물에서죽엇다가'라는 무화를 겪어, 비로소 '다시 사러날
수' 있는 재생이 가능해지는 것이다. 또한 이렇게 볼 때 '리별'은 참된 의미에
서 '미의 창조'를 성취하는 방법적 원리로 작용하고 있음을 알 수 있다.

시 ②에서는 이별의 본질적 의미가 다양하게 드러나 있다. 첫째는 이별이 본질적인 것이 아니라 현상적인 것이라는 점에 대한 인식이다. "진정한 사랑의 리별은 잇슬수가 업는것이다/리별의 반면에 반듯이 리별하는사랑보다 더 큰사랑이 잇는 것이다/물거품의꼿이오 도금한금방울이다"라는 구절들은 이별이 더 큰 사랑을 이루기 위해 현상적이고, 잠재적인 것이며, 방법적인 것이라는 점을 분명히 드러내 주며, 다음에는 이별이 '죽음'을 뛰어넘는 초월적인 위대성을 지니고 있음을 말해준다. "죽엄보다도 리별이 훨씬위대하다"라는 구절 속에는 죽음보다도 강한 사랑의 확신이 내포되어 있는 것이다. 그러므로 이별은 참고할 수밖에 없는 운명적인 것이며, 이별을 사랑할 수밖에 없다는 역설적 긍정이 가능해지는 것이다. 따라서 이별은 사랑이 진실한 것(진)이고, 착한 것(선)이며, 아름다운 것(미)이라는 명제를 성립시키는 전제가 된다. 또한 사랑은 이별을 통해 비로소 경건성을 획득하게 되며 종교적인 것으로 상승한다는 점을 강조하여(이 점에서 만해의 의도의 오류의 한 양상이 드러난다. 이별이 사랑의 완성을 이루기 위한 방법적 원리임을 지나치게 강조하는 나머지 이별 그 자체가 목적인 것으로 탈바꿈하는 경우도 발견되는 것이다) 이별의 눈물 속에서 참된 사랑의 의미가 본질적인 모습을 드러내게 되는 것이다.

① 당신과나와 리별한째가 언제인지 아심닛가
　가령 우리가 조흘새로 말하는것과가티 거짓리별이라 할지라도 나
　의 입설이 당신의입설에 다치못하는 것은 사실(事實)임니다
　　　　　　　　　　　　　　　　　　　　　　—「거짓리별」에서

② 고통(苦痛)의가시덤풀뒤에 환희(歡喜)의낙원(樂園)을 건설(建設)하기위
　하야 님을써난 나는 아아 행복(幸福)임니다.
　　　　　　　　　　　　　　　　—「낙원(樂園)은가시덤풀에서」에서

③그럼으로 만나지안는것도 님이아니오 리별이업는것도 님이아님니다
　　　　　　　　　　　　　　　　　　　　　—「최초(最初)의님」에서

　　시 ①은「님의 침묵」의 이별이 방법적인 것이라는 점을 더욱 분명히 해준
다. 바로 '거짓리별'이라는 구체적인 구절이 이를 웅변해주고 있는 것이다. 시
②에는 현상적 이별인 '고통의 가시덤풀'을 통해서 본질적인 만남이라는 '환
회의 낙원'을 건설하기 위한 '거짓리별'의 이유가 선명히 드러나 있다. 시「리
별」에서의 '더 큰사랑'이라는 구절은 사랑의 완성을 위한 방법적 이별이라는
점을 강조한 것이다. 그러므로 ③에서처럼 '리별'은 사랑의 전제 원리이며 엄
연한 현실적 조건으로서 이념적 당위성을 지니게 되는 것이다. 이렇게 볼 때
이별은 만해 시 전체의 대전제로서, 생성에 이르는 길이며 사랑의 완성을 이
룩하게 하는 방법적 원리임을 거듭 확인할 수 있게 된다.

　　이러한 이별의 시학, 소멸의 시학(이 점에서 필자는 만해 시의 가장 중요한
특징의 하나를 '이별의 시학' 또는 '소멸의 시학'이라 부르기로 한다)은 김우
창이 지적한 바(김우창,「궁핍한 시대의 시인」,『문학사상』4호, 1973, 46쪽)
있는 비극적 세계관에서 비롯된 것으로 보여진다. 비극적 세계관이란 서로
모순되는 두 요구, 즉 자아의 진실과 세상의 허위 속에서 고뇌하는 인간이 생
각할 수 있는 인생 태도를 말한다. 만해의 '이별의 시학'은 만해가 당대를 자
유와 평화가 없는 비극의 시대, 모순의 시대로 파악하는 데서 ("자유는 만유
의 생명이요 평화는 인생의 행복이라, 고로 자유가 무한 인은 사해와 동하고
평화가 무한 자는 최고통의 자라, 압박을 피는 자의 주위의 공기는 분묘로 화
하고…… 일본이 조선을 합병한 후 조선에 대한 시정방침은 무력압박 사자로
대표하기 족하도다……조선인의 시와 여한 학정하에서 노예되고 우마되면
서……"『한용운전집』·1, 354~359쪽) 비롯된다. 일제라는 모순의 시대에는
정상적인 논리와 어법이 통용되지 않는다. 만해는 바로 이 점에 대한 분명한

인식을 보여준 것이다. 만해는 자율적인 이별이 자율적인 만남을 성취하게 하는 전제 원리가 된다는 점에 대한 투철한 인식을 통해 현실의 모순을 극복하고자 한 것이다. 따라서 개체적 이별의 원리를 공적 현실로 상승시킬 때 조국은 빼앗긴 것이 아니라 자율적으로 소멸한 것으로서 언젠가는 보다 완성된 모습으로 새로운 생성 즉 광복이 가능해지리라 확신한 것이다.

2. 김광섭—「저녁에」

저렇게 많은 별중에서
별 하나가 나를 나려다 본다
이렇게 많은 사람 중에서
나 하나가 그 별 하나를 쳐다 본다
밤이 깊을수록
별은 밝음 속에 사라지고
나는 어둠 속으로 사라진다

이렇게 정다운
너하나 나하나
어디서 무엇이 되어
다시 만나랴

수화 김환기의 그림 「언제 어디서 무엇이 되어 다시 만나랴」의 창작 모티브로서 유명한 이 시는 최근 노래로도 지어져 젊은이들 사이에서 애창된 바 있다.

먼저 이 시는 인간의 내면 깊이 자리 잡고 있는 고독이 관조의 시선으로 맑게 심화되어 있다는 점에서 관심을 끈다. 우선 「저녁에」라는 제목부터가 많은 것을 암시해 준다. 하루의 분주하고 고단한 일상에서 돌아온 저녁 시간, 안식과 평화의 마음으로 포근하고 아늑한 정밀 속에 심신을 파묻는 동작들에는 알지 못할 생의 외로움이 애잔하게 스며들기 마련이다. 이러한 안식과 외로움의 시간에 반짝이기 시작하는 별빛들은 지향 없는 그리움을 일깨워 주기도 한다. 별들의 빛나는 밝음에 대조되는 인간 현실의 어려움과 고뇌의 어둠은 '저렇게 많은 별중에서 별 하나'와 '이렇게 많은 사람중에서 나 하나'의 대응을 통해서 단독자로서의 고독감을 심화해 주는 것이다. 어쩌면 어둠 속에 빛나는 별빛의 밝음으로 인간세계의 온갖 부정과 불의의 어둠을 정화시키고 싶다는 시인 자신의 간절한 소망을 담고 있는지도 모른다.

그러기에 "밤이 깊을수록 별은 밝음 속에 사라질" 수 있을 것이다. '밝음 속에 사라지는 별'과 '어둠 속에 사라지는 나'의 콘트라스트는 자연과 인간의 화해될 수 없는 영원한 거리를 의미할 수도 있을 것이다. 별이 밤하늘의 어둠 속에서만 빛날 수 있듯이 인간의 삶은 역경과 시련의 어둠을 헤쳐나가는 데서 비로소 참된 가치를 지닐 수 있다. 영원히 좁혀지거나 극복될 수 없는 별과 나의 거리는 그대로 인간관계의 본질적 모습을 드러낸 것일 수 있다. '별'이 '나'와 마찬가지로 수많은 것들 중의 하나라는 근원적 동질성의 인식 속에는 결코 하나로 통일되거나 화해될 수 없는 인간과 인간 사이의 고립과 단절감이 개재된 것이다. 이것은 '군중 속의 고독'이라는 현대인의 숙명적인 존재성을 반영한 것일지도 모른다.

이러한 현대인들의 단독자로서의 숙명적인 고절감은 "이렇게 정다운/너하나 나하나는/어디서 무엇이 되어/다시 만나랴"고 하는 설의법을 통하여 영원히 하나로 만나질 수 없는 일회적 존재로서의 인간 본질을 투시한 것이다. 이 세상에 고독자로 내던져져서 혼자 살아가며, 무수히 사랑하고 숱한 만남을 갖지만 결국 홀로 죽어갈 수밖에 없는 인간의 모습을 '어디서 무엇이 되어 다시 만나랴'라고 노래하고 있는 것이다. 또한 이 구절 속에는 살아있는 한 언젠가는 꼭 다시 만나리라는 확신과 함께 설사 죽는다 하더라도 저세상 어디에 선가 필연코 다시 만날 수 있으리라는 아련한 기대와 소망을 내포하고 있는 것으로 보인다. 어쩌면 그것은 불생불멸의 불교적 인연설을 반영한 것일 수도 있을 것이다.

어둠 속에 빛나다가 밝음이 오면 사라지는 별의 외로운 모습은 바로 온갖 어둠을 헤쳐가며 살다가 홀로 죽어가는 인간의 숙명적인 고독과 운명성을 상징하는 것이 되기 때문이다. 이렇게 볼 때 어둠과 밝음의 대조는 바로 영혼과 육신, 현실과 이상, 그리고 생과 사의 갈등 속에서 전개될 수밖에 없는 인간의 숙명적 비극성을 표출한 것으로 보아도 무방하다.

바로 이 점에서 이 시는 물질문명에 밀려나 점차로 시원적 인간성을 상실해가는 현대인의 외로운 자화상을 그려 준 것으로 보인다. 실상 이 시의 작자인 김광섭의 대표시집 『성북동비둘기』를 관류하는 정서도 이러한 물질문명에서 점차 소외되고 왜소화해가는 현대인의 뿌리 깊은 고독과 페이서스 그리고 그에 대한 애정인 것이다.

3. 이육사 ―「절정」

매운 계절(季節)의 채쭉에 갈겨
마춤내 북방(北方)으로 휩쓸려오다

하눌도 그만 지쳐 끝난 고원(高原)
서리빨 칼날진 그우에 서다

어데다 무릎을 꿇어야하나
한발 재겨 디딜 곳조차 없다

이러매 눈 감아 생각해 볼밖에
겨울은 강철로 된 무지갠가 보다

　　육사는 식민지하의 어둡고 험난한 시대를 가장 능동적으로 살다간 이 땅의
대표적 비극시인이다.
　　특히 시 「절정」은 육사의 정신적 자세와 시 의식을 보여주는 대표작인 동
시에 일제하 이 땅 저항시의 한 극점을 보여주는 상징적 작품이다. '매운 계절
의 채쭉'과 '마춤내 북방으로 휩쓸려오다'라는 구절은 이 시가 당대의 혹독한
현실과의 대결정신에 그 모티프를 두고 있음을 말해준다. '채쭉'과 '북방'의

두 시어 속에는 당대의 현실이 집약되어 있는 것이다. 그러므로 "하늘도 그만 지쳐 끝난 고원/서리빨 칼날 진 그우에서다"라는 절규는 바로 당대 저항시의 한계점을 뛰어넘으려는 육사의 초극의지를 말해준다. '서리빨 칼날'은 현실의 혹독한 비정을 말해주는 동시에 그와 대응하는 날카롭고 강인한 육사의 대결정신을 상징하는 것이 된다. 이러한 초극의지와 대결정신은 "한발 재겨 디딜 곳조차 없다"라는 냉엄한 한계 상황을 재확인함으로써 인고의 절정에 다다르게 된다. "어데다 무릎을 꿇어야 하나"라는 운명과 현실의 해후를 통하여 생명과 저항의 극점에 놓이게 되는 것이다. "서리빨 칼날진 그우에 서다"와 "한발 재겨 디딜곳조차 없다"라는 구절은 개인적 운명의 어려움과 민족적 시대고를 확인하고 새삼 소명감을 자각게 하는 새로운 동인이 되는 것이다.

그러나 무엇보다도 이 시의 형상적 우수성은 결구에서 확연히 드러난다. "이러매 눈감아 생각해 볼밖에"라는 운명감수의 태도는 한계점에 부딪친 초극의지와 대결정신을 스스로의 내면적 자기희생과 달관을 통해서 중화하려는 육사의 정신적 유연성을 보여주기 때문이다. 그리고 이러한 운명 감수의 태도는 "겨울은 강철로 된 무지갠가 보다"라는 구절을 통하여 강인한 의지와 새로운 소망의 비극적 아름다움을 획득하게 된다. '겨울'이라는 혹독한 현실의 상징(시대의식)이 오히려 '무지개'라는 아름다운 꿈과 소망의 미학으로 상승함으로써 새삼 육사의 저항정신과 초극의지를 보다 높은 차원으로 끌어올려 주는 것이다. 결국 이 구절은 '강철'과 '무지개'라는 대립적 이미지를 결합시킴으로써 강한 긴장력을 유발시키는데 성공하고 있는 것으로 보인다. 그것은 '강철'이 상징하는 견고한 저항의지 또는 대결정신과 '무지개'가 상징하는 아름다움에 대한 추구, 즉 탐미의식이 결합됨으로써 현실 초극의지의 긴장력이 생기는 것을 의미한다. 이 탐미적 긴장력에 의해 비극적 현실 초극의지가 비로소 숭고한 아름다움으로 고양될 수 있는 것으로 생각할 수 있을 것이다. 이렇게 볼 때 이 구절은 육사의 현실인식과 그에 따른 저항정신 및 탐미의식이 승화된 빼어난 절창에 속하는 것이다. 육사의 저항적 생애는 '강철'로 표상되고 시를 쓰는 작업, 즉 예술 행위는 무지개를 좇는 행위로 나타나 있는 것이다.

다시 말해 시 「절정」은 육사의 절명시로써 일제하 이 땅 저항정신의 한 극점을 보여주는 동시에 매서운 저항정신이 시로서 형상적 우수성을 획득한 비극적 아름다움의 극치, 예술 그 자체인 것이다.

4. 윤동주 —「서시」

죽는 날까지 하늘을 우러러
한점 부끄럼이 없기를,
잎새에 이는 바람에도
나는 괴로워했다.
별을 노래하는 마음으로
모든 죽어가는 것을 사랑해야지
그리고 나한테 주어진 길을
걸어가야겠다.

오늘 밤에도 별이 바람에 스치운다.

「서시」(1941. 11. 20)는 윤동주의 생애와 시의 전모를 단적으로 암시해주는 상징적인 작품이다. 왜냐하면 이 시는 윤동주의 좌우명적 시인 동시에 절명시이며, 또한 '하늘'과 '바람'과 '별' 의 세 가지 천체적 이미저리가 서로 조응되어 윤동주 서정의 한 극점을 이루고 있기 때문이다.

'죽는 날까지'란 구절은 삶의 비장한 각오에서 우러난 운명의식을 담고 있다. 이러한 운명의식은 '하늘'이라는 열린 대상과 결합됨으로써 시적 형상성을 얻게 된다. '하늘'은 닫혀진 세계에서의 유일한 출구이며 창인 동시에 윤동주의 시와 생명이 지향하는 구경적 거울인 것이다. '하늘을 우러러'라는 자기 성찰에서 우러나온 명상적 자세는 바로 운명을 받아들이는 윤동주의 담담하면서도 정관적인 태도를 말해준다. 또한 '한점 부끄럼이 없기를'이라는 간구는 윤동주 자신의 순결한 젊음에 대한 지순한 염원을 말해준다. 이러한 순결벽은 "잎새에 이는 바람에도 나는 괴로워했다"라는 지나치리만큼 섬세한 순결의식과 결합됨으로써 윤동주가 미세한 자연현상의 미묘한 흔들림에도 깊이 있는 애정의 눈길을 보내고 있다는 점을 암시해준다. 더욱이 '나는 괴로워했다'라는 절규는 세계인식의 기본철학이 현실의 부조리와 생의 근원적 모순에 대한 절망적 고뇌에 있다는 사실을 뜻한다. 이러한 고뇌의 해소는 '별을 노래하는 마음'이라는 인간긍정의 휴머니즘에 의해 시도되어 진다.

윤동주 시의 '별'은 세 가지 방향으로 투시가 가능하다. 첫째는 모성과 조국에 대한 향수를 불러일으키는 '추억의 별'이며, 둘째는 '아슬히 멀리' 바라보인다는 현실적 거리감으로 인해 더욱 신비해 보이는 '서정의 별'이고, 또 다른 하나는 가슴 속에 하나둘 새겨지는 '이상의 별'인 것이다. 따라서 이러한 인간긍정의 자세는 "모든 죽어가는 것을 사랑해야지"라는 약한 것, 부족한 것, 가난한 것 등 운명적인 모든 것에 대한 윤동주 자신의 뜨거운 애정으로 귀결된다. 또한 운명에 대한 긍정은 "그리고 나한테 주어진 길을 걸어가야겠다"라는 스스로의 생에 대한 확고한 다짐을 성취하게 만든다.

이러한 운명애의 시선과 확고한 인생관의 확립은 윤동주로 하여금 험난한 시대를 고뇌하면서도 스스로의 지적 실존을 지탱할 수 있게 하는 원동력이 되고 있는 것이다. 더구나 이러한 운명애의 생철학은 "오늘밤에도 별이 바람에 스치운다"와 같은 서정적 결구와 조화됨으로써 탁월한 예술적 형상력과 감동의 여운을 남겨주고 있다.

5. 조지훈 — 「풀잎 단장」

무너진 성(城)터 아래 오랜 세월을 풍설(風雪)에 깎여 온 바위가 있다.

아득히 손짓하며 구름이 떠가는 언덕에 말없이 올라서서

한줄기 바람에 조찰히 씻기우는 풀잎을 바라보며

나의 몸가짐도 또한 실오리 같은 바람결에 흔들리노라

아, 우리들 태초(太初)의 생명(生命)의 아름다운 분신(分身)으로 여기 태어나

고달픈 얼굴을 마주 대고 나직이 웃으며 얘기하노니

때의 흐름이 조용히 물결치는 곳에 그윽히 피어오르는 한떨기 영혼이여.

이 시는 대자연의 질서에 대한 미시적 응시를 바탕으로 인간과 우주의 조화와 그 생명감각을 형상화한 조지훈의 대표작 중의 하나이다. 조지훈 초기 시의 다분히 작위적인 고전정서 내지는 선감각이 대지적 생명의 질서와 조화

에 대한 깊은 응시로 변모해 있는 것이다.

'무너진 성터'와 '풍설에 깎여온 바위'의 대응은 인간사의 무상함과 자연사의 영원함을 대조적으로 제시해 주는 객관적 상관물이 된다. 이러한 '바위'와 '아득히 손짓하며 떠가는 구름' 결합 역시 자연 속에서의 '지속'과 '변화'라는 두 원리를 상대적으로 제시해 주는 것이 된다. 또한 '구름이 떠가는 언덕에 말 없이 올라서 있는' 인간은 자연의 거대한 질서 속으로 수렴되는 작은 미물에 지나지 않는 것으로 묘사돼 있다. 인간이 '한줄기 바람에 조찰히 씻기우는 풀잎'으로 감정이입돼 있는 것이다. "나의 몸가짐도 또한 실오리 같은 바람결에 흔들리노라"라는 구절은 인간 역시 대자연의 미세한 일부분이라는 지훈의 인간관과 자연관을 함께 말해주는 것이 된다. 인간 또한 이러한 대자연의 일부라는 지훈의 인간관은 '우리들 태초의 생명이 아름다운 분신으로 여기 태어나'와 같은 인간에 대한 따뜻한 애정과 옹호의 시선으로 변주되어 나타난다. '고달픈 얼굴을 마주하고 나직이 웃으며 얘기하는' 인간과 풀잎의 화응은 바로 자연애와 일치된 지훈의 인간애를 표현한 것이다. 대자연의 질서 속에서 이루어지는 인간과 자연의 교감은 실상 지훈의 휴머니즘 시학의 근간을 형성한다.

또한 '고달픈 얼굴'과 '웃으며 얘기하노니' 사이에는 인간의 세속적 삶의 어려움을 자연과의 친화에 의하여 화해하고 극복하려는 섬세한 노력이 개재해 있다. 이러한 화해와 극복의 노력은 "때의 흐름이 조용히 물결치는 곳에 그윽히 피어오르는 한떨기 영혼이여"와 같이 풀잎의 맑은 아름다움을 인간존재의 지순성으로 치환상승시키게 된다. 천지의 한 점에 자리 잡아 바람에 시달리며, 묵묵히 이슬에 씻기는 풀잎의 맑은 영혼은 바로 잊혀진 삶, 가난한 삶을 묵묵히 살아가는 바로 우리 어진 이웃들의 모습 그것인 것이다. 실상 지훈 후기 시의 준열한 사회의식과 역사의식도 이러한 인간긍정의 실천이념을 시로 표현한 것임은 두말할 필요가 없다.

6. 박두진 —「낙화기」

더러는 땅으로 떨어져
상처의 선혈로
모목(母木)의 뿌리를 적시고,

더러는 바람에 흩날려
깊이도 모르는 바다를 떠돌며
머나먼 헤어짐을 위하여
손 흔든다.

그 상처
뜨거운 피
뿌리의 열기로 뻗혀올라
가지끝 꽃으로 만발할
내일의 꿈으로 숨 죽이고,

한아름 바다로 쏟아지는
█▀█의 █▀█ █에
꽃잎은
한밤내 서로를 이름 불러
내일의 뜨거운 재회를 기약한다.

박두진 씨의 근년 작품인 「낙화기」는 꽃의 떨어짐, 즉 낙화를 통해 죽음과 부활이라는 생명의 인과율을 투시하고 대자연의 섭리와 질서를 섬세하게 감지한다는 점에서 깊이 있는 시력을 보여준다. 특히 이 시는 정년퇴직 이후 근간에 이르러 더욱 의욕적인 시작을 전개하고 있는 원로시인 박두진 씨의 시적 정진을 엿볼 수 있는 한 단초를 제공해 준다는 점에서 더욱 의미를 지닌다.

시 「낙화기」는 4연으로 구성돼 있다. 형식상으로는 1, 2/3, 4연이 대응되고 내용적인 면에서는 1, 3/2, 4연이 짝을 이룬다. 이러한 대응구조의 드러냄은 이 시를 이해하는데 필요한 요건이 된다. 왜냐하면 연에 따른 시상전개가 1, 3과 2, 4의 교차적인 입체성을 지니고 있기 때문이다. 1, 3연에서는 '떨어짐'과 '뻗혀오름', '뿌리'와 '가지 끝', 그리고 '선혈'과 '꽃'이라는 하강과 상승의 대응적인 이미저리가 골격을 이룬다. 2, 4연은 바람과 바다, 별과 꽃잎의 이미저리를 중심으로 헤어짐과 재회라는 소멸과 생성의 원리를 형상화하고 있다.

먼저 1연은 "땅으로 떨어져/상처의 선혈로/모목의 뿌리를 적시고"와 같이 낙하의 상상력을 바탕으로 하고 있다. 특히 여기서는 낙하가 단순한 식물적 현상이 아니라 인간적인 생체 이미지로 감정이입됨으로써 생생한 감동력을 유발한다. 또한 떨어져 모목의 뿌리를 적시는 낙하의 선혈은 희생과 속죄의 종교적 이미지로 인해서 목숨 법칙의 경건함을 환기하고 있다. 2연은 "바람에 흩날려/바다를 떠돌며/헤어짐을 위하여/손 흔든다"와 같이 분분히 흩날리는 낙하의 동작적 이미지를 통하여 '헤어짐'과 '소멸'로서의 인생의 모습을 실감 나게 표출한다.

3연에서는 다시 1연의 내용을 받아 시상이 급전된다. "뜨거운 피/뿌리의 열기로 뻗혀 올라/가지끝 꽃으로 만발할/내일의 금으로 숨 죽이고"처럼 상승과 부활의 이미지로 변모하는 것이다. 낙하의 선혈이 뿌리를 적시던 첫 연의 하강적 상상력이 뿌리의 열기로 뻗쳐 올라 가지 끝에서 꽃으로 만발함으로써 내일을 꿈꿀 수 있도록 부활을 성취하게 되는 것이다. 대지의 '뿌리'에서 하늘의 '꽃'으로 피어오르는 이 힘을 이름하여 수직 상승의 상상력이라 부를 수 있으리라. 4연에는 "한아름 바다로 쏟아지는/별들의 황홀 속에/꽃잎은"이라는 구절처럼 충만과 희망의 이미지가 가득 차 있다. 2연에서의 '헤어짐'이 뜨거운 '재회'의 시상으로 전환된 것이다.

이렇게 본다면 이 시는 낙화를 모티브로 하여 '상처의 선혈→머나먼 헤어짐→꽃으로 만발할 꿈→내일의 뜨거운 재회'라는 기승전결의 구성을 지니고 있는 것으로 판단된다. 이러한 꽃의 떨어짐 즉, 낙화를 통한 부활이라는 미래 지향적 구조는 모순과 허위로 가득 찬 현실의 어둠을 초극하고 부활의 꿈과 희망을 간직하려는 신앙적인 열망을 반영한 것으로 이해된다. 또한 이러한 미래에 대한 동경과 기대는 신뢰할 바 없는 현세에서 삶에 대한 뜨거운 사랑과 긍정을 회복하려는 끈질긴 생명력의 발현, 또는 휴머니즘의 안간힘으로 풀이된다. 한 알의 밀알이 땅에 떨어져 썩음으로써 돋아나는 생명의 싹, 그 꽃과 열매에 대한 확신과 소망이 낙화로 표상된 것이다.

이처럼 「낙화기」는 하나의 꽃잎이 떨어지고 썩어져 다시 뿌리에서 가지로 상승하여 마침내 하늘의 꽃으로 부활하는 대지와 생명의 아름다운 순환질서를 내밀하게 보여줌으로써 은은한 감동을 불러일으키고 있다.

7. 조병화 ―「예약된 길」

아침엔 바다로
저녁엔 도시로
쏜살같이 오르내리는 경인고속도로
나의 인생 육십 고개, 이 세상
지금 이곳을 지난다
먼 저승에서
예약되어 타고난
나의 이 이승의 길
보이는 것이 황폐한 인간의 벌판이다

인간은 누구나 스스로에게
예약된 운명, 그 장소
그 길을 추적하는 거
만난 사람
떠난 사람
서로 스치며, 잊으며
낯선 동행
내가 지금 이렇게 떨어진 곳에서
너를 앓는 것도
그 예약된 약속의 하나가 아닌가

어느덧 한 해
네모진 창 밖으로 질주하는 나무들이
가지가지 파릇파릇
다시 눈을 뜬다
하늘을 연다

그렇다, 예약된 자리
예약된 시간에
나는 너를 잃으며, 지금
경인고속도로, 그 속도에 떠 있는 거다.

    조병화 시인의 근년 작품인 「예약된 길」은 인생의 숙명적 존재성을 평이
한 비유와 어조로 노래한다는 점에서 '쉬운 시', '읽히는 시'의 한 시범이 된다.
이 시는 '예약된 길'이라는 제목에서부터 타고난 것, 정해진 것, 여정으로서의
인생행로를 뜻한다.

    먼저 첫 연의 "아침엔 바다로/저녁엔 도시로"라는 구절에는 매일 매일 직
장과 집을 왕복하는 현대인의 평범한 일상성이 제시돼 있다. 이렇듯 삶의 반
복성에 대한 자각은 "경인고속도로/나의 인생 육십 고개/지금 이곳을 지난다"
와 같이 현존재성에 대한 인식으로 연결된다. 여기에서 '고속도로'는 단순한
배경으로서가 아니라 인생의 시간적 존재성과 그 순간성을 제시하기 위한 표
상으로 사용됐음을 알 수 있다. "쏜살같이 오르내리는 경인고속도로"라는 구
절 속에는 끊임없이 반복되는 삶, 분주하게 스쳐 가는 일상에서 문득 확인하
게 되는 실존의 덧없음에 대한 깨달음이 내포돼 있다. 따라서 2연에서는 "나
의 이 이승의 길/보이는 것은 황폐한 인간의 벌판이다"처럼 비관적인 현실인
식이 드러나게 된다. 실상 이 부정적 인식의 근저에는 삶의 일상성에 대한 회
의와 함께 '예약되어 타고난 것'으로서의 인생의 숙명성에 대한 탄식이 깃들
어 있는 것으로 해석되기 때문이다.

그러나 조 시인이 말하고자 하는 것은 삶에 대한 회의와 부정적 인식 그 자체가 아니다. 오히려 그것은 "누구나 스스로에게/예약 된 운명, 그 장소/그 길을 추적하는 거"로서의 인생에 대한 성실한 깨달음에 바탕을 둔 긍정주의를 반영한 것으로 보인다. 3연에서 "만난 사람/떠난 사람/서로 스치며, 잊으며/낯설은 동행"이란 구절은 떠남과 만남, 망각과 기억으로 이어지는 삶의 실제적 모습을 드러낸 것이다. 새로운 만남을 이루어가는 낯선 동행자 사이에는 으레 마주침의 설렘과 갈등이 따르게 마련이며 동시에 떠나간 것들에 대한 회한과 그리움이 되살아날 수밖에 없는 것이다. "내가 지금 이렇게 떨어진 곳에서/너를 잃는 것"이라는 구절 속에는 헤어짐과 마주침이 불러일으키는 번민과 연민의 긴장이 담겨 있다. 그러나 이러한 생과 사, 이별과 만남, 기쁨과 슬픔 등의 모든 인생사도 결국은 '그 예약된 약속의 하나가 아닌가'처럼 운명에 대한 긍정주의로 귀착하게 된다.

이러한 운명론과 긍정주의는 어느 면 현실 순응 내지는 소극주의라는 비판을 감내하지 않을 수 없다. 그러나 이 순응주의 속에는 시간 속에 소멸하는 생에 대한 따뜻한 인간애와 휴머니즘이 자리 잡고 있다는 점에서 오히려 긍정적인 것으로 평가된다. 4연에서 "나무들이/가지가지 파릇파릇 눈을 뜬다/하늘을 연다"라는 구절 속에는 신뢰할 수 있는 것으로서의 인간, 소망할 수 있는 것으로서 새 생명, 그리고 꿈꿀 수 있는 것으로서의 미래에 대한 신념과 부활의지가 담겨 있는 것이다. 그러므로 "그렇다, 예약된 자리/고속도로, 그 속도에 떠 있는 거다"라는 결구를 통해 유구한 시간의 영원성 속에서 항상 운명을 공전하며 순간을 살아갈 수밖에 없는 것으로서의 운명애를 표출하게 된 것이다. 이처럼 조병화 씨의 시는 인생이라는 크고 어려운 주제를 평이한 비유와 소박한 어법으로 노래함으로써 감동과 위안을 불러일으킨다는 점에서 매력을 지닌다.

8. 전봉건 — 「돌·8」

여섯살에 먹을 갈았다
열여섯살에도 먹을 갈았다
스물여섯살 서른여섯살
그리고 마흔여섯살에도 먹을 갈았다
검은 먹을 갈고 또 갈았다
해가 갈수록 나이 들수록 그가 가는 먹빛은
더욱 깊은 것이 되었고 더욱 짙은 것이 되었다
그는 먹에 먹을 갈고
다시 그 먹에 먹을 갈면서 쉰여섯살이 되었다
예순여섯살이 되었다
정년퇴직으로 대학교수 자리를 물러나던
그해 그날에도 먹을 갈았다
그 다음날에도 먹을 갈았다
평생 오로지 갈고 간 그의 먹빛은
가장 깊은 아픔보다도 깊은 것이 되었고
가장 짙은 어둠보다도 짙은 것이 되었다
마침내 그것은 쑥서리새 눈부신 먹빛이었다
저 한수나 포탄에 굽이치는
만년 강물에 씻기고 씻겨
숨막히는 여름날에도

임리한 말씀같은 먹돌의 먹빛이었다
얼어붙는 겨울날에도
임리한 노래같은 먹돌의 먹빛이었다

　전봉건 시인의 근년 작품인 연작시 「돌」 5편은 삶의 다면성에 대한 총체적인 해석을 제시한 점이 관심을 끈다. 이 가운데 '혜산(兮山) 선생'이라는 부제가 붙은 「돌·8」은 신념 있는 삶, 지조 있는 삶에 대한 외경심을 돌(먹돌)로 비유하고 있다.

　먼저 이 작품에서 비유의 초점은 '돌'과 '먹', 그리고 이들의 상징적 결합인 '먹돌'에 집중된다. 사실상 먹돌이 시적 발상의 모멘트이며 제재이고 동시에 주제를 이루고 있다. 여기에서 먹돌은 시인 혜산 박두진 씨의 예술과 종교와 사랑 등 인생이 집약돼있는 표상으로서의 의미를 지닌다. 그럼에도 먹돌 그 자체가 직접 표제로 등장하지 않고 '먹돌의 먹빛이었다'처럼 비유적으로 나타나는데 묘미가 있으며 또한 이 점이 시적 성공의 포인트가 되고 있다. 먹돌은 먹과 돌의 의미결합이다.

　따라서 시적 테마는 돌과 먹으로 분리되어 전개된다. "여섯살에 먹을 갈았다/열여섯살에 도……/스물여섯살 서른여섯살/그리고 마흔여섯살에도……검은 먹을 갈고 또 갈았다"라는 구절의 반복 속에는 삶의 성실성과 순수에 대한 갈망과 지향이 내포돼 있다. 또한 "해가 갈수록 나이 들수록 그가 가는 먹빛은/더욱 깊은 것이 되었고 더욱 짙은 것이 되었다"처럼 먹을 가는 행위는 진실한 삶, 일관성 있는 삶을 추구하는 구도적 삶의 자세를 반영한 것이다. 여기에서 '먹'의 상징적 의미가 선명히 드러난다. 깊은 것, 짙은 것으로서의 먹과 그 빛은 삶의 순일성과 진실성을 표상한 것이며 또한 '평생 오로지 갈고 간 먹빛'은 집념과 의지로 일관해 온 삶의 도정과 그 에센스임을 말해준다. 따라서 먹빛은 "가장 깊은 아픔보다도 깊은 것이 되었고/가장 짙은 어둠보다도/짙은 것이 되었다/마침내 그것은 속저리게 눈부신 먹빛이 되었다"라는 구절에서 처럼 한평생에 걸친 극복의 노력과 의지가 찬란한 생명의 승화를 성취하게 되는 것이다. '검은' 먹빛이 마침내 '눈부신' 먹빛으로 상승하는 삶의 이념태, 그 이데아에 도달하게 된 것이다.

한편 '돌'의 상징적 의미는 단단함과 견고함의 향성, 그 경성에의 의지를 내포한다. 돌의 견고함과 단단함에 대한 추구는 삶에 대한 굳은 의지와 집념을 표상한 것이다. 여기에서 돌은 초극의지와 침묵의지를 함축함으로써 허약하기만 한 인간의 생애와 목숨이 지향하는 삶의 이념적인 자세를 드러내 준다. 따라서 '먹돌'은 순수한 삶과 성실한 삶에 대한 구도적 갈망의 상징인 '먹'과 신념으로서의 삶과 극복으로서의 이념적 삶의 상징인 '돌'이 결합된 객관적 상징물인 것이다. 여기에서 한 가지 간과할 수 없는 점은 '임리한 말씀같은 먹빛'이 내포한 상징성의 문제이다. 그것은 신앙적인 목소리 또는 종교적 복음을 통한 구원의 갈망이 생의 마지막 목표라는 것을 암시해준다. 투명해진 생명, 눈부신 목숨의 빛은 영원으로 이르는 숭고하고 아름다운 이데아의 결정체인 것이다. 이렇게 볼 때 「돌·8」은 먹돌을 제재로 한 시인의 종교적 삶의 갈망과 예술적 구도의 자세를 성공적으로 표출한 작품으로 판단된다.

9. 이성부 —「벼」

벼는 서로 어우러져
기대고 산다
햇살 따가와질수록
깊이 익어 스스로를 아끼고
이웃들에게 저를 맡긴다.

서로가 서로의 몸을 묶어
더 튼튼해진 백성들을 보아라
죄도 없이 죄지어서 더욱 불타는
마음들을 보아라, 벼가 춤출 때,
벼는 소리없이 떠나간다.

벼는 가을하늘에도
서러운 눈 씻어 맑게 다스릴줄 알고
바람 한 점에도
제 몸의 노여움을 덮는다
저의 가슴도 더운 줄을 안다
벼가 떠나가며 바치는
이 넓디 넓은 사랑,
쓰러지고 쓰러지고 다시 일어서서 드리는

이 피묻은 그리움,

이 넉넉한 힘……

　이 시는 민족의식과 민중의식 그리고 생명의식을 포괄적으로 함축하고 있다는 점에서 관심을 끈다. 즉 '벼'라는 표상을 통해서 수 천 년 이래 눈물과 땀이 배어온 이 땅에서의 민족적 삶의 뿌리와 그 역사의식을 드러내는 동시에 역사의 저력으로서 전개돼 온 민중의 한과 그 공동체의식을 추구하려 시도한 것이다.

　먼저 '벼'는 개체적으로 생명을 가꿔가는 민중의 삶, 또는 생명의지를 표상한 것이 된다. "햇살 따가와질수록/깊이 익어 스스로를 아끼는" 자세로 온갖 억눌림과 시달림 속에서 꿋꿋하게 살아가는 이 땅 민중의 모습이 묘사돼 있다. 그러나 이러한 개체적 삶으로서의 민중의 삶은 하나하나로 분리될 때에는 거의 무력하거나 보잘것없는 것으로 절하될 수밖에 없다. 어디까지나 인간의 삶, 특히 억눌린 삶일수록 "서로 어우러져/기대고 살고/이웃들에게 저를 맡길 때" 비로소 삶의 의미가 고양되고 힘이 획득될 수 있는 것이다. 개체로서의 벼, 단독자로서의 인간은 "서로가 서로의 몸을 묶어/더 튼튼해진 백성들"과 같이 서로 결합되고 단합될 때 비로소 공동운명체로서의 힘을 지니고 역사 속에 민중의 저력을 발휘할 수 있게 되는 것이다. 바로 이 점에서 '벼'는 봉건제도의 폭력 아래서 억눌려 살아온 무기력한 백성들의 울분이며, 민중의 한을 표상하는 것으로 파악된다. 아울러 이 시는 삶에 대한 분노를 스스로 다스리면서 자신을 깨우칠 줄 아는 삶의 예지를 노래하고 있다는 데에서 특징이 드러난다. "죄도 없이 죄지어서 더욱 불타는 마음들이지만/가을하늘에도 서러운 눈 씻어 맑게 다스릴 줄 알고/바람 한 점에도 게 ▒이 ▒▒을 잃은 한 포기 벼"로서의 민중의 예지와 깨달음 속에는 험난한 역사를 살아온 이 땅 민중의 슬기와 그 저력을 담고 있는 것이다.

무엇보다도 이 시의 장점은 스스로 운명에 대한 사랑과 자기희생 정신에 바탕을 둔 속죄양 의식의 실천 속에 참된 인간애의 길이 열려진다는 깨달음을 확고하게 제시해 준다는 점에 있다. "벼가 떠나가며 바치는/이 넓디 넓은 사랑"이라는 구절 속에는 자기희생을 통해 보다 큰 이념과 구원을 성취하려는 휴머니즘의 의지 또는 사랑의 정신이 담겨 있는 것으로 보인다. 그러므로 "쓰러지고 쓰러지고 다시 일어서서 드리는/이 피문은 그리움/이 넉넉한 힘"이라는 결구 속에는 자기희생정신에 바탕을 둔 공동체의식과 이를 통해서 비로소 획득되는 거대한 민중적 힘에 대한 자각, 그리고 어떤 억압에도 굴하지 않는 끈질긴 민중의 생명력과 그 의지가 결연히 드러나게 되는 것이다. 아울러 이러한 민중의 힘만이 역사를 추진시키는 원동력이며, 그것이 바로 인간애의 폭넓은 실천이라는 소중한 깨달음으로 연결되게 된 것이다. "피문은 그리움/이 넉넉한 힘……"이라는 구절에 담긴 역사에 대한 속죄양 의식과 민중에 대한 신뢰의 정신, 그리고 그에 대한 확신이야말로 이 시가 폭넓은 공감에 바탕을 두고 시적 설득력을 고양시키는 요인이 되는 것으로 판단된다.

10. 김종해—「항해일지」

상어는 이 도시의 어느 건물 안에서도 몸을 숨기고 있는 것이 보였지만,
정작 나는 갑판 위에서 작살을 날리지 못하였다.
날마다 작살의 날을 시퍼렇게 갈고 또 갈았지만
나는 작살을 쓸 수 없었다.
무엇인가 그물에 걸려서 퍼덕일 것 같은 번쩍임의 예감을 끌어올리기
위하여
날마다 을지로나 청계천으로 노를 저어 가지만
헛일이었다. 아아, 헛일이었다.
눈은 와서 이미 겨울바다는 서쪽으로 서쪽으로 기울어지고
석유는 얼마 남지 않았다.
그물 사이에 빠지는 눈오는 바다를 금전출납부 위에 올려놓고
아침마다 도장으로 눌러대지만,
계산기 위에 결재 서류의 숫자를 두드리고 또 두드리지만,
한장의 방한복으로 추위를 가린 젊은 수부의 항로는 어디로 열려 있나.
상어가 출몰하는 흉흉한 바다,
그물을 물어뜯고 배를 뒤엎어 놓는 저놈의 상어,
음흉한 상어는 이 도시의 어느 건물 안에서도 몸을 숨기고 있었지만
아아, 나는 왜 작살을 날려 저놈의 심장을 꿰뚫지 못하나.
춥고 어두운 겨울 항로 가운데
오늘은 한 젊은 수부가 사는 화곡동에 닻을 잠시 내리고 잔을 나누다.

김종해의 근년작 「항해일지·4」는 현대 도회를 살아가는 생의 어려움과 비애를 평이한 비유로 신선하게 처리해 내는 한 시범을 보여주었다. 이 작품은 제목부터가 상징적인 암시성과 비유의 포괄성을 내포하고 있다. 「항해일지」라는 제목은 고해로서의 현실을 헤쳐가는 험난한 삶의 작업을 표상한 것이다. 이 시는 우리가 익히 알고 있는 '세상=바다', '인생=배'라는 관습적 비유를 바탕으로 이루어져 있다. 따라서 '간판'·'작살'·'그물'·'상어' 등 바다의 소도구를 보조 심상으로 적절히 활용함으로써 시적 친근감을 유발한다.

이 시의 중심 소재인 '상어'는 도시의 주변에 횡행하는 비리와 악덕 혹은 폭력과 그에 대한 불안의식의 표상이다. 따라서 이러한 '이 도시의 어느 건물 안에서도 몸을 숨기고 있는' 상어는 거대한 도시문명의 병적 징후를 총체적으로 암시한다. 문득문득 상어가 출몰하는 공포의 바다를 항해해 가는 작은 배로서의 인생의 위태로운 모습이 잘 제시돼 있는 것이다.

이러한 공포와 불안의식은 "날마다 을지로나 청계천으로 노를 저어 가지만/헛일이었다.아아 헛일이었다"와 같이 뿌리 깊은 허무감으로 연결된다. 이 허무의식은 '금전출납부'·'도장'·'계산기'·'결재서류' 등이 표상하는 무료한 일상의 반복과 그 권태에 연유한 것으로 보인다. "아침마다 도장을 눌러대지만/계산기 위에 결재서류의 숫자를 두드리고 또 두드리지만"이라는 구절 속에는 현대를 살아가는 도시인들의 허망한 실존에 대한 회의와 함께 부정적 인식을 내포하고 있다.

이러한 부정적 현실인식은 '음흉한 상어'에 대한 증오와 적개심을 수반하고 있다는 점에서 이 시의 비판정신의 한 모서리로서 드러난다. 실상 이 증오와 적개심은 그 자체가 이미 삶의 어려움에 대한 탄식과 야유를 역설적으로 표출한 것으로 이해된다. 그러므로 "아아, 나는 왜 작살을 날려 저놈의 심장을 꿰뚫지 못하나"라는 구절처럼 도시문명의 폭력성에 유린당하는 무력한 개인으로서의 비애를 노래하게 되는 것이다. 이 점에서 '춥고 어두운 겨울항로'는 역경으로서의 인생의 본원적 모습을 반영한 것이다. 따라서 "오늘은 한 젊은 수부가 사는 화곡동에 닻을 잠시 내리고 잔을 나누다"라는 결구를 통해서 험난한 인생 항로에서 '한잔술'로 위안하며 사는 소시민의 페이소스를 드러내게 된다.

이 시는 인생을 관념적으로 설명하거나 거창한 이념을 주장하지 않으면서도 삶의 어려움과 비애 그리고 그에 대한 애정을 쉽게 전달하여 시적 성공의 한 예를 보여 다. 무한한 풍요를 간직하면서도 엄청난 두려움의 대상인 바다, 끊임없이 소리치며 변화하는 '힘'의 원천으로서의 바다의 원초적 상징성을 인생 항로에 이끌어 들임으로써 미적 긴장을 유발하고 그에 따른 시적 감동과 설득력을 불러일으킨다는 점에 이 시의 포인트가 놓인다.

11. 김광협—「유자꽃 피는 마을」

내 소년의 마을엔
유자꽃이 하이얗게 피더이다
유자꽃 꽃잎 새이로
파아란 바다가 촐랑이고,
바다위론 똑딱선이 미끄러지더이다.

툇마루 위에 유자꽃 꽃잎인 듯
백발을 인 조모님은 조을고
내 소년도 오롯 잠이 들면,
보오보오 연락선의 노래조차도
갈매기들의 나래에 묻어
이 마을에 오더이다.

보오보오 연락선이 한소절 울때마다
떨어지는 유자꽃,
유자꽃 꽃잎이 울고만 싶더이다.
유자꽃 꽃잎이 넓기만 하더이다.

이 시에는 동심으로의 회귀에 따르는 유년 회상의 서정적인 풍경이 아름답게 묘사돼 있다. 섬과 바다, 그리고 하늘이 분할하는 정갈한 화면 구도를 바탕으로 하여 색깔과 소리, 그리고 향기와 촉감이 어우러져 마치 한 폭의 수채화를 연상시켜 주는 것이다. 또한 소년과 할머니, 그리고 똑딱선과 갈매기 등이 불러일으키는 서정적인 감각과 아련한 정취는 이미 되돌아갈 길 없는 어린 날에 대한 그리움과 안타까움의 정감을 일깨워 주는 것이다.

먼저 이 시의 공간적 배경은 "유자꽃이 하이얗게 피더이다/파아란 바다가 촐랑이고"라는 구절에서 알 수 있듯이 바다로 둘러싸인 섬마을이다.(이 시의 작자인 김광협의 고향이 제주도임에 비추어 그곳 제주도 어느 평화로운 바닷가 마을로 보인다) 시간적 배경은 "내 소년의 마을엔/유자꽃이 하이얗게 피더이다"에서처럼 유년시대이며, 그에 대한 '~더이다'라는 회상시제의 반복을 통해서 그리움의 정감을 표출하고 있다. 이 '~더이다'라는 회상시제 종지법에 의한 행의 결말은 대략 '~미끄러지더이다'(10연), '~오더이다'(2연) 그리고 '~섧기만 하더이다(3연) 등과 같이 연을 셋으로 구분하는 한 준거를 제공해 주기도 한다.

첫 번째 연에서는 '유자꽃이 하얗게 피더이다'라는 시각심상과 '파아란 바다가 촐랑이고'라는 시각심상 및 촉각심상의 결합, 그리고 '바다위론 똑딱선이 미끄러지더이다'라는 '시각·청각·촉각' 심상의 종합으로 공감각적 전이 및 확대가 이루어지고 있다. 이러한 시각·청각·촉각심상의 결합 및 점층적인 전이는 유년의 추억을 감각적으로 선명하게 재현하는 효과를 유발하는 것으로 보인다.

두 번째 연에서는 할머니와 소년을 설정하여 유년에 대한 회상을 육화된 것으로 끌어 올려주고 있다. 조모와 손자와의 정답던 대화가 들려오는 가운데, '보오보오 연락선의 노래'라는 청각심상과 '갈매기들의 나래에 묻어'라는 '시각·청각·촉각 종합심상들이 결합되어 감각적 회상의 정감을 더욱 심화시켜주고 있는 것이다.

세 번째 연에서도 "보오보오 연락선이 한 소절 울때마다/떨어지는 유자꽃"

과 같이 시각·청각·촉각심상의 상호조응을 유발하고 있다. 여기에 현재의 그리움과 안타까움의 정감을 투사하여 "울고만 싶더이다·넓기만하더이다"처럼 유년의 그것으로 치환시킴으로써 정서적 균형을 성취할 수 있게 된다. 보오 보오 우는 연락선의 울음 한 소절과 한 잎 두 잎 떨어지는 유자꽃잎에 얹어 어린 날에 대한 회상과 그에 대한 그리움 및 안타까움의 마음을 실어 보내고 있는 것이다.

바로 이처럼 애상적 정감을 객관적 상관물로 치환하고 이것을 공감각적 심상 조응으로 환기하는 데서 이 작품의 형상적 아름다움이 드러나게 된다. '유자꽃'·'똑딱선'·'갈매기' 등 다양한 감각적 이미지와 '하더이다'라는 회상 어미의 반복적 결합으로 유년 회상의 정감을 아련하게 형상화해 낸 것이다.

12. 박제천 ─「월명」

    한 그루 나무의 수백 가지에 매달린 수만의 나뭇잎들이 모두 나무를 떠나간다

    수만의 나뭇잎들이 떠나가는 그 길을 나도 한줄기 바람으로 따라나선다

    때에 절은 살의 무게 허욕에 부풀은 마음의 무게로 뒤쳐져서 허둥거린다

    앞장서던 나뭇잎들은 어디론가 사라지고 어쩌다 웅덩이에 처박힌 나뭇잎 하나 달을 싣고 있다.

    에라 어차피 놓친 길 잡초 더미도 기웃거리고 슬그머니 웅덩이도 흔들어 놀밖에

    죽음 또한 별것인가 서로 가는 길을 모를 밖에.

    박제천 시인의 근년 작품인 연작시 「달은 즈믄 가람에」는 전통의 현대적 계승의 가능성을 성공적으로 제시해 주고 있다. 특히 이 중 「월명」과 「우적」은 신라 향가를 현대시적 감수성으로 처리해 내는 데 있어 한 시범을 보여준다. 먼저 「월명」은 고승 월명사와 그의 시 「제망매가」를 소재로 하여 삶의 덧없음을 노래하고 있다. 「제망매가」의 중심 이미지인 길·바람·나뭇잎은 그대로 「월명」의 시상을 이루고 있으며, 주제인 죽음과 삶의 문제도 직접적인 연

관성을 지닌다. 먼저 첫 번째 비유인 '나무'·'나뭇잎'은 각각 총체로서의 생과 개별로서의 인생을 의미한다. "한 그루 나무·수백 가지·수만의 나뭇잎"이라는 점층적 심상의 전개가 바로 생이라는 전체성 속에 분화되어 가는 개인의 생애를 뜻하기 때문이다. 따라서 나뭇잎은 단독자로서 유한한 생을 살아가는 우리들 하나하나의 표상이 된다. 나뭇잎으로 비유되는 인생에는 이미 덧없음·부질없음으로서의 삶에 대한 탄식이 깃들어 있다.

이러한 '나뭇잎'으로서 떠나가는 인생은 한 줄기 바람으로 비유적 전이를 이루게 된다. 나뭇잎이라는 공간적 이미지가 바람이라는 시간적 이미지로 변모함으로써 공간적 존재인 동시에 시간적 존재인 인간의 모습을 효과적으로 형상화하게 되는 것이다. 따라서 '나뭇잎들이 떠나가는 그 길'을 따라나서는 바람으로서의 '나'는 생의 길을 걸어가는 육신의 존재로서의 인간의 본원적 모습을 반영한다. 여기에서 "때에 절은 살의 무게/허욕에 부푼 마음의 무게" 등과 같이 오욕칠정에 사로잡혀 때 묻은 현실을 살아가는 삶의 고달픔과 그에 대한 허망함이 드러나게 된다. "살의 무게·마음의 무게"라는 구절 속에는 인간의 육신과 정신이 모두 물질적 구속 속에 존재한다는 삶의 숙명성에 대한 인식이 깃들여 있다. 그러므로 "나뭇잎들 사라지고/나뭇잎 하나 달을 싣고 있다"처럼 시간 속에 사라져가는 인간의 숙명성과 함께 '달빛'과 같이 빛나는 인식의 한순간을 살아가는 생의 본질이 극명히 제시되는 것이다.

이러한 생의 시간적 존재성과 순간성에 대한 자각은 죽음에 대한 투시로 연결된다. '죽음 또한 별 것인가 서로 가는 길을 모를 밖에'라는 결구 속에는 죽음의 극복, 무의 초극의지가 담겨 있다. 이 구절은 「제망매가」의 '생사로는 예 이샤매 저히고'를 변용한 것으로서 죽음 역시 삶의 이면에 불과하며 생성과 소멸을 무수히 되풀이하는 대자연의 순환적 질서의 한 현상에 불과하다는 인식이 내포되어 있는 것이다. 이렇게 볼 때 이 시는 물질적 존재, 현상적 존재로서의 삶에 대한 자각과 함께 그 덧없음의 인식, 그리고 덧없음의 인식을 통한 무의 초극에 핵심이 놓여 있음을 알 수 있다. 시「우적」도 향가「우적가」를 소재로 삶의 덧없음을 제시하고 있다. 특히 이 시는 "몰라라·보이지 않아라·숨어 버려라·두려움이여·덧없음이여" 등의 부정 종결어미를 통해 삶에 대한 부정적 인식을 표출하고 있는 것이다. 불가지로서의 자아, 어둠으로서의 세계, 불가능과 한계로서의 인생에 대한 투시가 비극적 세계관을 형성하고 있다. 어느 면에서 불교적 사유에 근저를 둔 것으로 보이는 이 부정적 인식의 비극적 세계관은 전통적인 한국인의 사고를 반영한 것으로 판단된다. 이러한 점에서「월명」과「우적」은 고전문학의 전통적 문학정신을 현대적으로 수용, 심화하는데 성공한 한 예가 된다.

13. 유안진 ―「마흔 살」

강물이 끝나는 그 자리가
바다이듯

젊은 눈물 마른 나이에는
눈물의 바다에 이르고 마는가

이제 나의 언어(言語)는 소리높은 파도
한 번을 외쳐도 천만마디 아우성이며

이제 나의 몸짓은 몸부림치는 물결
천만 번을 풀어내도 한 매듭의 춤사위일 뿐

그래, 마흔 살부터는 눈물의 나이
물길밖에 안 보이는 눈물의 나이.

　이 시에는 불혹의 나이 사십 대에 접어들면서 깨닫게 되는 삶의 허적과 애한이 아름다운 서정으로 형상화돼 있다. 이 시에서 가장 중요한 심상은 '물'의 이미지이다. '강'→'바다'→'물길'로 표상되는 물의 이미지는 바로 쉼 없이 흘러가는 세월을 말하며 동시에 흘러가는 것으로서의 인생을 의미하는 것이 되기 때문이다.

　시 전체 구성은 5연으로 돼 있지만, 내용으로 볼 때는 대략 '~이르고 마는가'(1연), '~춤사위일 뿐'(2연) 그리고 끝 행 '~눈물의 나이'(3연)로 나눌 수 있다.

　먼저 첫 연에서는 "강물끝나는 자리가/바다이듯"과 같이 강물의 끝과 바다의 시작이라는 대응을 통해서 마흔 살이 생의 중요한 분기점이 됨을 말해준다. 쉴 사이 없이 바다를 향해 흘러 흘러만 가는 강물의 맹목적인 줄달음질이 마침내 바다에 이르는 그 지점으로서의 마흔 살, 그것은 바로 목표만을 향해 앞만 보고 질주하던 젊은 날의 맹목이 마침내 생의 한 가운데에 이르러 삶의 본질과 정면으로 맞닥뜨려지게 된 순간을 의미하는 것이 된다. 이·삼십 대 젊은 날을 지배하던 온갖 고뇌와 격정, 그리고 방황이 이제 가라앉아 가는 나이라고 생각해 오던 그 나이 마흔 살이 실상은 본질적인 허무와 눈물에 뒤채이게 되는 결정적 계기가 됨을 자각하게 된 것이다. 다시 말해 '젊은 눈물 마른 나이'가 바로 눈물의 나이 40대에 접어드는 순간이라는 것에 대한 운명적 깨달음과 함께 그에 대한 깊은 탄식을 드러낸 것이다.

　다음 연에서는 바다와 인생, 그리고 언어와 몸짓이라는 대응적 비유가 함께 나타난다. 40대에 접어들면서 깨닫게 되는 스스로의 삶에 대한 반성과 자기 확인의 노력이 대응을 이루는 것이다. 자기에 대한 믿음의 근거는 '언어'에 뿌리를 두고 있다. '소리 높은 파도'로서의 언어는 '한번을 외쳐도 천만마디 아우성'이 될 정도로 힘차고 생명력 있는 것으로서 역동적 표상성을 지닌다. 이것은 아마도 언어 예술로서의 시의 가능성에 대한 자기 믿음의 표출이며, 동시에 삶의 유일한 희망으로서의 시에 대한 원망의 표출인지도 모른다. 여기에 대비되는 '몸짓'의 의미는 부정적인 측면을 지니고 있다. '몸부림치는 물결'로서의 육신이 몸짓은 '천만번을 풀어내도 한 매듭의 춤사위'에 불과할 뿐인 허무 그 자체로 인식되고 있는 것이다. 온갖 지식도 학문도, 시와 예술까지도 인간의 정신을 완전히 구원할 수는 없는 것이 사실일진대 하물며 육신의 몸짓이야말로 허무와 불안의 근원일 수밖에 없으리라는 깨달음이 시의 행간에 은밀히 숨어있는 것으로 보인다. 따라서 '소리 높은 파도'와 '몸부림치는 물결'이 뒤채이는 바다로서의 인생에 접어든 40대는 생명과 정면으로 대결하게 된 운명의 시점인 것이다.

그러므로 마지막 연에서는 이러한 운명에 대한 긍정으로 시를 마무리 짓게 된다. "그래, 마흔 살부터는 눈물의 나이/물길 밖에 안 보이는 눈물의 나이"라는 구절에서 보듯이 흘러가는 시간 속을 살아가는 운명적인 존재로서의 인간의 한계성과 숙명적 비극성을 감지하게 되는 것이다. '젊은 눈물 마른 자리'에서 맞이하게 되는 마흔 살이고 또 40대이지만, 이때부터야말로 '물길밖에 안 보이는 눈물의 나이'가 비롯되는 시간임을 깨닫게 된 것이다. 그리고는 그 어쩔 수 없음으로서의 세월과, 탄식으로서의 생의 숙명성을 뼈아프게 긍정할 수밖에 없게 된 것이다.

무엇보다 이 시에는 생이 바로 강이며 바다로서 그 속에 출렁이는 물과 같은 존재라는 점을 선명히 제시해 주었다는 점에 묘미가 있다. '물'은 이 시에서 "희생·사랑·포용·인내·소멸·허무·죽음·이별·고통" 등의 표상성을 지닌다. 따라서 갈수록 어려워지고 쓸쓸해지고 또한 한스러워지는 비극적 존재로서의 인생에 대한 깨달음이 물의 이미지 즉 "강물·바다·파도·물결·물길·눈물" 등의 복합구조를 통해서 투명하면서도 슬픈 생의 긍정으로 고양된 것이다.

14. 감태준 —「소인일기」

서울을 보고 있으면
내가 점점 작아진다, 눈을 감아도
머리 위에 떠 있는 육교 고가도로

이십층 빌딩이 시커멓게
나를 내려다보고 서 있다
내 꿈의 머리까지 보이는 듯
공중에 철근을 박고
철근 위에 벽돌과 타일을 붙인 너는
정말 늠름해

너를 보고 있으면
어쩔 때는 내가 안 보인다, 너무
작아져서
던지면 날아가고
발로 차면 굴러가는,

나는 이즈음
철근과 벽돌을 가슴에 얹고 산다

감태준의 근년 작인 「소인일기」는 거대한 도시문명에 짓눌려 점차 인간적 품격과 체온을 상실해가는 현대인의 초라한 실존에 대해 시니컬한 풍자와 함께 페이소스를 표출한다는 점에서 관심을 끈다.

먼저 이 시는 제목부터가 풍자적이다. 「소인일기」라는 제목에서 '소인'은 흔히 하는 겸양법의 1인칭 낮춤말이 아니다. 이 말속에는 날로 비대화 해가는 현대사회에서 주인(대인)이 도시문명 그 자체이며 인간은 그에 매달려 사는 하인(소인)에 불과하다는 야유적인 뜻이 내포돼 있다. 4연으로 구성된 이 시는 앞 두 연은 거대한 콘크리트 구조물로서의 대도시 '서울'을 중심으로, 뒤의 두 연은 그에 대비되는 왜소한 인간으로서의 '나'를 각각 묘사함으로써 도시적 삶이 강요하는 병적 강박관념과 개인의 보잘것없음, 그리고 무력함을 강조하고 있다.

첫 연에서 "서울을 보고 있으면/내가 점점 작아진다"라는 구절은 양적으로 급격히 비대해 가는 도시문명과 그에 상대적으로 축소돼 가는 실존의 초라함을 드러낸 것이다. 또한 "눈을 감아도/머리 위에 떠 있는 육교 고가도로"는 현실의 전면과 의식의 배후를 짓누르고 있는 콘크리트문명과 기계문명의 폭력성을 반영한 것이다.

따라서 2연에서는 "이십층 빌딩이 시커멓게/나를 내려다보고 서 있다"라는 구절처럼 수십 층 거대한 빌딩들이 숲을 이루고 있는 도시문명의 위압적인 모습이 제시된다. '시커멓게 내려다보는' 빌딩들의 위용과 물질문명 앞에서 인간은 여지없이 초라한 소인으로 전락하고 마는 것이다. '꿈의 머리' 끝까지 지배하는 문명의 거인 앞에 인간은 소인으로 축소돼 가기만 하는 것이다. 따라서 "공중에 철근을 박고/철근 위에 벽돌과 타일을 붙인 너는/정말 늠름해"라는 풍자와 야유가 가능하게 되는 것이다. 그러나 이 풍자 속에는 '공중에 철근을 박고'처럼 현대문명의 허구성에 대한 예리한 비판이 내포돼 있음을 간과해서는 안 된다. 또한 "너는/정말 늠름해"라는 야유 속에는 위풍당당한 기계주의와 물질주의 등 비인간적인 것들의 횡행과 발호에 대한 날카로운 비판정신이 깔려있음을 알아차릴 수 있다.

3연에서는 거인으로서의 도시문명으로부터 소인으로서의 인간(나)으로 시점이 이동된다. "너를 보고 있으면/내가 안보인다/너무 작아져서"라는 귀절처럼 빌딩들, 기계들에 짓눌리고 짓눌려 마침내 사라져갈 수밖에 없는 인간의 실상에 통렬한 조소를 퍼붓게 되는 것이다. 인간은 "던지면 날아가고/발로 차면 굴러가는" 돌맹이처럼 사소하고 덧없는 물건으로 전락하게 된 것이다. 실상 이 구절 속에는 도시문명뿐 아니라 조직사회에서 하나의 사소한 부속품 또는 톱니바퀴로 시달리며 마모돼 가는 현대인의 불안하고 덧없는 실존에 대한 탄식이 깃들여 있음을 알 수 있다.

4연의 "나는 이즈음/철근과 벽돌을 가슴에 얹고 산다"라는 짤막한 결구에는 자연의 부드러움과 따뜻함 그리고 인간적 체온을 상실하고, 마침내 철근과 벽돌처럼 광물질화하는 현대인의 비정한 삶과 의식에 대한 뼈아픈 탄식이 제시돼 있다. 광물인간이 되기를 강요하는 현대의 도시문명과 조직 메커니즘 속에서 추위와 슬픔 그리고 배고픔을 느끼면서도 인간답게 살아가려고 하는 한 인간의 안간힘과 그 비애가 역설을 통해서 오히려 선명히 표현된 것이다.

15. 최승호 —「대설주의보」

해일처럼 굽이치는 백색의 산들,
제설차 한 대 올 리 없는
깊은 백색의 골짜기를 메우며
굵은 눈발은 휘몰아치고,
쬐그마한 숯덩이 만한 게 짧은 날개를 파닥이며······
굴뚝새가 눈보라 속으로 날아간다.

길 잃은 등산객들 있을 듯
외딴 두메마을 길 끊어 놓을 듯
은하수가 펑펑 쏟아져 날아오듯 덤벼드는 눈,
다투어 몰려오는 힘찬 눈보라의 군단,
눈보라가 내리는 백색의 계엄령.

쬐그마한 숯덩이만한 게 짧은 날개를 파닥이며······
날아온다 꺼칠한 굴뚝새가
서둘러 뒷간에 몸을 감춘다.
그 어디에 부리부리한 솔개라도 도사리고 있다는 것일까.
길 잃고 굶주리는 산짐승들 있을 듯

눈더미의 무게로 소나무 가지들이 부러질 듯

다투어 몰려오는 힘찬 눈보라의 군단,
때죽나무와 때 끓이는 외딴 집 굴뚝에
해일처럼 굽이치는 백색의 산과 골짜기에
눈보라가 내리는 백색의 계엄령.

이 시는 눈보라 치는 대자연의 풍경에 대한 사실적인 관찰을 통해서 위태롭고 어두운 현실을 살아가는 현대인의 불안의식과 인간 사이의 단절감을 효과적으로 묘사하고 있다.

'해일처럼 굽이치는 백색의 산들', '은하수가 펑펑 쏟아져 날아오듯 덤벼드는 눈', '다투어 몰려오는 힘찬 눈보라의 군단', '눈보라가 내리는 백색의 계엄령' 등의 강렬한 표현 속에는 자연의 섬뜩한 원시적 생명력이 생생히 살아나 있다. 이러한 원시적 생명력은 '길 잃고 굶주리는 산짐승들 있을 듯'이라는 구절과 결합되어 현대적 삶 속에서 점차 사라져가는 원시에의 향수를 일깨워 주는 것이기도 하다. 그러면서도 '군단', '계엄령'과 같은 인간사의 거창하면서 위압적인 이미지를 설정하여 자연에 대한 외경감을 담고 있는 동시에, 자연사와 인간사 속에 숨겨져 있는 위압적 공포의식을 예리하게 투시하고 있다.

먼저 ①연에서는 "제설차 한 대 올 리 없는/깊은 백색의 골짜기"의 모습을 통해서 현대인의 의식 밑바탕에 깔려있는 좌절감·단절감을 효과적으로 묘사해 준다. 또한 "굵은 눈발은 휘몰아치고"와 "쬐그마한 숯덩이 만한 게 짧은 날개를 파닥이며……/굴뚝 새가 눈보라 속으로 날아간다"라는 구절을 대비시킴으로써 역경의 현실과 생명의지의 효과적인 조응을 유발하고 있다. 여기에서 '작은 굴뚝새'는 현실로서의 대자연의 엄청난 눈보라를 헤쳐가는 현대인의 외롭고 허약한 실존을 표상하며, 굴뚝새가 작은 날개를 파닥이며 눈보라 속을 날아가는 모습은 바로 현실의 험난한 역경을 헤쳐가는 안쓰러운 모습을 말해주는 것이 된다.

②연에서는 이러한 대자연에 숨겨진 공포감과 신비감 그리고 이로부터 연

유한 현대인의 소외감·고립감이 더욱 심화되어 나타난다. '길 잃은 등산객들 있을 듯', '외딴 두메마을 길 끊어 놓을 듯'이라는 구절 속에서 '길 잃은·끊어 놓을 듯'과 같이 뿌리 깊은 인간사회와의 단절감과 개인의 고립감을 선명히 드러내 주는 것이다. 또한 눈이 내리는 모습이 '날아오듯 덤벼드는 눈'에서 '몰려오는 힘찬 눈보라의 군단'으로, 다시 '눈보라가 내리는 백색의 계엄령'으로 점층·발전되어 대자연의 엄청난 위력과 함께 그 속에 숨겨진 공포감과 외경감을 심화해가고 있는 것이다.

③연에서는 다시 '굴뚝새'를 통해 눈보라 치는 대자연의 현실적인 힘 앞에 한없이 초라해지면서도 끈질기게 솟아오르는 생명력을 드러내 준다. 특히 '꺼칠한 굴뚝새'와 '부리부리한 솔개라도 도사리고'를 대비하여 온갖 위험과 간난에 노출되며 살아갈 수밖에 없는 힘 없고 초라한 삶들에 대한 연민의 정을 표출하고 있는 것이다.

④연에서는 다시 '힘찬 눈보라의 군단'이라는 대자연의 엄청난 생명력과 '때 끓이는 외딴 집 굴뚝'이라는 인간적 이미지를 대비시킴으로써 원시적 생명 감각을 일깨워 준다. 무의식의 내면에 자리 잡은 불안의식과 공포감을 자연사와 인간사의 대응을 통해 효과적으로 드러내 주는 것이다.

무엇보다도 이 시에서 돋보이는 것은 '~ㄹ듯'이라는 어미 처리와 명사형 종지법을 교차함으로써 내용과 형식의 균형미를 성취하려는 노력이다. '~ㄹ듯'이 유발하는 판단 유보와 "눈·군단·계엄령" 등의 명사형 종지법이 불러일으키는 과감한 생략미 그리고 이에 따른 긴장과 이완의 교차가 시의 주제를 상승시키는 중요한 작용을 하는 것이다.

또한 5행 4연의 정제된 형식미와 대상을 처리하는 차분한 시선은 시의 단아한 기품을 유지시키는데 기여하고 있다. 무엇보다 평이한 어법과 친근한 소재의 무리 없는 결합이 불러일으키는 시적 진실성과 담백성은 온갖 공해와 기름기로 얼룩진 현대인에게 한 청량제가 될 것이 분명하다.

후기

　이 평론집은 저자가 지금까지 써온 시에 관련된 글 중에서 비교적 짧은 비평문을 엮은 책이다. 대부분의 글들이 청탁에 의해 쓰여진 것들이어서 질·량에 있어서 불충분하고 소략한 감이 없지 않다. 내용의 깊이도 부족하고 일관된 체계도 충분히 갖추어지지 못한 것 같아 부끄러울 따름이다.

　이 비평서는 제 I부에서는 한국문학의 비평적 성찰이, 제 II부에서는 현대시의 사적 전개과정이, 제 III부에서는 현대시의 이해방법이, 제 IV부에서는 현대시인들에 대한 단편적인 고찰이, 제 V부에서는 현대시 감상의 실제가 각각 수록되어 있다.

　비평집 제목을 "시와 진실"이라고 붙인 것은 문학 특히 시는 인간이 진실되게, 선하게, 아름답게 생을 초극하려는 몸부림과 의지를 언어로 표현하는 예술양식이라는 평소의 신념을 소박하게나마 확인해 보고 싶은 생각에서이다. 이렇게 묶어놓고 보니 온통 두려움과 자책감이 느껴진다. 그러나 대학 시절 처음 써본 졸 작평론 「한국 현대시 은유형태 분석론」이 신춘문예에 입선(서울신문, 1969, 정명환 선생님 선) 한지도 그럭저럭 15년을 넘어섰다는 점에서, 한 번 그간의 자신을 돌아보고 새로운 출발을 다짐하고 싶은 생각이 들었다. 아직 제대로 공부하지도 못했고 변변한 업적 하나 없는 처지에 평론집을 운위한다니 가당찮은 일로 여겨지지만, 새 출발의 전기로 삼고자 한다. 부질없이 게으르게 세월만 보낸 듯해서 그간 지도해 주시고 격려해 주신 여러 선생님들께 특히 정한모 선생님께 송구스럽고 부끄럽기만 하다. 이 부끄러움을 거울삼아, 이제는 쓰지 않고는 못 배겨서 쓰는 내심의 글, 쓰고 싶어 쓰는 진실의 글을 깊이 있게 체계적으로 써 나아가도록 노력하겠다. 동학 여러분과 독자들의 편달을 바라마지 않는다.

1984. 봄

김재홍

1947년 충남 천안 출생으로 서울대학교 사범대학 국어교육과를 졸업한 후, 동대학원 국어국문학과에서 박사학위를 취득했다. 1972년 육군사관학교 전임강사를 시작으로 충북대학교, 인하대학교, 경희대학교에서 교수로 재직했으며, 2012년 경희대학교 문과대학에서 정년 연장 명예교수로 퇴직하였다. 현재는 경희대학교 명예교수이자 백석대학교 석좌교수로 있다.

1969년 서울신문 신춘문예에 평론이 당선되면서 본격적인 문단활동을 시작했다. 이후 시인론, 작품론 등의 실제비평 및 문학사와 문학이론 연구 분야에서 독자적인 학문적 영역을 구축했다. 이 과정에서 『한국 현대 시인 연구 1,2,3』, 『카프시인 비평』, 『한국 현대 시인 비판』, 『한국 현대시의 사적 탐구』, 『현대시와 삶의 진실』, 『생명·사랑·평등의 시학 탐구』, 『한국 현대시 시어사전』을 비롯한 40여권의 저서를 발표했다. 이외에도 국내 최장수 시전문지 계간 『시와시학』과 한국현대시박물관을 창간 및 설립, 사단법인 만해사상실천선양회 상임대표와 만해학술원장 등을 역임하며 시의 대중화 작업 및 인문정신의 실천적 활동을 주도했다.

<제1회 녹원문학상>, <제33회 현대문학상>, <제1회 편운문학상>, <김환태문학상>, <후광문학상>, <현대불교문학상>, <유심문학상>, <만해대상>, <서울특별시 문화상> <보관문화훈장> 등을 수상했다.

한국전쟁과 현대시의 응전력

시와 진실

김재홍 문학전집 ②

| 초판 1쇄 인쇄일 | 2020년 3월 05일 |
| 초판 1쇄 발행일 | 2020년 3월 14일 |

엮은이	김재홍 문학전집 간행위원회
펴낸이	정진이
편집/디자인	우정민 우민지
마케팅	정찬용 정구형
영업관리	한선희 최재희
책임편집	정구형
인쇄처	으뜸사
펴낸곳	국학자료원 새미(주)
	등록일 2005 03 15 제25100－2005－000008호
	경기도 고양시 일산동구 중앙로 1261번길 79 하이베라스 405호
	Tel 442－4623 Fax 6499－3082
	www.kookhak.co.kr
	kookhak2001@hanmail.net

ISBN	979-11-90476-14-0 *94800
	979-11-90476-12-6 (set)
가격	300,000원

* 저자와의 협의하에 인지는 생략합니다.
  잘못된 책은 구입하신 곳에서 교환하여 드립니다.
  국학자료원·새미·북치는마을·LIE는 국학자료원 새미(주)의 브랜드입니다.
* 이 도서의 국립중앙도서관 출판예정도서목록(CIP)은 서지정보유통지원시스템 홈페이지(http://seoji.nl.go.kr)와 국가자료공동목록시스템(http://www.nl.go.kr/kolisnet)에서 이용하실 수 있습니다.